CARROUSEL MATHÉMATIQUE 3

TROISIÈME SECONDAIRE
TOME 1

GUY BRETON

JEAN-CHARLES MORAND

CENTRE ÉDUCATIF ET CULTUREL INC.
8101, boul. Métropolitain Est, Anjou, Qc, Canada. H1J 1J9
Téléphone: (514) 351-6010 Télécopie: (514) 351-3534

Directrice de l'édition
Emmanuelle Bruno

Directrice de la production
Lucie Plante-Audy

Chargée de projet
Carole Lortie

Réviseure linguistique
Ginette Choinière

Conception et réalisation graphique
Matteau Parent Graphistes inc.

Illustrations
Danielle Bélanger
Diane Blais

Infographie
Claude-Michel Prévost
Mélanie Chalifour
Éric Fortier
Pascal Vaillancourt

Dans cet ouvrage, la féminisation des titres de fonctions et des textes s'appuie sur les règles d'écriture proposées par l'Office de la langue française dans le guide *Au féminin*, Les Publications du Québec, 1991.

Dépôt légal : 2e trimestre 1995
Bibliothèque nationale du Québec
Bibliothèque nationale du Canada

ISBN 2-7617-1161-0
Imprimé au Canada
2 3 4 5 99 98 97 96 95

Remerciements

Les auteurs et l'éditeur tiennent à remercier particulièrement

Claire Bourdeau, enseignante au collège Durocher-Saint-Lambert

pour son soutien et sa participation durant toutes les étapes de rédaction et d'édition,

les personnes suivantes qui ont expérimenté le matériel ou qui ont participé à l'élaboration du projet à titre de consultants et de consultantes :

Éric Breton,
enseignant, polyvalente des Monts

Claude Delisle,
conseiller pédagogique, C.S. Black Lake-Disraeli

André Deschênes,
enseignant, Petit Séminaire de Québec

Catherine Girardon-Morand,
enseignante, école secondaire Saint-Jean

Christine Lacroix,
enseignante, Cegep André-Laurendeau et Collège Lionel-Groulx

ainsi que ceux et celles qui ont collaboré de près ou de loin au projet.

TABLE DES MATIÈRES

SIGNIFICATION DES PICTOGRAMMES

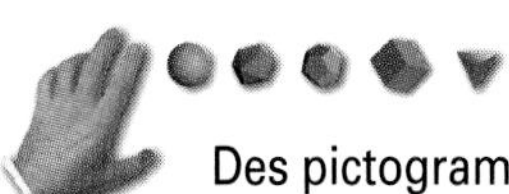

Des pictogrammes variant d'un itinéraire à l'autre annoncent l'étude de nouveaux sujets.

Ce pictogramme signale des idées mathématiques importantes.

Le *Carrefour* est un moment de discussion, de mise en commun, d'approfondissement et d'appropriation de la matière nouvellement présentée.

Le *Jogging* est une suite d'exercices et de problèmes visant à consolider l'apprentissage. Les couleurs des numéros ont chacune une signification particulière :

- ● : exercices et problèmes de base ;
- ● : problèmes d'applications ;
- ● : problèmes favorisant le développement de la pensée inductive et déductive ;
- ● : problèmes à caractère algébrique ;
- ● : problèmes favorisant les liens et le réinvestissement des connaissances mathématiques ;
- ● : problèmes favorisant l'appropriation de l'usage de la calculatrice.

Le *Calculab* poursuit le développement du sens du nombre et des techniques de calcul mental et d'estimation.

La rubrique *Expo-math* invite à connaître ceux et celles qui ont contribué à développer la mathématique à travers les âges.

La problématique porte sur les démarches et les méthodes de résolution de problèmes.

Comme son nom l'indique, la rubrique *Problèmes et stratégies* invite à réfléchir sur les stratégies propres à la résolution de problèmes.

La rubrique *Mes projets* constitue une invitation à mettre en application les acquis mathématiques étudiés à travers la réalisation de divers projets plus ou moins élaborés.

À la logicomathèque offre l'occasion de développer la pensée logique et le raisonnement.

Le *Leximath* est un glossaire ou dictionnaire mathématique. Il donne la signification des mots du langage mathématique et présente les principales habiletés de l'itinéraire.

Le *Passeport* te permet de vérifier les acquis avant l'évaluation.

AVANT-PROPOS

En troisième secondaire, on t'incitera à faire un choix de carrière. La mathématique jouera un rôle important dans ce choix. Les auteurs de Carrousel mathématique 3 en sont conscients. C'est pour cette raison que les efforts n'ont pas été ménagés pour te rendre cette mathématique intéressante. Cette année, huit itinéraires constitueront ton périple. Chacun de ces itinéraires te permettra de développer des concepts, d'acquérir des connaissances et de parfaire des habiletés aussi fondamentales que le sens spatial, la représentation des relations, le calcul numérique, le calcul algébrique, etc.

Carrousel mathématique 3 veut t'aider à entrer dans le XXIe siècle en te proposant des activités qui t'amèneront à penser et à raisonner. Il veut également te préparer à être un membre à part entière dans ton milieu en t'invitant à communiquer aux autres ta pensée mathématique, à travailler avec les autres pour faire des consensus et découvrir des stratégies efficaces et des solutions originales aux problèmes proposés.

Carrousel mathématique 3 veut également créer une ouverture sur l'utilisation de la technologie mise au point pour le mieux-être de tous. Il faut maîtriser cette technologie.

Carrousel mathématique 3 t'invite aussi à passer à l'action par la réalisation de projets à caractère mathématique. Il veut t'offrir la possibilité de te réaliser et d'acquérir la confiance et l'estime de toi-même.

À toi de faire ta part. On ne peut devenir que ce que l'on souhaite devenir ! Bon succès !

Les auteurs

À L'AUBE DU XXIe SIÈCLE

Que vous réserve le XXIe siècle ? Quelles seront les habiletés requises pour bien fonctionner dans ce monde ?

Déjà, certaines habiletés ressortent comme essentielles. Parmi les plus importantes, il faut citer :

LA CAPACITÉ DE PENSER ET DE RAISONNER LOGIQUEMENT

Apprendre, c'est plus que retenir de l'information.

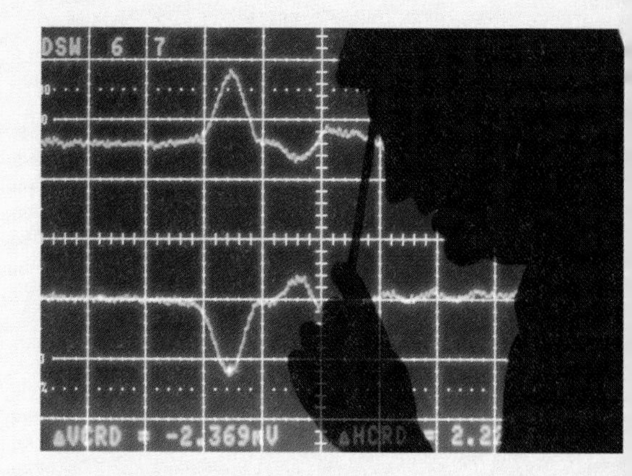

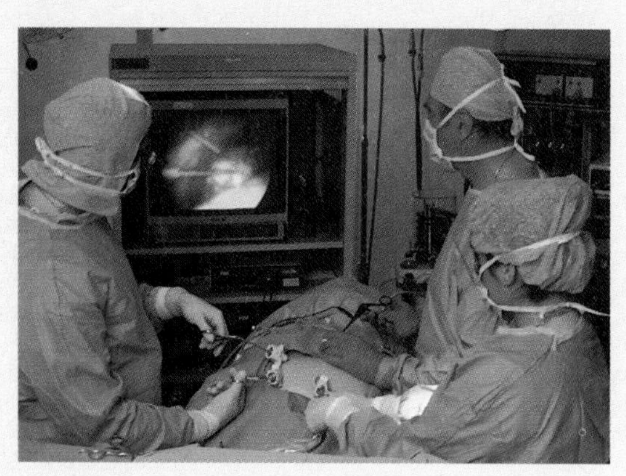

LA CAPACITÉ DE RÉSOUDRE DES PROBLÈMES EN ÉQUIPE

Le progrès nécessite une mise en commun des connaissances et des expériences de chacun et chacune.

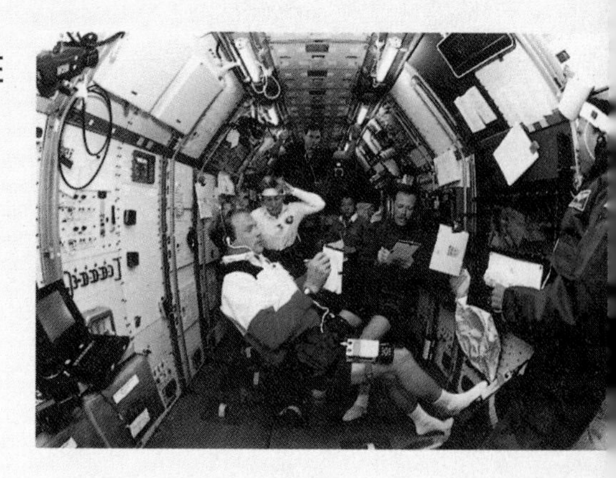

LA CAPACITÉ D'INTÉGRER LA MATHÉMATIQUE ET LA TECHNOLOGIE DANS SA VIE

La technologie est un ensemble d'outils inventés pour créer l'avenir.

DEMAIN, TA CONTRIBUTION SERA CELLE QUE TU PRÉPARES AUJOURD'HUI !

ITINÉRAIRE 1

LE SENS SPATIAL

Les grandes idées :

- Description de solides.
- Construction de solides.
- Représentation de solides.
- Classification de solides.
- Section de solides.
- Transformation de solides.
- Visualisation de solides.

Objectifs terminaux :

- Résoudre des problèmes portant sur des objets à trois dimensions.
- Résoudre des problèmes portant sur les solides.

... VERS L'ACQUISITION D'HABILETÉS SPATIALES

Les **points** sont des êtres mathématiques n'ayant **aucune dimension.** On les représente en tournant une pointe de crayon sur un plan.

Les lignes sont des êtres mathématiques à **1 dimension** : leur longueur.

Les surfaces sont des êtres mathématiques à **2 dimensions** : largeur et hauteur ou longueur et largeur.

L'assemblage de faces ou de surfaces permet de construire des formes qui délimitent un espace qu'on appelle **solide.** Les solides sont des êtres mathématiques à **3 dimensions** : largeur, hauteur et profondeur.

Recherche ces dimensions dans cette illustration.

Le Dr Bella Julesz fut le premier à utiliser, dans les années 60, des images en trois dimensions sur ordinateur. Il étudiait la perception visuelle chez l'être humain.

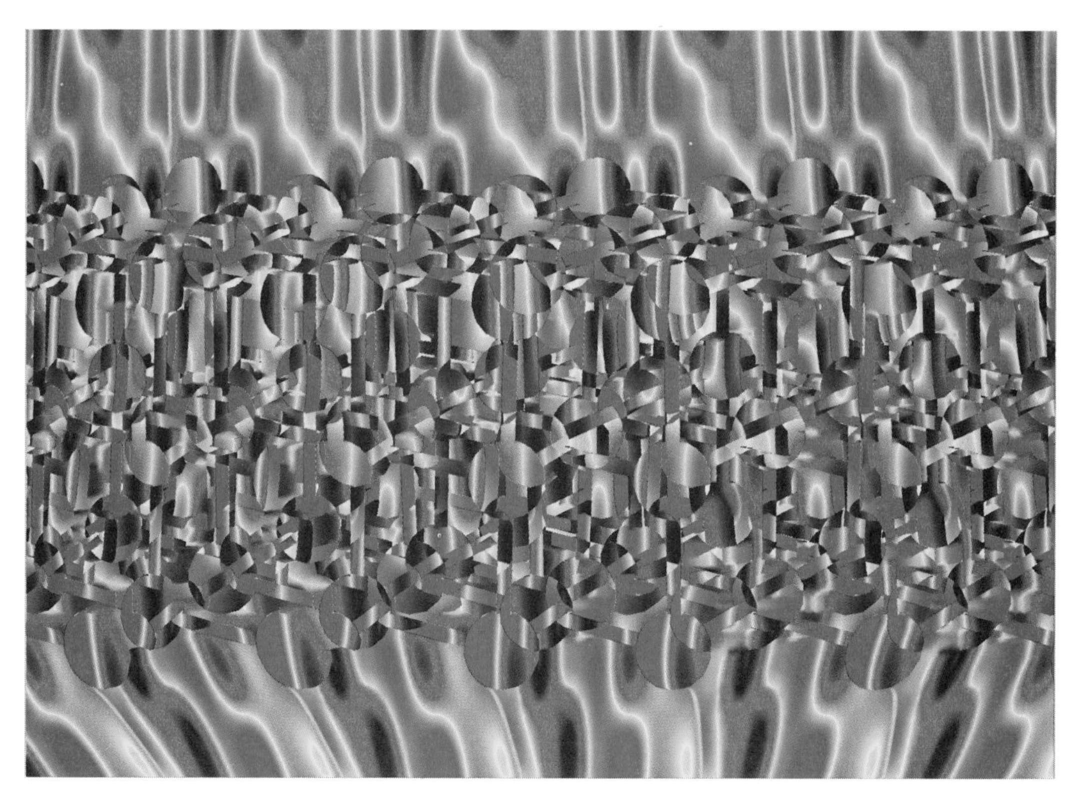

Tiens l'illustration près de ton visage, au bout de ton nez. Concentre-toi et fixe un point dans l'illustration. Éloigne-la lentement de ton visage. Un objet en trois dimensions émergera peu à peu.

Afin d'augmenter vos capacités à saisir et à maîtriser ce monde à 3 dimensions en perpétuel mouvement, on vous convie à réaliser les activités de cet itinéraire. Vous serez amenés à construire, à décrire et à représenter les objets à 3 dimensions. De plus, vous apprendrez à générer, à analyser, à voir mentalement, à classer et à transformer des solides. En un mot, il s'agit de développer votre **sens spatial.**

Vous serez ainsi mieux outillés pour percevoir et apprécier votre environnement. On vous attend à la première activité !

Certaines personnes vont jusqu'à dire que le sens spatial, c'est quelque chose d'autre que l'intelligence !

LES OBJETS À TROIS DIMENSIONS

Activité 1 Toutes sortes d'objets

a) Voici notre univers. Quels objets composent principalement cet univers ?

Que veut-on dire quand on affirme que les astres ne sont que quelques grains de sable dans l'océan ?

b) Redescendons sur terre et observons des objets plus près de nous. Nomme différentes caractéristiques que possèdent les objets suivants.

1) 2)

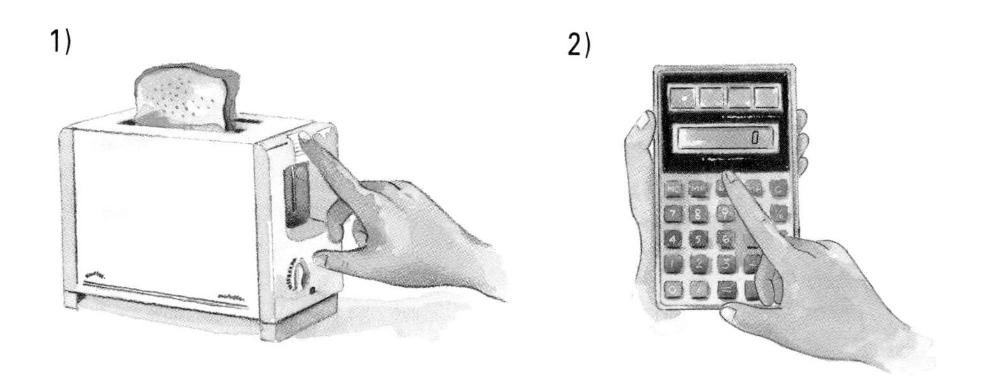

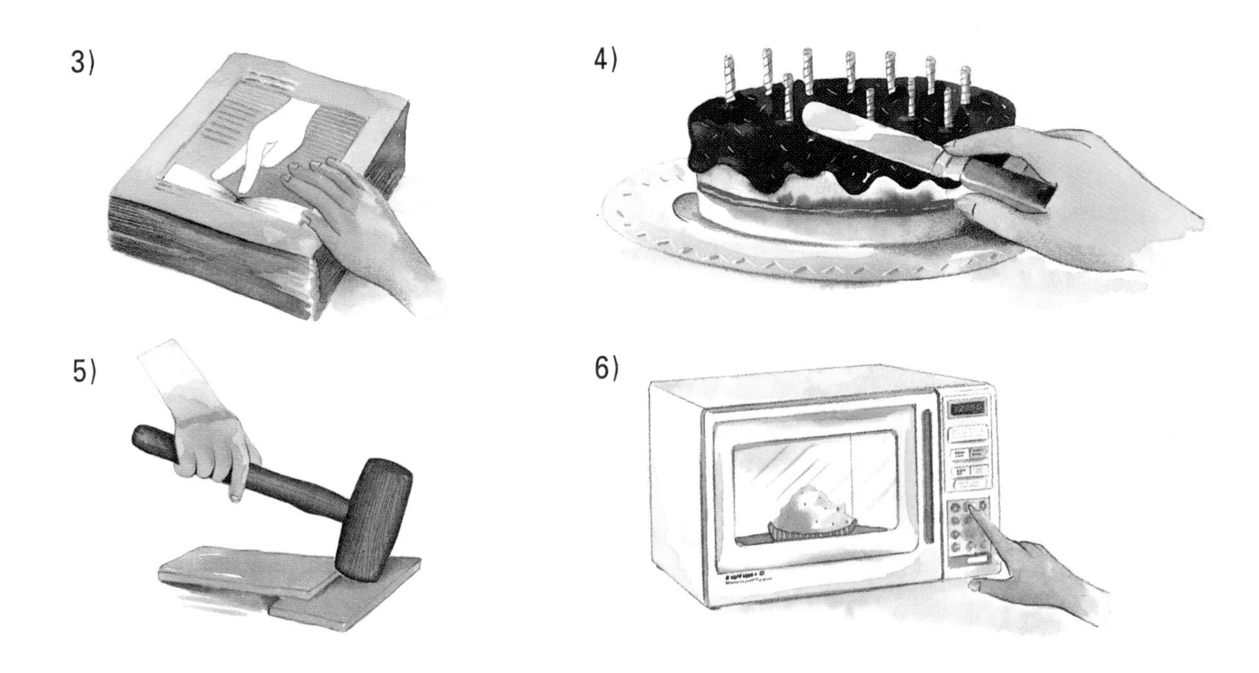

Les objets qui meublent notre environnement ont différentes **formes** et occupent un **espace.**

c) Décris en mots la forme de ces objets de manière qu'une personne qui t'écoute au téléphone puisse s'en faire une bonne idée.

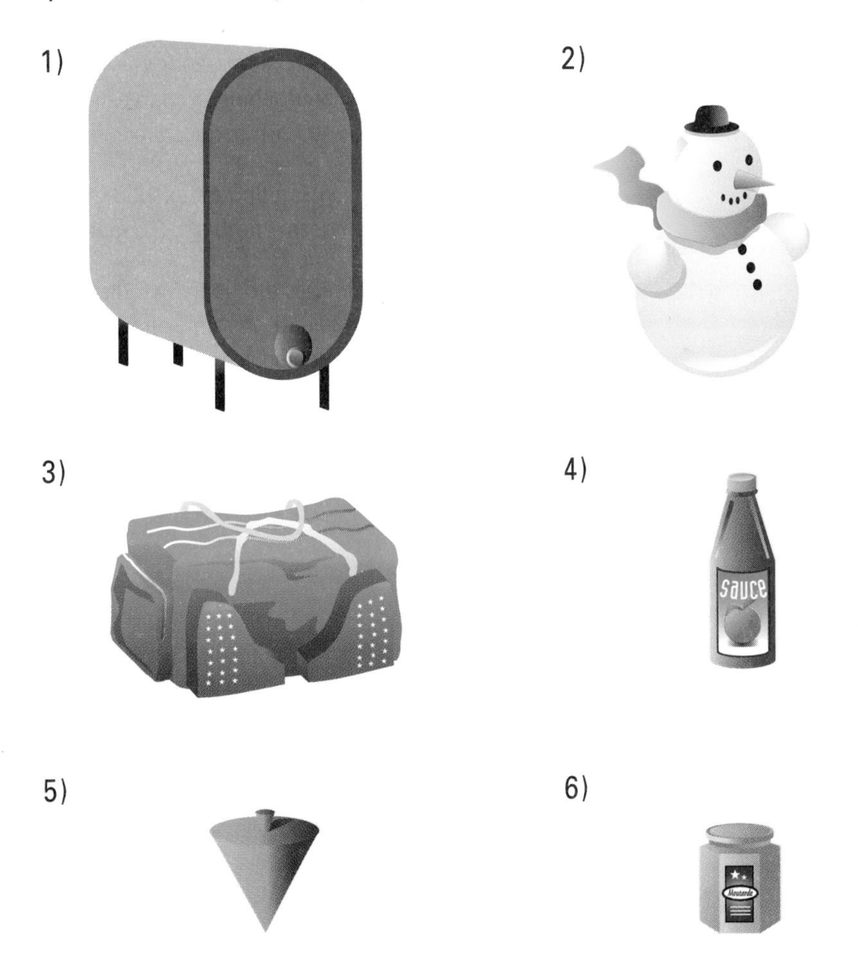

d) Voici une voiturette qui sert à promener des enfants dans un parc. Décris-la en mots, puis fais-en un croquis sur une feuille de papier.

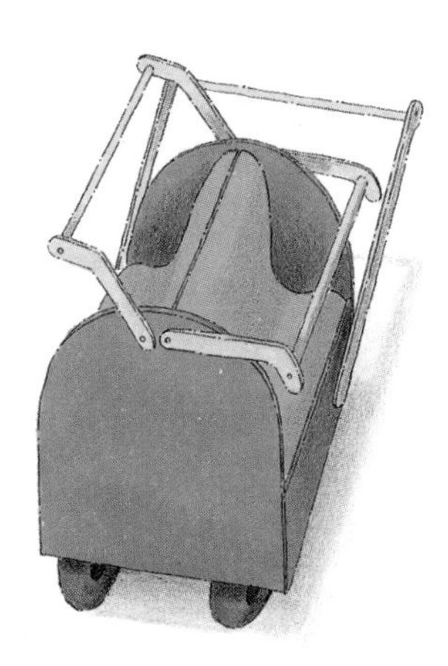

e) Tu as visité cette maison avec ton père. Décris-la en mots à ta mère, puis fais-en un croquis sur une feuille de papier.

f) Carlos habite à l'extérieur du Québec. Dans une lettre, décris-lui le Stade olympique de Montréal et fournis-lui un croquis.

g) Décris en mots l'édifice suivant.

Habitat 67.

h) Décris la forme de l'école apparaissant sur cette photographie.

i) Thomas a dessiné l'ovni qu'il a aperçu dans un rêve. Fais-en une description à un ami ou une amie.

j) Décris le plus précisément possible la forme de cette pointe de tarte.

k) Comment peut-on décrire ces objets ?

1)

2)

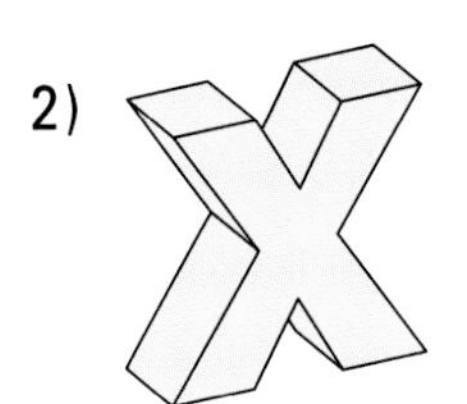

l) À Poitiers, en France, on a construit un site aux multiples pavillons dont l'architecture défie l'imagination la plus audacieuse. Décris les pavillons suivants :

Exposition permanente de nouvelles technologies de l'image, le Futuroscope compte une douzaine de pavillons.

1)

La Gyrotour.

2)

Le Pavillon du Futuroscope.

m) Décris en mots la forme de cette cabane à oiseaux.

n) Les hôtels sont construits selon différents modèles qui visent souvent à être très fonctionnels.

1) Décris en mots cet hôtel qu'on a construit sur le bord d'une plage.

2) Donne une bonne raison qui justifie le choix de la forme de cet hôtel.

o) Décris en mots ce ballon de soccer.

p) Décris en mots chacun des objets suivants.

1)

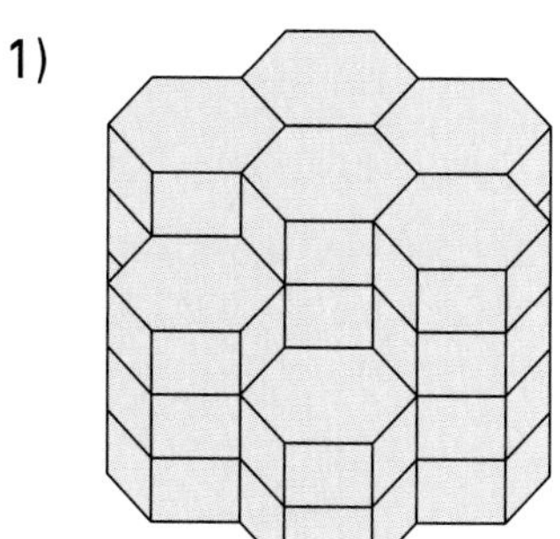

2)

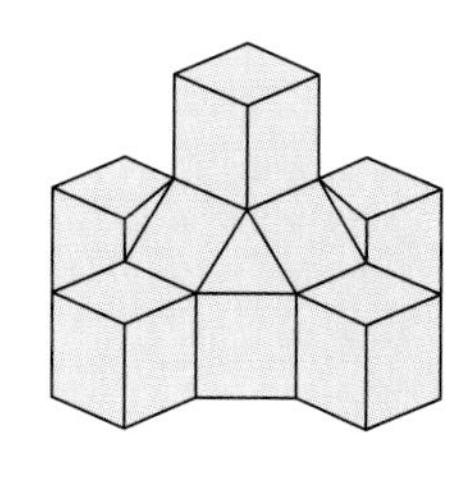

Activité 2 Le cube

Le **cube** est le modèle de base de construction de la plupart des objets de notre environnement.

a) Donne les principales caractéristiques des objets qui ont la forme d'un cube.

Avec des petits cubes, on peut construire des objets de différentes formes.

Avec deux cubes, on ne peut construire qu'une seule forme si on exige que deux faces communes se recouvrent entièrement.

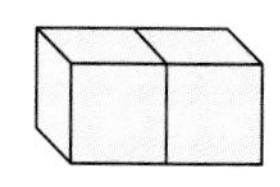

Avec trois cubes, on peut en construire deux.

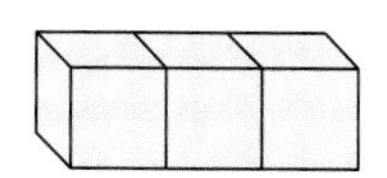

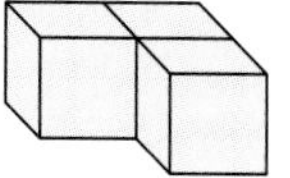

b) Combien d'objets de formes différentes peut-on construire avec 4 cubes ? Dessine ces objets sur une feuille de papier au fur et à mesure que tu les construis.

c) Complète la construction de ces édifices afin d'avoir des tours de 3 étages aux 4 coins.

1) 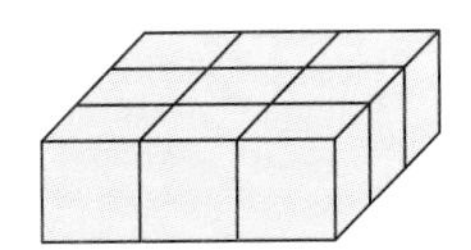

2) 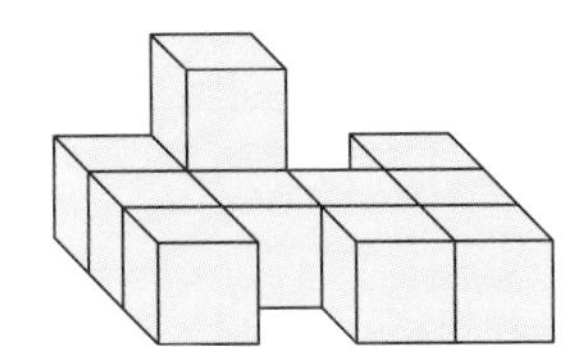

d) À l'aide de cubes, construis ces objets. Ajoute ensuite le minimum de cubes pour les rendre symétriques par rapport à un plan. Ce plan doit partager l'objet en un nombre entier de cubes de part et d'autre. Combien de cubes faut-il ajouter dans chaque cas ?

1) 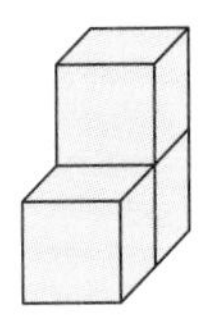

2) 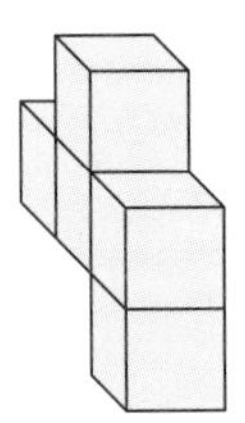

e) Combien de cubes au minimum et au maximum ces solides comptent-ils ?

1) 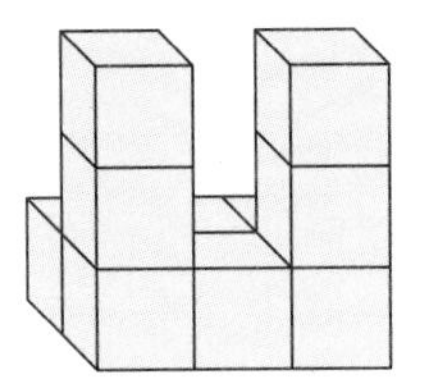

2) 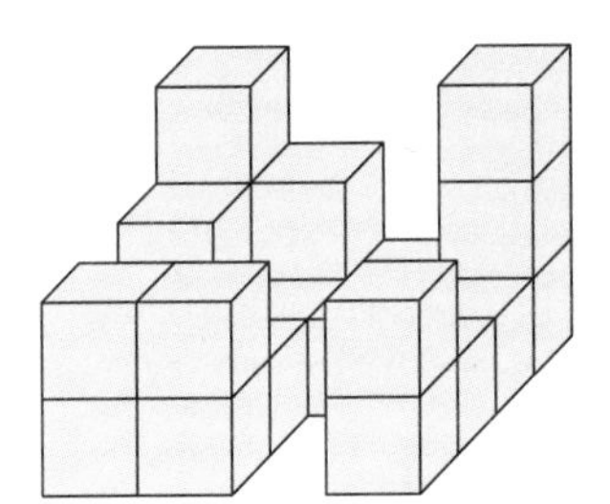

f) Dans la construction de ce solide, on peut voir une certaine régularité. Après avoir perçu cette régularité, ajoute 6 autres cubes.

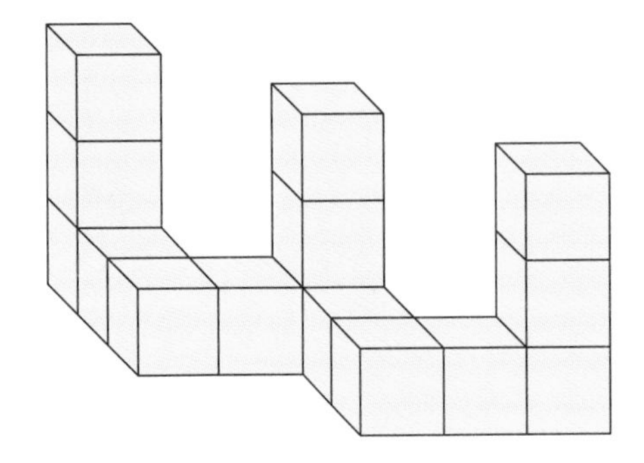

g) Décris en mots comment on a formé ces objets. Détermine combien de cubes il a fallu pour construire chaque empilement.

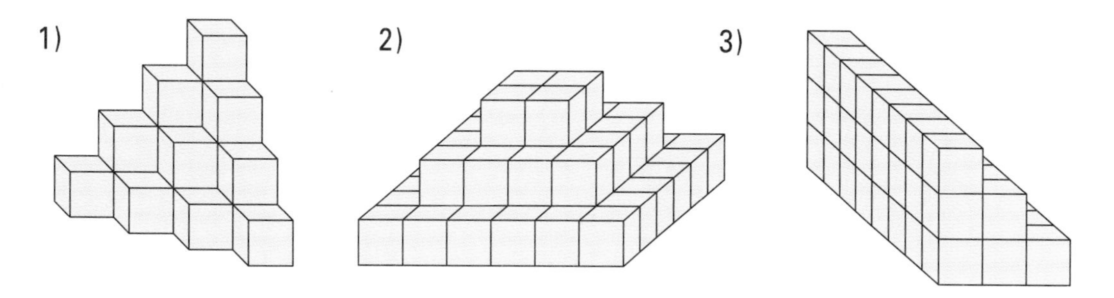

h) Trouve une règle qui permet de calculer combien de cubes forment la base de l'empilement ci-dessous pour un nombre quelconque de strates.

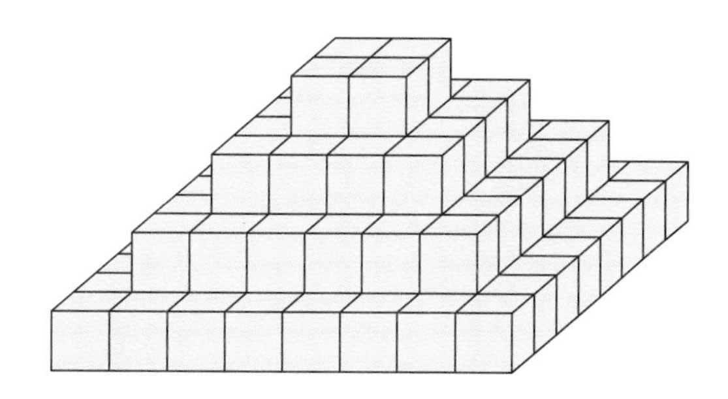

i) Parmi les 5 pièces représentées, seulement 2 peuvent s'assembler et reconstituer un cube. Lesquelles ?

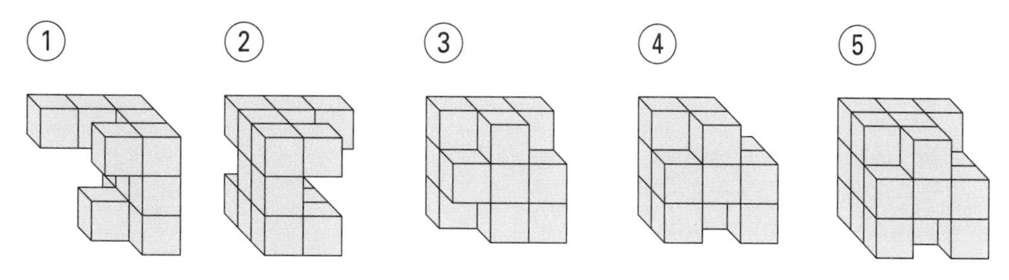

j) Donne en mots une description de ces objets.

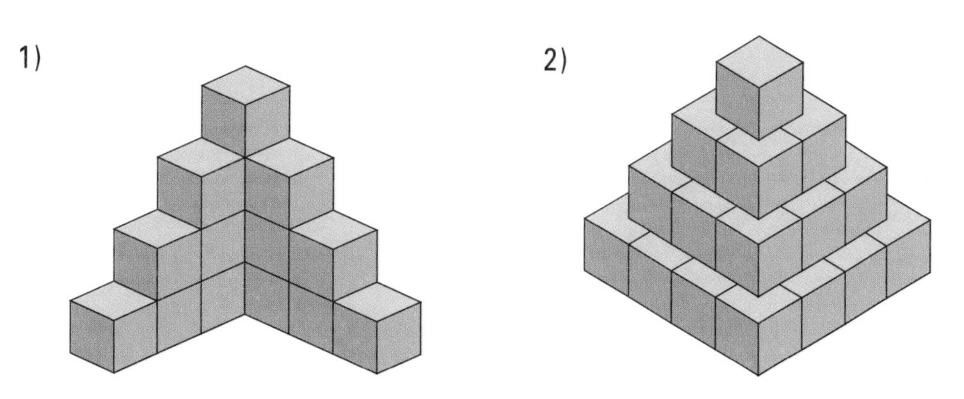

k)

l) Construis cet objet avec un trou au centre donnant sur deux faces opposées.

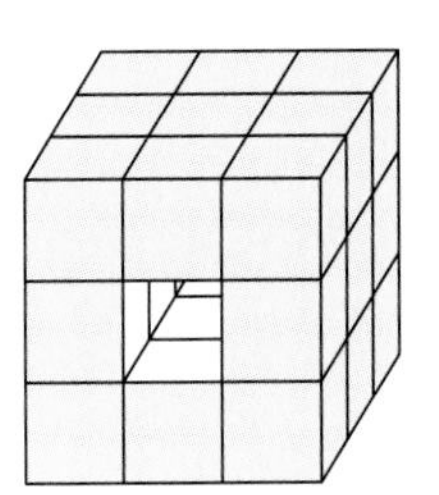

m) À l'aide de cubes, construis le solide illustré ci-contre. Cet objet est tel que ce que tu ne vois pas est identique à ce que tu vois.

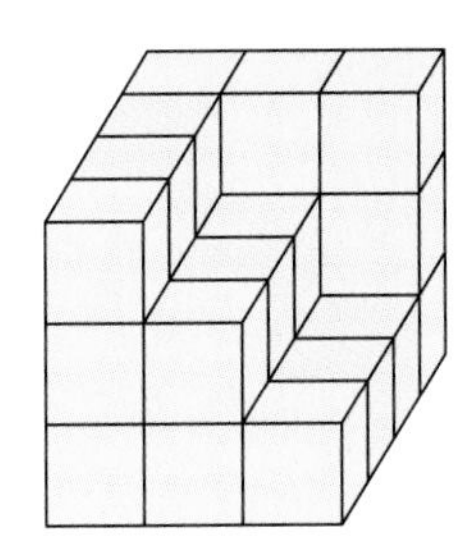

n) À l'aide de cubes, bâtis le plus petit objet qui, vu dans l'obscurité, a l'aspect illustré ci-contre.

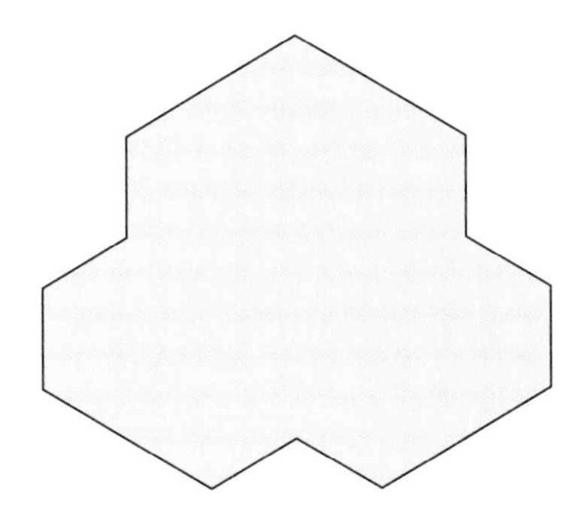

o) À l'aide de cubes,

1) construis un objet montrant 3 couches ou strates parallèles de cubes; chaque strate doit être formée de 2 rangées de 3 cubes;

2) peut-on construire une seule forme? Sinon, fabriques-en une autre.

p) À l'aide de cubes, construis un escalier de 3 marches formées de 3 cubes de largeur et montrant cette vue de côté.

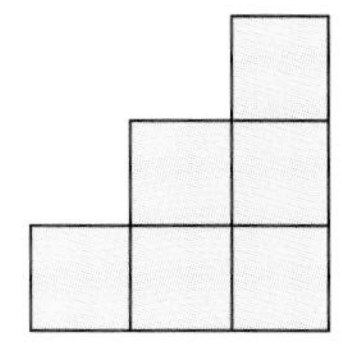

Activité 3 Des vues

Une façon de représenter les objets est l'utilisation des **vues.** Les vues d'un objet sont les figures planes que l'on voit en se plaçant directement devant chaque face de l'objet.

a) Selon la face qu'elle observe, l'abeille n'a pas la même vision de l'objet. Décris la position de l'abeille lorsqu'elle voit la figure donnée.

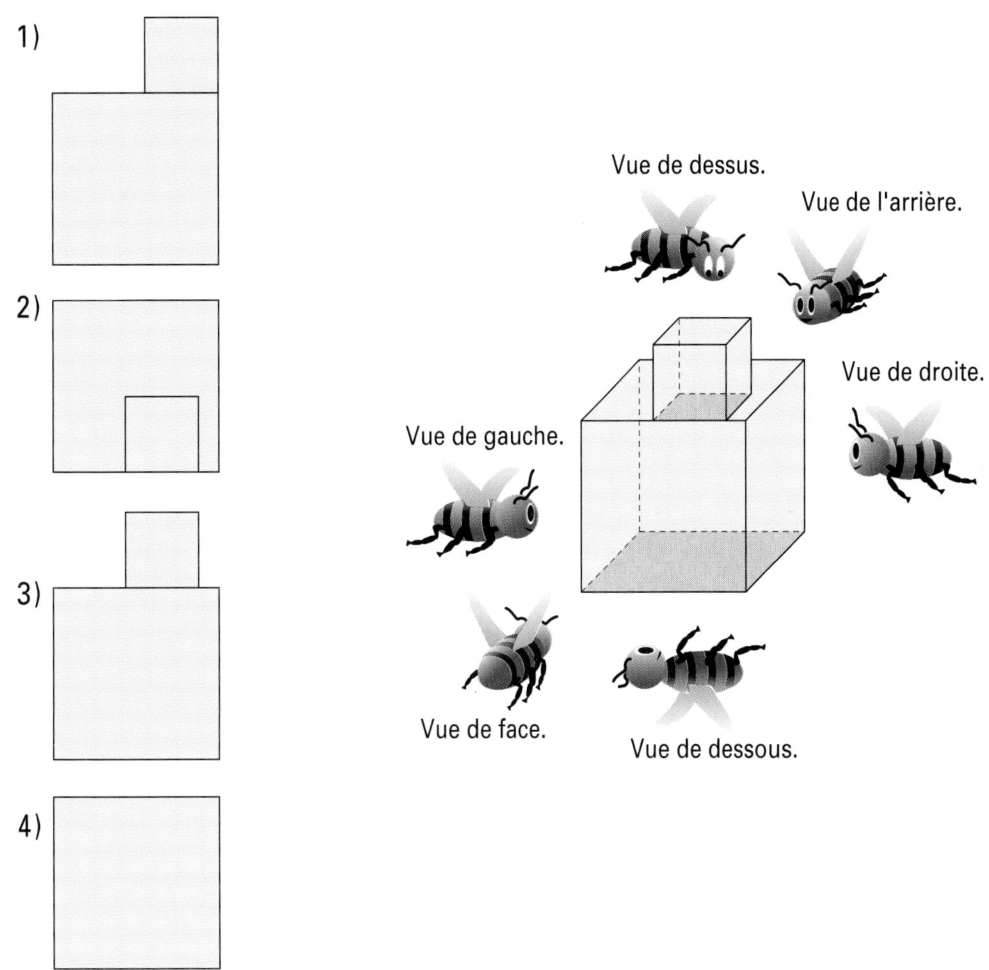

b) Dessine les deux autres vues qui n'ont pas été illustrées à la question précédente.

c) Chang s'est placé du côté gauche du solide ci-dessous et l'éclaire à l'aide d'une lampe de poche placée vis-à-vis le centre de la face. On voit apparaître l'ombre du solide sur un plan vertical. Cette ombre est une représentation de la vue de gauche de ce solide. Dessine la vue :

1) de face;

2) de droite;

3) de l'arrière;

4) du dessus.

d) Dessine les vues demandées à partir du solide donné.

1) SOLIDE FACE DROITE DESSOUS

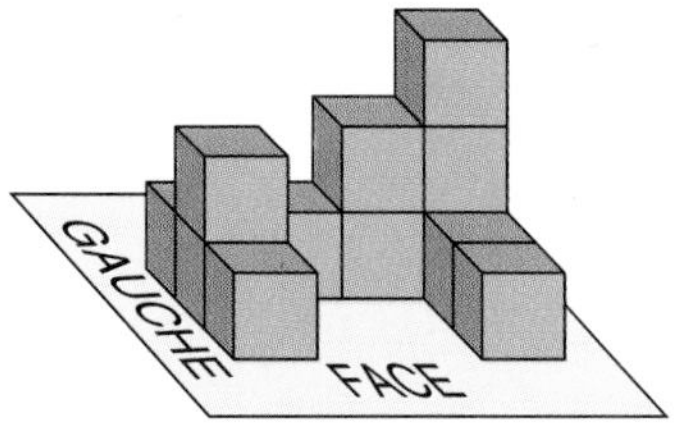

2) SOLIDE FACE DROITE DESSOUS

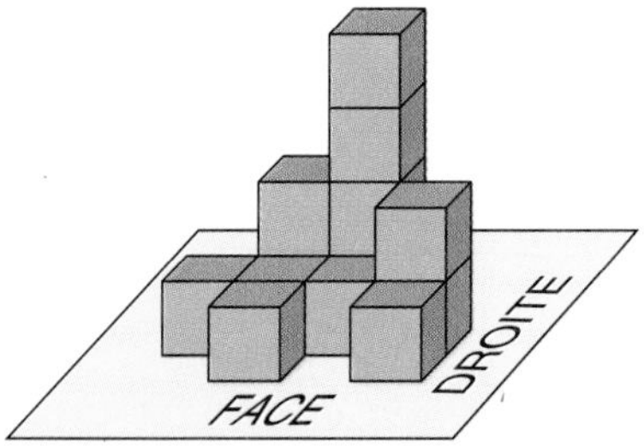

e) On donne les vues de dessus de trois objets. Les nombres indiquent la quantité de petits cubes empilés.

Indique de quel objet provient la vue donnée.

1) FACE

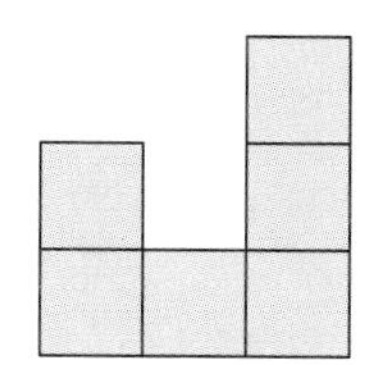

2) DROITE

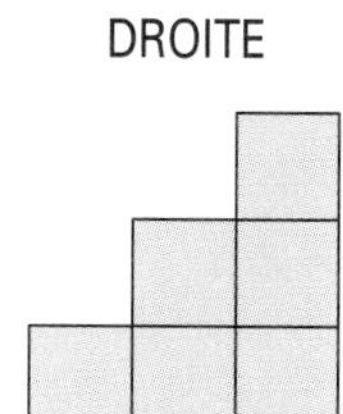

3) GAUCHE

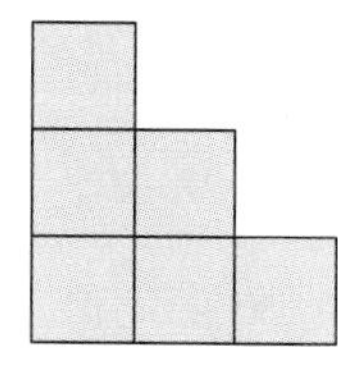

4) FACE

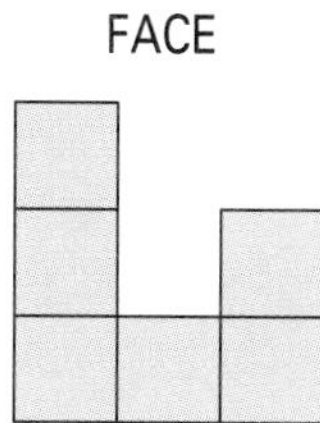

5) FACE

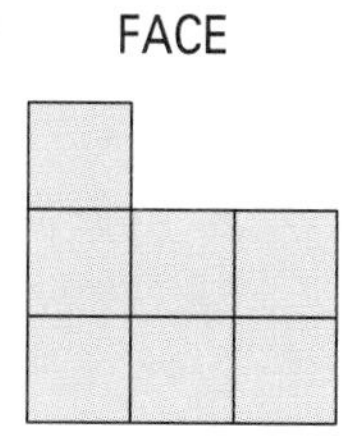

6) DESSOUS

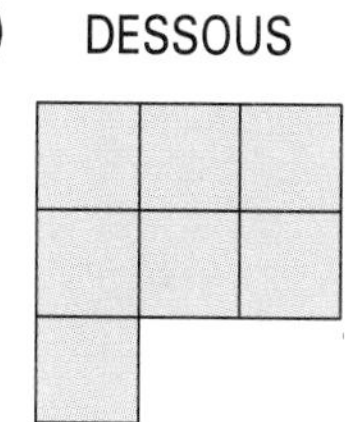

f) On donne 3 vues différentes d'un solide. Dessine dans ton cahier la vue du dessous. Indique ensuite le nombre de cubes empilés formant chaque colonne.

1) FACE

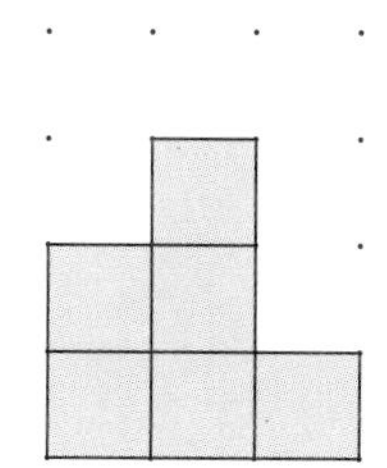

DROITE

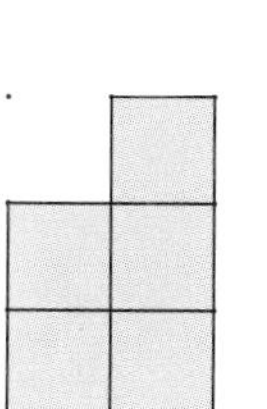

DESSUS

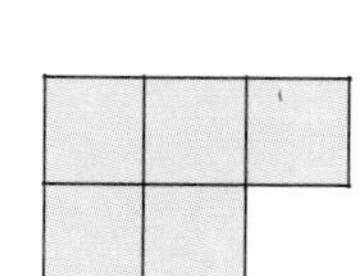

2) FACE

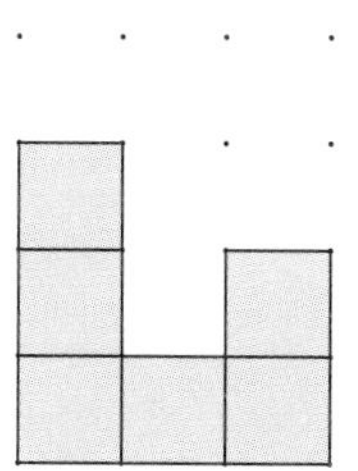

DROITE

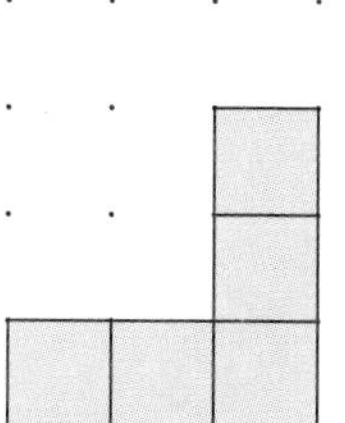

DESSUS

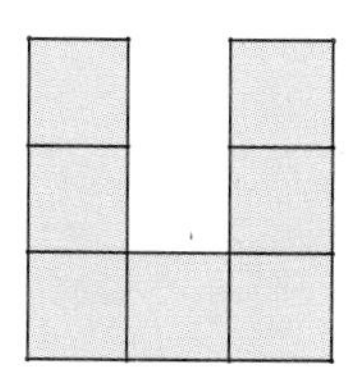

g) Voici différentes vues de cette maison. Identifie chacune d'elles.

1)

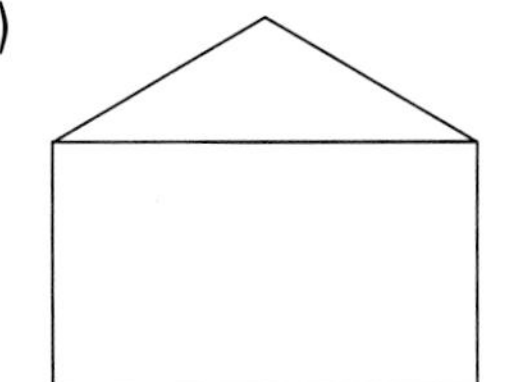

2)

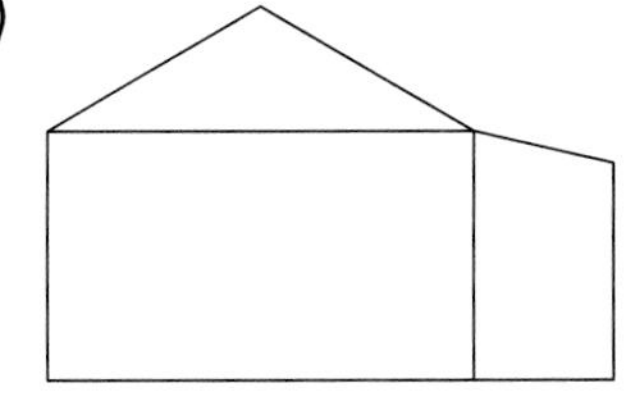

3)

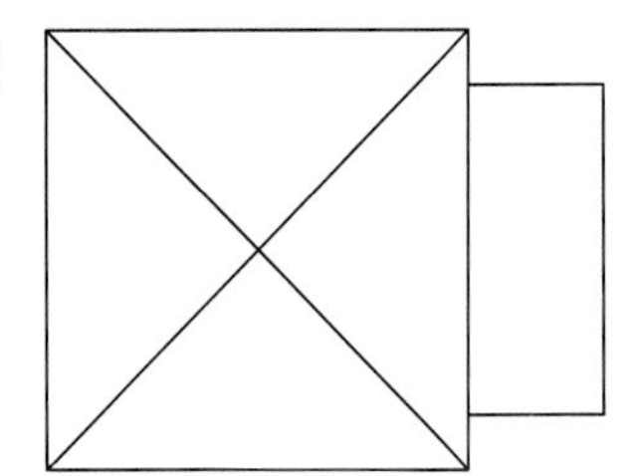

4)

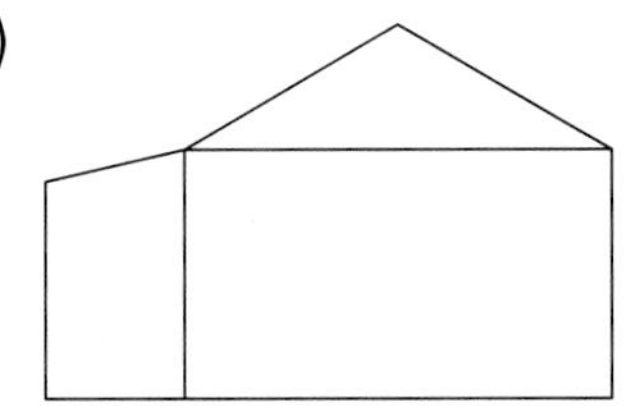

5)

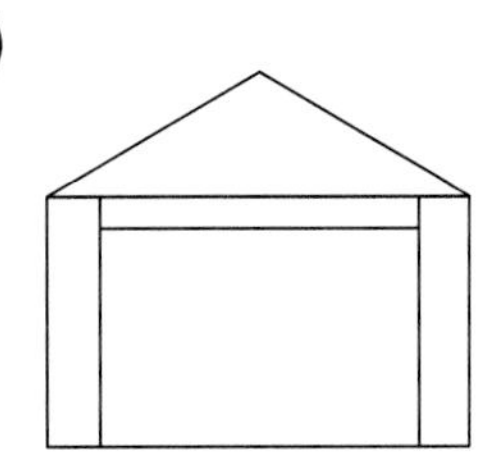

6)

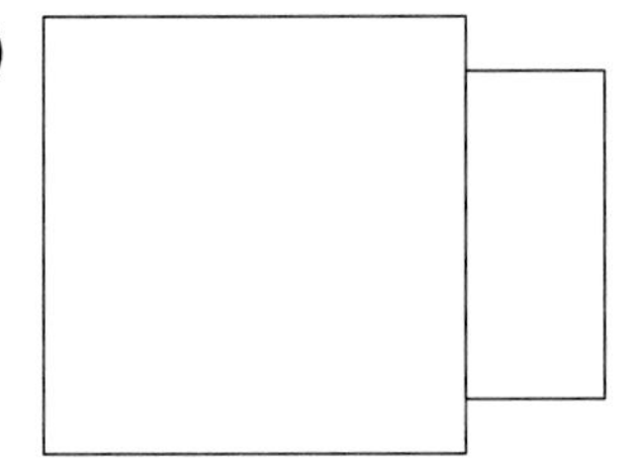

h) Dessine les vues de ces objets en identifiant chacune d'elles (face, arrière, gauche, droite, dessus, dessous).

1)

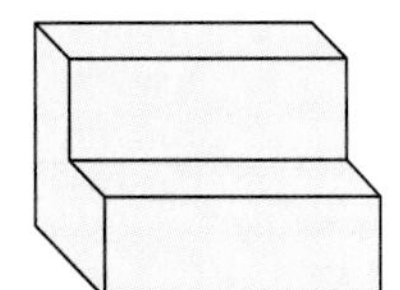

2)

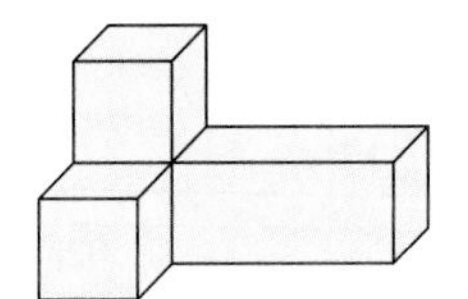

Activité 4 La représentation des objets

Représenter un objet à 3 dimensions dans un plan qui pose quelques problèmes.

a) Voici deux carrés.

1) Redessine-les de façon qu'ils aient un côté commun et qu'ils soient perpendiculaires l'un à l'autre.

2) À l'aide du coin de ta règle, vérifie si l'angle formé sur ton dessin par les deux carrés mesure bien 90°. Quelle conclusion peut-on en tirer ?

b) Voici les représentations de trois objets.

Objet A Objet B Objet C

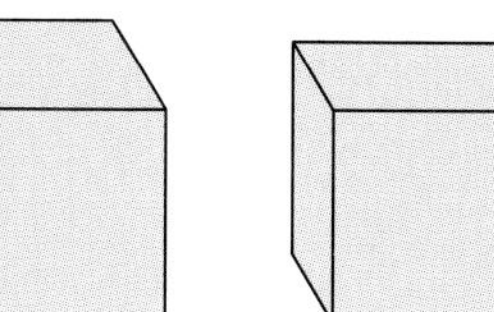

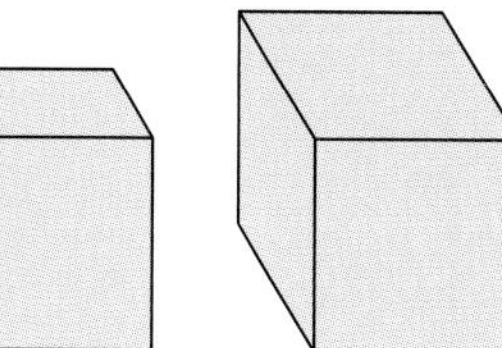

1) Laquelle est celle d'un cube ?

2) Si l'objet A est un cube, alors décris les objets B et C.

3) Si l'objet B est le cube, alors décris les objets A et C.

Comme on le voit, on **a besoin de certaines règles** pour représenter un cube.

c) Voici une petite expérience qui nous permet de voir rapidement plusieurs représentations d'un cube. Plaçons un cube transparent devant une source lumineuse et observons son ombre sur une feuille de papier. En bougeant le cube, on observe diverses représentations. Effectue cette expérience.

d) Kate affirme que son pochoir géométrique présente deux figures qui permettent d'illustrer des cubes. Voici ces figures. Kate a-t-elle raison ?

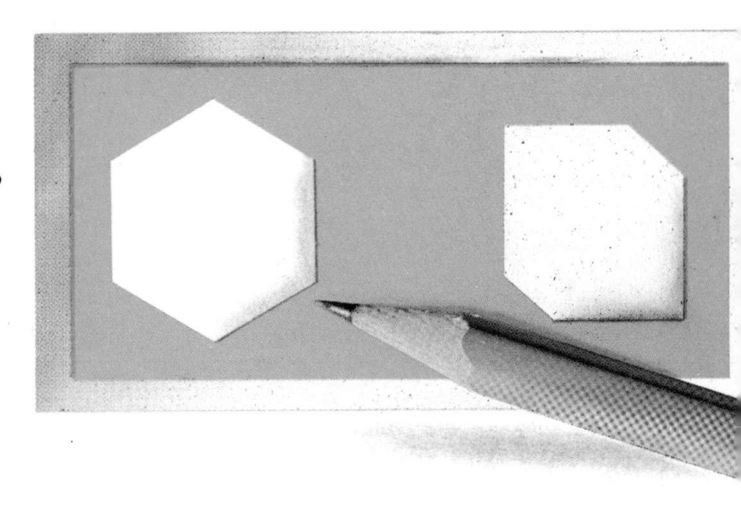

Il existe plusieurs façons de représenter des objets en trois dimensions dans un plan ou sur une feuille de papier. Les plus intéressantes sont les perspectives cavalière, axonométrique et linéaire.

Activité 5 La perspective cavalière

Voici le procédé utilisé par Grégoire pour tracer un cube dans la perspective cavalière.

Les règles et conventions de tracé selon différentes perspectives ont été découvertes par les peintres des XIVe et XVe siècles.

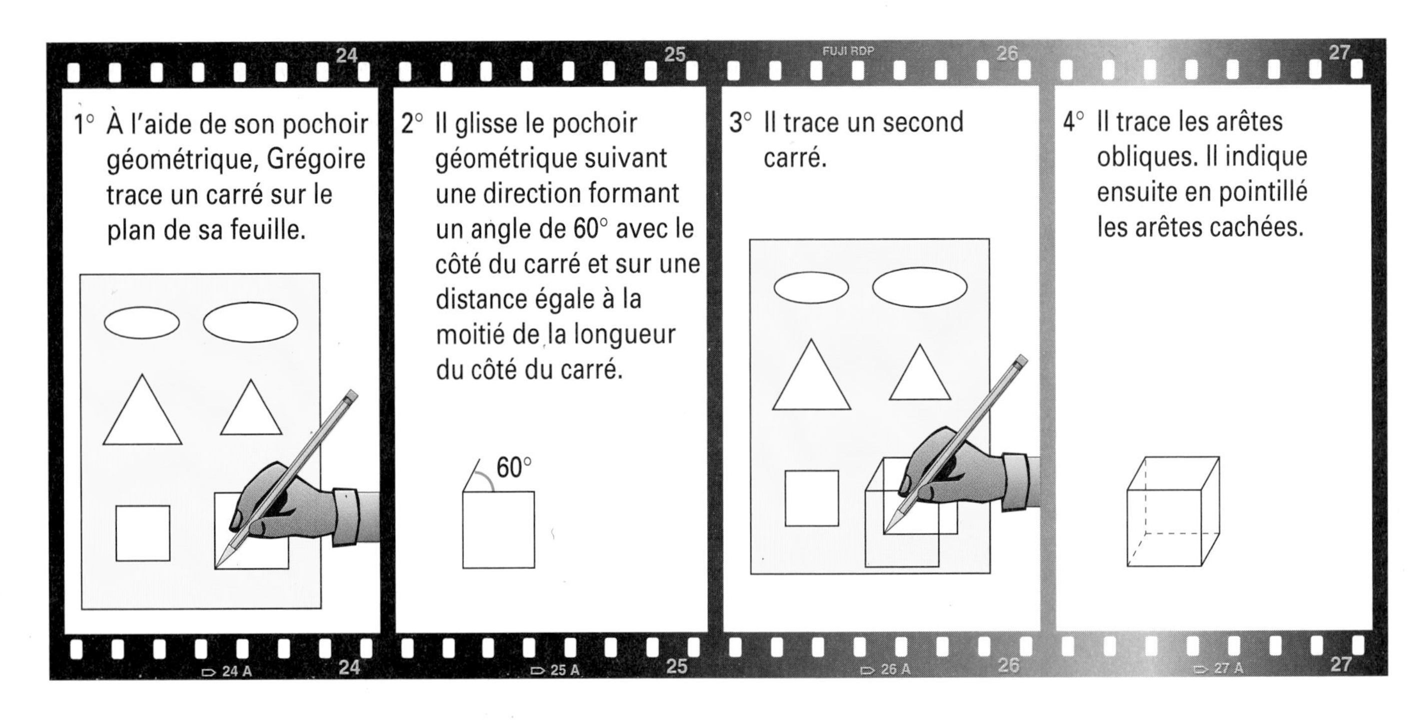

Les arêtes liant les faces avant et arrière sont appelées les **fuyantes**. Les fuyantes ont des représentations réduites par rapport à celles des arêtes des faces avant et arrière.

Dans une telle représentation, il faut bien distinguer la représentation de la réalité.

a) Dans la réalité, le cube est formé de 6 carrés. A-t-on obtenu 6 carrés dans la représentation en perspective cavalière du cube ? Sinon, quelles sortes de figures a-t-on obtenues ?

b) Dans la réalité, les angles du cube sont tous droits. En est-il ainsi dans la représentation cavalière sur une feuille de papier ?

c) Dans la réalité, les arêtes des faces sont parallèles deux à deux. En est-il ainsi dans la représentation en perspective cavalière ?

Dans la représentation d'un objet en **perspective cavalière,** on exige que :

1° l'une des faces de l'objet soit placée parallèlement au plan de la feuille et ne soit pas déformée ;

2° les fuyantes soient obliques ;

3° les fuyantes soient réduites (généralement de moitié).

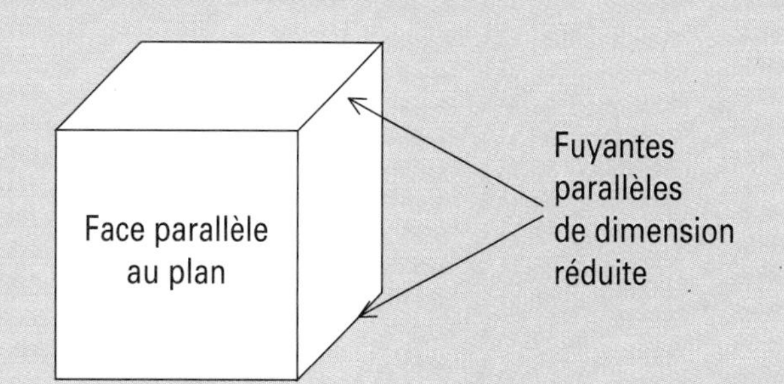

Si l'on ajoute les arêtes cachées en pointillé, la représentation devient alors transparente ; sinon, elle est dite opaque.

d) On a tracé trois arêtes de boîtes d'emballage. Reproduis-les et complète la représentation des boîtes en perspective cavalière.

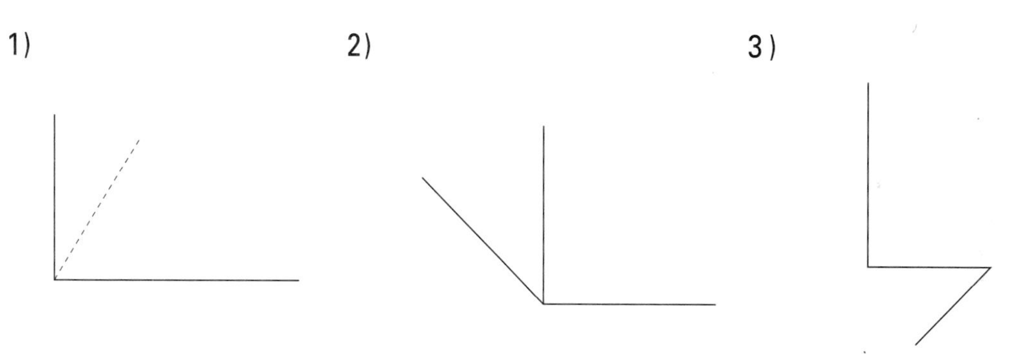

e) Voici trois représentations de boîtes en perspective cavalière. Dans chaque cas, détermine la mesure de l'angle des fuyantes avec l'horizontale. La face grise est la face avant de la boîte.

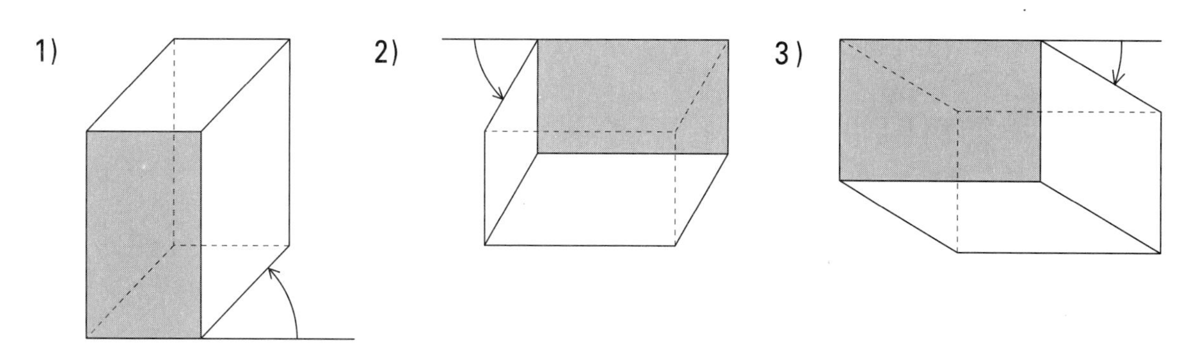

f) Trace en perspective cavalière les représentations de 4 cubes en changeant chaque fois le point d'observation.

1) Cube vu du dessus et de la droite.

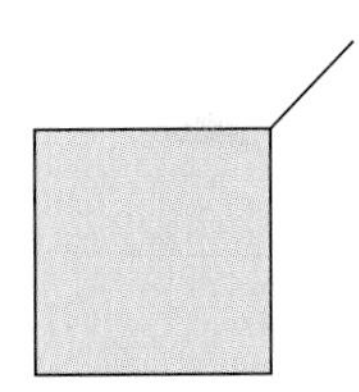

2) Cube vu du dessus et de la gauche.

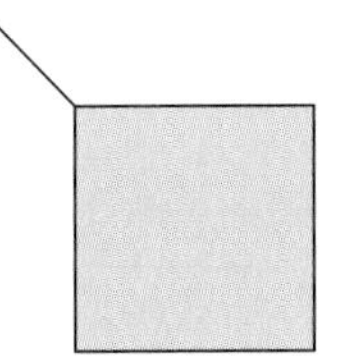

3) Cube vu du dessous et de la droite.

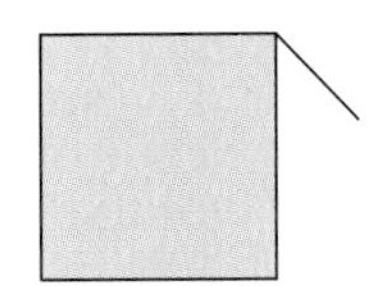

4) Cube vu du dessous et de la gauche.

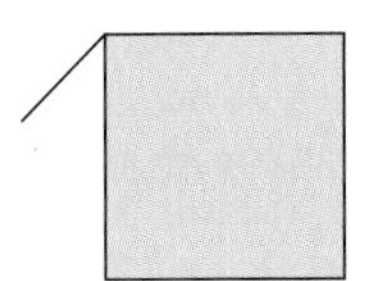

g) Avec laquelle des quatre représentations ci-dessus te sens-tu le plus à l'aise?

h) Pour faire des représentations en perspective cavalière, on peut utiliser du papier quadrillé. Complète en perspective cavalière les deux représentations d'un objet formé de deux cubes :

1) superposés;

C'est comme si le papier était placé verticalement.

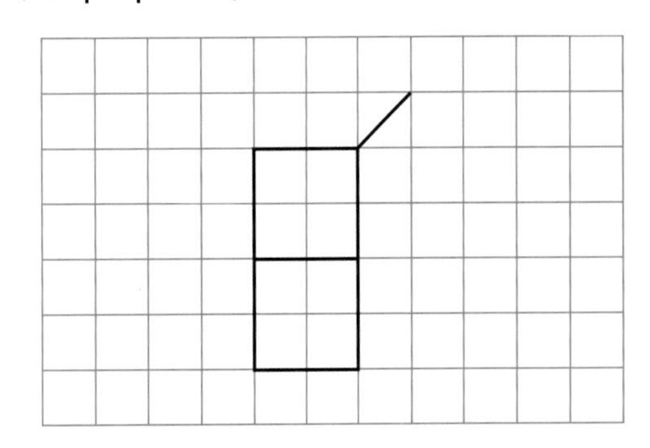

2) juxtaposés.

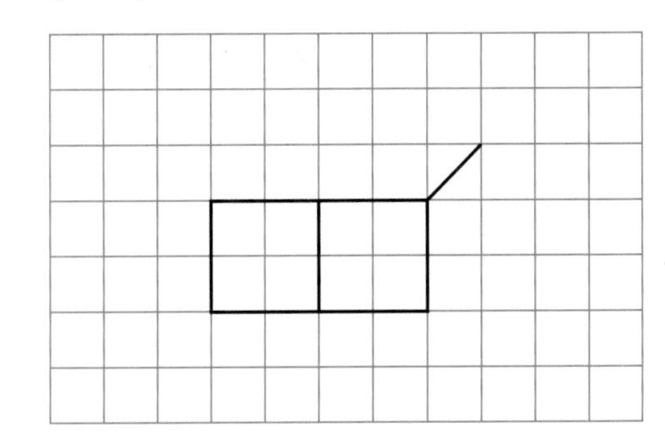

i) Dans ces dernières représentations en perspective cavalière sur du papier quadrillé,

1) quelle est la mesure de l'angle que les fuyantes forment avec l'horizontale?

2) quel est le facteur de réduction des fuyantes?

j) Représente en perspective cavalière l'objet décrit.

1) Un L formé de 2 cubes à la base et de 3 cubes en hauteur.

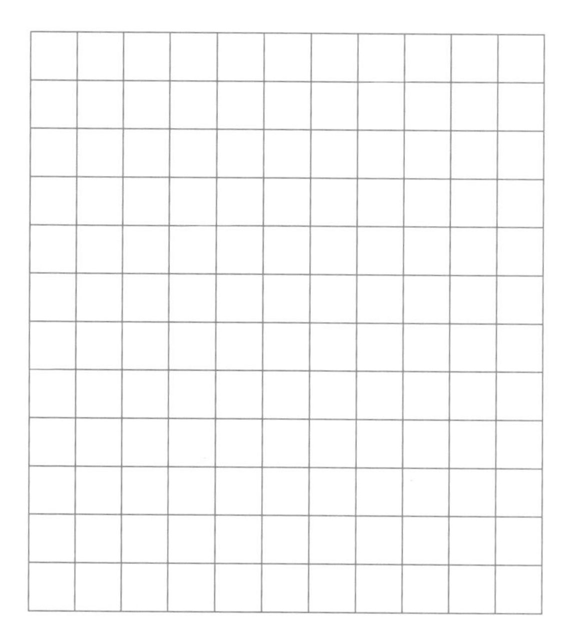

2) Un H formé de 7 cubes dont 3 pour chaque partie verticale.

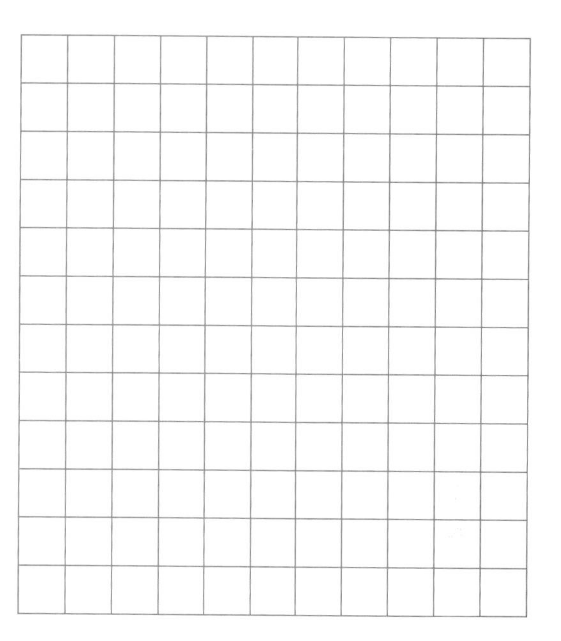

k) Représente en perspective cavalière l'objet correspondant à la description donnée.

1) Un wagon de chemin de fer vu sur la longueur et du dessus.

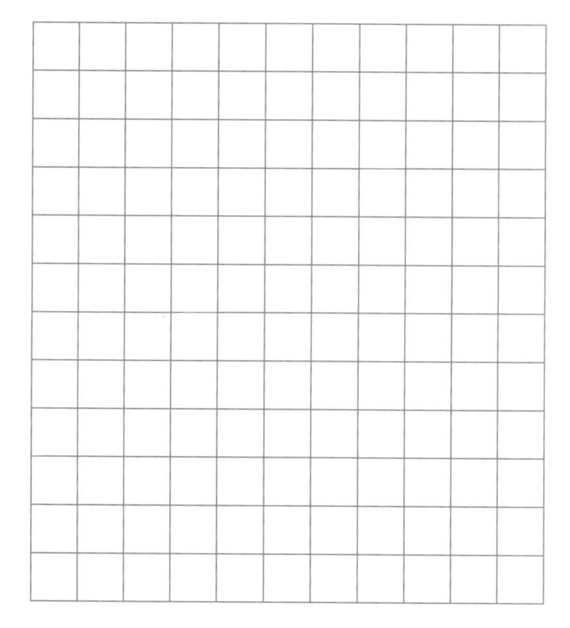

2) Un classeur à 3 tiroirs vu de face et de la droite.

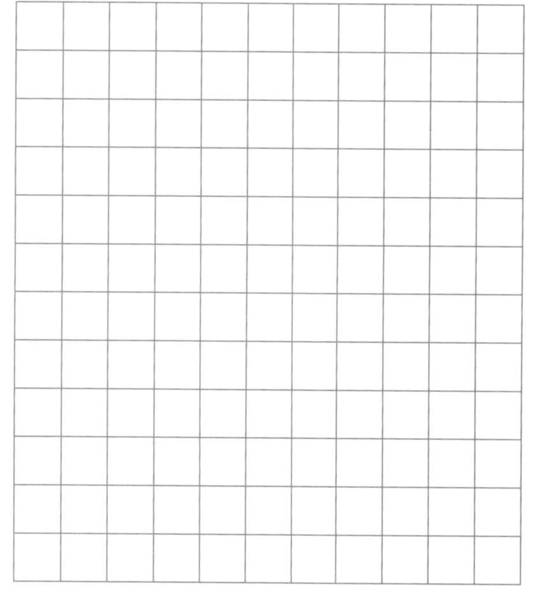

l) On peut également utiliser un papier marqué de lignes formant des parallélogrammes. Complète la représentation en perspective cavalière des objets ayant ces arêtes.

C'est comme si le papier était placé horizontalement.

1)

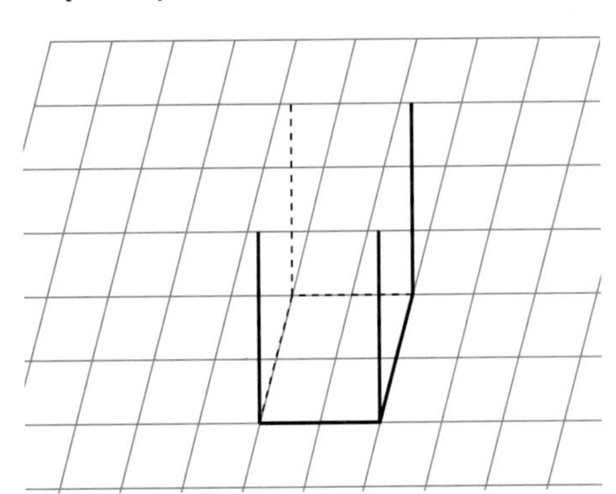

2)

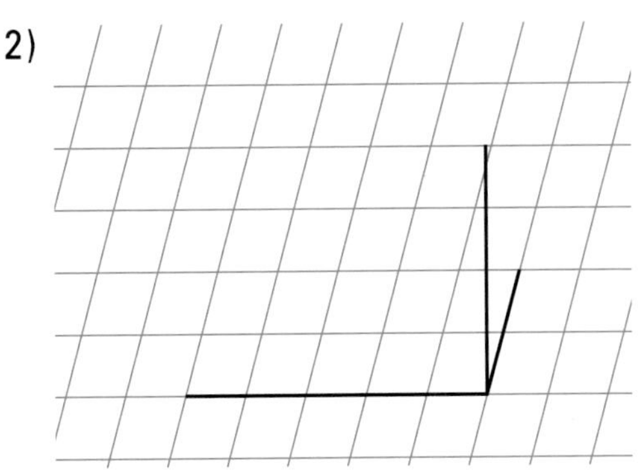

Activité 6 La perspective axonométrique

La perspective axonométrique utilise 3 axes qui portent 3 arêtes se rencontrant en un même sommet.

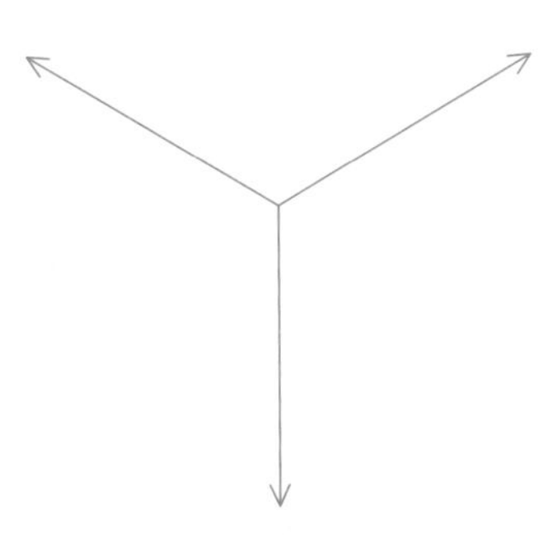

Les trois angles ainsi formés peuvent être ou ne pas être congrus.
Des arêtes parallèles dans la réalité sont reproduites parallèles dans le plan.

a) Complète ces représentations de boîtes en perspective axonométrique.

1)

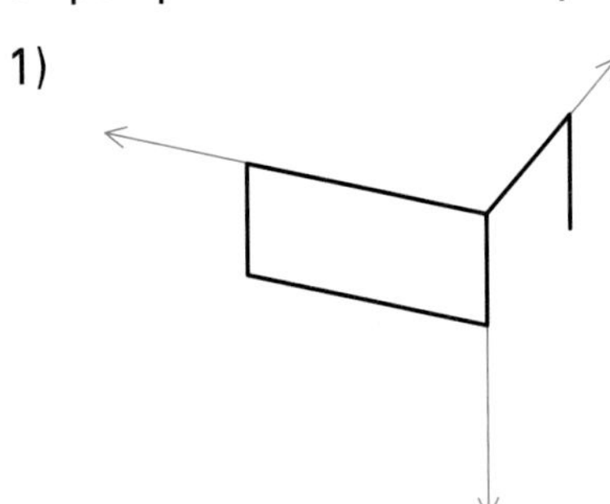

2)

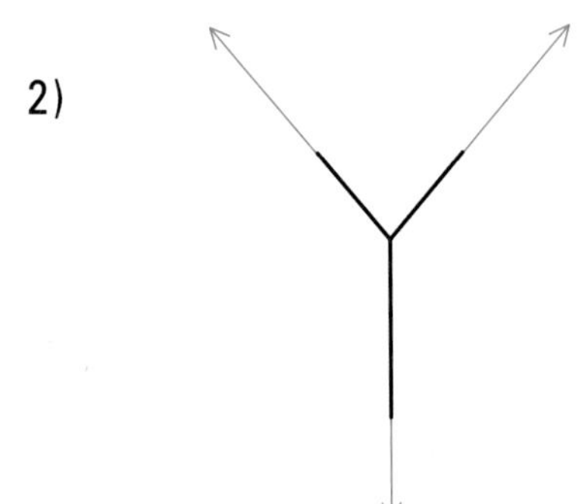

3)

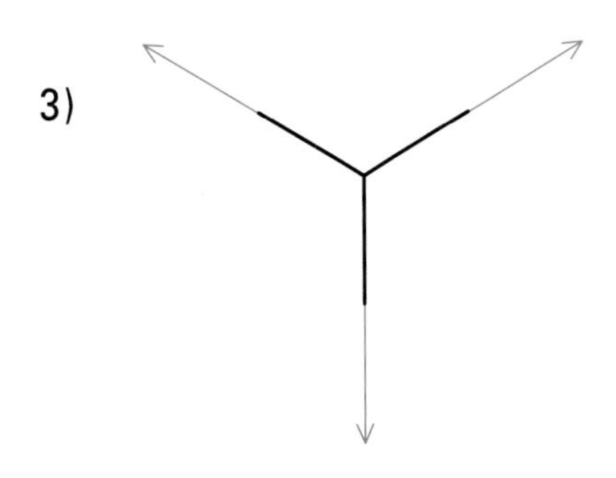

FEUILLE DE TRAVAIL 6

On obtient une représentation axonométrique en utilisant du papier triangulé.

b) Complète la représentation amorcée dans chaque cas.

1) Cube vu du dessus.

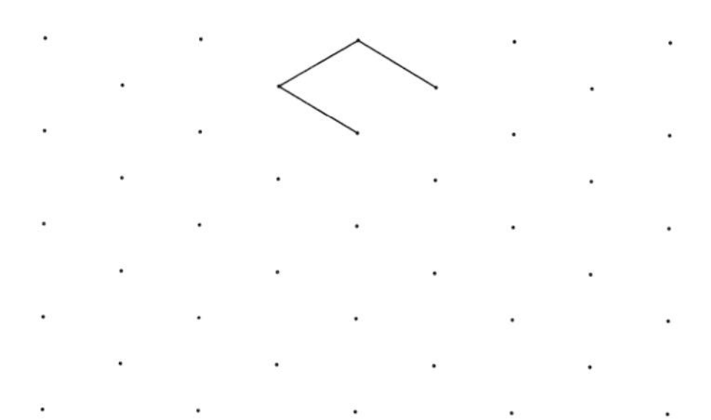

2) Cube vu du dessous.

c) Représente l'objet décrit.

1) Une équerre formée de 4 cubes.

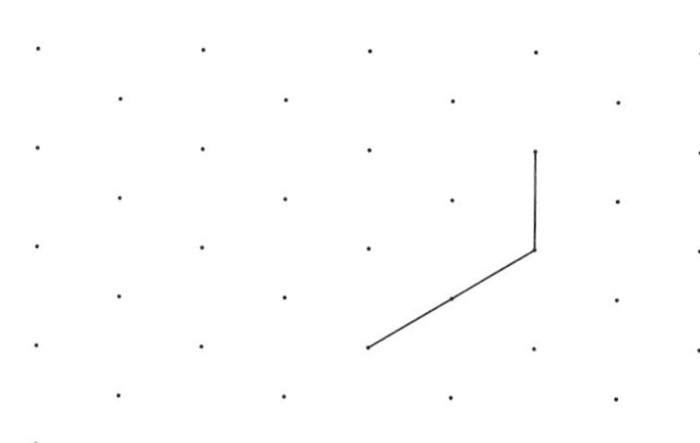

2) Une chaise droite.

3) Un réfrigérateur ayant la largeur de 2 cubes, la profondeur de 1 cube et la hauteur de 3 cubes.

4) Une bibliothèque de 1 cube de profondeur sur 2 cubes de hauteur et de 3 cubes de largeur, disposée sur un bureau de 2 cubes de profondeur sur 3 cubes de largeur et de 2 cubes de hauteur.

d) Ajoute des cubes adjacents aux faces ombrées.

1) 2)

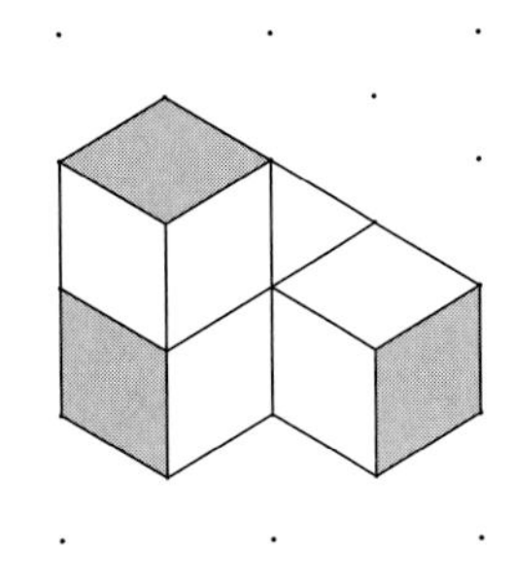

e) Redessine ce solide en enlevant les cubes hachurés.

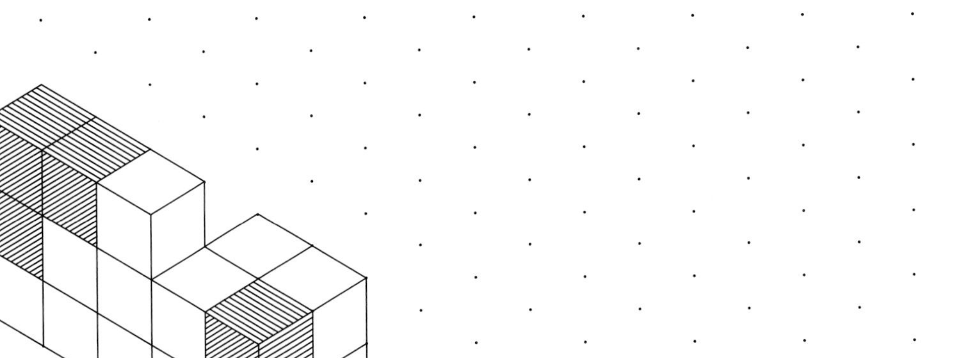

f) Les perspectives cavalière et axonométrique conservent toutes deux le parallélisme des arêtes. Décris une caractéristique importante qui les distingue.

Un autre type de perspective très souvent utilisé, surtout pour la représentation des paysages, est la **perspective linéaire.**

Activité 7 La perspective linéaire

Voici le procédé utilisé par Sandra pour tracer un cube qu'elle voit de face dans la perspective linéaire.

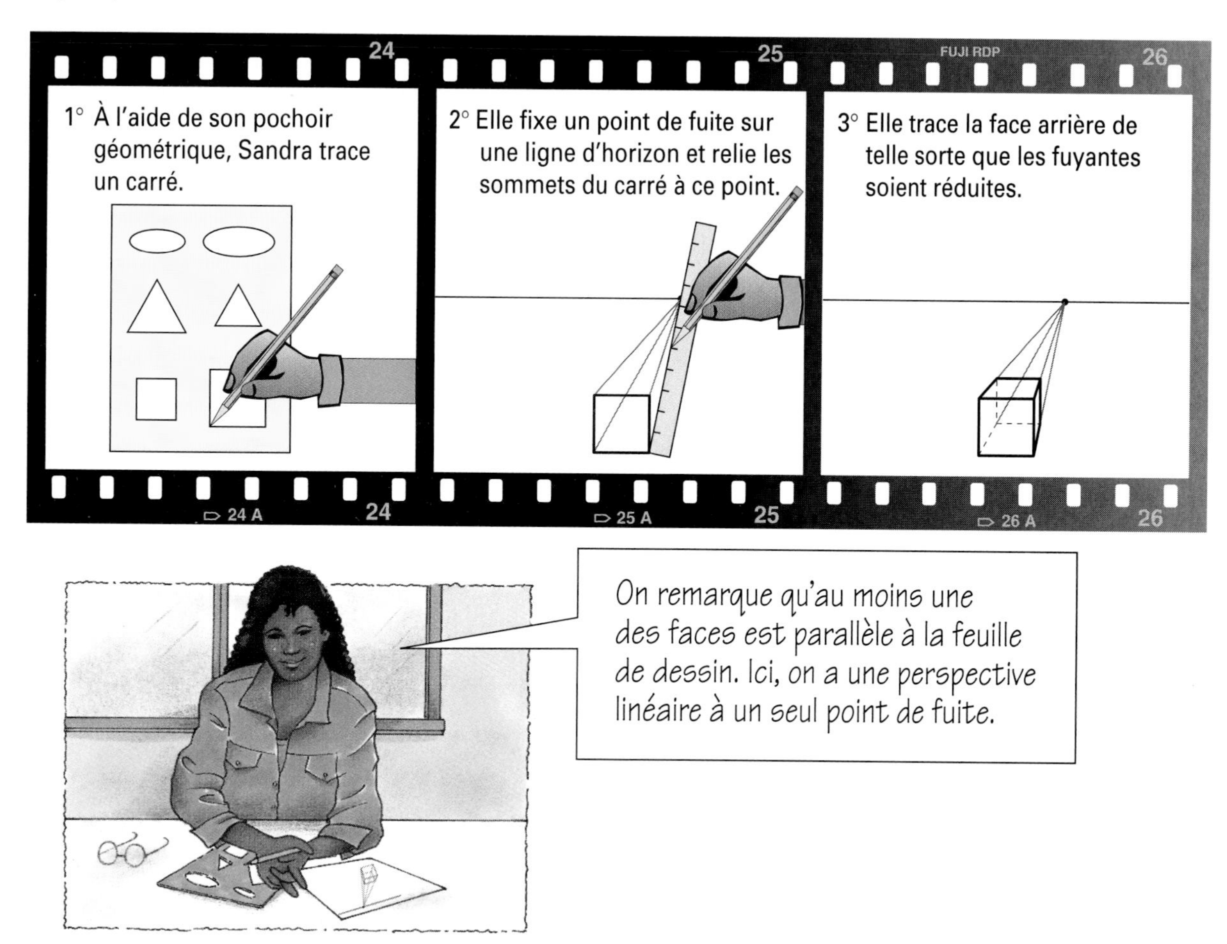

On peut faire également des représentations en perspective linéaire à deux points de fuite si l'objet présente une arête en premier plan.

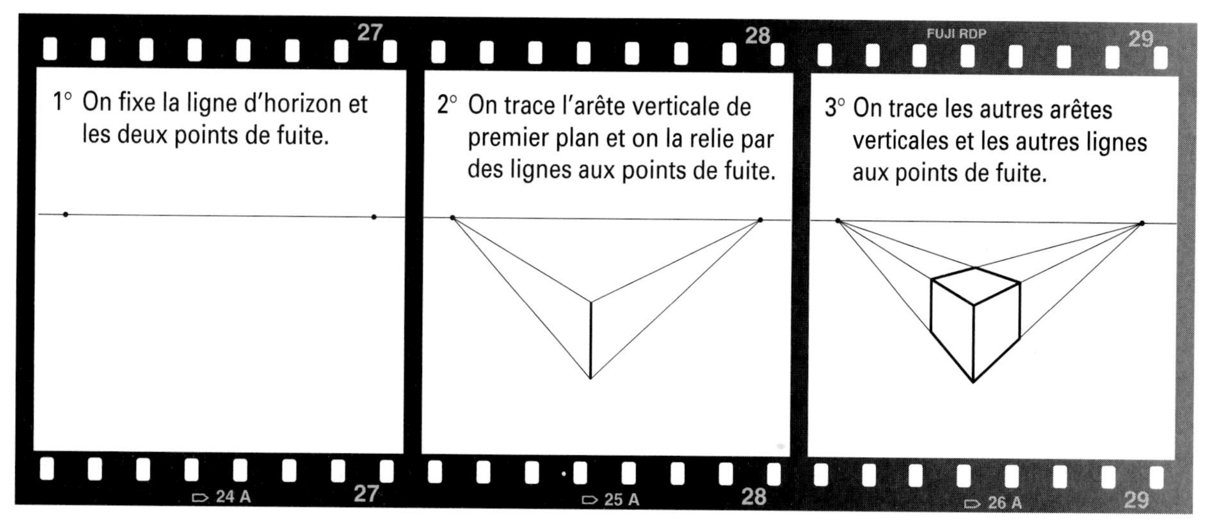

On observe que les fuyantes sont aussi réduites.

a) Voici un objet dessiné en perspective cavalière. Redessine-le en perspective linéaire en laissant une face parallèle à la feuille de dessin.

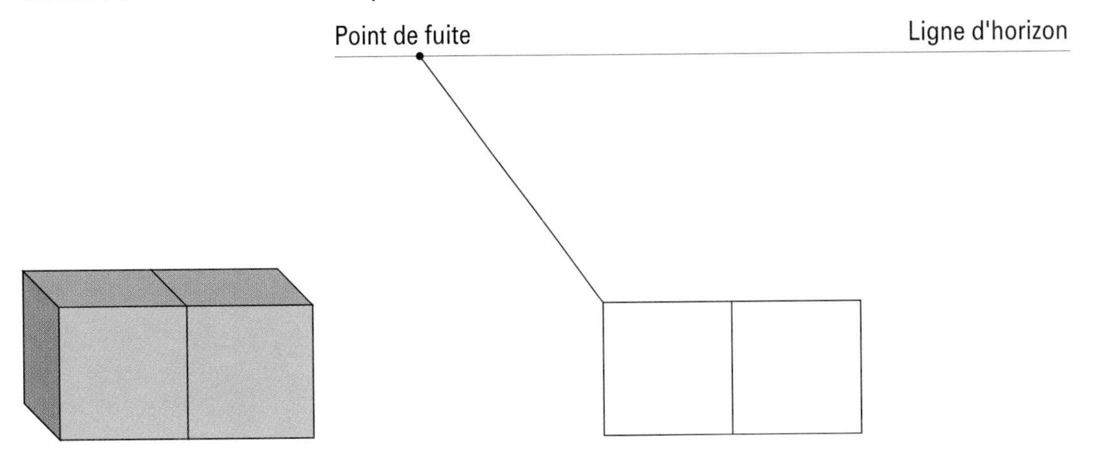

b) Voici une perspective linéaire qui utilise deux points de fuite sur une ligne d'horizon.

Décris la position de la personne qui voit un objet selon cette représentation.

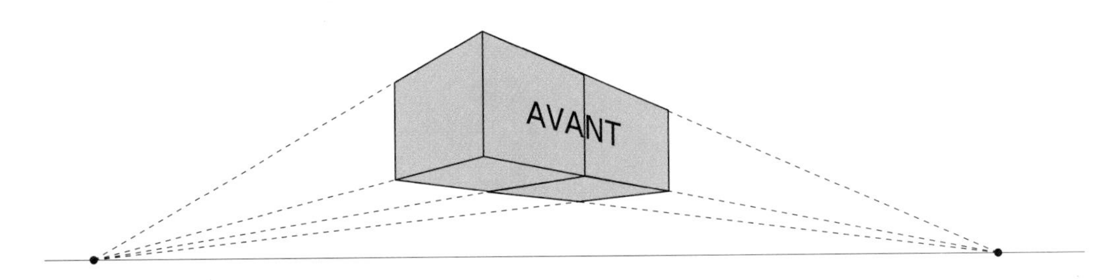

c) Redessine le même objet, mais de telle sorte qu'on le voit du dessus.

d) Complète la représentation des objets dont on montre 3 arêtes qui déterminent les dimensions, dans les deux types de perspective nommés.

PERSPECTIVE CAVALIÈRE

PERSPECTIVE LINÉAIRE
(à un seul point de fuite)

1)

2)

3)

e) Complète les dessins de ces cubes en perspective linéaire selon la position de l'observatrice. On a dessiné les faces avant de chacun d'eux.

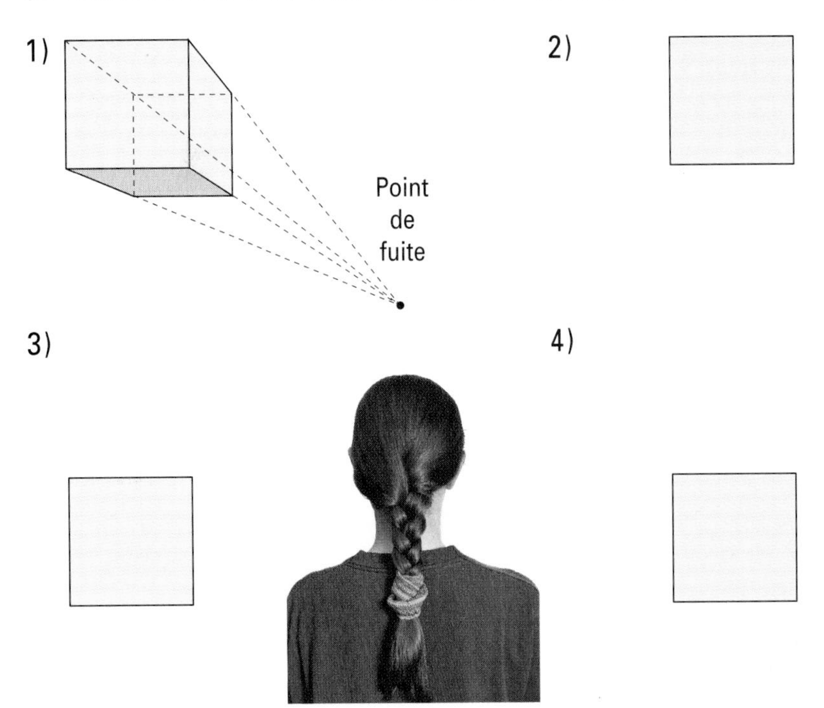

f) Indique dans quelle perspective les tableaux ont été dessinés.

1)

L'Annonciation, de Bernat Martorell.

2)

Sénateurs et légats romains, de Jean Le Maire.

g) Quelle sorte de perspective observe-t-on sur les photographies que l'on prend à l'aide d'un appareil photo ?

1. Lequel des deux nombres donnés est le plus grand et pourquoi ?

   a) $\frac{5}{7}$ ou $\frac{5}{9}$?   ***b)*** $\frac{5}{6}$ ou $\frac{9}{10}$?

2. Lequel de ces deux nombres est le plus près de $\frac{1}{2}$ et pourquoi ?

   $\frac{3}{8}$ ou $\frac{7}{13}$?

3. Est-ce que $\frac{3}{10}$ est plus près de $\frac{1}{2}$ ou de $\frac{1}{4}$ et pourquoi ?

4. Place ces nombres en ordre croissant :

   0,48 $\frac{16}{25}$ $\frac{8}{15}$ 0,94 $\frac{1}{3}$

••••••••••••••••••••••••••

5. Donne une stratégie qui permet de calculer rapidement et mentalement le résultat de ces opérations.

   a) 86 – 38   ***b)*** 16 x 25   ***c)*** 16 x 15

   d) 543 + 49 – 532   ***e)*** 42 + 29 + 8   ***f)*** 6 x 1,97

••••••••••••••••••••••••••

6. Estime le résultat dans chaque situation.

   a) Quel est le coût d'achat de 4 chemises à 19,49 $ l'unité s'il faut payer environ 14 % de taxe ?

   b) À quelle vitesse roule une cycliste qui parcourt 138 km en 5,8 h ?

   c) À quelle fraction de jour correspond 35 min ?

   d) Quel est le coût de 45 l d'essence à 61,9 ¢ le litre ?

   e) Quel est le coût de revient d'une cassette si une boîte de 12 cassettes coûte 29,99 $?

   f) Quel est le paiement mensuel d'une motocyclette qui coûte 9000 $ si on doit la payer en 3 ans ?

   g) En combien de temps peut-on parcourir en auto-stop les 4700 km qui séparent Montréal de Vancouver si la vitesse moyenne pour ce mode de transport est d'environ 20 km/h ?

LES SOLIDES

Les objets à trois dimensions ont une **forme** et occupent un **espace.** Mathématiser ces objets, c'est précisément s'intéresser à leur forme et à la quantité d'espace qu'ils occupent.

On est ainsi amené à idéaliser les objets en délaissant la matière. Ce sont ces idéalisations que l'on appelle des **solides.**

Activité 1 Des objets aux solides

a) Dans chaque cas, on présente deux objets différents. Cependant, ces objets réfèrent tous deux à la même idéalisation ou au même solide. Donne le nom de ce solide.

Ingénieux casse-tête, le cube de Rubik, ou cube hongrois, a été imaginé et créé en 1978 par Ernö Rubik, professeur à Budapest.

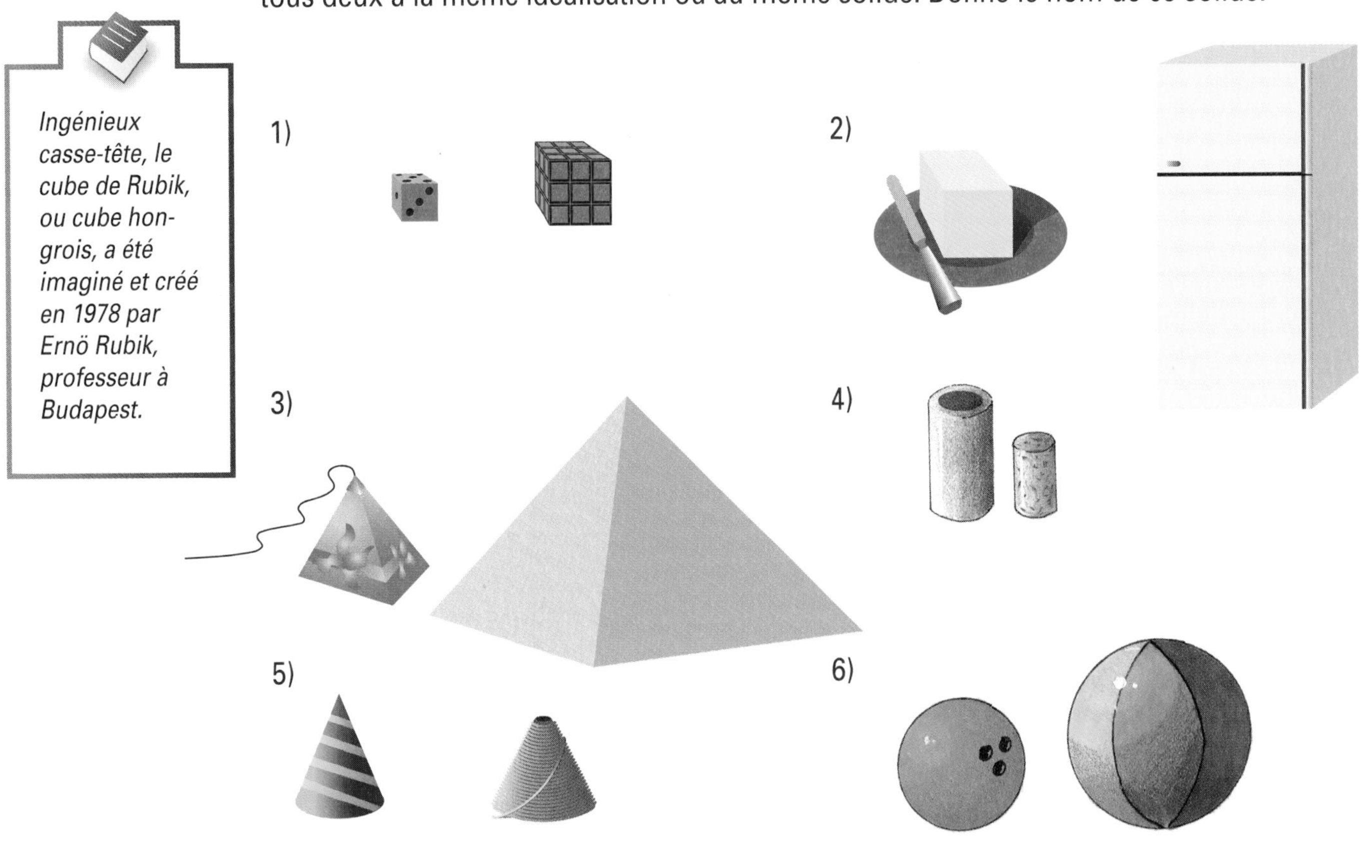

b) Peut-on attribuer le qualificatif de solide à un nuage ou à du miel ? Pourquoi ?

c) Que veut-on dire d'un objet quand on affirme qu'il est solide ?

Les solides géométriques sont considérés comme des êtres rigides ou indéformables.

d) Line-Marie prétend que le solide correspondant à une tasse à café est l'intérieur de la tasse et non la tasse. Qu'en penses-tu ?

D'où vient le mot café?

e) Qui, de Rémi ou de Karine, a raison au sujet de la boîte sans couvercle ?

f) Que doit-on entendre par l'expression *solide creux* ?

Généralement, on considère que le contenant et le contenu forment un seul et même objet auquel correspond un seul et même solide. Pour qu'il en soit autrement, il faut le préciser ou que cela soit mis en évidence dans le contexte.

Ce qui importe pour définir un solide, c'est sa **surface**.

g) À quoi correspond la surface de l'objet décrit ?

1) Une boîte à chaussures. 2) Une pomme.

h) Quelles caractéristiques possèdent les surfaces de chacun des objets décrits précédemment ?

Les solides géométriques sont des figures de l'espace limitées par une surface fermée rigide contenant un espace.

La surface d'un solide est la frontière entre l'espace occupé par le solide et l'espace extérieur. Cette surface peut être courbe ou plane.

Ainsi définis, les solides sont des **ensembles de points** ou une **portion d'espace**.

C'est à Platon (v. 427, 348 av. J.-C.) que nous devons l'idée de solides constitués de surfaces enfermant un espace.

i) Quelle caractéristique importante les surfaces des solides du groupe 1 ont-elles que les surfaces des solides du groupe 2 n'ont pas ?

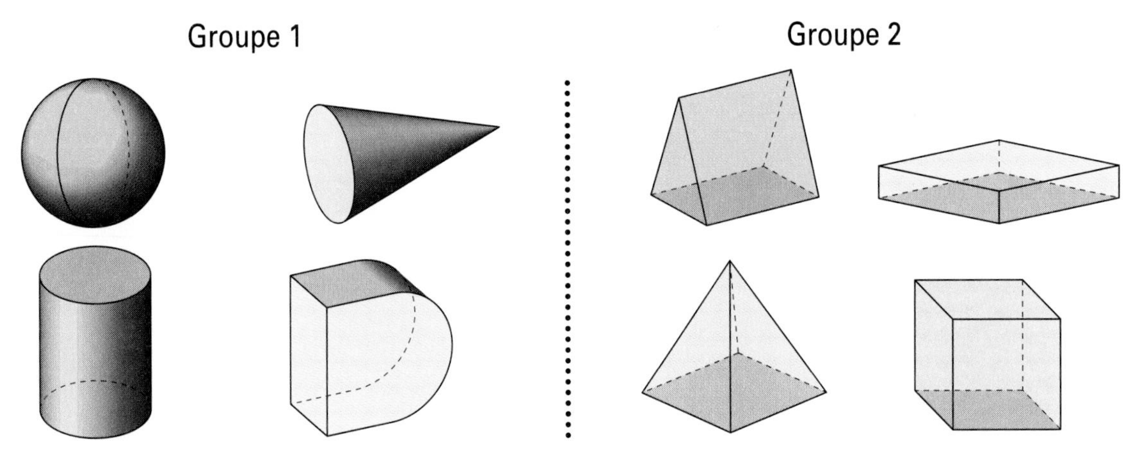

Les solides du groupe 1 sont appelés des **corps ronds** et ceux du groupe 2 des **polyèdres.**

j) Donne une définition qui précise ce qu'on doit entendre par :

1) corps rond ; 2) polyèdre.

k) Nomme 5 objets de ton environnement qui ont la forme de :

1) corps ronds ; 2) polyèdres.

l) Indique si les objets ci-dessous ont la forme de corps ronds ou de polyèdres.

m) Une pièce de 1 $ évoque-t-elle un corps rond ou un polyèdre ?

n) Quel est le nombre minimal de faces nécessaires pour enfermer un espace si :

1) elles sont planes ?

2) elles peuvent être courbes ?

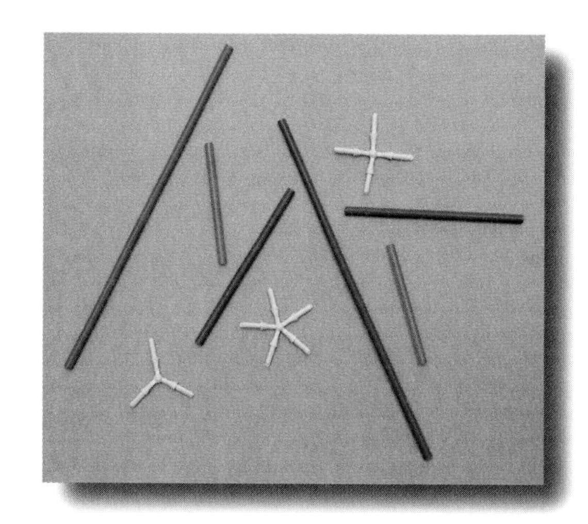

o) En utilisant des pailles et des noeuds, construis le squelette d'un solide ayant :

1) 7 faces ;

2) 8 faces ;

3) 10 sommets.

Activité 2 Les polyèdres

Les polyèdres sont des solides constitués exclusivement de **faces planes qui sont des polygones.**

a) Pourquoi cet objet n'est-il pas un polyèdre ?

b) Un polyèdre est dit **convexe** si tout segment reliant deux quelconques de ses points fait partie du polyèdre.

Ainsi, le premier solide ci-dessous est convexe et le second ne l'est pas.

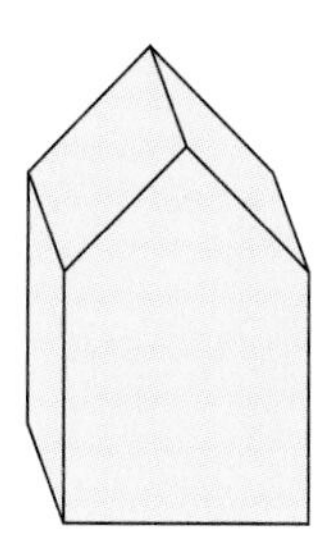

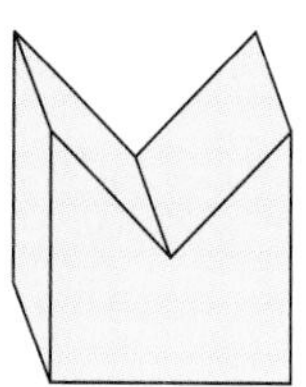

Donne une définition de solide non convexe ou concave.

c) En utilisant des pailles et des noeuds, construis le squelette d'un solide convexe et celui d'un solide non convexe.

d) Parmi les polyèdres suivants, lesquels sont convexes et lesquels sont non convexes (concaves) ?

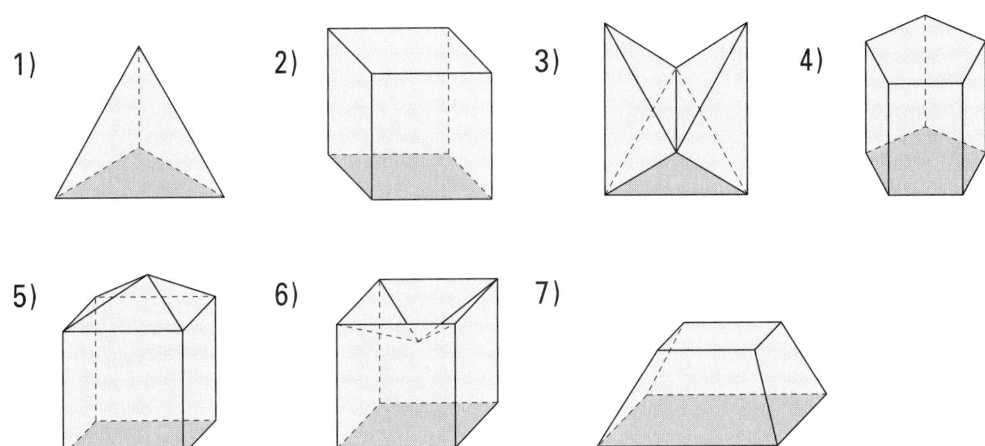

e) Voici les faces de deux polyèdres. Dans chaque cas, en reconstituant le solide, obtient-on un solide convexe ou non convexe ?

De tous les polyèdres, ceux qui sont convexes présentent le plus d'intérêt en géométrie.

f) Voici les faces de 3 polyèdres qui, en plus d'être convexes, possèdent une autre caractéristique évidente. Quelle est cette caractéristique ?

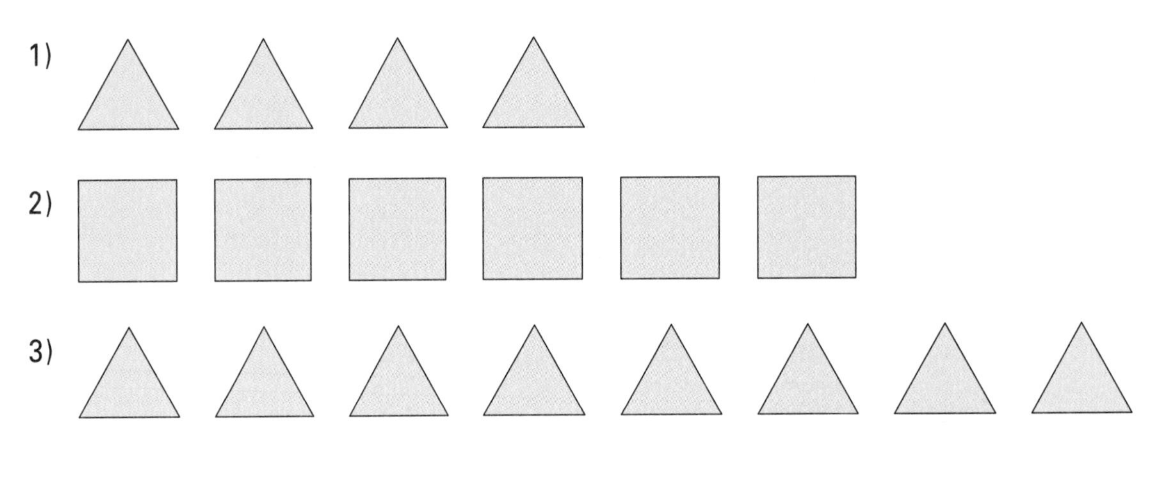

Activité 3 Les polyèdres réguliers

Platon s'est particulièrement intéressé aux polyèdres suivants qu'il décrit comme réguliers.

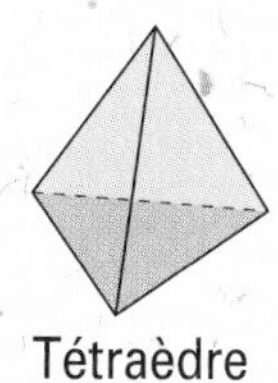

Tétraèdre

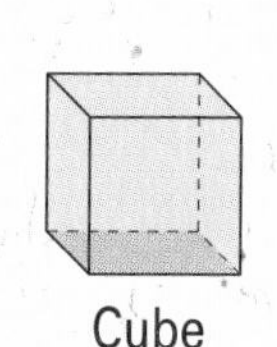

Cube

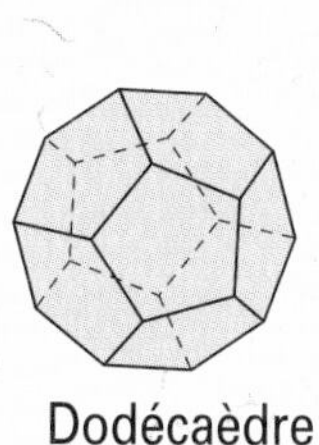

Dodécaèdre

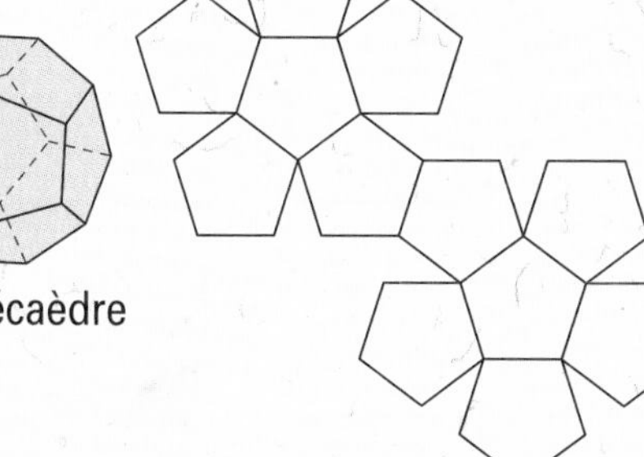

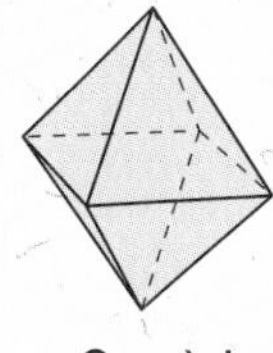

Octaèdre

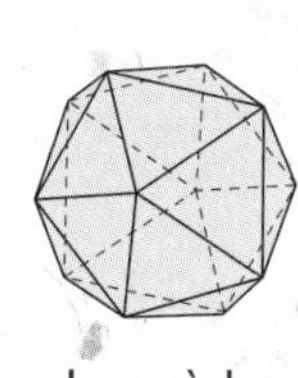

Icosaèdre

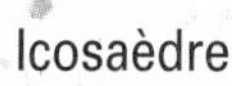

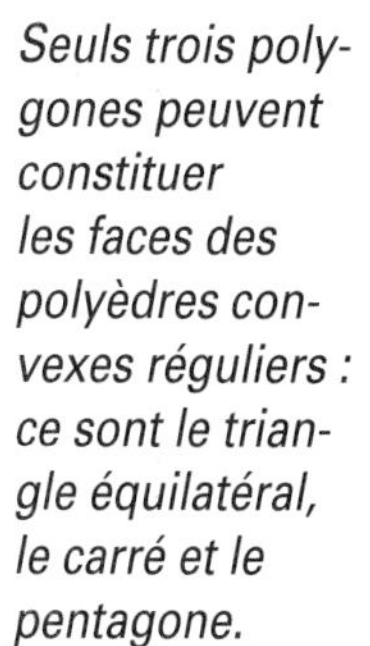

Seuls trois polygones peuvent constituer les faces des polyèdres convexes réguliers : ce sont le triangle équilatéral, le carré et le pentagone.

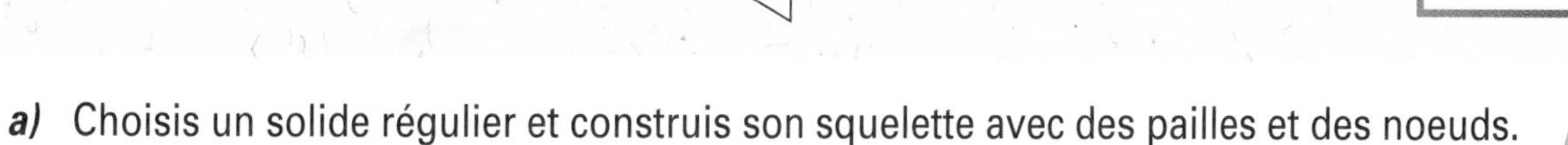

a) Choisis un solide régulier et construis son squelette avec des pailles et des noeuds.

b) Quelle définition peut-on donner des polyèdres réguliers?

c) Quel autre nom finissant par « èdre » pourrait convenir pour le cube?

d) À l'aide de 12 pailles et de 6 noeuds à 4 branches, on a amorcé la construction du squelette d'un solide. Il reste à relier les pailles à deux autres noeuds.

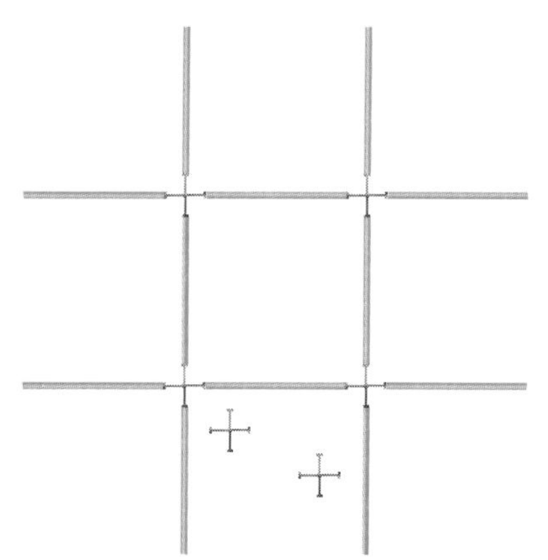

1) Décris en mots le solide correspondant à ce squelette.
2) Donne deux des propriétés que l'on peut observer.

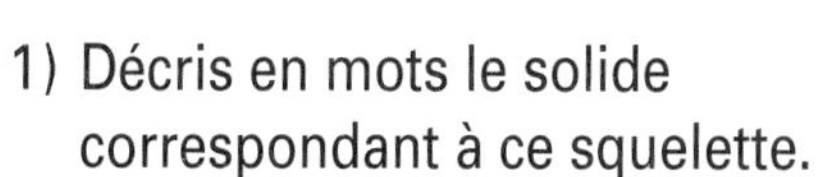

3) Donne le nombre de sommets, d'arêtes et de faces de ce solide.

Activité 4 Les développements de cubes

La surface de certains solides tels que le cube peut être « mise à plat ».

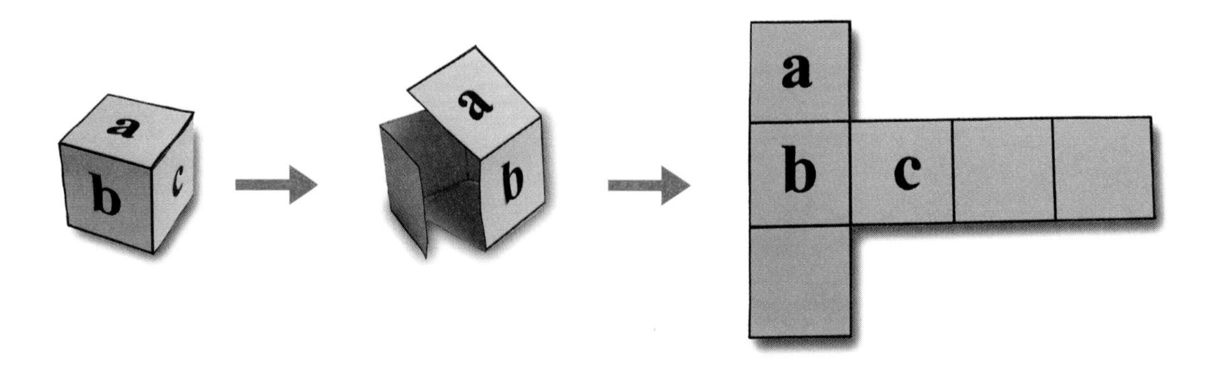

La représentation plane ainsi obtenue est appelée un **développement**.

À partir d'un développement, il est toujours possible de reconstituer par pliage un exemplaire de ce solide. Toutes les faces conservent leurs dimensions relativement aux autres. Elles demeurent reliées à une autre face par une arête commune si elles sont toutes deux polygonales.

Un solide peut avoir plusieurs développements différents.

a) Dessine 3 autres développements différents de celui ci-dessus.

b) Seulement 4 des dessins suivants peuvent reconstituer un cube et porter le nom de développements d'un cube. Identifie-les.

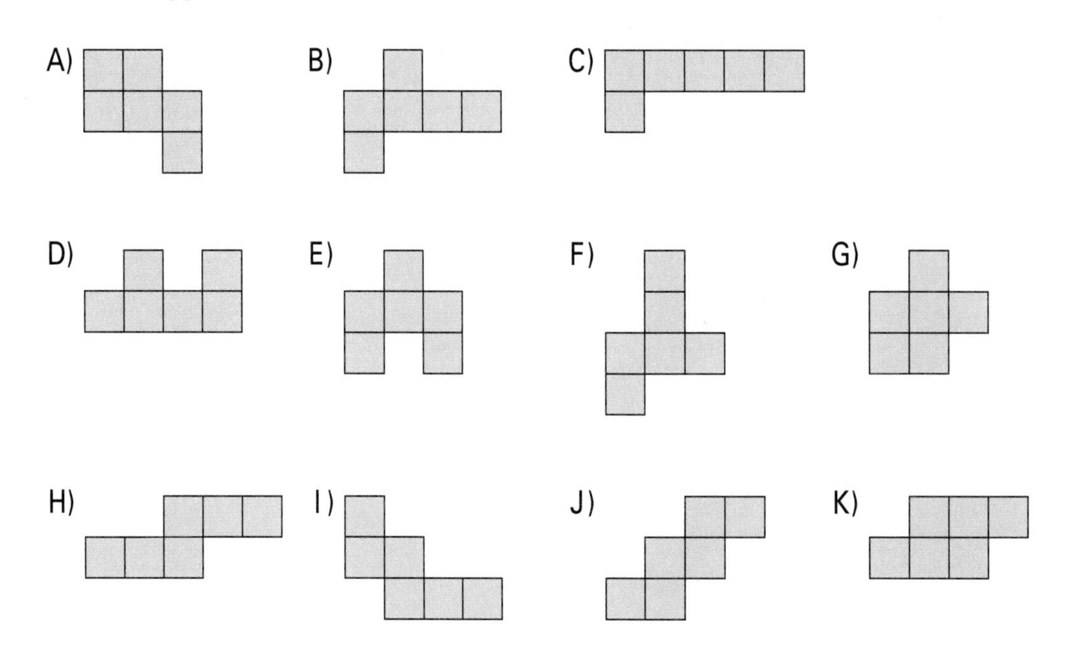

c) Illustre deux développements différents du tétraèdre.

d) Lesquels des développements suggérés permettent de reconstituer un cube décoré de la même façon que le développement ci-contre ?

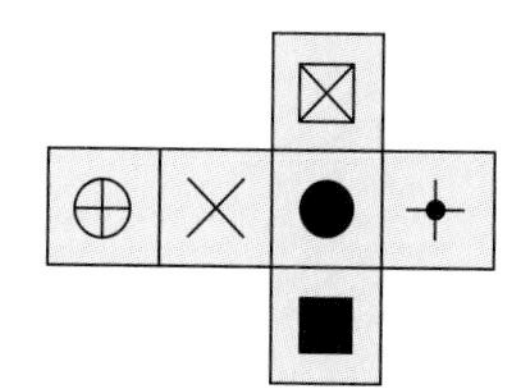

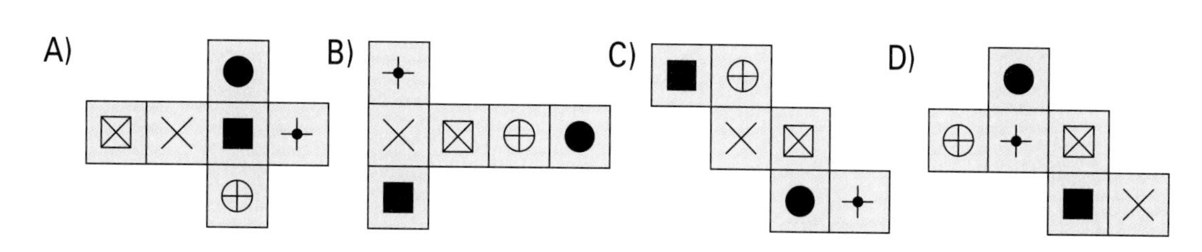

e) Lequel de ces quatre cubes a le développement donné ?

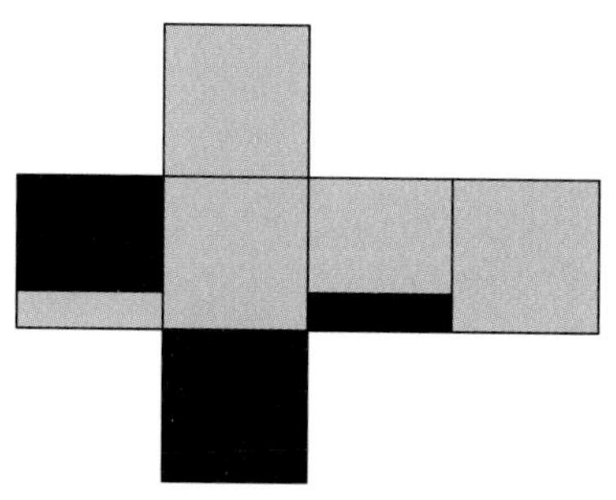

A) 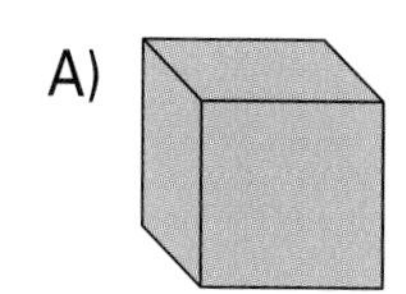 B) 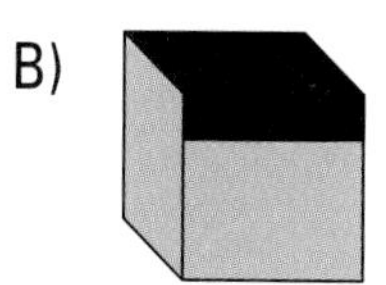 C) 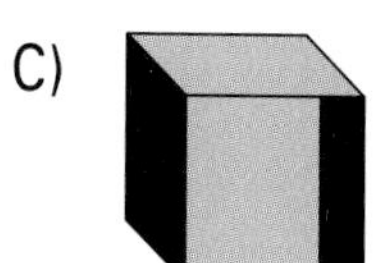 D) 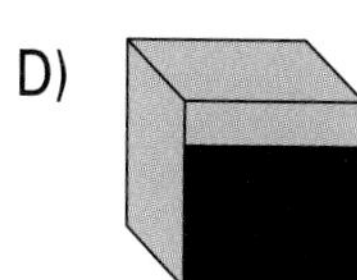

f) Quelle position relative (parallèles, perpendiculaires ou ni l'un ni l'autre) les deux segments tracés occupent-ils sur chacun des cubes que l'on peut reconstituer à partir de ces développements ?

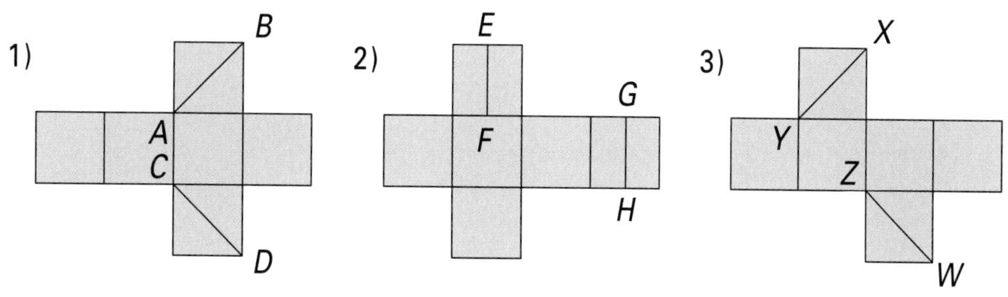

g) Lequel de ces quatre cubes peut-on reconstituer à partir du développement ci-contre ?

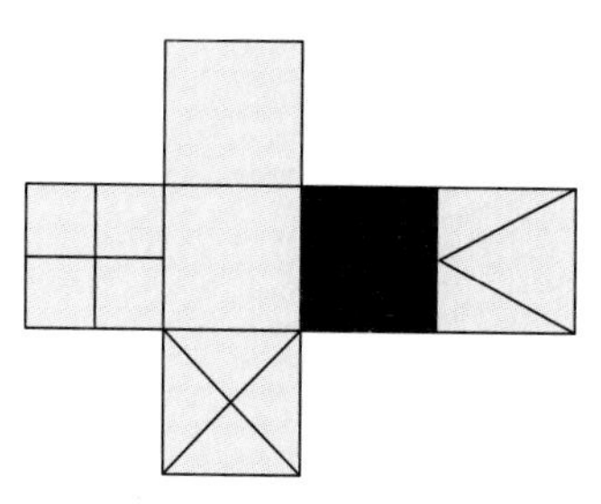

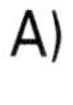 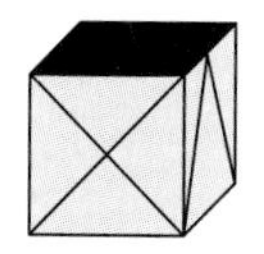 B) 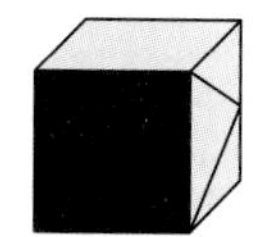 C) 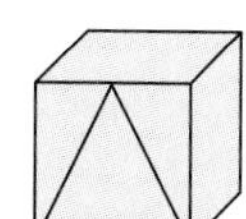 D) 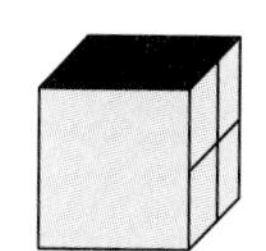

Activité 5 Relation d'Euler

Mon prédécesseur Descartes l'avait aussi observée un siècle avant moi, semble-t-il.

a) Le mathématicien Léonhard Euler (1707-1783) a remarqué une relation qui met en jeu le nombre de sommets (S), d'arêtes (A) et de faces (F) dans les polyèdres simples (sans trous). Cette relation porte son nom.

L'oeuvre complète d'Euler comprend près de 75 volumes traitant du domaine scientifique, soit environ 900 travaux, mémoires et livres. Il aurait écrit en moyenne 800 pages par année.

Découvre cette relation.

1) 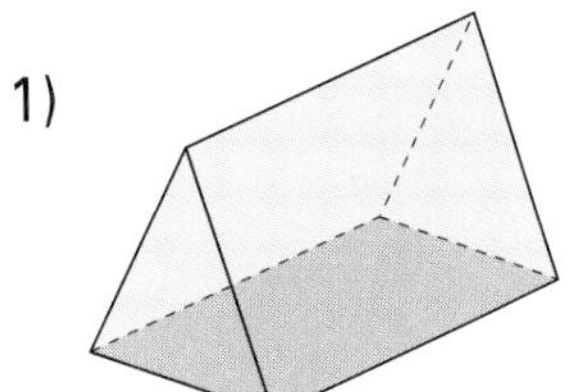 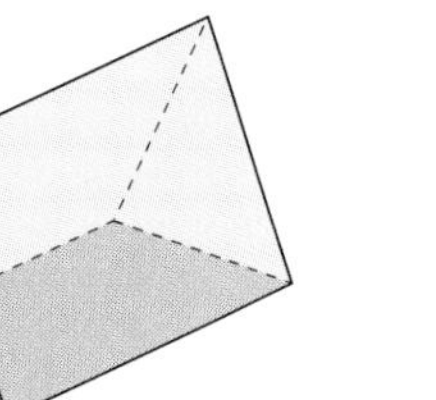 

$S =$ ■
$F =$ ■
$A =$ ■

2) 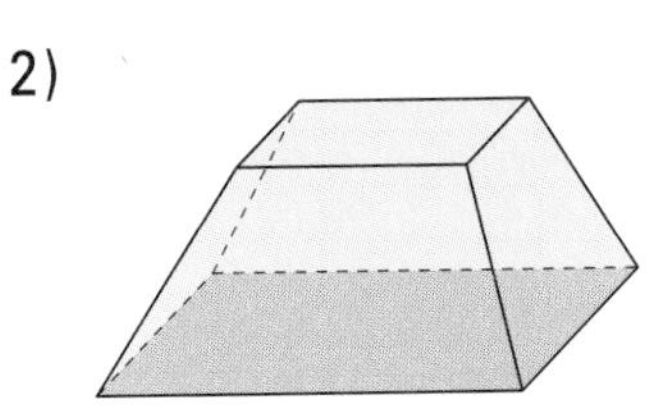

$S =$ ■
$F =$ ■
$A =$ ■

3) 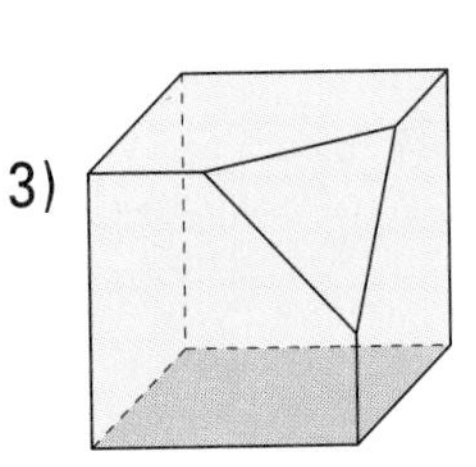 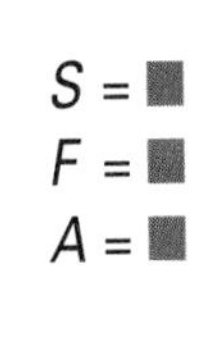

$S =$ ■
$F =$ ■
$A =$ ■

4) 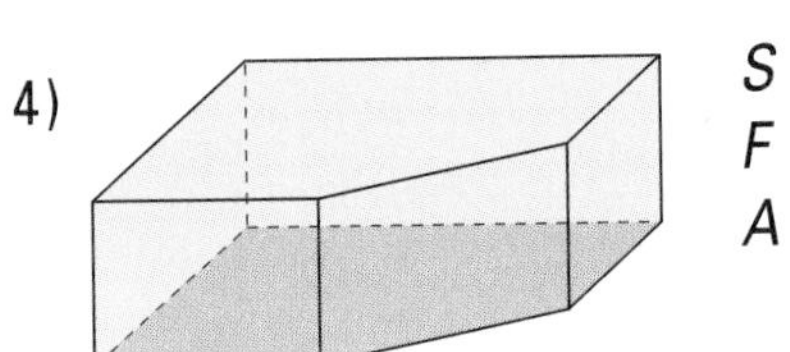 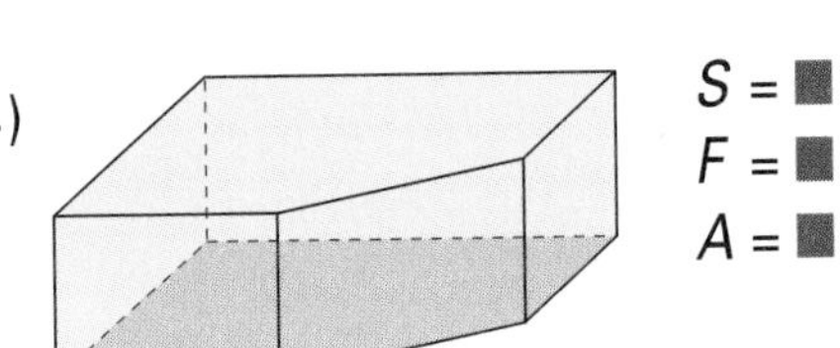

$S =$ ■
$F =$ ■
$A =$ ■

b) Cette relation est-elle aussi valide pour les polyèdres concaves ? Vérifie.

1) 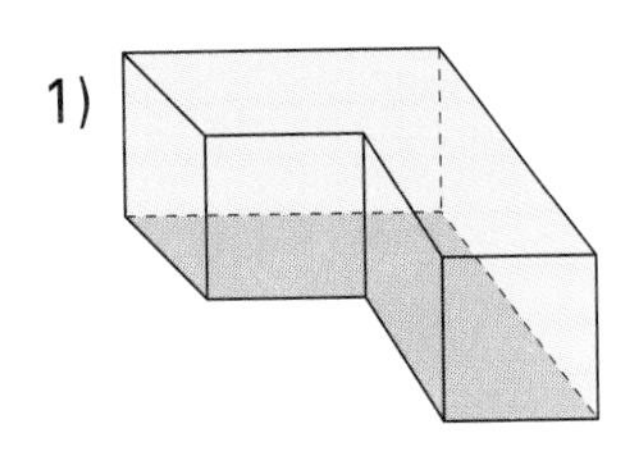 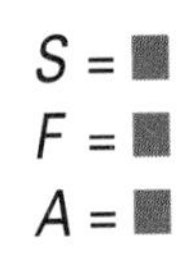

$S =$ ■
$F =$ ■
$A =$ ■

2) 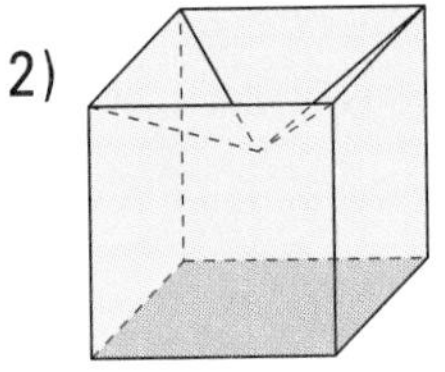 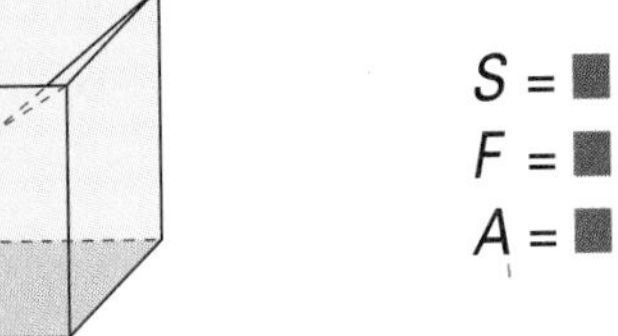

$S =$ ■
$F =$ ■
$A =$ ■

3) 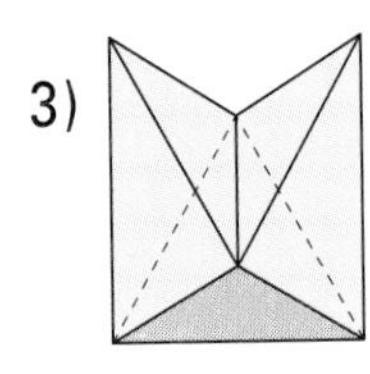 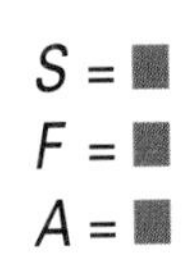

$S =$ ■
$F =$ ■
$A =$ ■

4) 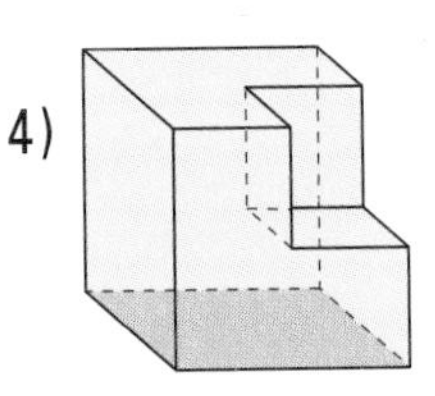

$S =$ ■
$F =$ ■
$A =$ ■

c) Cette relation est-elle aussi valide pour les polyèdres réguliers ? Vérifie.

1) 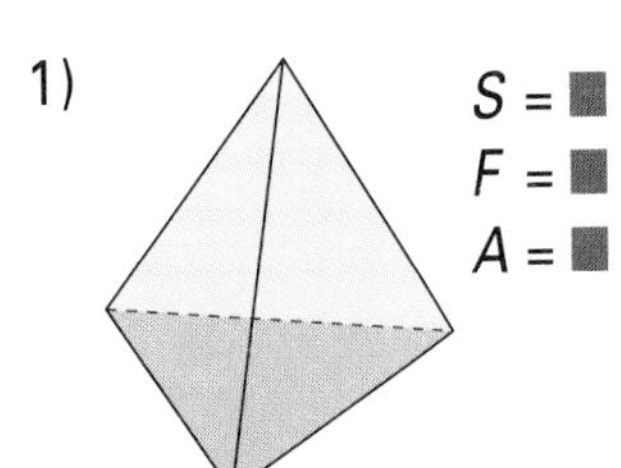

$S =$ ■
$F =$ ■
$A =$ ■

2) 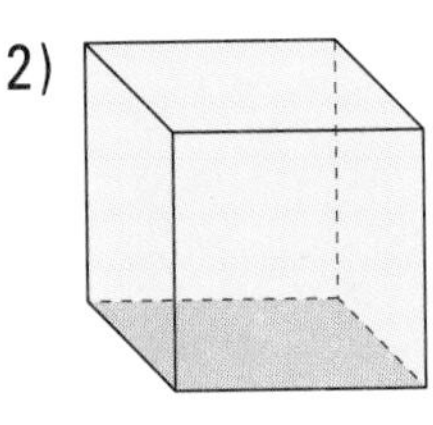 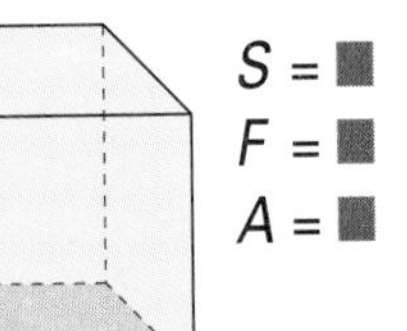

$S =$ ■
$F =$ ■
$A =$ ■

3) 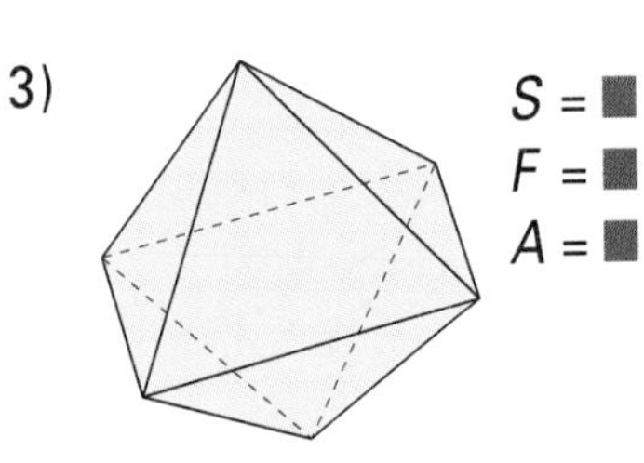

$S =$ ■
$F =$ ■
$A =$ ■

Activité 6 Les prismes

Voici deux plans parallèles *P* et *P'*. Sur le plan *P*, on a tracé un polygone *ABCDE*.

a) Dans chaque cas, projette le polygone *ABCDE* sur le plan *P'* en traçant de chaque sommet des segments congrus et parallèles à $\overline{AF}$ et en reliant les extrémités de ces segments sur *P'*.

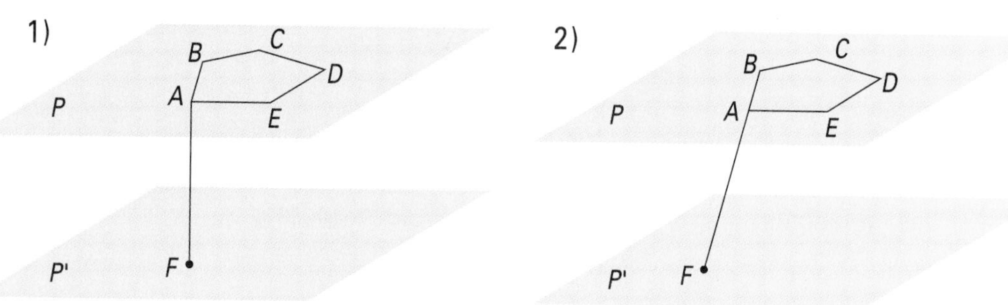

On vient de dessiner des **prismes**. Les deux polygones dans les plans *P* et *P'* sont les **bases** du prisme et les polygones formés en reliant les bases sont appelés les **faces latérales.**

Si les segments menés d'un plan à l'autre sont perpendiculaires aux plans, le solide obtenu est dit **droit**; sinon, il est dit **oblique.**

b) Complète ces représentations de prismes.

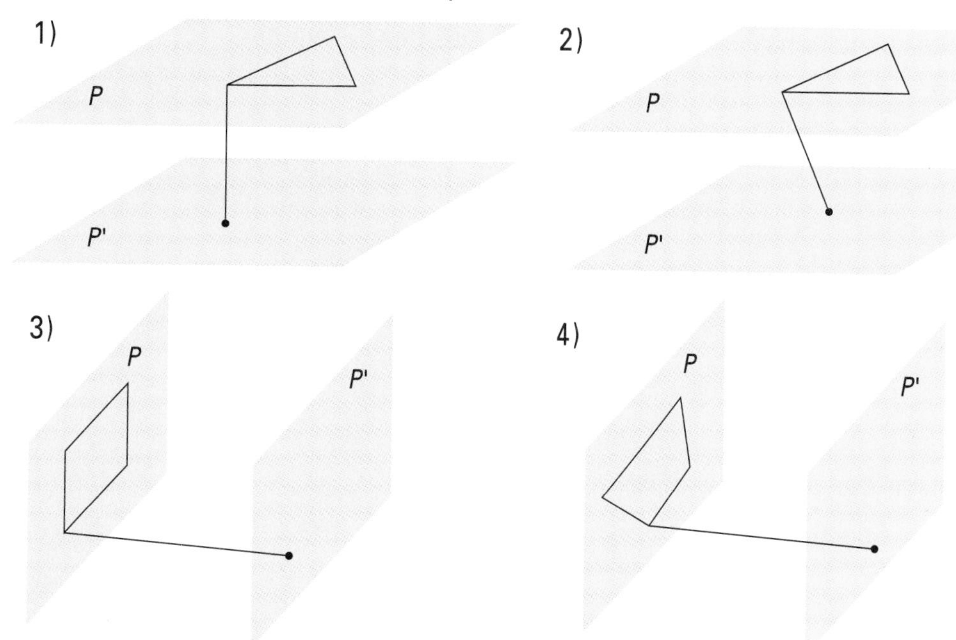

c) Colore en rouge les bases des prismes ci-dessus.
Que peut-on dire à propos des bases d'un prisme?

d) Colore en bleu les faces latérales des prismes ci-dessus.
Que peut-on affirmer à propos des faces latérales d'un prisme?

e) Donne une définition convenable du solide qu'on appelle **prisme.**

f) Dessine des prismes droits ayant pour bases :

1) des triangles équilatéraux;

2) des carrés;

3) des rectangles;

4) des trapèzes;

5) des pentagones;

6) des hexagones.

g) Dessine des prismes obliques ayant pour bases :

1) des triangles;

2) des carrés.

h) On nomme les prismes selon le type de polygones qui forment leurs bases. Dans chaque cas, identifie les bases et donne le nom qui convient à chaque prisme.

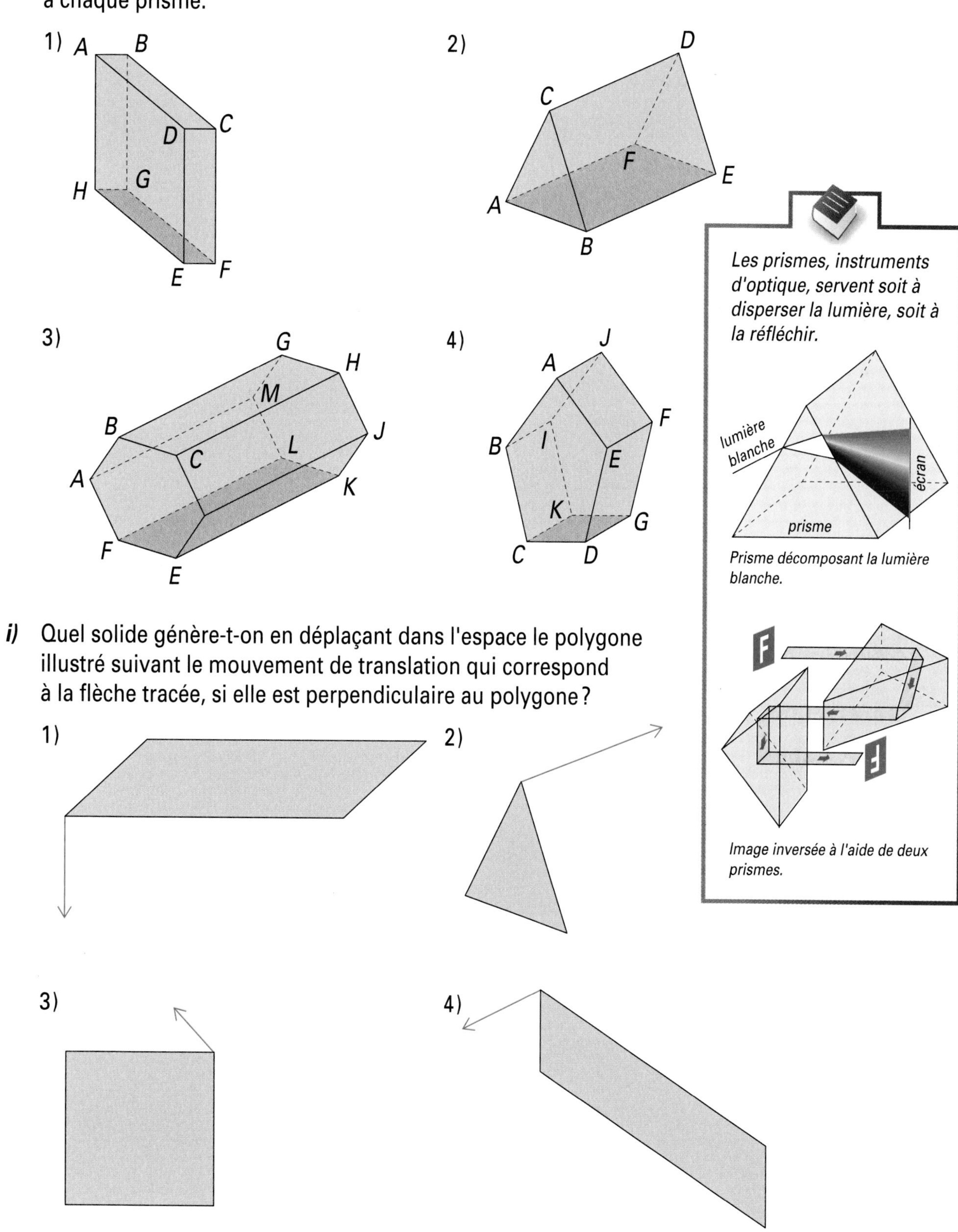

Les prismes, instruments d'optique, servent soit à disperser la lumière, soit à la réfléchir.

Prisme décomposant la lumière blanche.

Image inversée à l'aide de deux prismes.

i) Quel solide génère-t-on en déplaçant dans l'espace le polygone illustré suivant le mouvement de translation qui correspond à la flèche tracée, si elle est perpendiculaire au polygone ?

j) Complète la représentation du polyèdre généré si on déplace dans l'espace le polygone suivant le mouvement de la translation décrite par la flèche.

1)

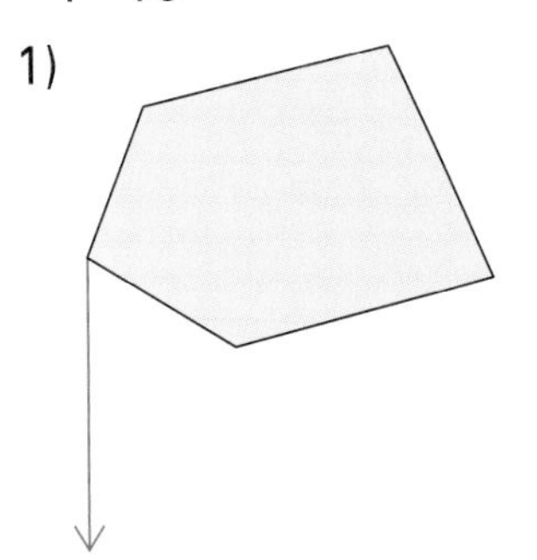

2)

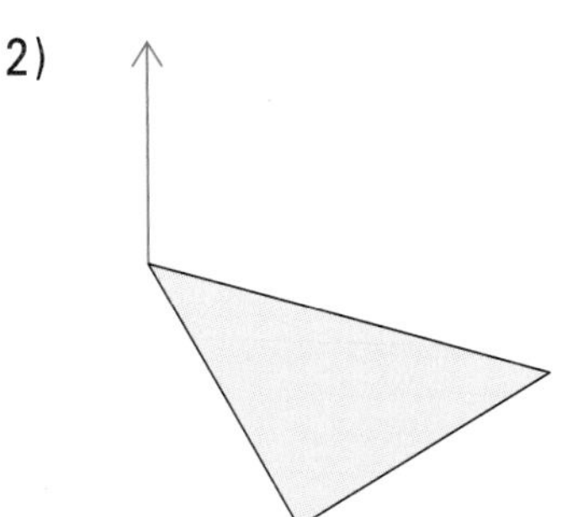

3)

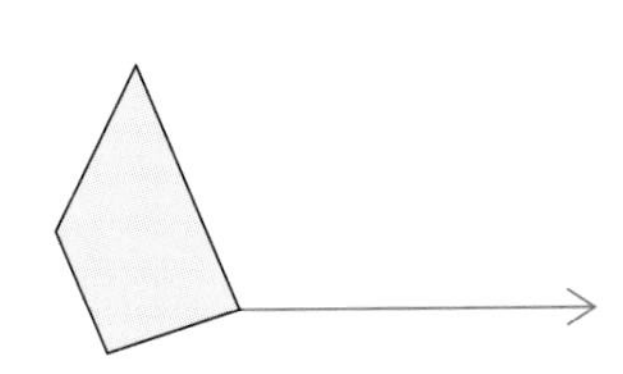

4)

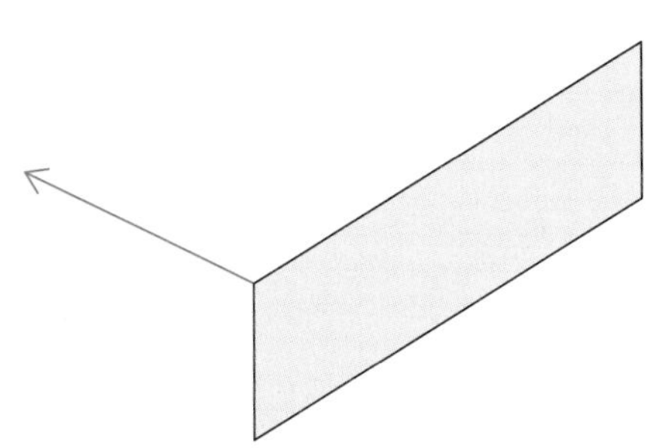

k) Pour chacune des faces, trace la flèche décrivant le mouvement de translation qui permet de générer le prisme ci-contre.

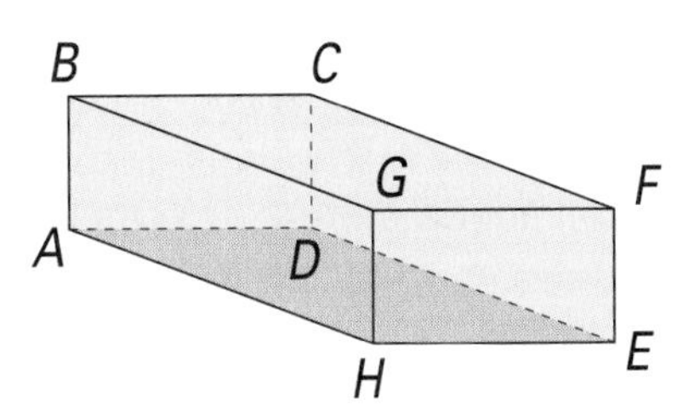

1)

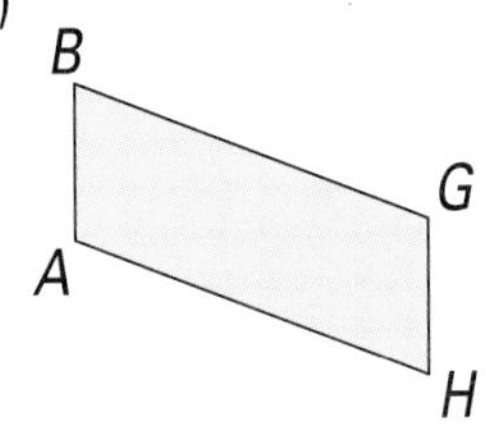

2)

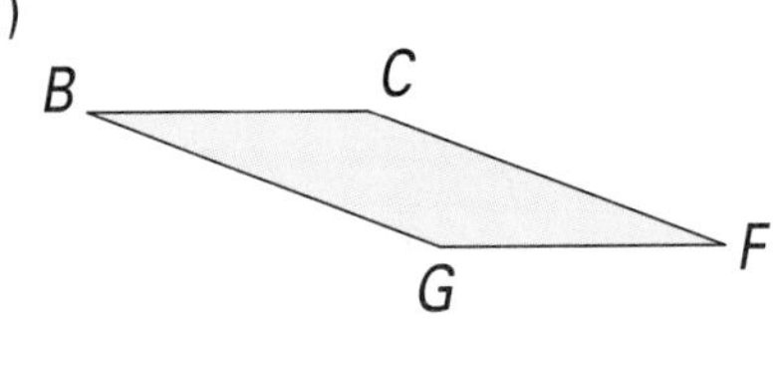

3)

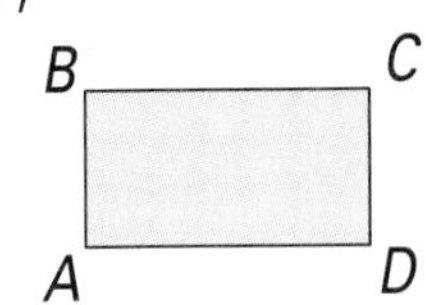

4)

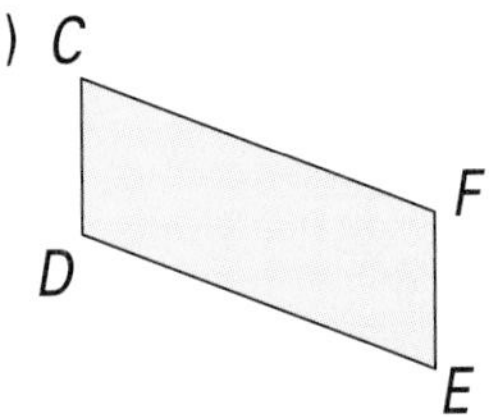

5)

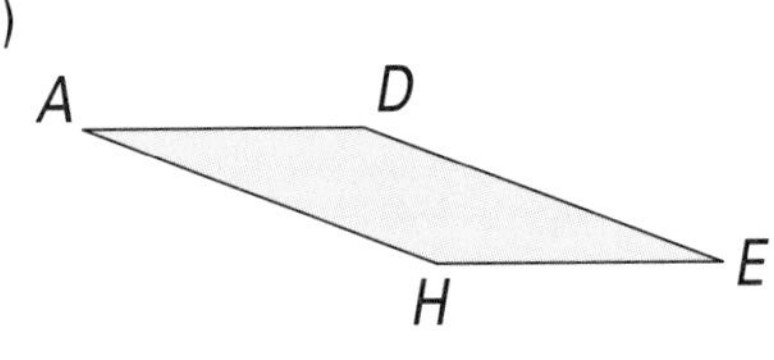

6)

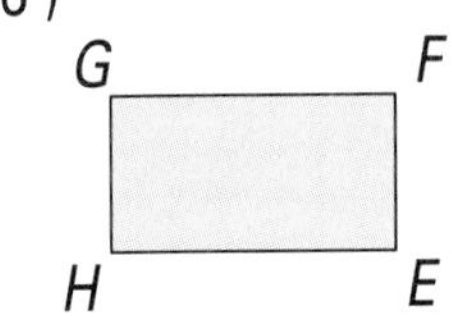

l) Combien de mouvements de translation différents peuvent générer ce prisme triangulaire ?

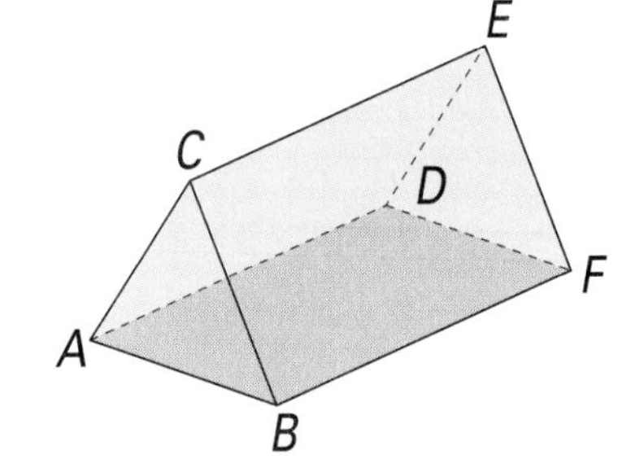

m) Est-il vrai que tout prisme peut être généré par un mouvement de translation dans l'espace de :

1) l'une quelconque de ses faces ?

2) l'une quelconque de ses bases ?

n) À l'aide de pailles et de noeuds, construis le squelette d'un prisme droit :

1) à base carrée dont la hauteur est le double du côté de sa base ;

2) dont la base est un triangle rectangle isocèle et dont la hauteur est égale à la mesure du plus grand côté de sa base.

o) L'objet illustré ci-contre est un porte-nom.

LÉON

Réalise la construction d'un porte-nom à l'aide de 2 feuilles de papier, d'un crayon, de ciseaux et de ruban adhésif en suivant ces étapes.

1° Prends une feuille de papier et plie-la en trois parallèlement à la largeur comme on fait pour une lettre que l'on veut mettre dans une enveloppe. Colle les deux extrémités de la feuille avec du ruban adhésif.

2° Pose l'une des extrémités du prisme obtenu sur l'autre feuille de papier. Avec un crayon, marque les trois sommets. Découpe les deux triangles qui forment les bases du prisme.

3° Avec du ruban adhésif, colle les bases qui complètent la construction du prisme triangulaire.

p) Construis le squelette d'un prisme triangulaire avec des pailles et des noeuds.

1) Place ce squelette directement devant toi et dessine-le.

2) Dessine ce que voit ton voisin ou ta voisine de gauche.

3) Dessine ce que voit ton voisin ou ta voisine de droite.

q) Es-tu d'accord avec les affirmations suivantes ? Dans chaque cas, justifie ta réponse.

1) Guy affirme que la base d'un solide est la face sur laquelle ce solide est posé.

2) Selina affirme que toutes les faces d'un cube sont des bases.

3) Marc-André affirme que les polygones formant les faces latérales d'un prisme sont nécessairement des rectangles congrus.

4) Gabrielle affirme que les faces latérales d'un prisme sont parallèles deux à deux.

5) Rolando affirme que les bases d'un prisme quel qu'il soit sont toujours congrues.

6) Caroline affirme qu'un prisme a toujours deux faces de plus que le nombre de sommets d'une base.

r) Complète ces phrases par le mot approprié.

1) Les faces latérales d'un prisme droit sont toujours des ▬▬.

2) Les faces latérales d'un prisme oblique sont toujours des ▬▬.

3) Les bases d'un prisme sont toujours des ▬▬ congrus et parallèles.

4) Les bases d'un prisme triangulaire droit sont des ▬▬.

s) Complète le dessin d'un prisme droit rectangulaire de 4 cm sur 8 cm sur 12 cm, selon la technique spécifiée.

1) Perspective cavalière dont le facteur de réduction des fuyantes est ½.

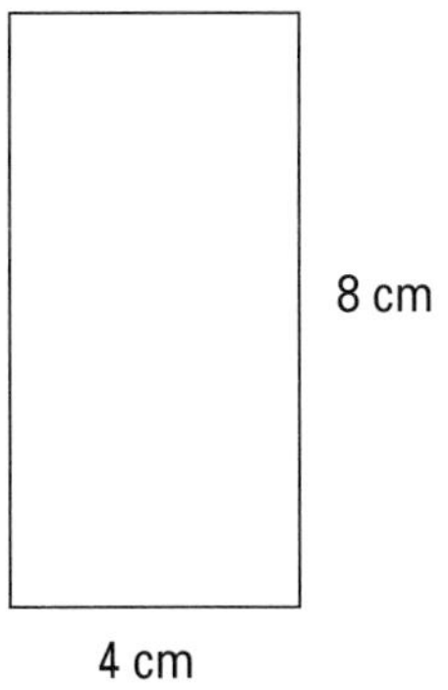

8 cm

4 cm

2) Perspective linéaire.

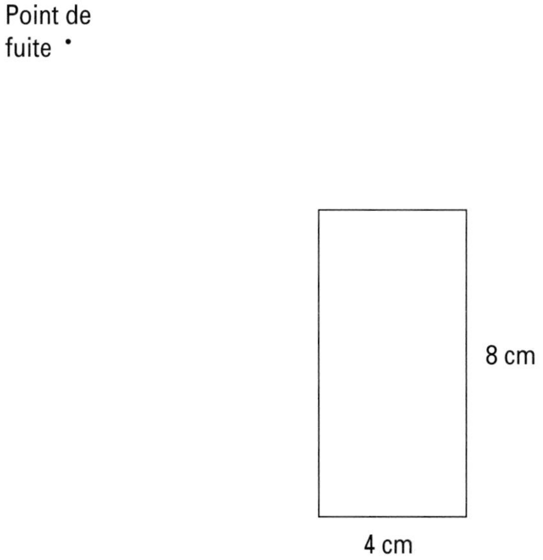

Point de fuite •

8 cm

4 cm

t) Dessine un prisme rectangulaire droit ayant des dimensions de 2 unités, 4 unités et 6 unités en plaçant :

1) la plus petite face en premier plan ;

2) la plus grande face en premier plan.

u) Dessine :

1) un prisme à base carrée ayant des faces latérales plus hautes que larges ;

2) une pyramide à base rectangulaire dont la hauteur est plus grande que le plus grand côté de sa base.

v) Voici trois développements d'un prisme rectangulaire droit.

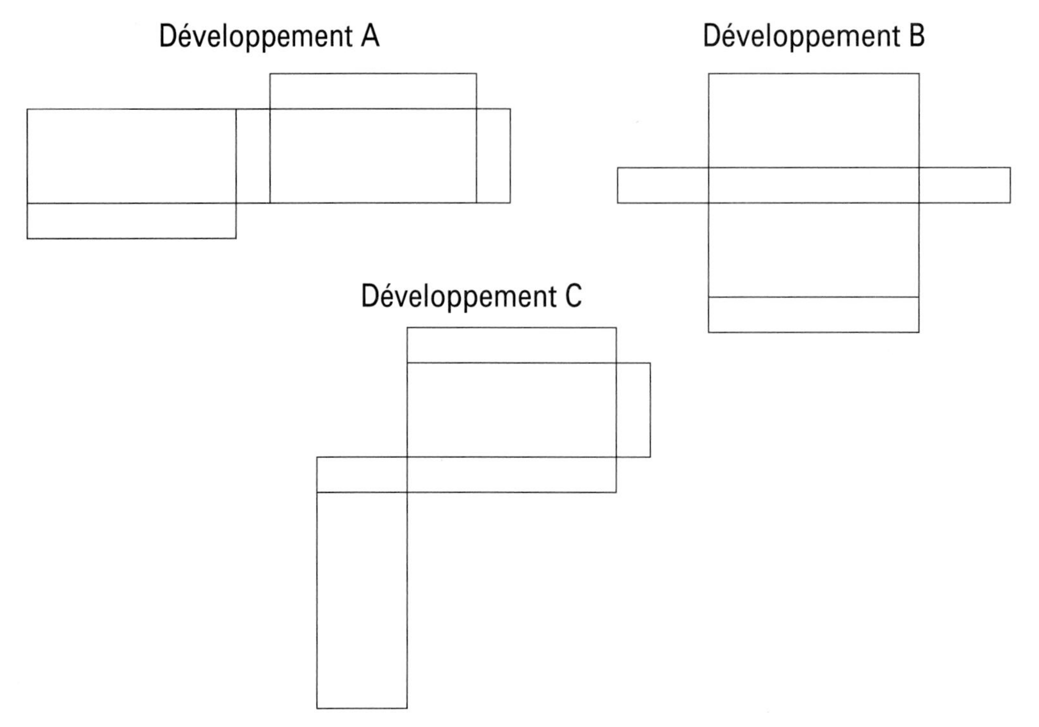

1) Indique s'il s'agit du même prisme rectangulaire.

2) Lequel de ces développements minimise la perte lors du découpage si chacun d'eux a été tracé sur le plus petit carton rectangulaire possible ?

3) Lequel de ces trois développements minimise l'utilisation de ruban adhésif pour coller ses arêtes si on le reconstitue ?

w) Quelle est la longueur de ces prismes s'ils sont dessinés dans une perspective cavalière dont le facteur de réduction des fuyantes est $\frac{1}{2}$?

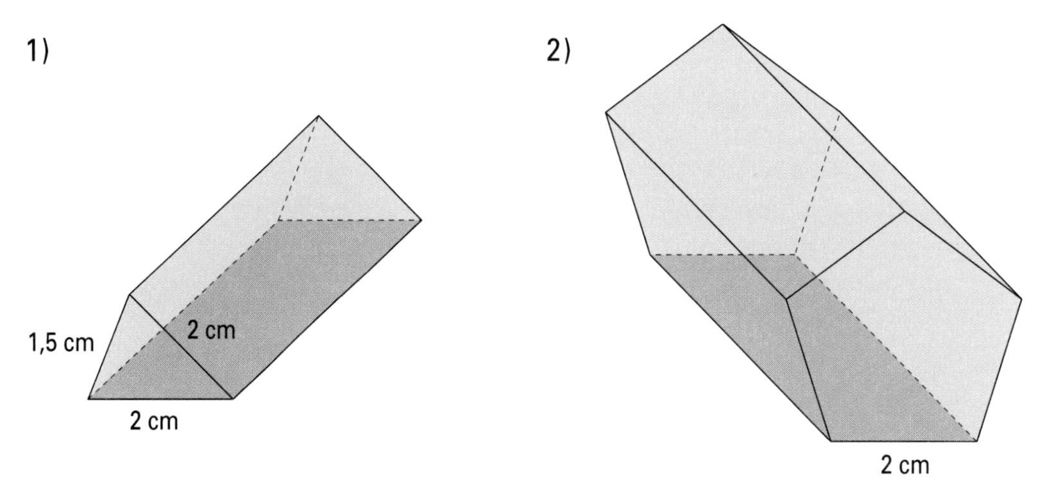

x) Sur du papier quadrillé, trace un prisme triangulaire droit dont les bases sont :

1) des triangles rectangles isocèles ;

2) des triangles scalènes obtusangles.

Activité 7 Les pyramides

Les solides ci-dessous sont des pyramides,

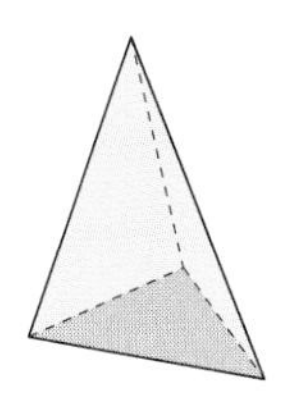
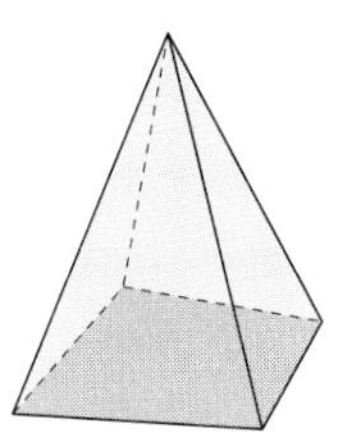
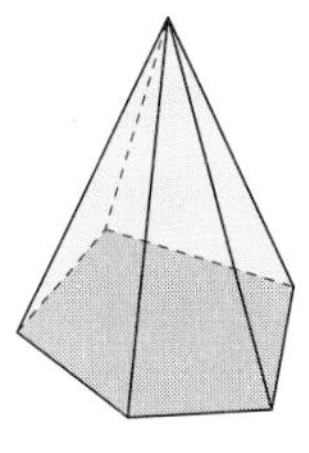
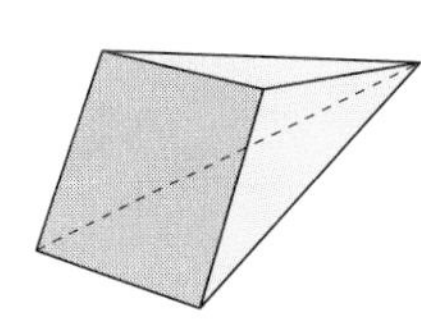

Il a fallu 2 500 000 blocs de pierre de 3 t chacun pour construire la grande pyramide d'Égypte.

mais ceux-ci n'en sont pas.

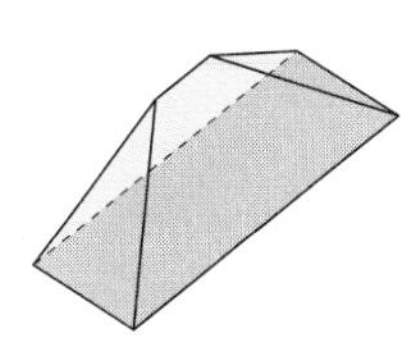
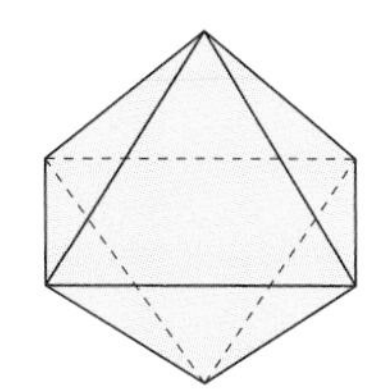
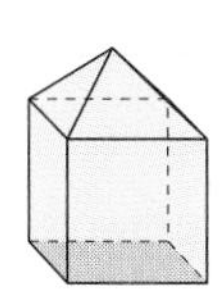
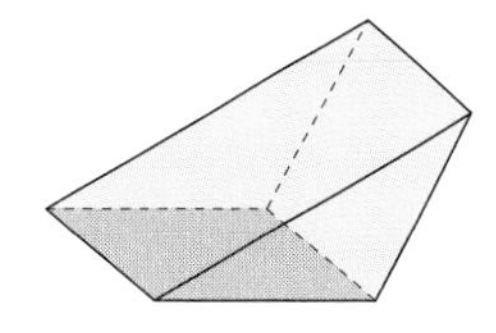

Le sommet commun aux triangles est appelé *apex.*

a) Quelle sorte de figure forment les faces latérales d'une pyramide ?

b) Peut-on générer une pyramide en déplaçant une figure suivant un mouvement de translation quelconque ?

c) Le nom d'une pyramide fait généralement référence à sa base. Quel est le nom de chacune des quatre pyramides dessinées ci-dessus ?

d) Donne une définition de ce qu'on entend par **pyramide.**

e) Quels mots suggères-tu pour distinguer les pyramides du groupe 1 de celles du groupe 2 ?

Groupe 1

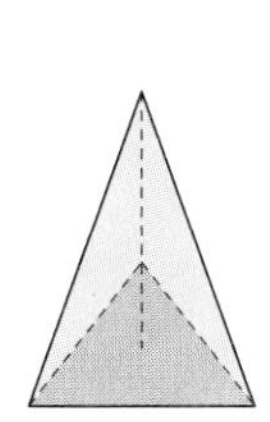
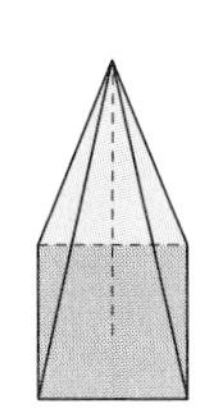
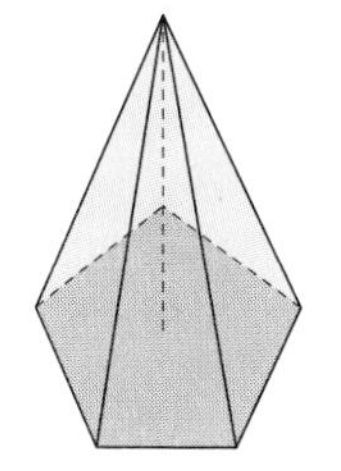

Groupe 2

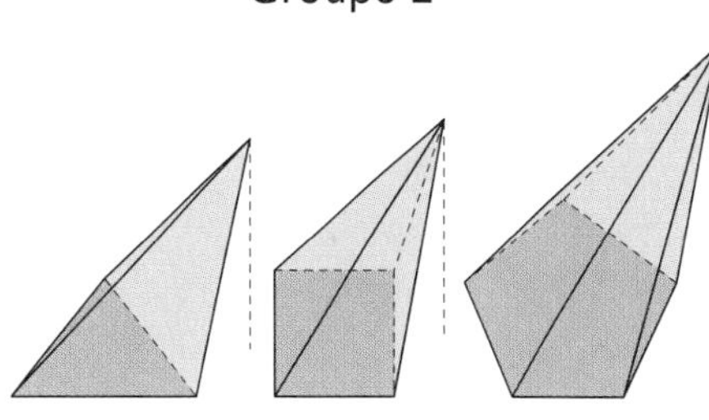
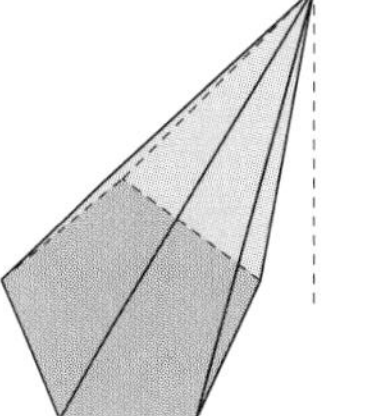

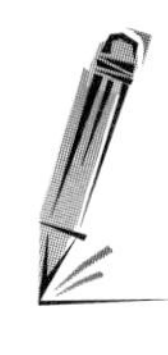

f) Que doit-on entendre par l'expression **hauteur d'une pyramide** ?

g) Laquelle des pyramides ci-dessous a la plus grande hauteur ?

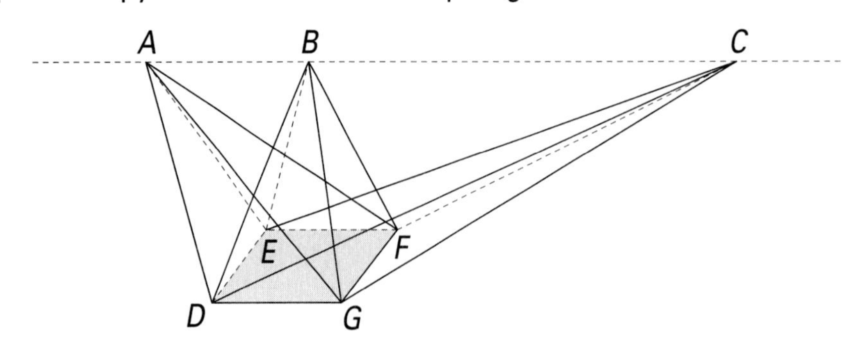

h) Une pyramide d'une civilisation lointaine présente les deux particularités suivantes : une de ses faces montre un escalier, et un puits de lumière descend verticalement du sommet jusqu'à sa base. Afin de permettre aux touristes d'atteindre son sommet, on a aménagé une rampe à l'escalier et un ascenseur dans le puits de lumière. Quelle voie d'accès au sommet est la plus courte ?

Quelles civilisations lointaines ont construit des pyramides et pourquoi les construisaient-elles ?

i) Qu'est-ce qui distingue les pyramides du groupe 1 de celles du groupe 2 ?

Groupe 1

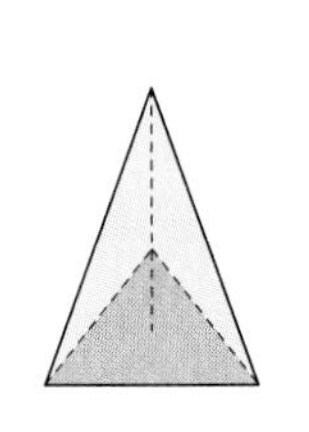

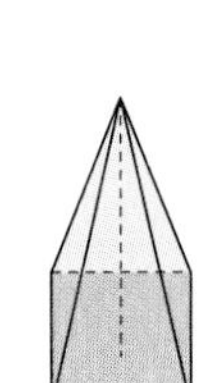

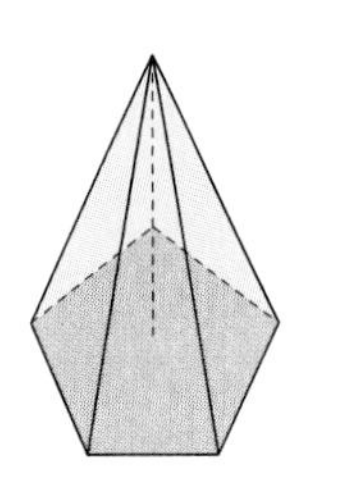

Groupe 2

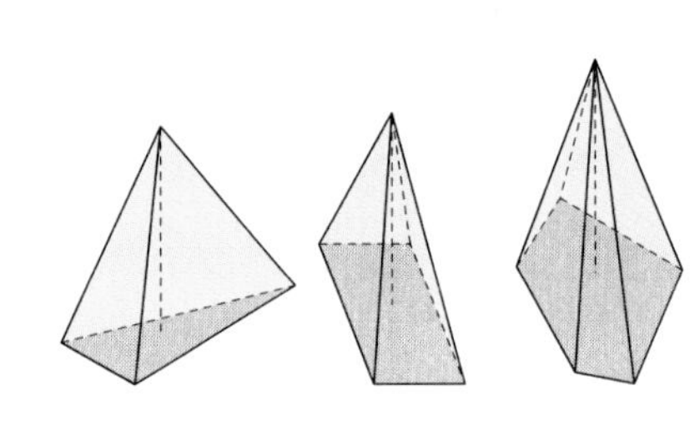

On donne le nom de pyramides régulières aux pyramides du groupe 1.

j) Donne une définition acceptable pour l'expression **pyramide régulière**.

k) Pour dessiner une pyramide, il suffit de tracer le polygone formant sa base, de fixer son sommet et de joindre ce sommet aux sommets de la base.

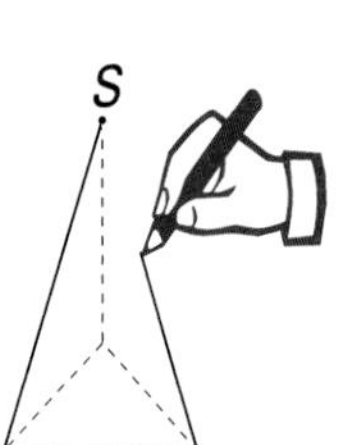

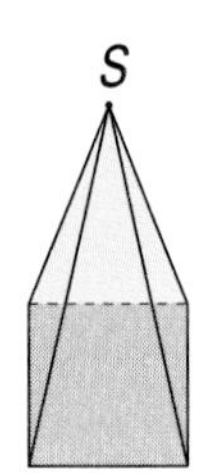

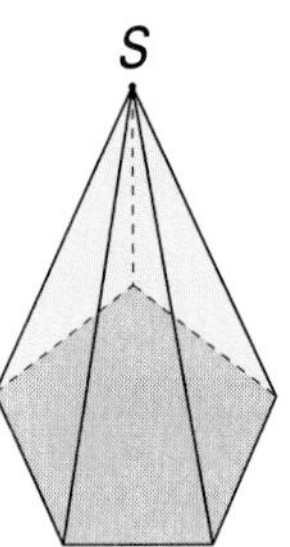

Dessine à main levée une pyramide hexagonale droite.

l) Dessine une pyramide droite à base rectangulaire à l'aide du papier quadrillé ci-contre.

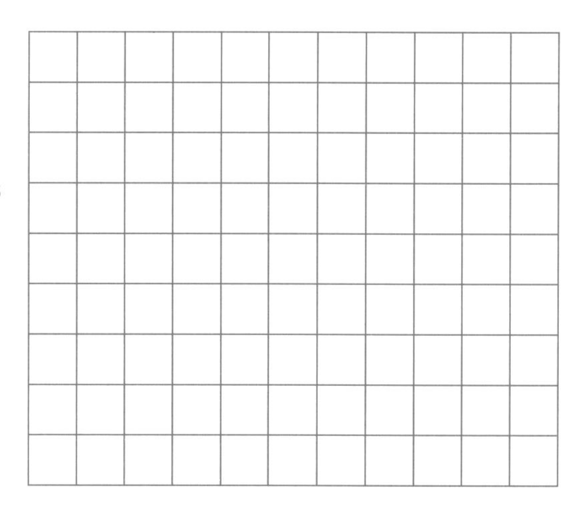

m) Dessine une pyramide comme celle ci-dessous en diminuant sa hauteur de moitié.

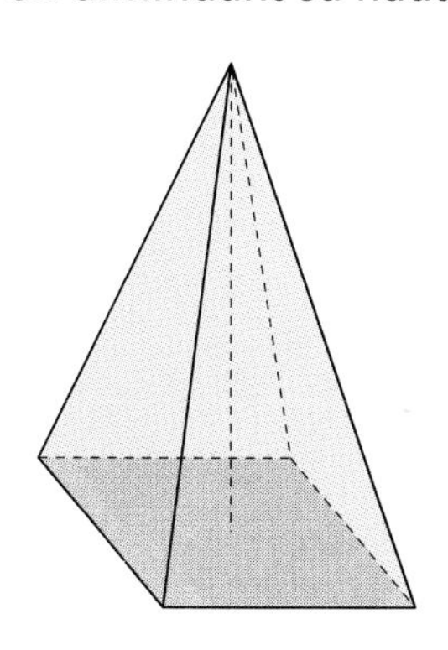

n) Complète ces dessins par des traits pleins ou pointillés afin de former une pyramide :

1) à 4 faces;

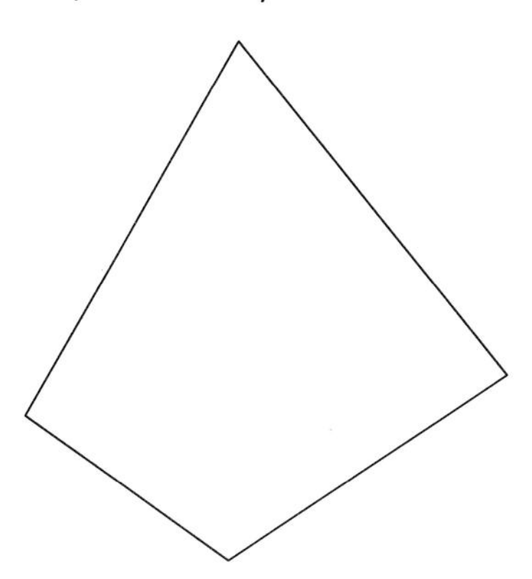

2) à 5 faces.

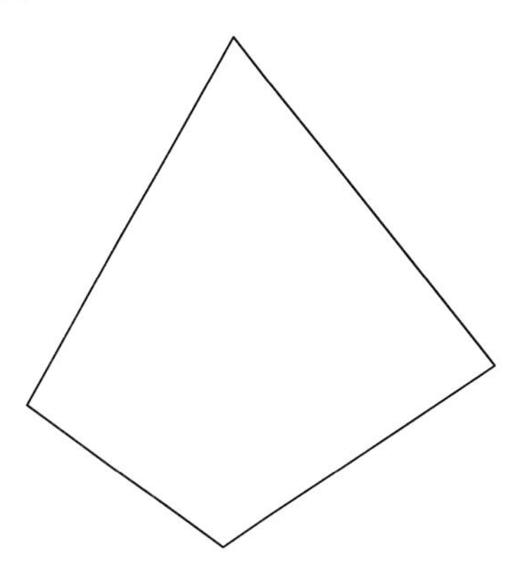

o) Complète ces dessins en traçant des segments pleins ou pointillés pour obtenir le solide nommé.

1) Une pyramide triangulaire.

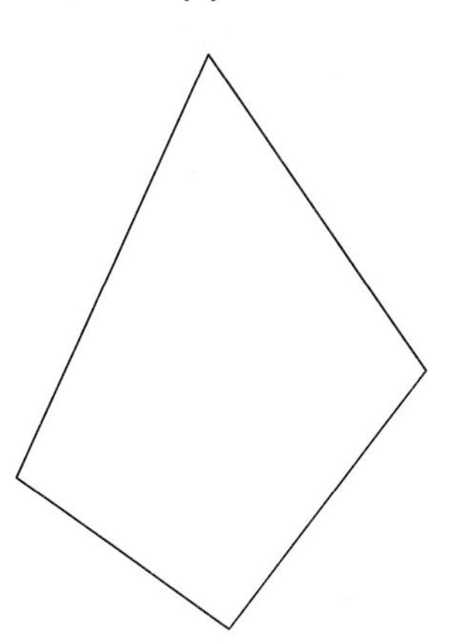

2) Une pyramide pentagonale.

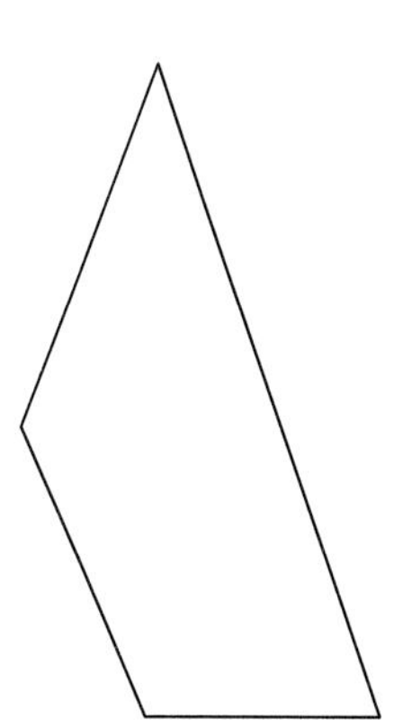

p) Les 6 arêtes d'un solide à 4 sommets, *A*, *B*, *C* et *D*, sont congrues. Un plan passe par l'arête *DC* et coupe l'arête *AB* en son milieu, formant ainsi deux solides.

1) Bâtis, à l'aide de pailles et de noeuds, le squelette des deux solides obtenus.
2) Les deux solides obtenus ont-ils la même forme ? Sont-ils des pyramides ?
3) Les deux solides obtenus occupent-ils la même quantité d'espace ?
4) Places-en un directement devant toi (sa plus courte arête étant le plus loin possible de toi) et dessine-le.

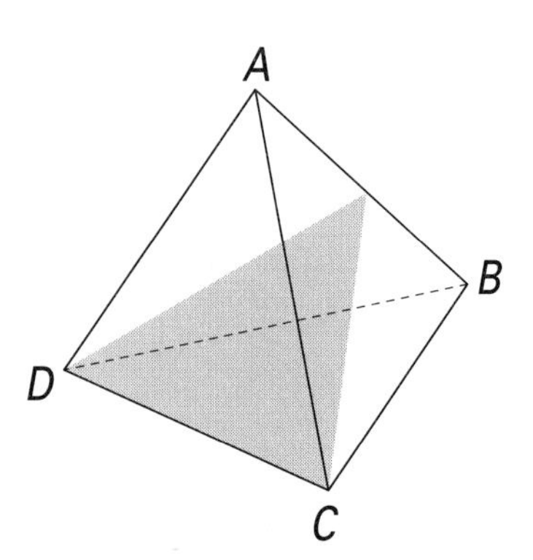

q) Les 6 arêtes d'un solide sont congrues. Un plan coupe le solide au milieu de 4 de ses arêtes.

1) Bâtis, à l'aide de pailles et de noeuds, le squelette des deux solides obtenus.
2) Les deux solides obtenus ont-ils la même forme ?
3) Les deux solides obtenus occupent-ils la même quantité d'espace ?
4) Places-en un directement devant toi (sa plus grande face étant le plus près possible de toi) et dessine-le.

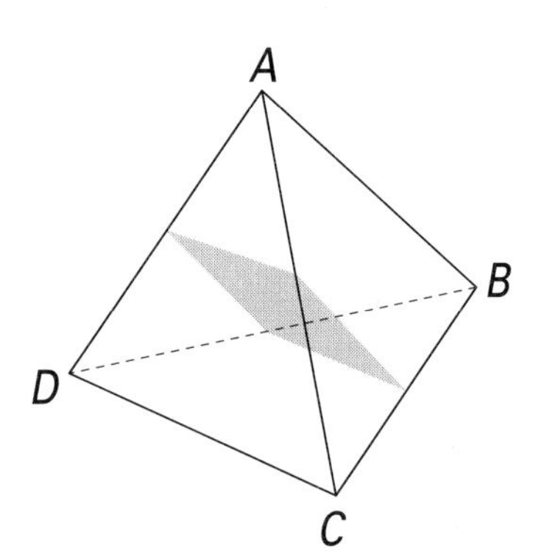

r) Combien faut-il de pyramides droites à base carrée, comme celle illustrée ci-dessous, pour constituer un cube ?

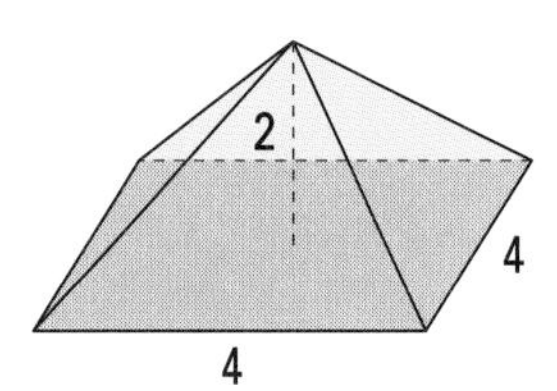

s) Quel solide peut-on constituer si l'on réunit ces trois pyramides ?

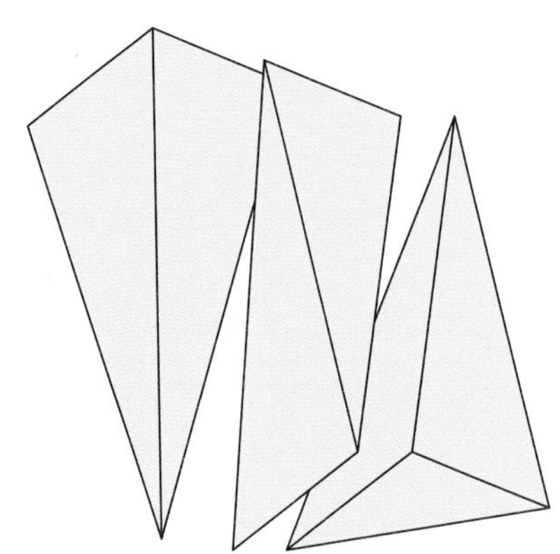

t) Réalise les deux constructions suivantes.

1° Sur une feuille de papier, dessine un triangle isocèle et un triangle équilatéral, puis découpe-les.

2° À l'aide d'une règle, trouve les points milieux de chacun des côtés.

3° Plie chaque pointe du triangle selon les segments joignant les points milieux de ses côtés.

4° À l'aide de ruban adhésif, réunis les trois pointes en un même sommet de façon à former une pyramide.

Les deux pyramides que l'on vient de construire sont des tétraèdres. Qu'est-ce qui distingue l'un de l'autre ?

u) À l'aide de segments, on relie tous les points milieux des arêtes d'un tétraèdre régulier. On enlève les 4 petits tétraèdres formant les pointes du grand tétraèdre. Décris le solide restant.

v) Lequel des développements suivants ne constitue pas le développement d'une pyramide à base carrée ?

A)

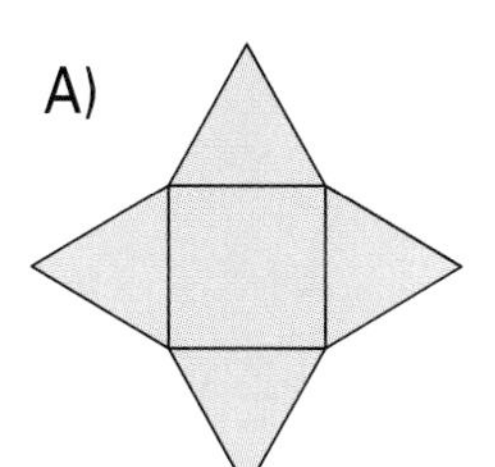

B)

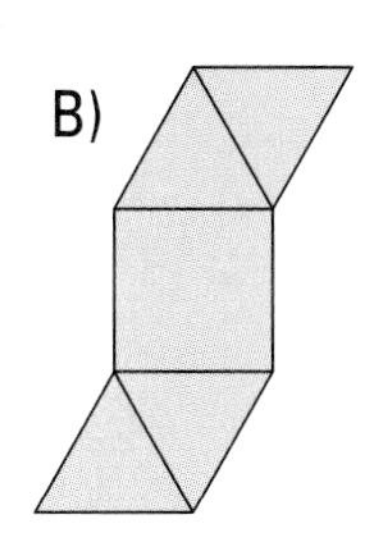

C)

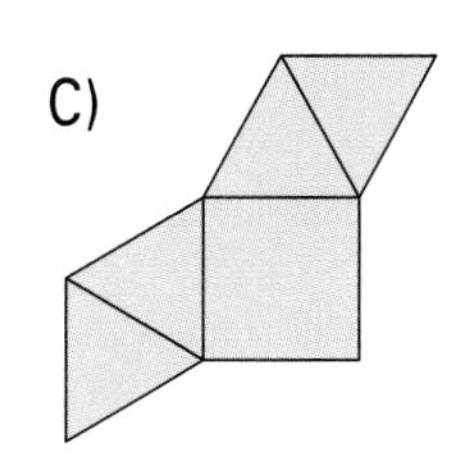

D)

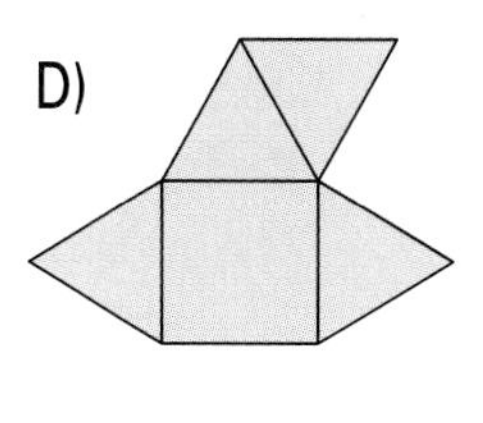

w) Voici le développement d'un tétraèdre régulier. Que peut-on dire à propos des lignes rouges sur ce développement une fois que le tétraèdre est reconstitué ?

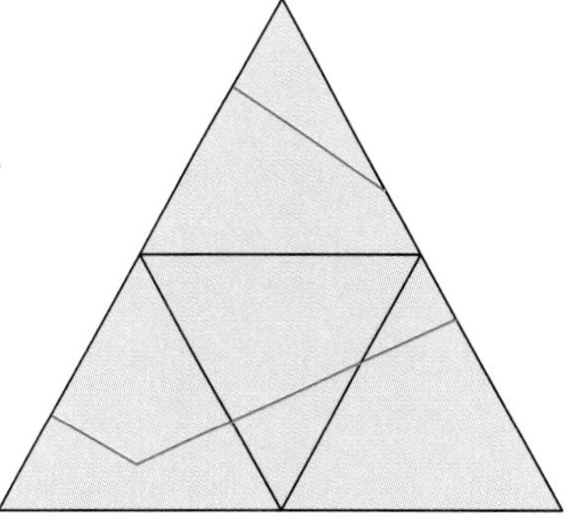

x) Voici un dessin fait en perspective linéaire.

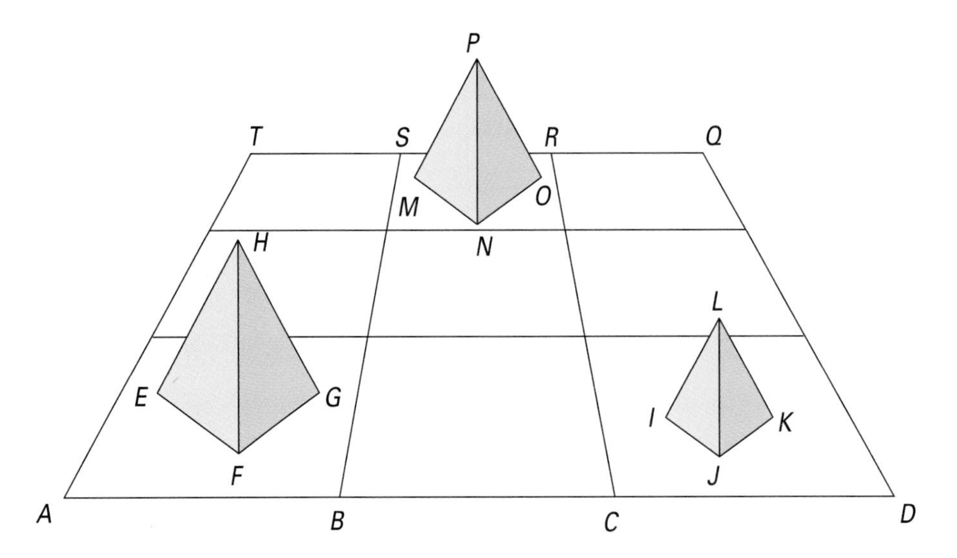

1) Quelle est la forme de la figure *ADQT* sur cette illustration ? dans la réalité ?

2) Laquelle de ces pyramides est la plus grosse sur l'illustration ? dans la réalité ? Justifie ta réponse.

y) On a construit une pyramide avec des balles. On peut constater que les balles qui forment les arêtes sont de la même couleur et que les couleurs des autres balles alternent à chaque étage.

1) Si cette pyramide est un tétraèdre régulier, combien y a-t-il de balles de chaque couleur ?

2) Si cette pyramide a une base carrée, combien y a-t-il de balles de chaque couleur ?

?

Pourquoi une balle de caoutchouc rebondit-elle ?

Activité 8 Les cylindres

a) On a représenté des plans parallèles.

1) Reproduis les deux illustrations suivantes.

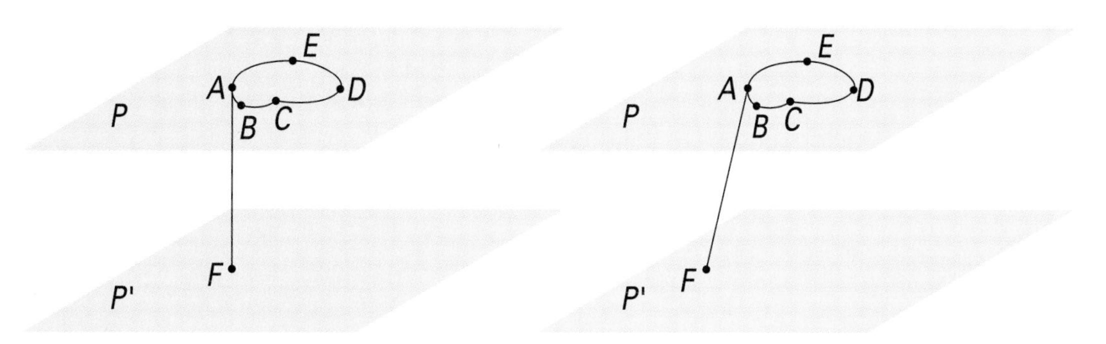

2) Pour chacune d'elles, projette la ligne courbe fermée suivant $\overline{AF}$ sur le plan *P*' et relie les points *B, C, D* et *E* à leur image sur *P*'.

Tu viens de tracer le dessin de **cylindres.**

b) Voici différents cylindres.

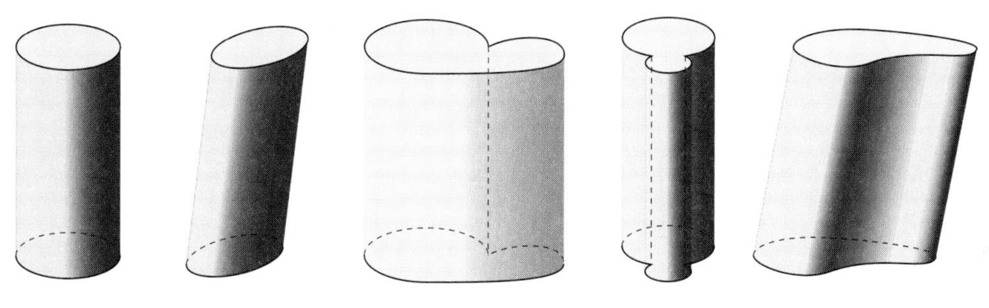

Quelle définition peut-on donner d'un cylindre?

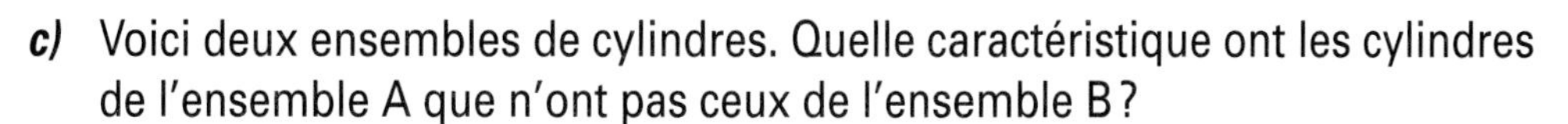

c) Voici deux ensembles de cylindres. Quelle caractéristique ont les cylindres de l'ensemble A que n'ont pas ceux de l'ensemble B?

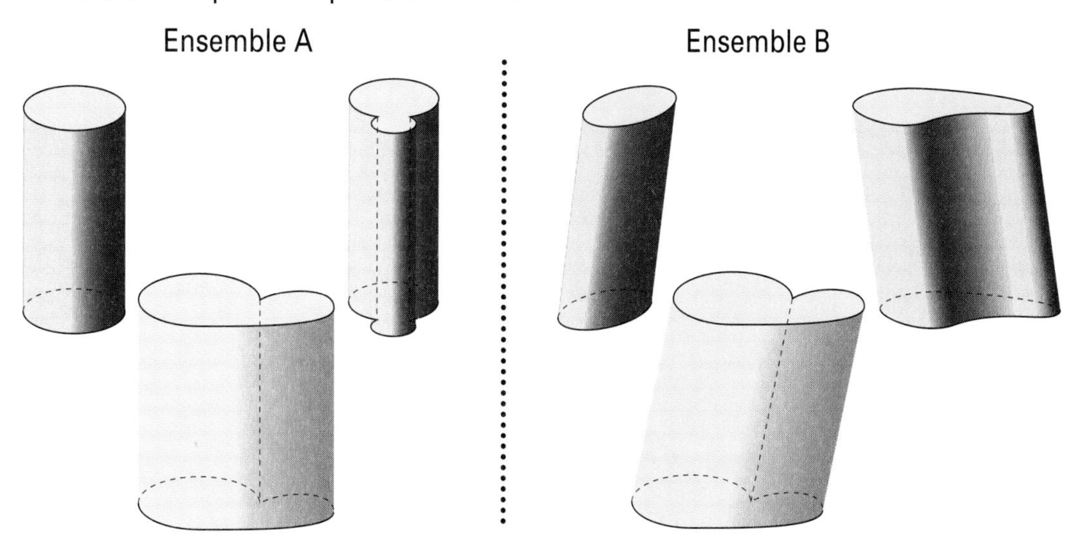

d) On déplace un disque suivant un mouvement de translation. Quelle sorte de solide génère-t-on si :

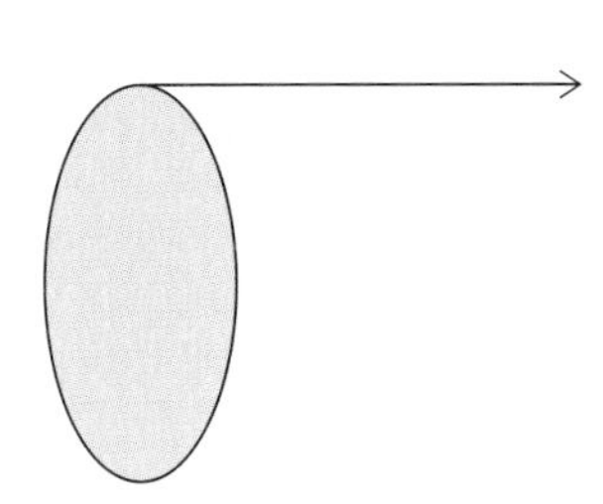

1) la direction est perpendiculaire au disque ?

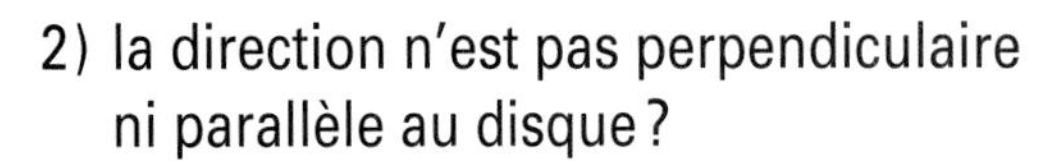

2) la direction n'est pas perpendiculaire ni parallèle au disque ?

e) On fait tourner un rectangle de 360° autour de l'axe supportant l'un de ses côtés. Quelle caractéristique a le solide ainsi généré ?

1)

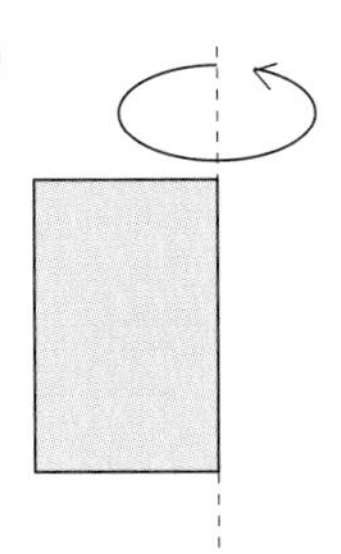

2)

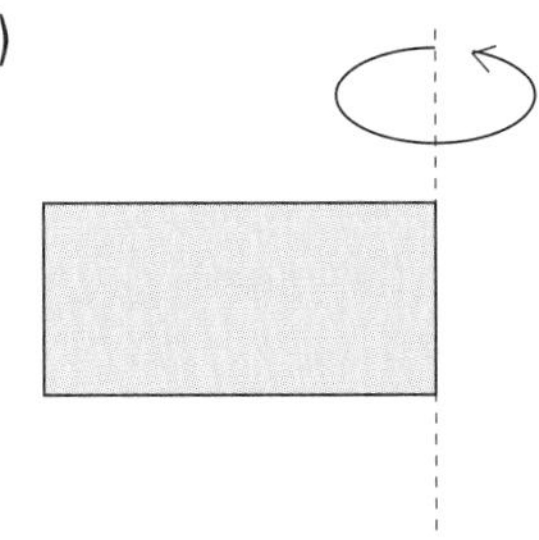

On dit que les cylindres générés par rotation sont des **cylindres circulaires droits.** Ce sont généralement ceux-là qu'évoque le mot *cylindre.*

f) Un rectangle mesure *a* cm sur *b* cm. On le fait tourner de 360° autour d'un axe correspondant à l'un de ses côtés. Dans chaque cas, décris le cylindre généré.

1)

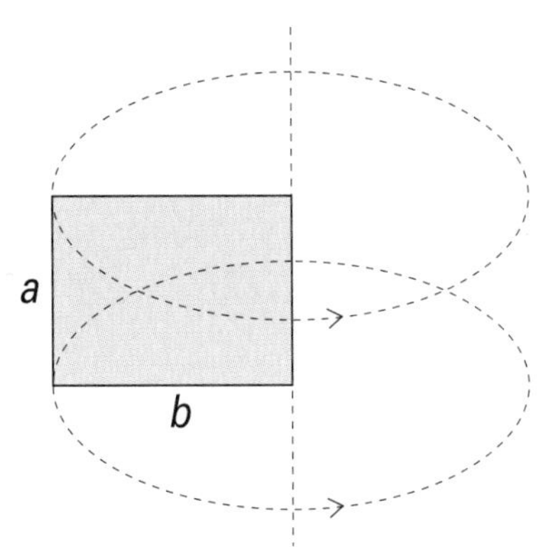

2)

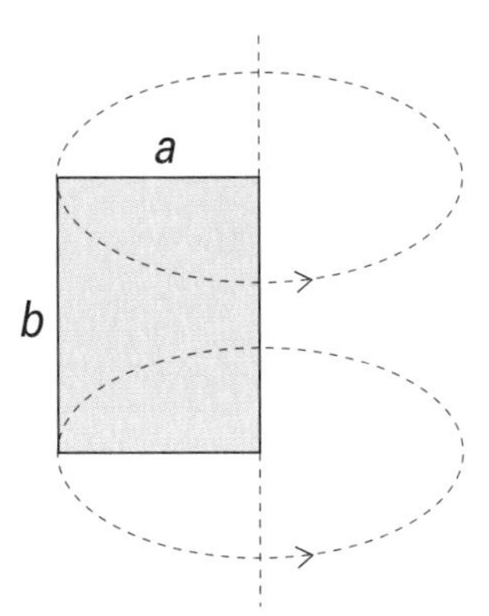

g) Décris les cylindres obtenus si l'on fait tourner de 180° un rectangle de *a* cm sur *b* cm autour de ses axes de symétrie.

1)

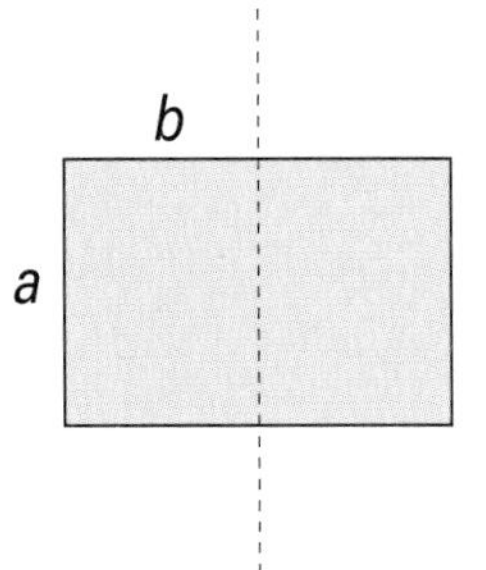

2)

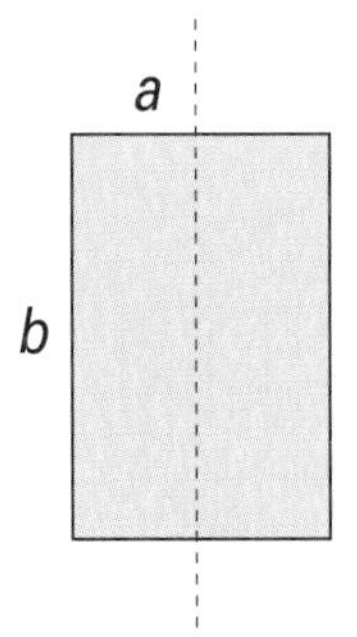

h) Complète ces deux dessins pour obtenir des cylindres droits à base circulaire.

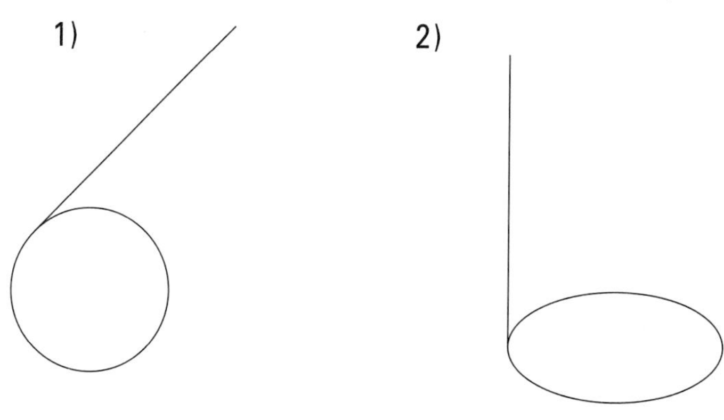

Généralement, dans cette façon de représenter un cylindre, les cercles sont représentés par des ellipses deux fois plus larges que hautes.

i) Dessine un cylindre droit à base circulaire deux fois plus haut que large.

j) Dessine un cylindre oblique à base circulaire dont la hauteur égale la largeur.

k) Complète le dessin en perspective linéaire d'un cylindre de 4 cm de largeur sur 12 cm de longueur.

Point de fuite

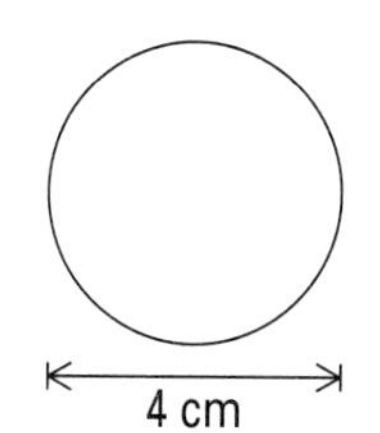

l) Si l'on fait tourner un parallélogramme autour de l'un de ses côtés, engendre-t-on un cylindre ?

m) Voici deux développements de cylindres. Qu'est-ce qui distingue le premier cylindre du second ?

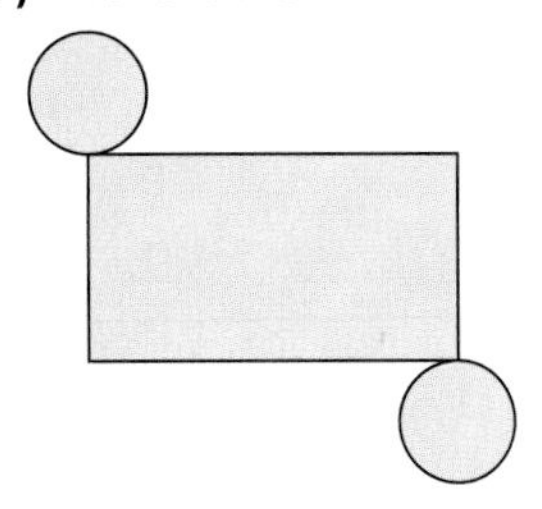

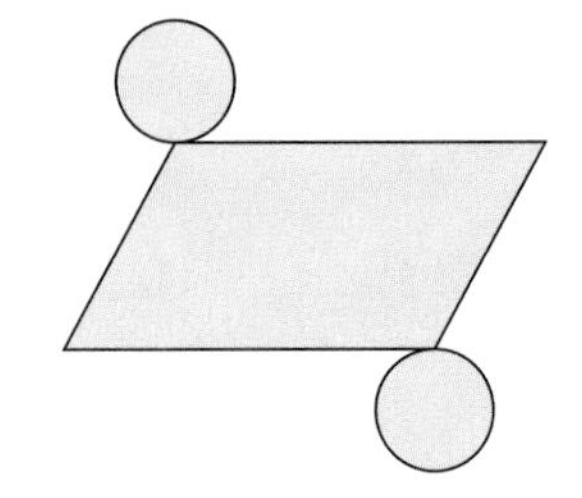

n) On met un cylindre « à plat ».

1) Quelle relation lie les disques ou les cercles au rectangle ?
2) À quelle mesure du cylindre la hauteur du rectangle correspond-elle ?
3) En prenant des mesures à l'aide d'une règle, vérifie si le développement de cylindre ci-dessus est approprié.

o) Un cylindre droit a une base circulaire dont l'aire est de 16π cm². Le rectangle qui lui correspond est un carré. Quelle est :

1) la largeur du cylindre ?
2) l'aire du rectangle ?

p) À l'aide d'un rectangle deux fois plus large que haut, forme la face latérale d'un cylindre droit.

Il est possible de transformer ce cylindre sans base en un solide qui s'approche du tétraèdre.

1° Pince ses deux extrémités suivant des diamètres de directions perpendiculaires.

2° Ferme les deux extrémités avec du ruban adhésif.

3° Fais apparaître par pliage les arêtes du tétraèdre.

Que peut-on dire de la surface du tétraèdre par rapport à la surface latérale du cylindre ?

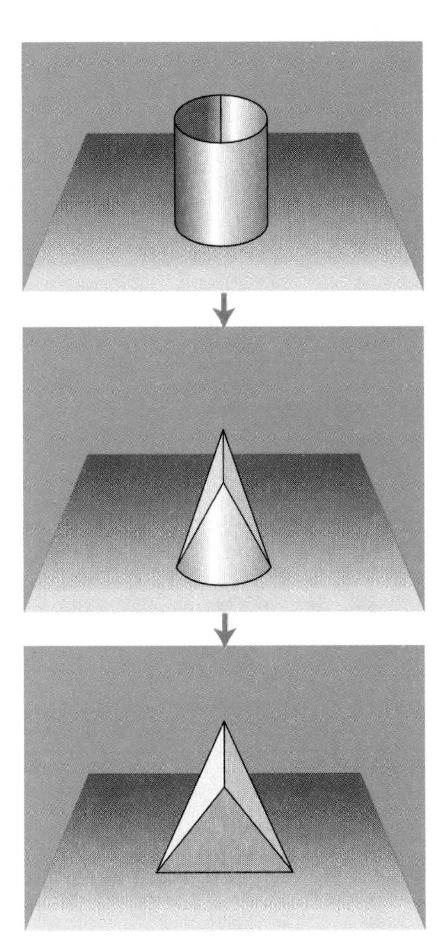

Activité 9 Les cônes

a) Décris la forme que prennent le plus souvent les volcans.

b) Quelle forme prennent les amoncellements de bran de scie ou de grains de sable ?

c) Pourquoi un écoulement d'eau ne forme-t-il pas un cône ?

Le Fuji-Yama est la plus haute montagne du Japon : son sommet culmine à 3776 m. Volcan éteint formant un cône presque circulaire, il est recouvert de neiges éternelles.

d) Trouve une raison qui pourrait expliquer pourquoi on a donné la forme de cônes aux premières capsules spatiales.

e) Qu'est-ce qui distingue ces deux cônes ?

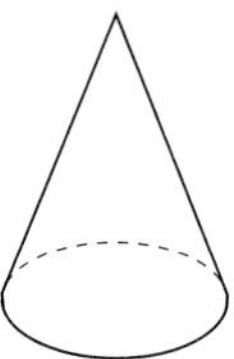

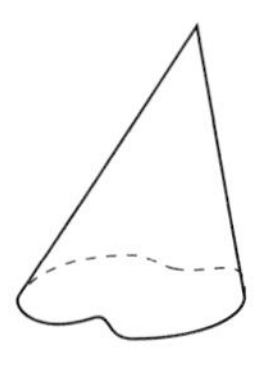

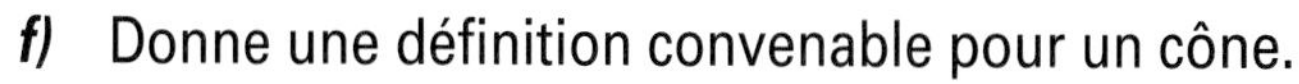

Le sommet d'un cône est aussi appelé *apex*.

f) Donne une définition convenable pour un cône.

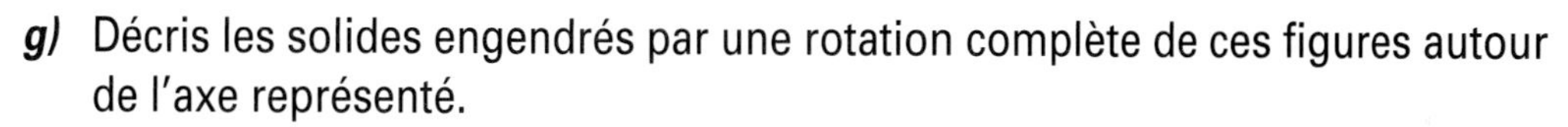

g) Décris les solides engendrés par une rotation complète de ces figures autour de l'axe représenté.

1)

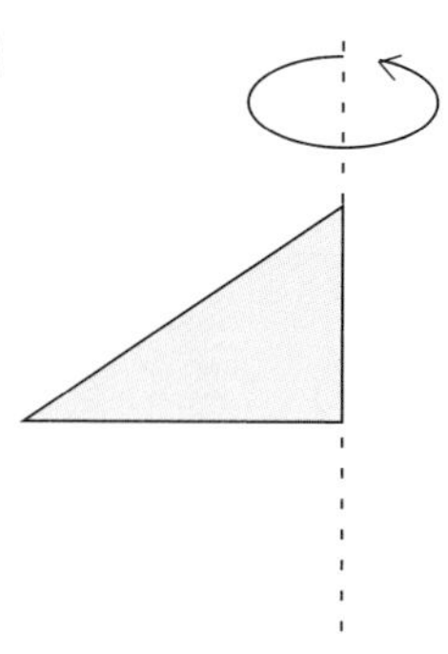

2)

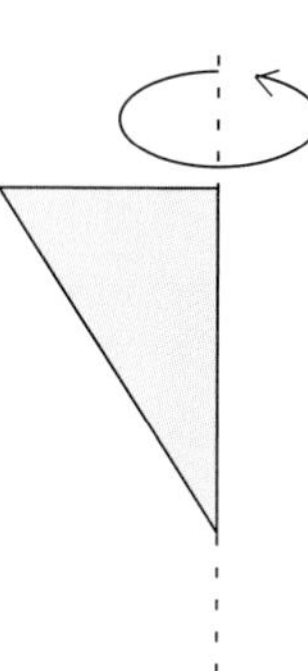

3)

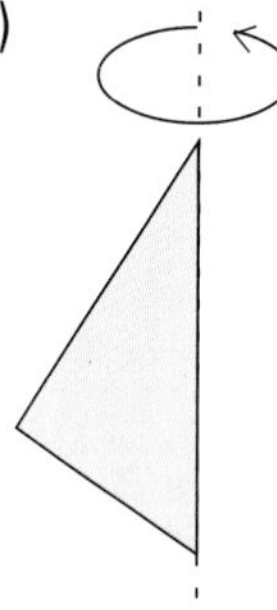

h) Quelle caractéristique essentielle doit posséder un triangle pour engendrer un cône par une rotation complète ?

Généralement, lorsque l'on parle d'un cône, on fait référence à un cône droit à base circulaire.

i) Décris le cône engendré par la rotation d'un triangle rectangle isocèle autour de l'un des côtés de l'angle droit si ces côtés mesurent *a* cm.

j) Le cône représenté ici est-il droit ou oblique ?

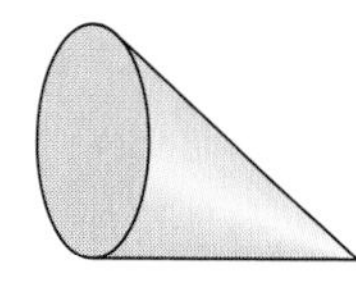

k) Comme pour le cylindre, on dessine le cercle de la base deux fois plus large que profond. Dessine un cône circulaire droit :

1) posé sur sa base ;

2) posé sur le côté.

l) Dessine le cône décrit en utilisant le papier quadrillé ci-dessous.

1) Cône droit à base circulaire deux fois plus haut que large.

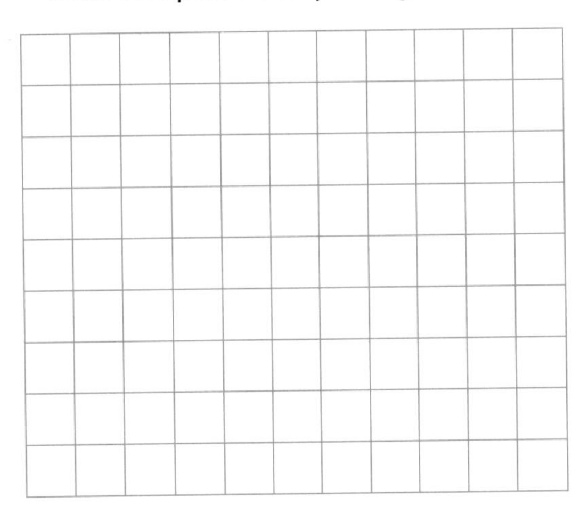

2) Cône oblique à base circulaire aussi haut que large.

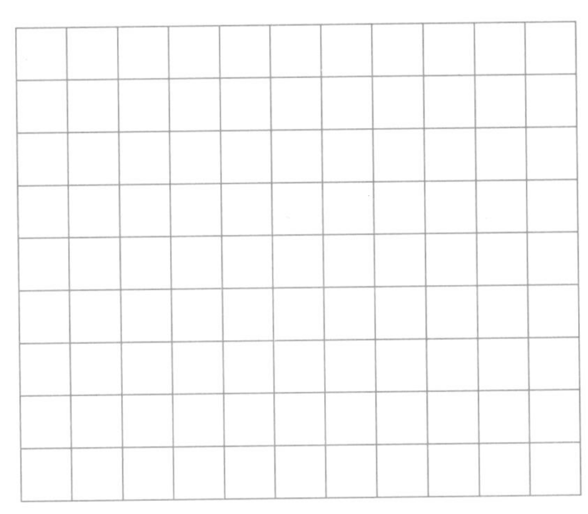

m) Il est possible de mettre un cône « à plat ». Dessine le développement d'un cône.

n) Voici le développement d'un cône.

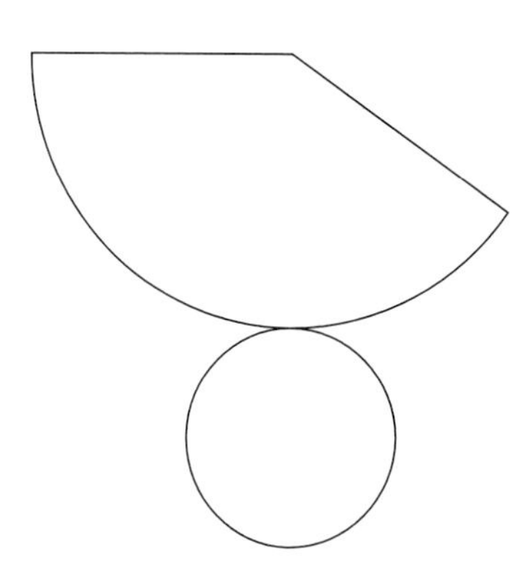

1) Décris les deux faces ainsi obtenues.

2) Quel lien existe-t-il entre les deux faces ?

3) Quelle est la mesure de l'arc du secteur si le rayon du disque est de 1 cm ?

4) Quelle est la mesure de l'angle au centre du secteur si celle de son rayon est de 2,5 cm ?

5) Indique quelle mesure doit varier si on augmente l'aire du secteur en gardant constante la mesure du rayon.

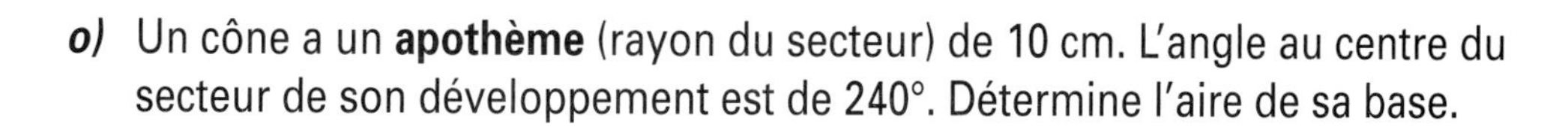

o) Un cône a un **apothème** (rayon du secteur) de 10 cm. L'angle au centre du secteur de son développement est de 240°. Détermine l'aire de sa base.

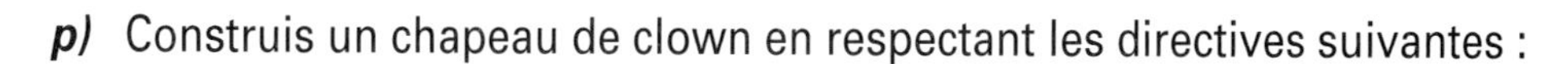

p) Construis un chapeau de clown en respectant les directives suivantes :

1° Découpe un disque de 10 cm de rayon (dans une grande feuille ou un carton).

2° Découpe un secteur ayant un angle au centre de 120°.

3° Avec la partie restante, fabrique un chapeau de clown ayant la forme d'un cône.

1) À l'aide de ta règle, détermine la hauteur de ce chapeau.

2) Quel est le rayon du cercle de la base de ce cône ?

3) Peut-on former un chapeau de clown avec un secteur dont la mesure de l'angle au centre est autre que 240° ? Vérifie ta réponse.

q) La base d'une pyramide régulière est un hexagone dont le côté mesure 6 cm. Une arête latérale de cette pyramide mesure 10 cm.

Le cône a pour base un disque dont le rayon est de 6 cm. L'apothème de ce cône mesure 10 cm.

Est-il possible qu'un de ces solides soit complètement contenu dans l'autre ? Si oui, lequel ? Justifie ta réponse.

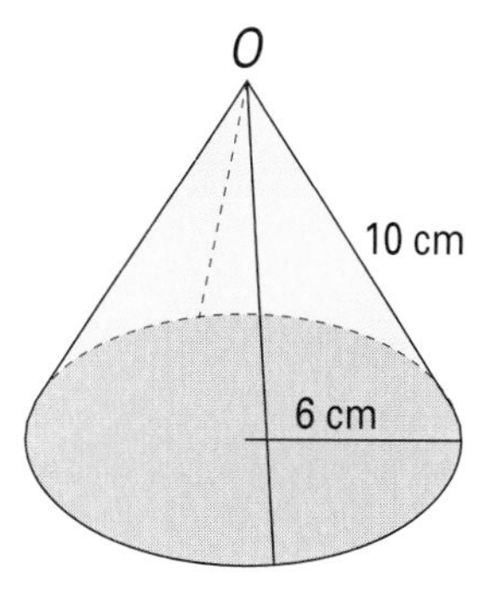

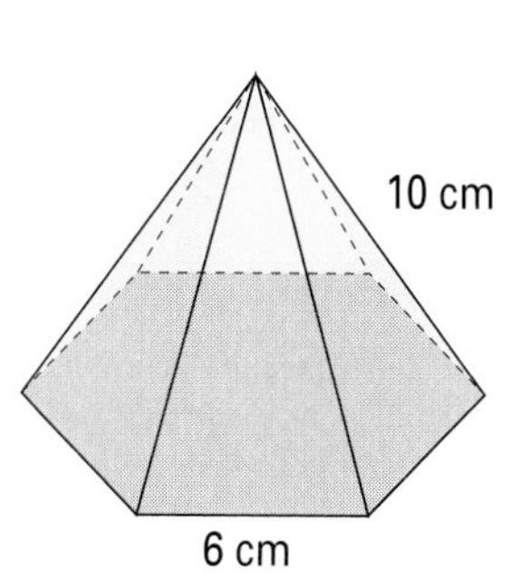

Activité 10 La boule et sa sphère

a) Les fruits ont souvent la forme d'une boule. En voici quelques-uns.

La tomate est souvent considérée à tort comme un légume. Elle est un fruit.

Tomate

Orange

Raisins

Nomme 5 autres fruits qui ont également la forme d'une boule.

b) On utilise souvent une boule ou une balle pour divers jeux. Pourquoi ?

c) Donne une définition convenable de ce qu'on entend par **boule géométrique.**

d) On associe la peau ou la pelure du raisin, de la tomate ou de l'orange à la **sphère** de la boule géométrique. Qu'est-ce alors qu'une sphère ?

La boule n'est pas un solide facile à construire, car elle a une surface courbe très particulière.

e) Comment a-t-on construit la biosphère sur l'île Sainte-Hélène, à Montréal ? Sa surface est-elle véritablement une sphère ?

f) Dessine le motif du revêtement en cuir d'une balle de baseball.

g) Peut-on générer une boule par un mouvement de translation d'une figure plane quelconque ?

h) Décris deux figures planes qui peuvent générer une boule par rotation autour d'un axe.

i) On veut ranger une boule de 20 cm de rayon dans une boîte qui a la forme d'un prisme rectangulaire. Quelles doivent être les dimensions de la plus petite boîte pouvant contenir cette boule ?

j) Le pompon évoque l'idée d'une boule. Voici comment en fabriquer un.

1° Découpe deux disques de 4 cm de diamètre dans du carton fort.

2° Fais un trou de 1 cm de diamètre au centre de chacun des disques.

3° Enroule la laine sur le beigne formé par les disques de façon à le recouvrir totalement au moins deux fois.

4° Coupe la laine en insérant les ciseaux entre les deux disques.

5° Insère un bout de laine entre les deux disques. Ensuite, fais deux noeuds pour bien attacher tous les bouts de laine.

6° Retire les deux disques de carton et forme le pompon.

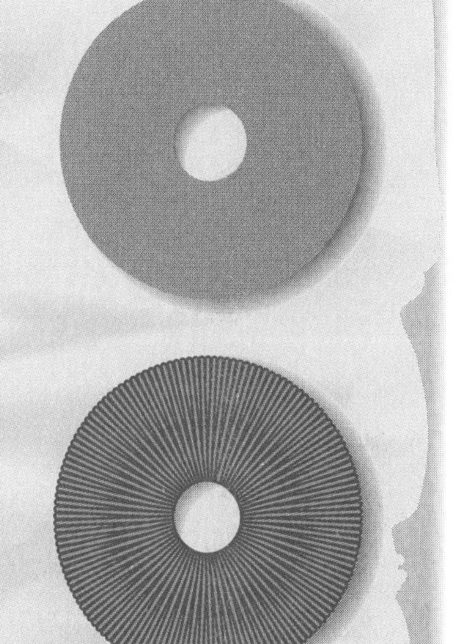

k) Quelle propriété d'une boule le pompon met-il en évidence ?

l) Jason prétend qu'il est possible de fabriquer une boule en réunissant plusieurs petits cônes par leur sommet. A-t-il raison ?

m) Sur la pelure d'une pomme, une coccinelle se trouve en un point *A* et veut se rendre à un point *B*. Décris le trajet le plus court qu'elle peut emprunter.

n) La Terre est une boule. Comment appelle-t-on :

1) les grands cercles qui passent par ses 2 pôles ?

2) le plus grand cercle dont le diamètre est perpendiculaire à son axe ?

Pour dessiner une boule ou une sphère, on convient généralement de faire un cercle et une ellipse horizontale ou verticale. La profondeur de l'ellipse est égale à la moitié de son autre dimension.

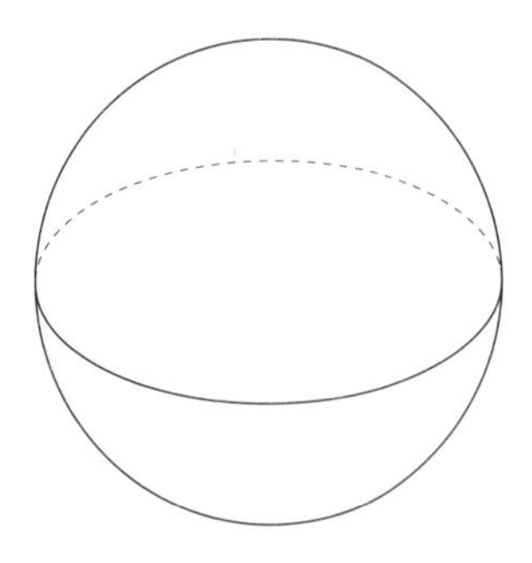

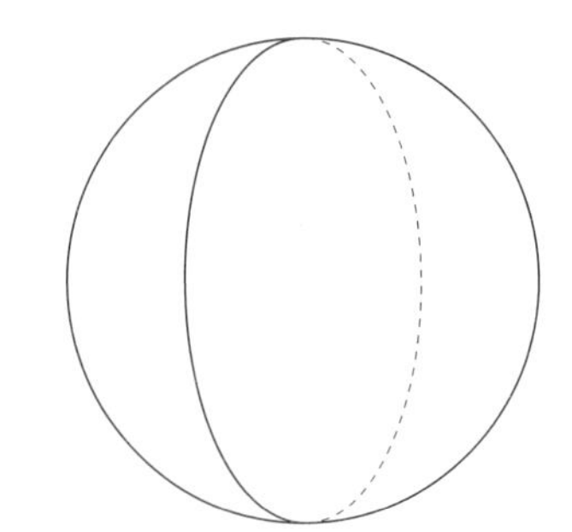

o) Quel nom donne-t-on aux segments tracés dans la représentation de la boule ci-contre?

p) Les rayons d'une boule ont-ils tous la même longueur :

1) dans la réalité?

2) dans la représentation ci-contre?

q) La surface d'une boule est-elle développable?

r) Peut-on dire que cette représentation que les géographes font de la Terre est un développement?

On donne le nom de projection interrompue à cette représentation de la Terre. Il existe plus de 200 types de projections différents.

Activité 11 Une classification des solides

Complète cette classification en écrivant les termes appropriés dans chaque case.

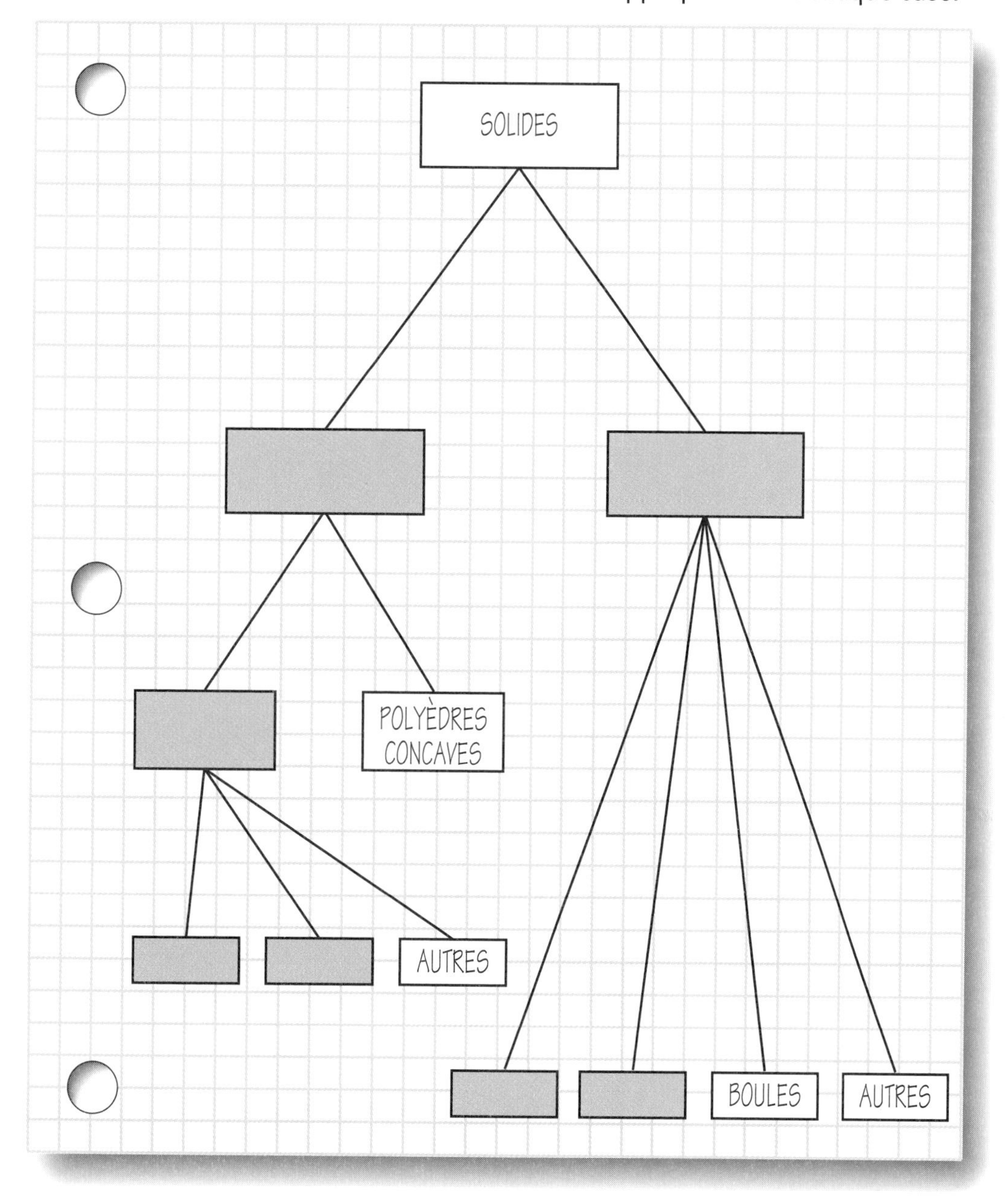

Cette classification sert principalement à identifier et à décrire les solides qui nous entourent. L'identification d'un solide permet tout de suite de le visualiser et d'en connaître les caractéristiques et les propriétés sans avoir à les énoncer. Ce sont des mots chargés de sens.

Cependant, les solides n'ont pas toujours des formes très simples. On peut alors les décrire en donnant leur nombre de sommets, d'arêtes ou de faces. On peut également indiquer la forme des faces ou les décomposer en solides plus simples ou les comparer à d'autres formes connues.

Activité 12 Des solides à décrire

a) Donne une description des solides suivants afin qu'une personne qui ne les voit pas puisse s'en faire une bonne idée.

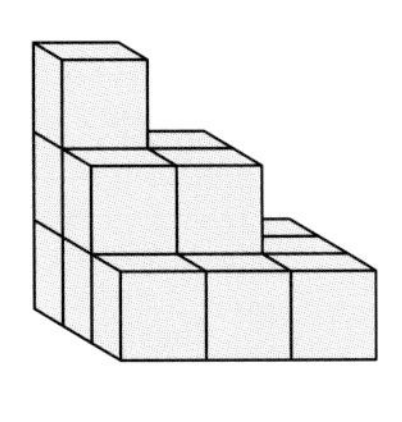

Solide A

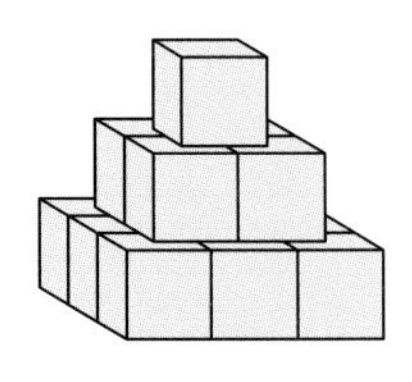

Solide B

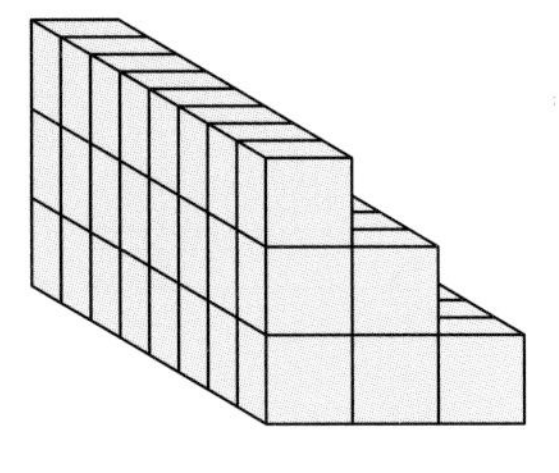

Solide C

b) Peut-on véritablement donner le nom de pyramides aux solides A et B et de prisme triangulaire au solide C ? Pourquoi ?

c) Observe le solide ci-contre.

1) Donne une description de ce solide qui permet à quelqu'un qui ne le voit pas de s'en faire une bonne idée.
2) Combien a-t-il de sommets et d'arêtes ?
3) Combien a-t-il de faces ?
4) Est-ce un solide convexe ou concave ?

d) Voici la représentation d'un solide.

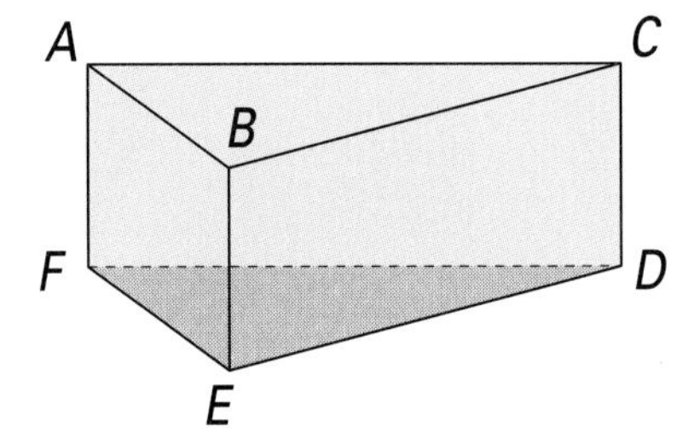

1) S'agit-il d'une pyramide ?
2) Combien a-t-il de sommets ? d'arêtes ? de faces ?
3) Décris les polygones qui forment ses bases.
4) Que peut-on dire de ses faces latérales ?
5) Quel est le nom précis de ce solide ?

e) Utilise les termes de la classification des solides pour décrire ces objets.

1) 

2) 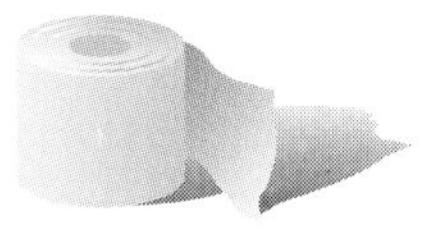

3) 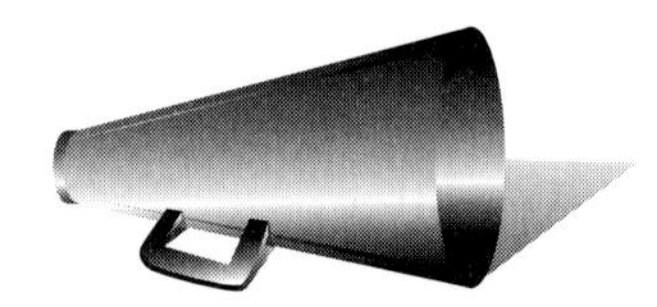

4) 

5) 

6) 

Qu'est-ce qu'une micro-onde ?

f) Utilise les termes de la classification pour décrire les objets que l'on retrouve dans ce panier de pique-nique.

g) Utilise les termes de la classification pour décrire les objets nommés.

1) Un rivet. 2) Un entonnoir.

h) Dans chaque cas, on a dévoilé progressivement un des solides déjà étudiés, qui porte un nom particulier. Après chaque image, donne les noms de tous les solides dont il pourrait s'agir.

Solide A

1) 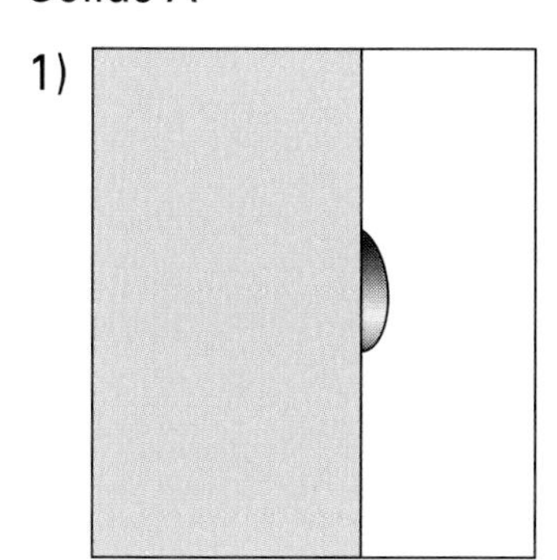

2) 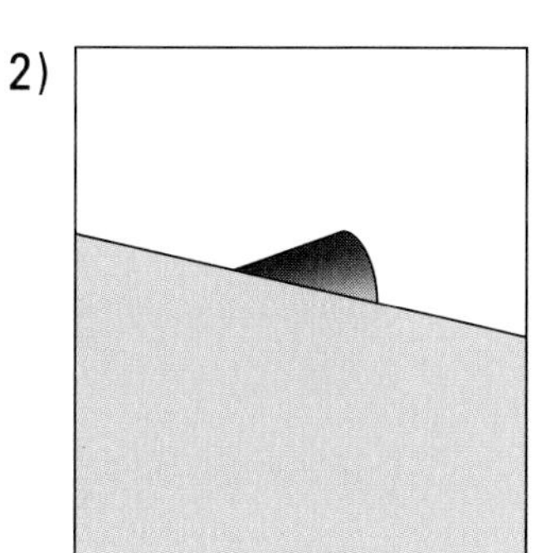

3) 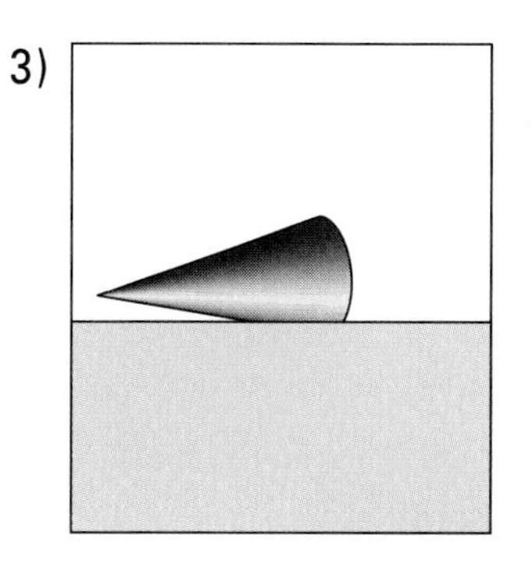

Solide B

1) 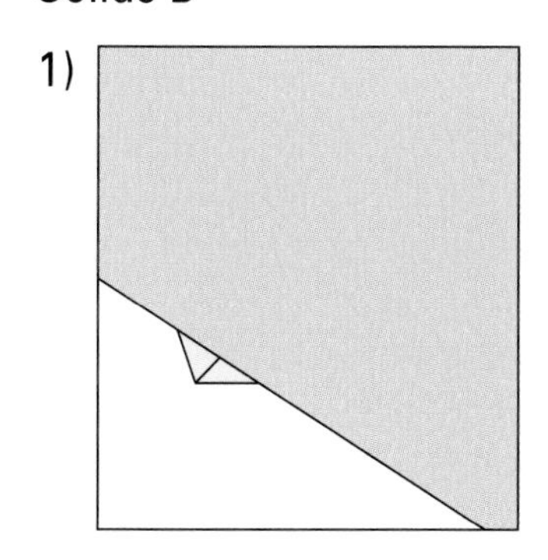

2) 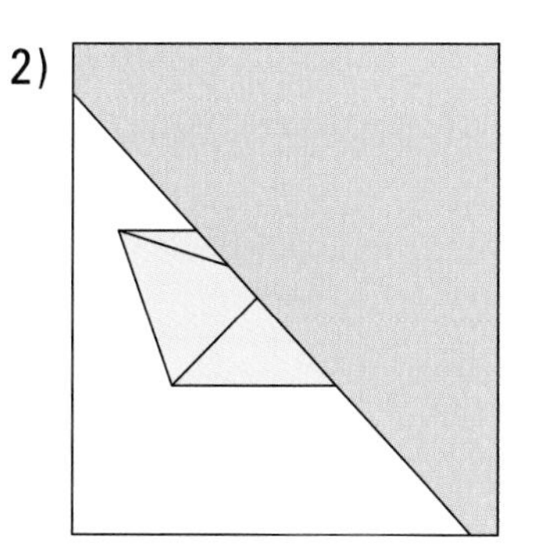

3) 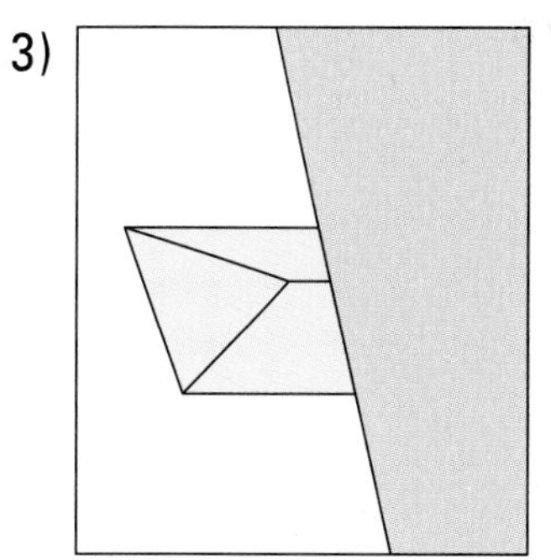

Solide C

1) 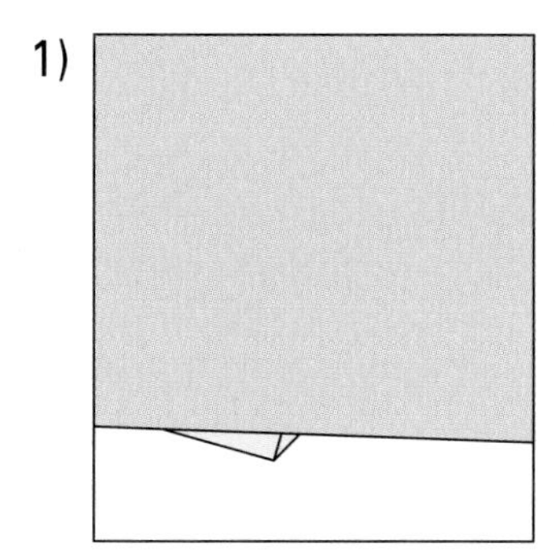

2) 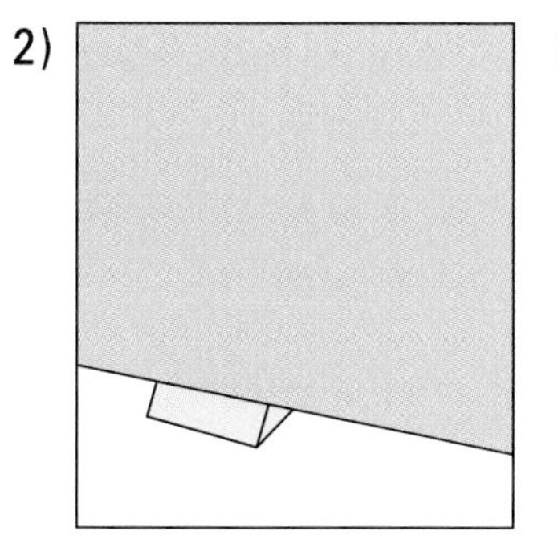

3) 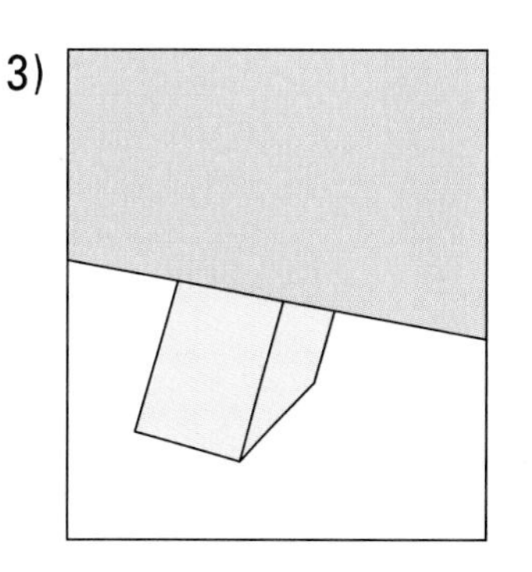

i) Je cache un solide derrière moi. Vous avez droit à 5 questions pour découvrir son nom. Je ne peux répondre à vos questions que par oui ou non. Donnez le nom le plus précis possible du solide que les réponses à ces cinq questions permettent d'identifier.

1° Est-ce un polyèdre ? (Oui)

2° Est-ce un polyèdre convexe ? (Oui)

3° Est-ce un prisme ? (Oui)

4° Ses bases ont-elles moins de 5 côtés ? (Oui)

5° Ses bases ont-elles 3 côtés ? (Non)

j) Ariane cache derrière elle le solide A. Diego, quant à lui, cache le solide B. On vous donne 4 renseignements. Identifiez chaque solide.

Solide A

1) 1° Il a 6 sommets.

2° Il possède 5 faces.

3° Il a 9 arêtes.

4° Deux de ses faces sont des triangles.

Solide B

2) 1° Il a 6 sommets.

2° Il possède 6 faces.

3° Il n'a aucune arête perpendiculaire.

4° Cinq de ses faces sont des triangles.

k) De quel solide s'agit-il?

1) Ma surface ne présente aucune face.
2) Ma surface est formée d'un secteur et d'un disque.
3) Ma surface est formée de 4 faces congrues.
4) J'ai 5 faces dont exactement 2 sont triangulaires et congrues.
5) Toutes mes faces sont des parallélogrammes non rectangles.
6) Je n'ai que 4 sommets.
7) Je suis formé de 2 cubes.
8) Je n'ai aucun sommet et deux de mes faces sont planes.
9) Je suis un polyèdre régulier à 6 sommets.
10) Je suis un polyèdre régulier à 6 faces.

l) À quelle classe appartiennent les polyèdres qui ont tous autant de faces que de sommets?

m) Dans une classe, Mathias décrit un solide représenté sur une carte. Les autres élèves doivent le reproduire en se fiant uniquement à la description de Mathias. Ils ont trois minutes pour faire ce travail. Après les trois minutes, chaque élève compare son solide avec celui reproduit sur la carte. Si les représentations sont identiques, un point est accordé à l'élève qui l'a bien dessiné et à l'élève qui l'a décrit. On passe ensuite à l'élève suivant.

n) Voici quatre solides.

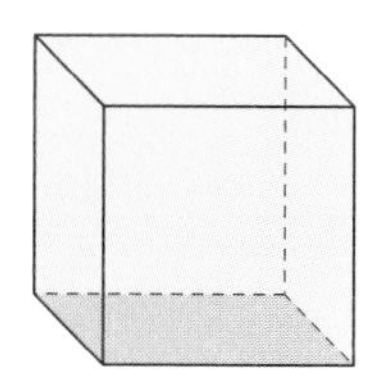
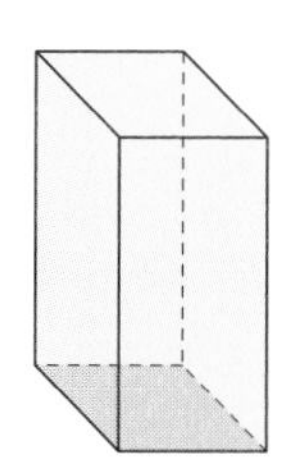
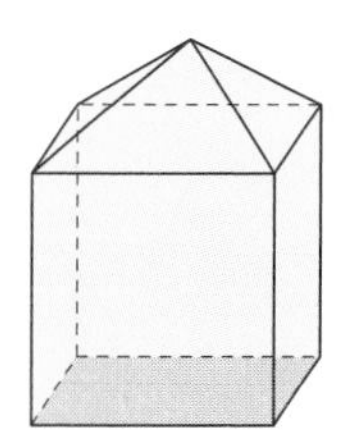
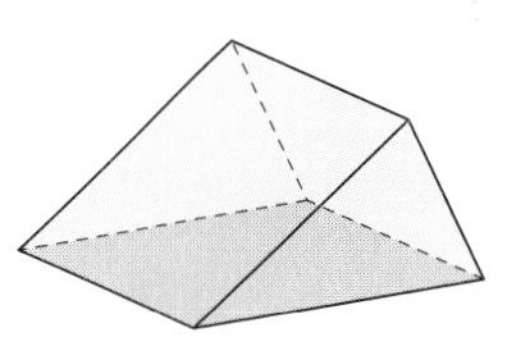

En regard de ces 4 solides, énonce une phrase qui commence par :

1) Tous ces solides...
2) Quelques-uns de ces solides...
3) Aucun de ces solides...

o) Dans chaque cas, décris le solide qu'on obtient par une rotation de 360° de ces figures autour de l'axe représenté.

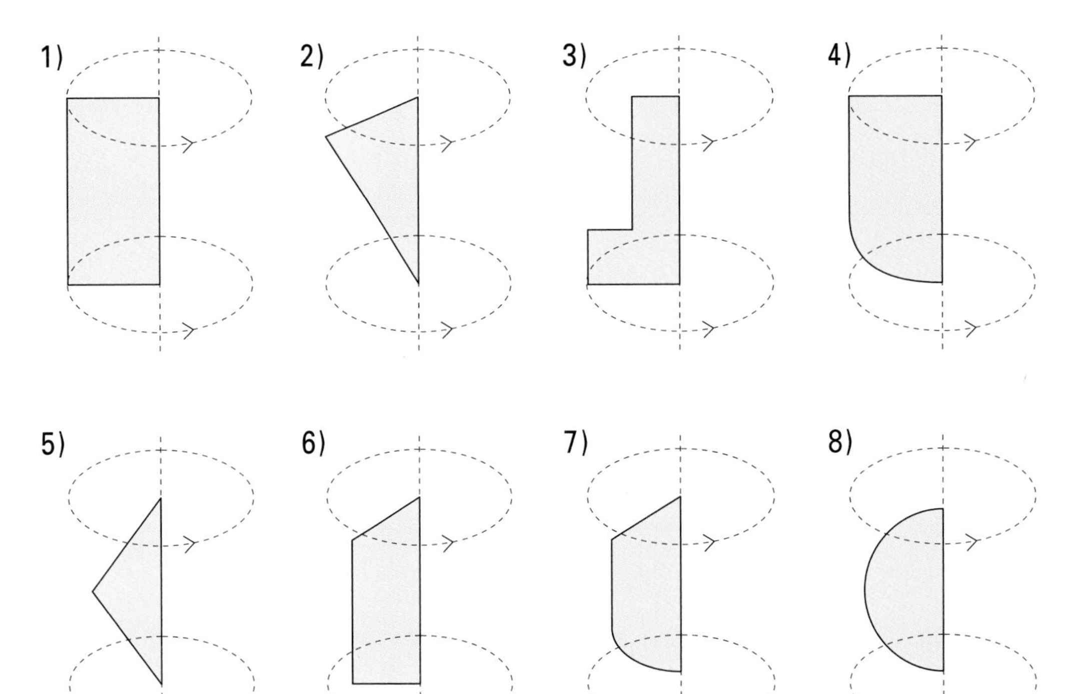

p) On fait tourner complètement les figures décrites ci-dessous suivant l'axe illustré. Dans chaque cas, décris le solide engendré.

1) Un triangle rectangle isocèle qui tourne autour de son plus long côté (hypoténuse).

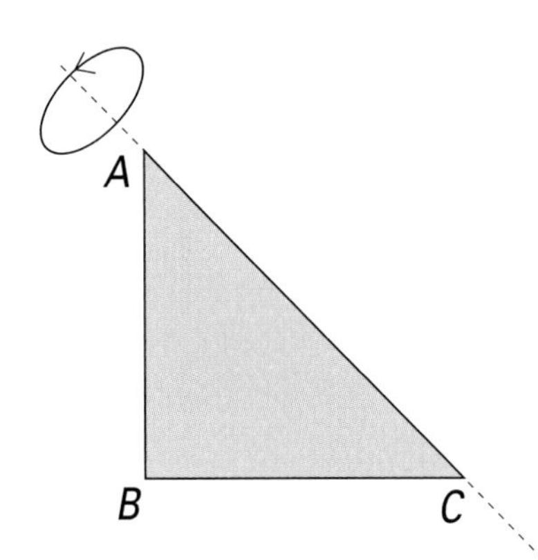

2) Un triangle équilatéral qui tourne autour d'un de ses côtés.

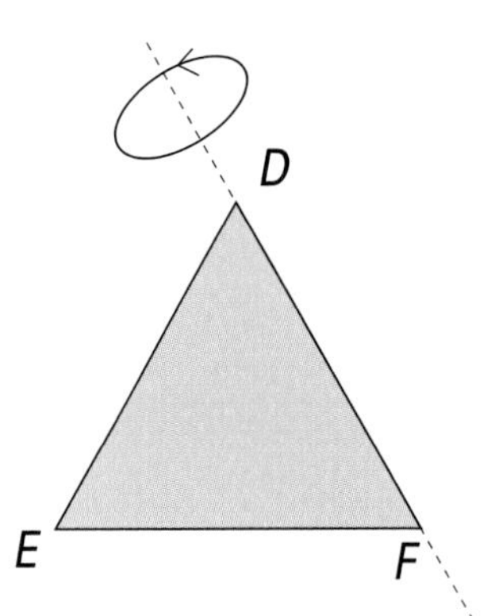

q) Jenny affirme qu'en faisant tourner, comme indiqué par la flèche, la face nommée autour de l'arête *DC* on engendre le solide illustré. A-t-elle raison ?

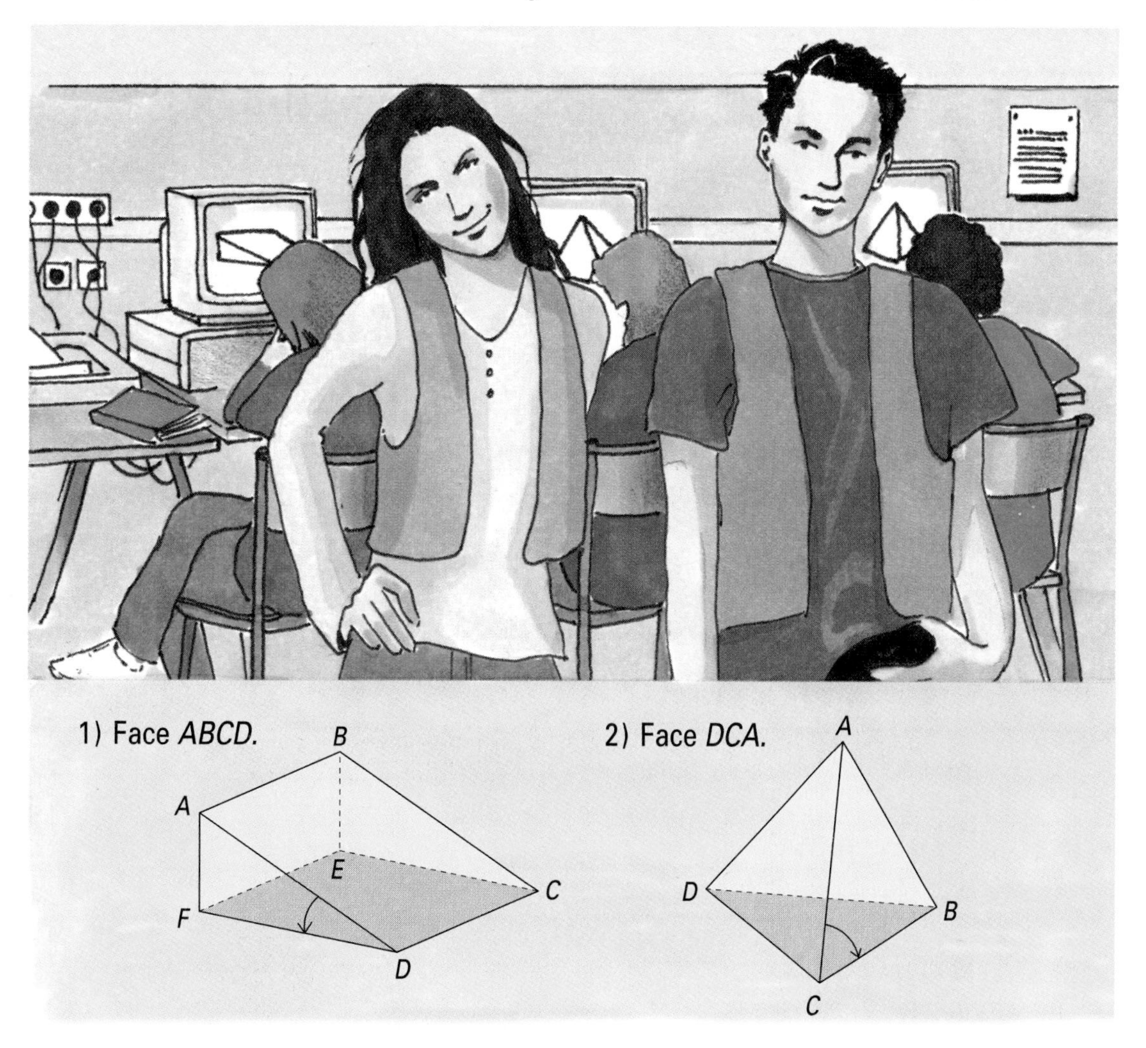

r) Décris le solide que chaque développement permet de reconstituer.

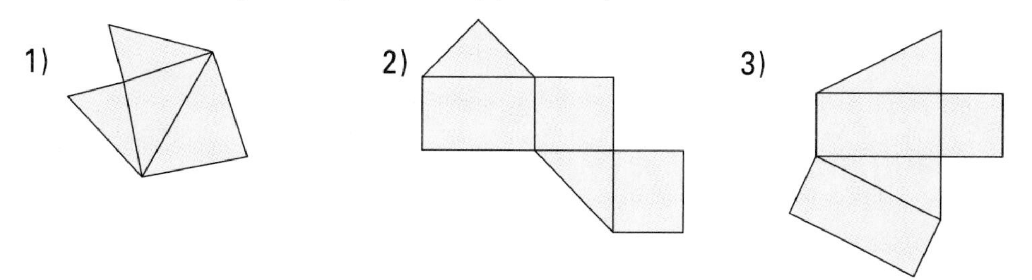

s) Reproduis et remplis cette grille en te représentant mentalement chaque solide.

	Solide	Nombre de sommets	Nombre d'arêtes	Nombre de faces
1)	Tétraèdre			
2)	Pyramide à base triangulaire			
3)	Pyramide à base carrée			
4)	Pyramide à base pentagonale			
5)	Prisme triangulaire			
6)	Cube			
7)	Octaèdre			

LES VISAGES DE L'ESPACE

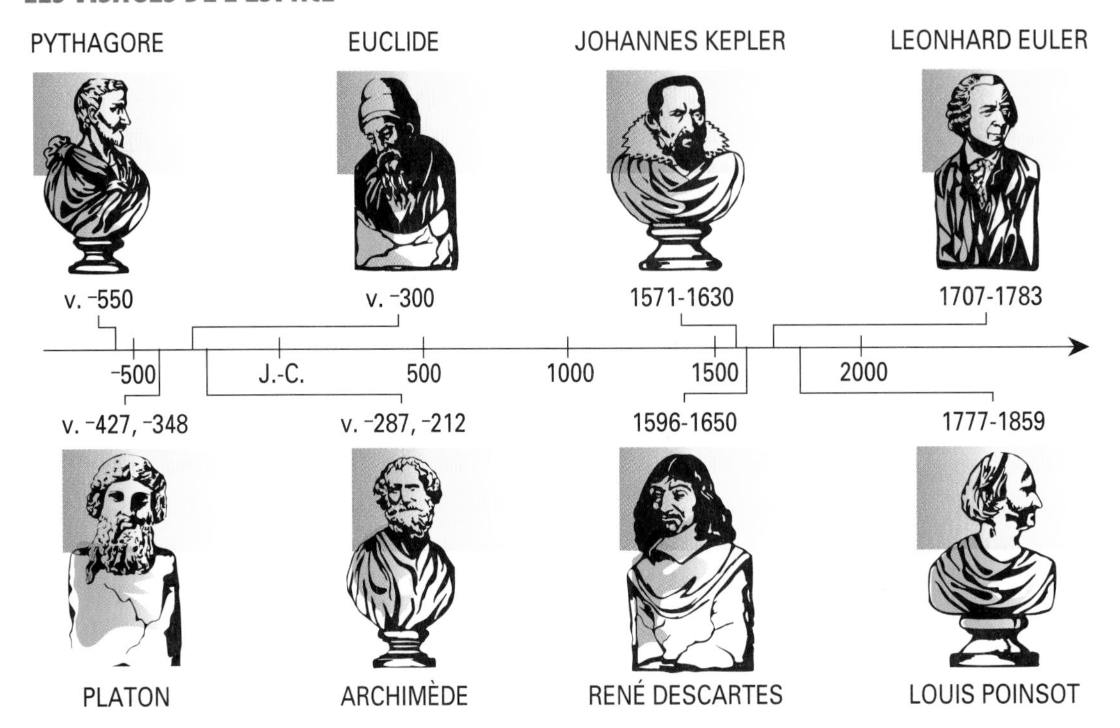

LES CONNAISSEZ-VOUS ?

Parmi ces mathématiciens, identifiez celui qui :

a) a dit la phrase célèbre : « Donnez-moi un point d'appui et je soulèverai le monde » ;

b) est considéré comme l'auteur principal de la collection intitulée *Les Éléments* ;

c) a associé le tétraèdre au feu, l'octaèdre à l'air, l'icosaèdre à l'eau, le cube à la Terre et le dodécaèdre à l'Univers ;

d) a prêté son nom aux polyèdres réguliers ;

e) a prêté son nom à une relation concernant les polyèdres simples ;

f) a fondé une secte dont la devise était : *Tout est nombre* ;

g) a écrit le *Discours de la méthode* et est considéré à la fois comme un grand philosophe, un grand physicien et un grand mathématicien ;

h) est devenu borgne à 28 ans, aveugle à 59 ans et fut un auteur des plus prolifiques ;

i) a découvert, le premier, au moins un polyèdre régulier concave ;

j) a découvert les autres polyèdres réguliers concaves.

CURIOSITÉS

On a observé que, curieusement, les solides réguliers sont liés deux à deux : si on joint les centres des polygones de deux faces adjacentes d'un polyèdre régulier, on forme un autre polyèdre régulier (qu'on nomme son dual).

a) On peut voir que le cube est lié à l'octaèdre, et réciproquement. Compare le nombre de faces, d'arêtes et de sommets du cube et de son polyèdre dual, l'octaèdre.

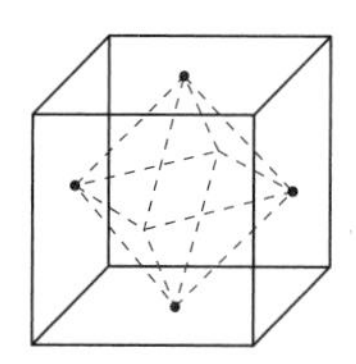

b) Pour le cube, 3 arêtes sont issues de chaque sommet et chaque face est un carré qui a donc 4 côtés. Qu'en est-il de l'octaèdre ?

c) Quel est le polyèdre dual du tétraèdre ?

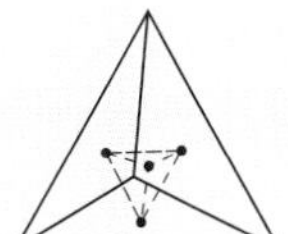

d) Le dodécaèdre est le polyèdre dual de l'icosaèdre. Sachant que le dodécaèdre a 12 faces et 20 sommets, où retrouve-t-on ces nombres pour l'icosaèdre ?

Cette dualité se retrouve également dans les polyèdres réguliers non convexes qui sont au nombre de 4 et que l'on obtient en prolongeant les arêtes d'un polygone régulier convexe.

Petit dodécaèdre étoilé.

Grand icosaèdre.

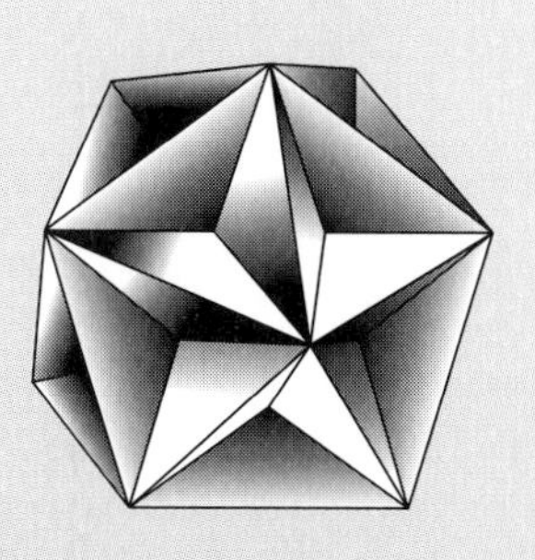

Grand dodécaèdre.

Grand dodécaèdre étoilé.

Activité 13 Des troncs et des solides tronqués

Une pyramide qui est sectionnée par un **plan parallèle à la base** se transforme en deux solides : une pyramide semblable à la pyramide initiale et un tronc de pyramide.

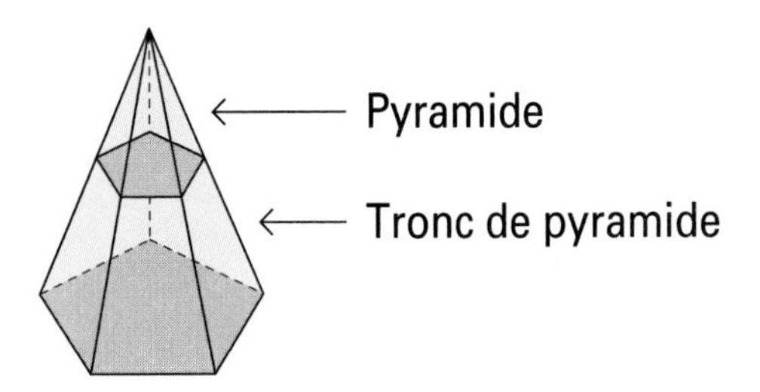

Si le plan n'est **pas parallèle à la base,** on obtient une pyramide oblique et une pyramide tronquée.

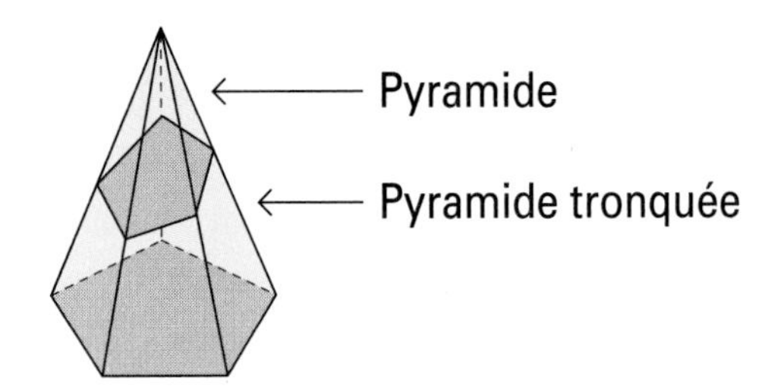

Il en est de même pour le cône.

a) Parmi les solides suivants, identifie les pyramides, les cônes, les troncs de pyramides, les troncs de cônes, les pyramides tronquées et les cônes tronqués.

1) 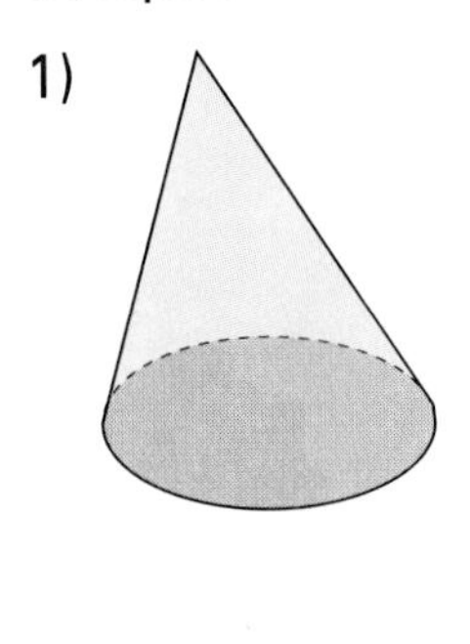

2) 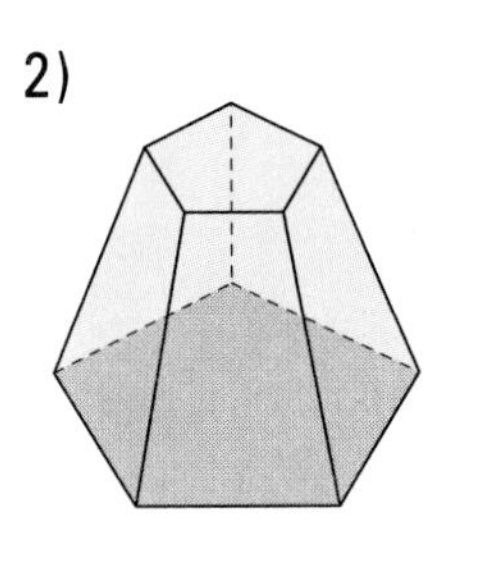

3) 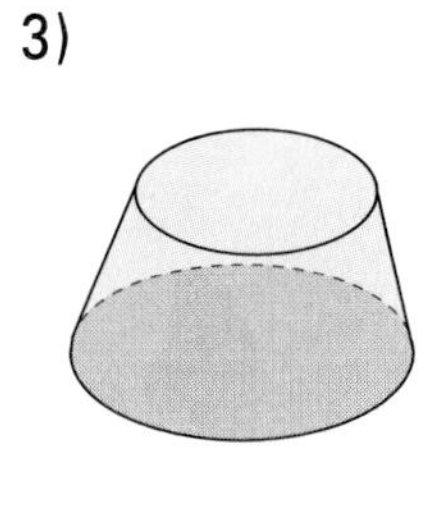

4) 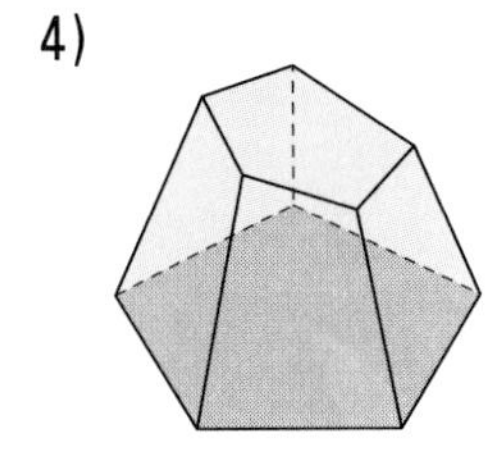

5) 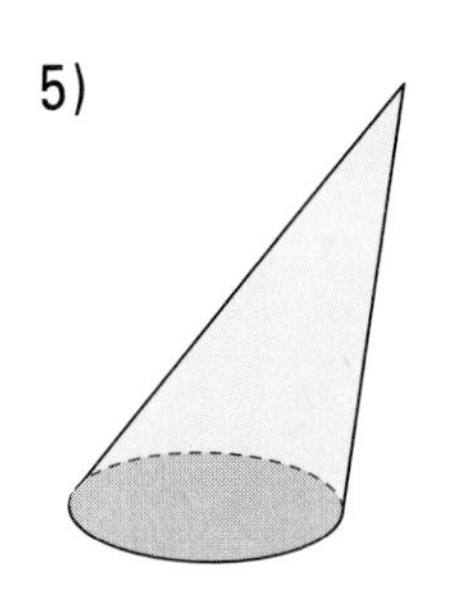

6) 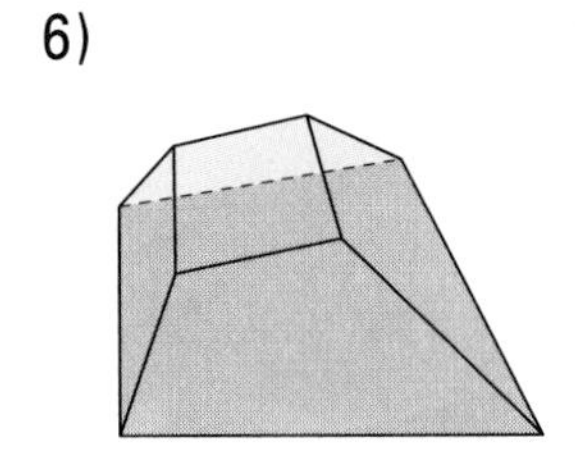

7) 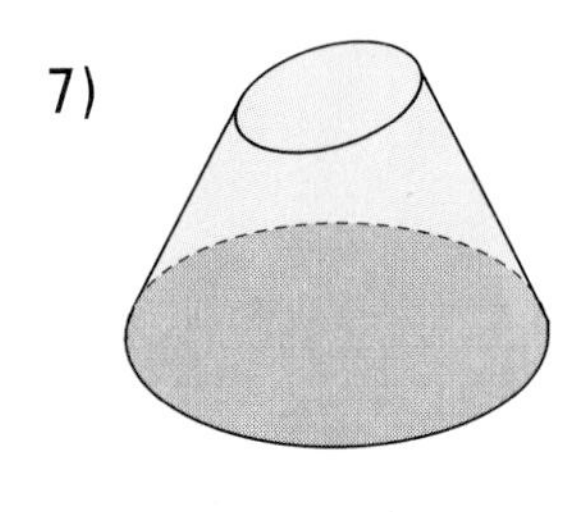

8) 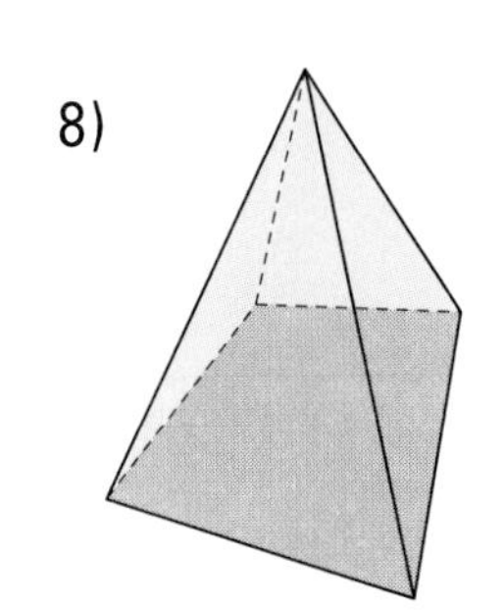

9) 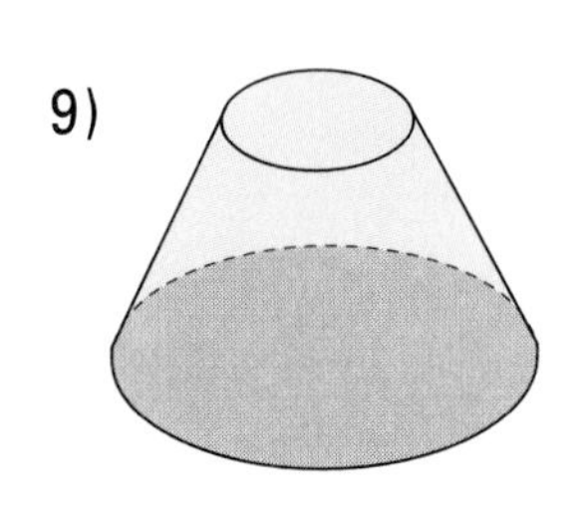

b) Redessine à main levée ces solides, mais en les amputant de la partie délimitée par la corde.

1)

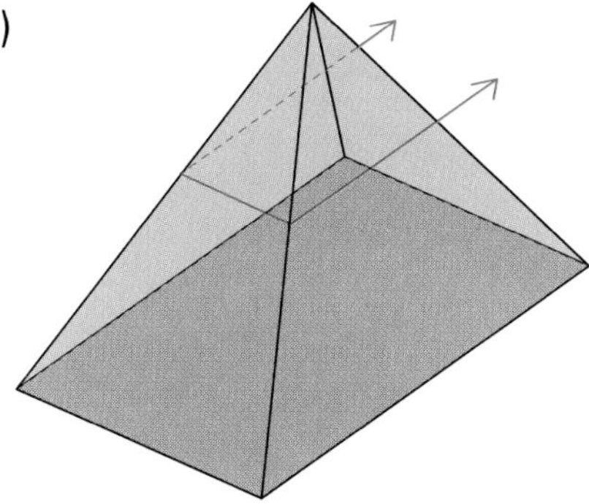

2)

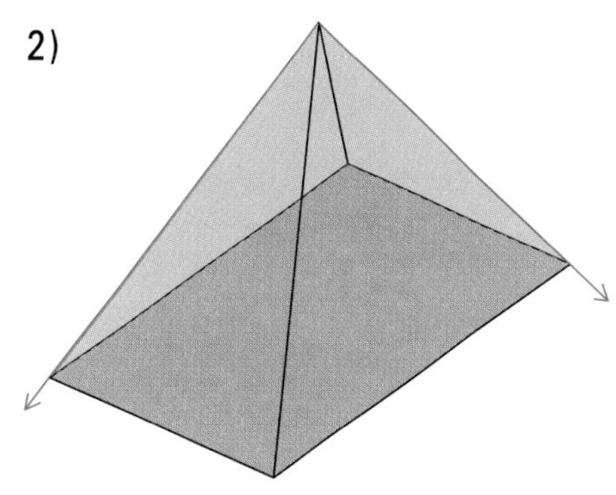

3)

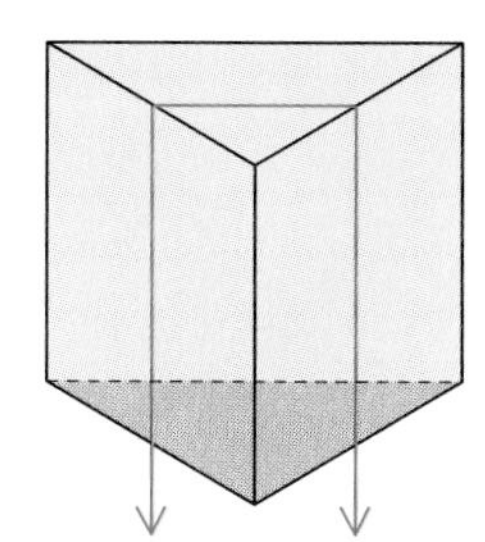

4)

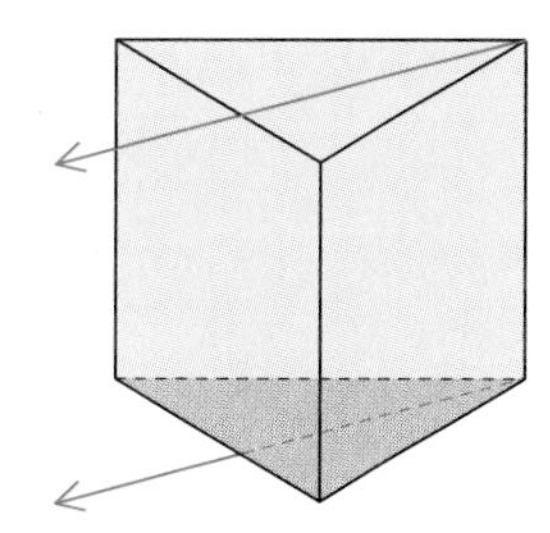

c) Quelle paire de solides ne peut provenir d'une coupe du tétraèdre ci-contre ?

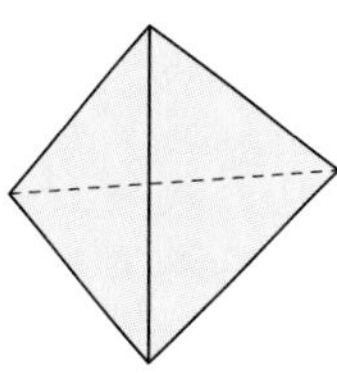

A)

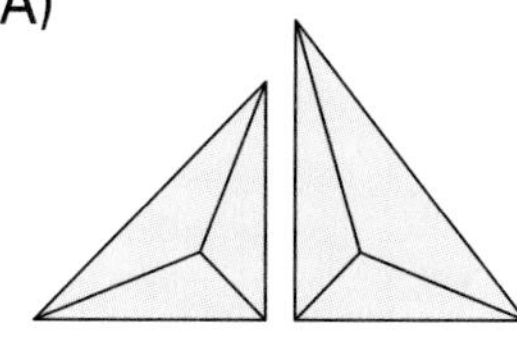

B)

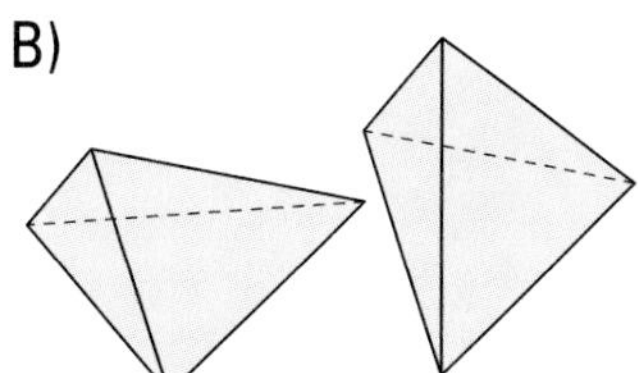

C)

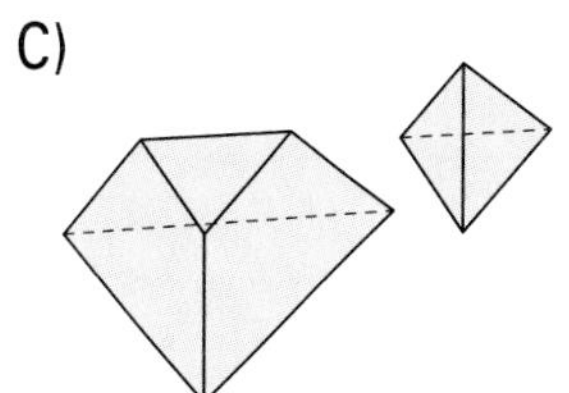

d) Explique pourquoi ce dessin ne peut pas être celui d'une pyramide tronquée.

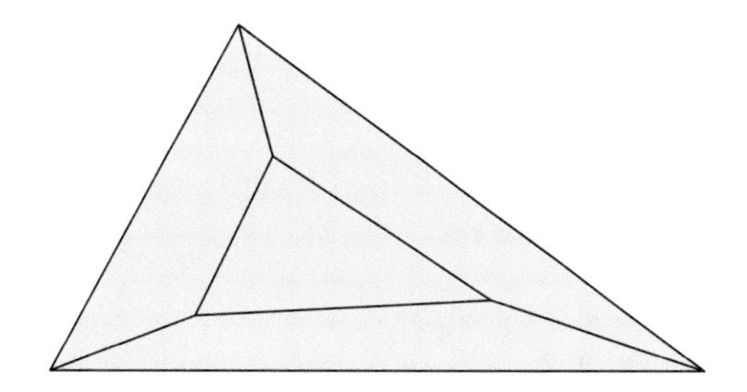

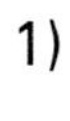

FEUILLE DE TRAVAIL 20

Activité 14 Une section

En coupant le cube suivant, par un plan passant par les points *A*, *B* et *C*, on obtient une **section** qui a la forme d'un triangle.

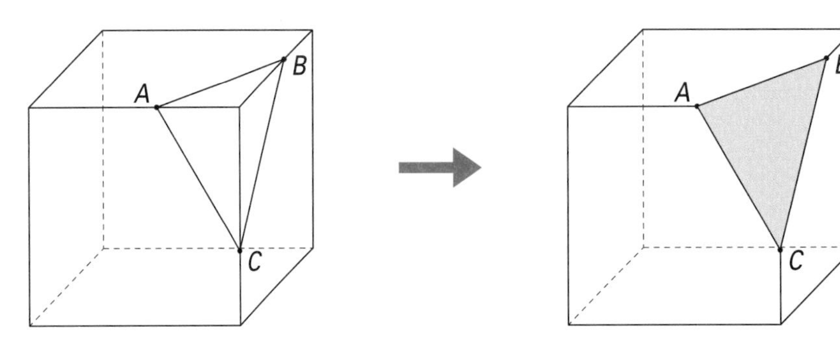

a) Indique sur chaque cube, en y plaçant des points, l'endroit où il faut couper pour obtenir une section ayant la forme demandée.

1) Un carré.

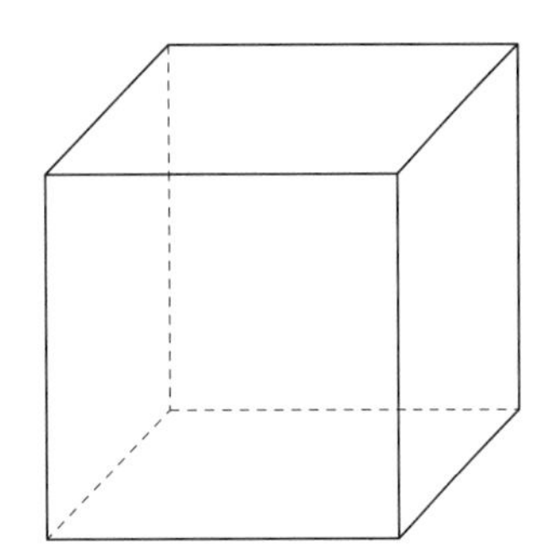

2) Un rectangle.

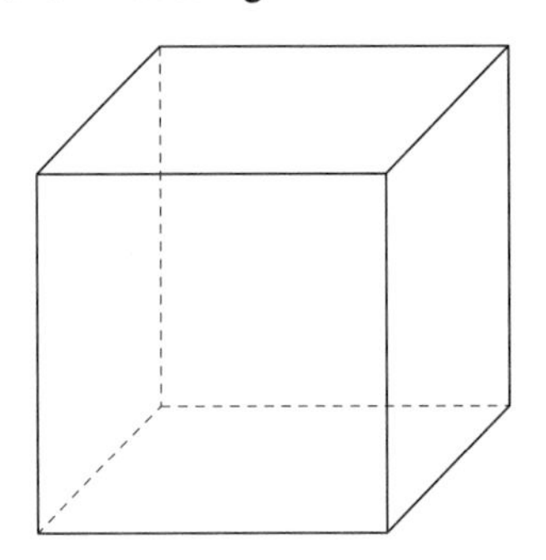

3) Un trapèze isocèle.

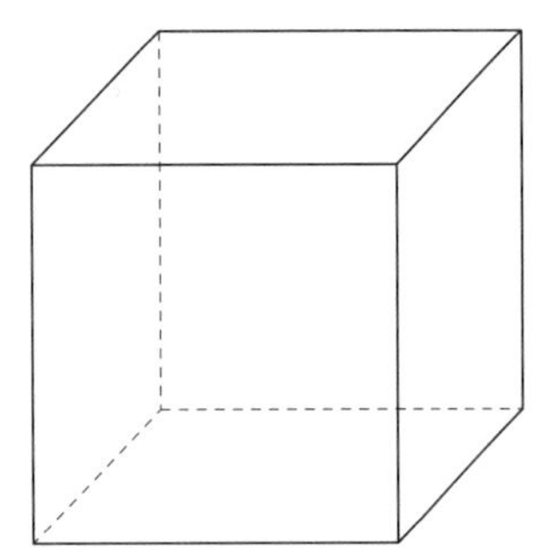

4) Un losange qui n'est pas un carré.

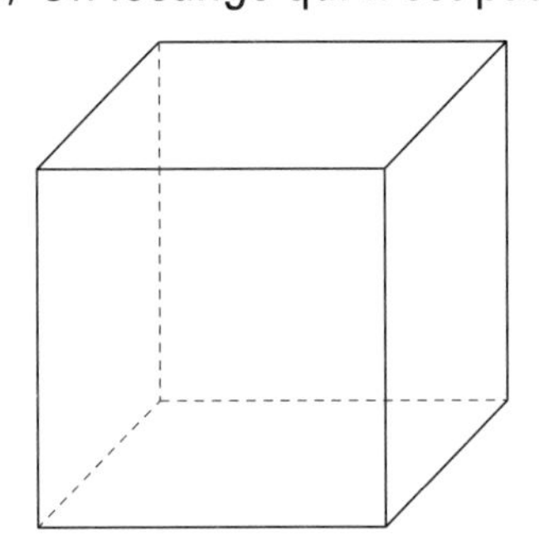

5) Un triangle équilatéral.

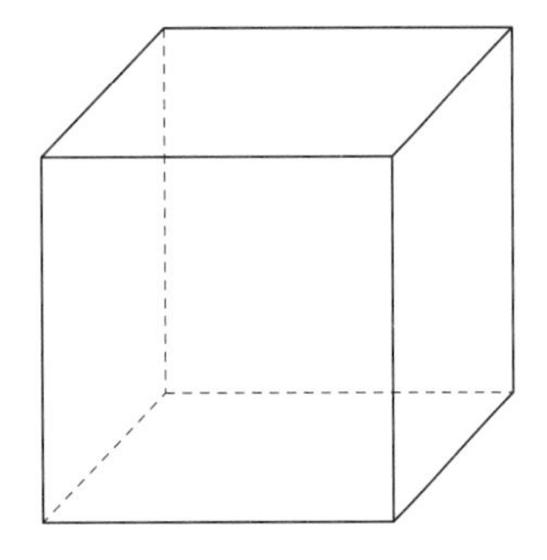

6) Un triangle isocèle.

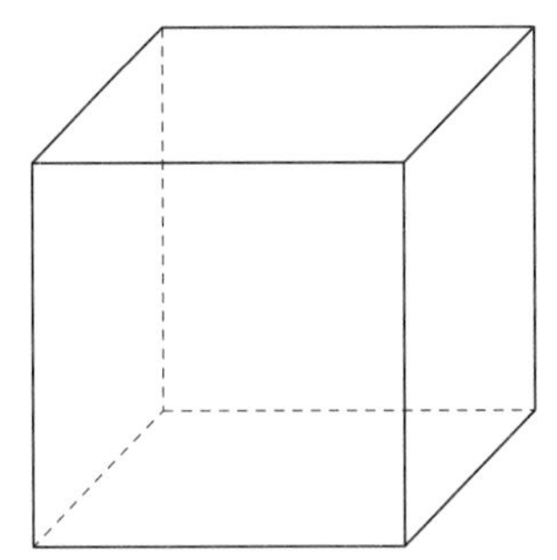

b) Dans le tableau ci-dessous, indique par un X s'il est possible d'obtenir la section demandée à partir du solide représenté.

Solide / Figure					
Carré					
Rectangle					
Triangle					
Cercle					

c) On coupe un cylindre par un plan oblique. Le plan ne passe pas par les bases. Dessine les sections possibles.

d) On coupe un cône selon un plan vertical passant par le sommet (apex) et perpendiculaire à la base. Dessine une des sections que l'on peut obtenir.

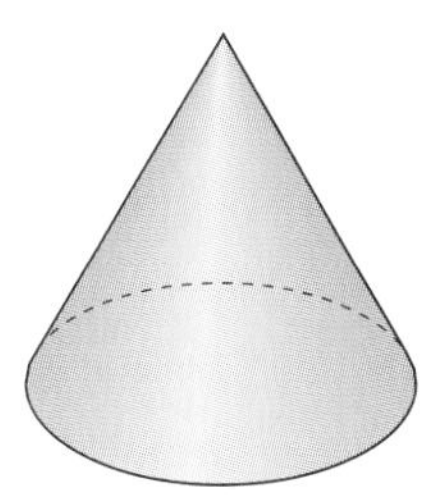

e) Fais un dessin de la section que l'on peut obtenir en coupant le cône ci-dessous selon un plan oblique ne passant pas par la base.

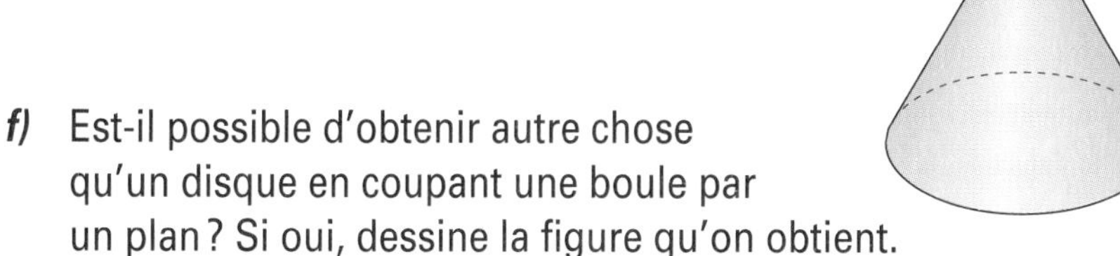

f) Est-il possible d'obtenir autre chose qu'un disque en coupant une boule par un plan ? Si oui, dessine la figure qu'on obtient.

g) On coupe ce prisme suivant le plan passant par les points donnés. Dans chaque cas, indique le nom de chacun des deux solides obtenus.

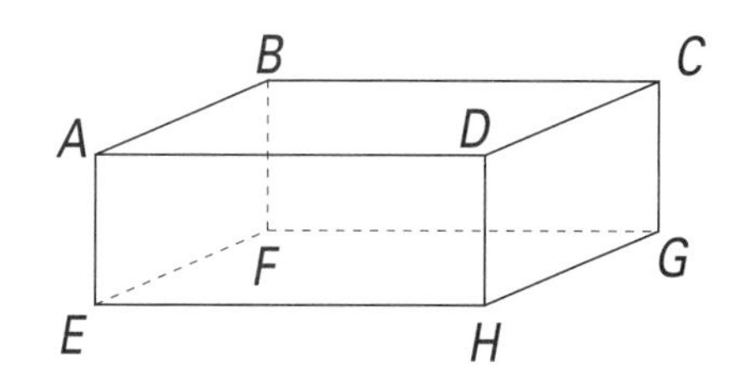

1) *AEGC* 2) *EBD* 3) *EBCH*

h) On donne trois sommets du cube ci-contre. Indique par un X dans le tableau si le triangle possède la caractéristique donnée.

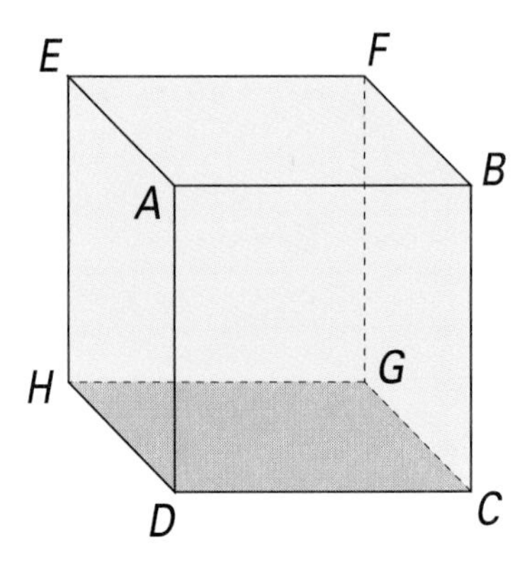

	Δ	Scalène	Isocèle	Équilatéral	Rectangle
1)	*ABD*				
2)	*BCG*				
3)	*EAG*				
4)	*DHA*				
5)	*CHF*				
6)	*BDG*				
7)	*FHD*				
8)	*ACH*				
9)	*EBC*				
10)	*FHB*				

i) On a mis un peu d'eau colorée dans un cube creux. Ensuite, on a déposé le cube sur une table. La surface de l'eau forme alors un carré. Dessine à main levée le cube dans une position telle que la surface de l'eau forme :

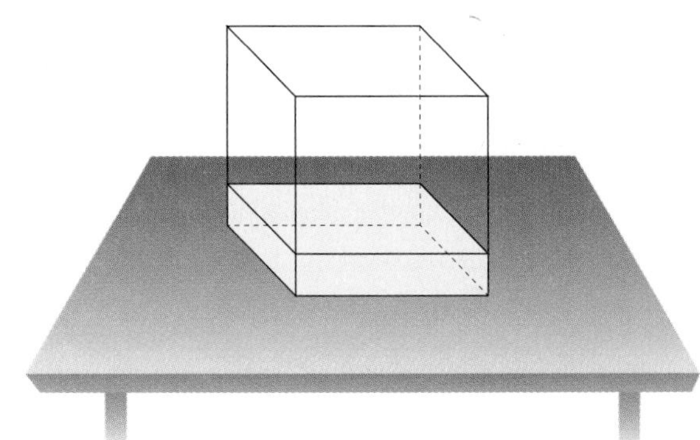

1) un rectangle;

2) un triangle;

3) un losange.

j) Peut-on faire passer un plan :

1) par 2 sommets d'un cube?

2) par strictement 3 sommets (pas 4) d'un cube?

3) par 4 sommets d'un cube?

4) par 6 sommets d'un cube?

k) Où passe un plan passant par tous les sommets d'une pyramide sauf 1?

l) Est-il possible de couper un cube par un plan afin d'obtenir un tétraèdre régulier?

m) Est-il possible de sectionner un tétraèdre régulier suivant un plan qui produit un autre tétraèdre régulier? Explique comment tu t'y prendrais.

n) On coupe une pyramide suivant plusieurs plans parallèles à la base. Quelle caractéristique toutes les sections ont-elles si on les compare à la base?

o) Un plan coupe un cylindre. Explique la position du plan par rapport au cylindre si sa section est :

1) un cercle;

2) une ellipse;

3) un rectangle.

p) Un plan coupe un cône. Explique la position du plan par rapport au cône si sa section est :

1) un cercle;

2) une ellipse;

3) un triangle.

RELATIONS MÉTRIQUES DANS LES SOLIDES

Activité 1 Calcul de mesures

a) On a tracé sur ce cube une ligne fermée. Cette ligne relie les milieux des faces aux milieux de deux arêtes adjacentes comme le montre l'illustration. Si le cube mesure 10 cm de côté, donne la longueur de ce tracé.

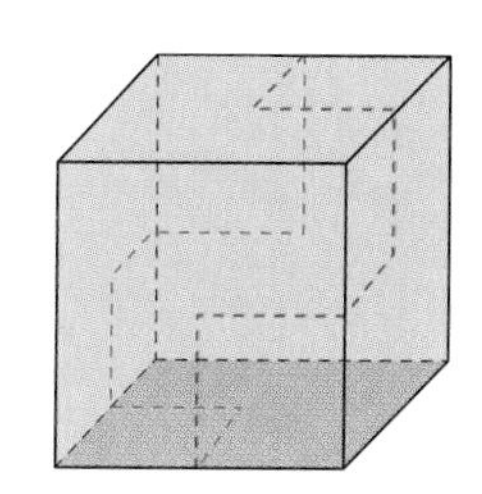

b) Calcule :

1) le périmètre du développement illustré ;

2) l'aire de la bande rectangulaire ou l'aire latérale du solide qu'il permet de reconstituer.

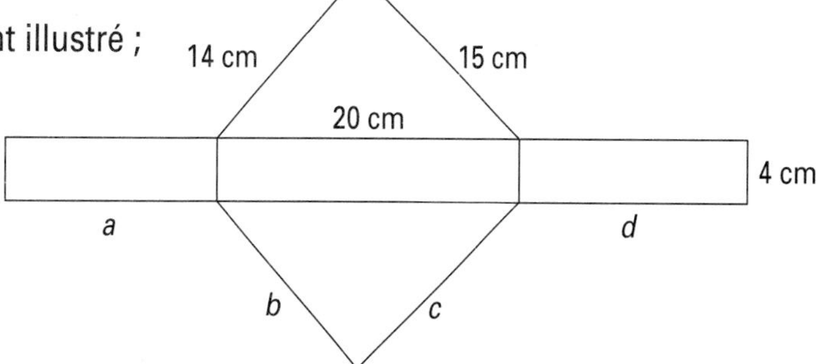

Activité 2 Mesure et développement

Voici le développement d'un solide. Les bases ont un angle droit dont les côtés sont dans le rapport ½. La face *ABCD* est un carré de 4 cm de côté. Quelle est la somme des aires de ses faces latérales?

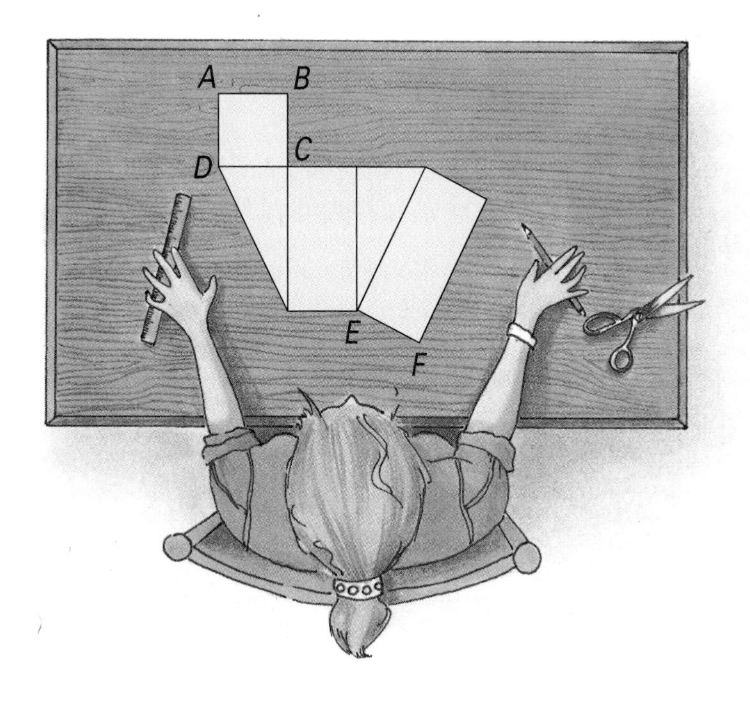

Activité 3 Les mesures dans la perspective cavalière

a) Trouve la profondeur de ce prisme droit, sachant qu'il a été dessiné en perspective cavalière et que le facteur de réduction des fuyantes est ½. Utilise ta règle.

b) Trouve la profondeur de ce prisme droit, sachant qu'il a été dessiné à l'échelle 1 : 100 et que le facteur de réduction des fuyantes est ¾. Utilise ta règle.

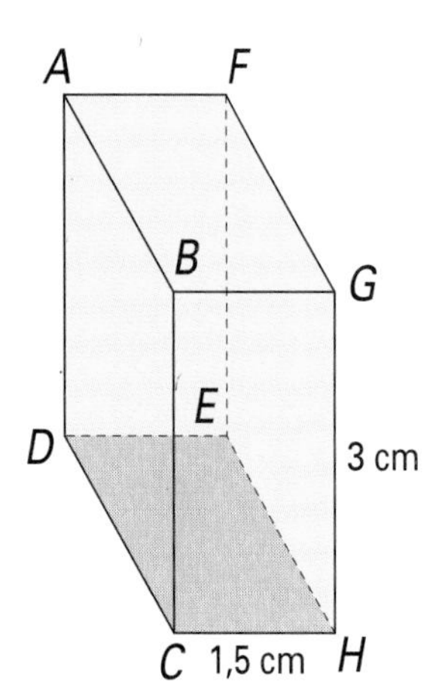

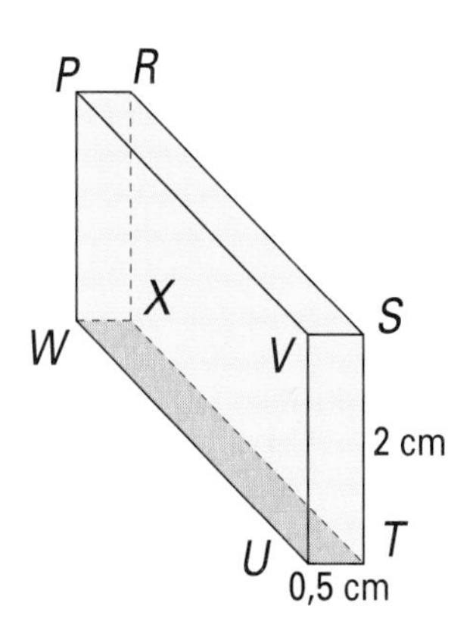

Activité 4 Mesure de dessin et de solide

a) Sur cette illustration, la face *ABCD* est un parallélogramme. L'angle *ADC* mesure 165°. Détermine la mesure de l'angle *BAD*. Justifie ta réponse.

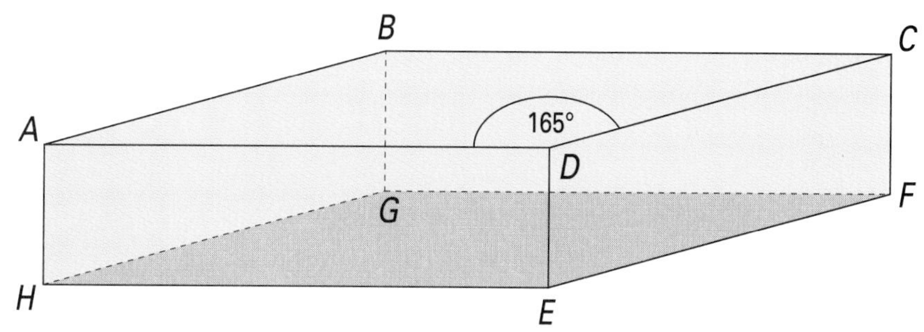

b) Les diagonales des faces d'un cube de 8 cm de côté mesurent approximativement 11,3 cm. On sectionne ce cube suivant les diagonales de deux faces opposées afin de former 4 prismes triangulaires. Calcule l'aire de l'une de ces faces triangulaires. Justifie ta réponse.

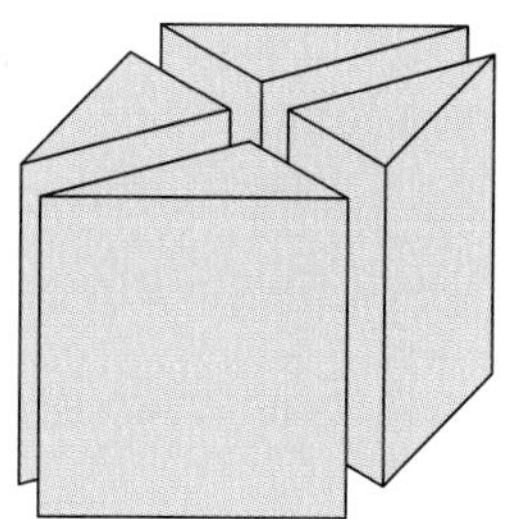

c) La base de la pyramide ci-contre est un hexagone régulier de 5 cm de côté. Le triangle *ABC* est isocèle et l'angle au sommet mesure 30°. Détermine, en justifiant tes réponses,

1) m $\angle$ *GBC*

2) m $\angle$ *ABC*

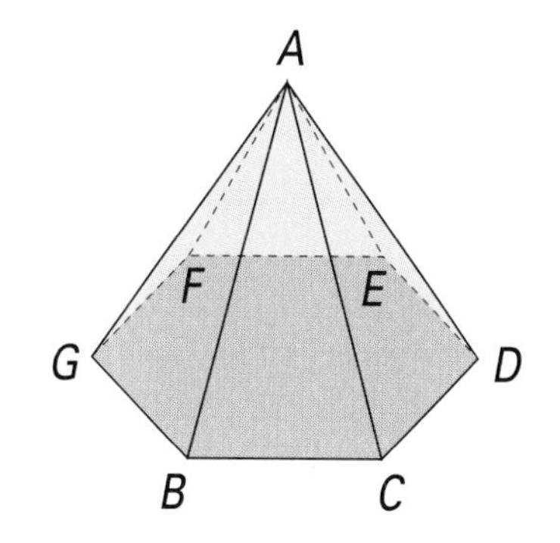

d) Un plan coupe une boule de 4 cm de rayon en son centre. Quelle est l'aire de la section ?

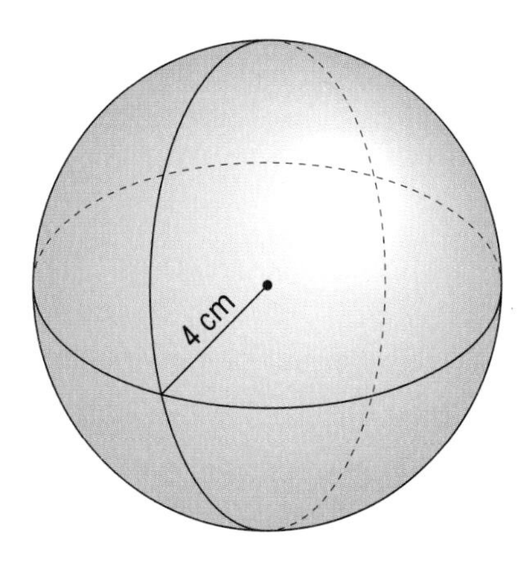

e) On sectionne une boule en deux demi-boules. L'aire de la section est de 78,5 cm^2. Quel est le périmètre de cette section ?

L'habileté à visualiser, à représenter et à interpréter les faits et les relations spatiales fait partie de la liste des 10 plus grandes habiletés à développer pour devenir efficace en résolution de problèmes. En effet, le dessin géométrique a pour fonctions principales de faire voir, de résumer le problème en plus d'aider à raisonner et à conjecturer en vue de trouver la solution.

Diverses représentations

1. Représente par un dessin la situation décrite dans chaque problème.

   a) Un ballon s'élève de 200 m verticalement dans le ciel. Ensuite, il se déplace de 100 m vers l'est. Le vent le ramène de 50 m. Ensuite, il descend vers l'est suivant un angle de 45° avec la verticale. À quelle distance de son point de départ touchera-t-il le sol ?

   b) Dans une course, Marie est à 10 m devant Boris, Jean est à 4 m devant Katy et Katy est à 3 m devant Boris. Quelle distance sépare Marie et Jean ?

2. Dessine à main levée le paysage décrit dans chaque texte.

   a) La rivière coule en direction sud-est. Je suis sur la rive sud et j'observe une banque qui se trouve sur l'autre rive. Une voiture démarre en vitesse. Il s'agit d'un vol de banque, je crois. Tout près de moi, un camion de légumes s'arrête. Un bateau glisse doucement sur l'eau. Il se met à pleuvoir, je dois donc rentrer.

   b) Je roule en camion en direction est et je m'arrête à une intersection. Sur ma gauche, de l'autre côté de l'intersection, je vois une église avec ses deux clochers. Juste en face de l'église, de l'autre côté de la route, je vois une école primaire. Ça doit être samedi, car la cour et le terrain de stationnement sont vides. Sur ma droite, de ce côté-ci de l'intersection, il y a un immeuble à 4 logements. Au deuxième étage, une enfant pleure. Le feu de circulation est maintenant vert. Au revoir !

3. Dessine la situation décrite dans ces problèmes.

   a) Une salle de jeu a les dimensions suivantes : 7 m de longueur, 5 m de largeur et 3 m de hauteur. La porte est située au centre du plus long mur. Cette porte a une hauteur de 2 m et une largeur de 1 m. Une personne placée dans l'encadrement de la porte voit un lustre qui descend du centre du plafond sur le quart de la hauteur de la salle. Sous ce lustre, on a placé un escabeau de 30 cm de hauteur. Une personne de 1,4 m peut-elle atteindre facilement ce lustre en montant sur l'escabeau ?

   b) Une maison a la forme d'un prisme rectangulaire droit de 10 m de longueur. Ce prisme est surmonté d'un autre prisme triangulaire dont les bases sont des triangles isocèles de 3 m de hauteur chacun. L'angle au faîte du toit mesure 120°. Quelles doivent être les dimensions minimales des deux rectangles qui forment le toit ?

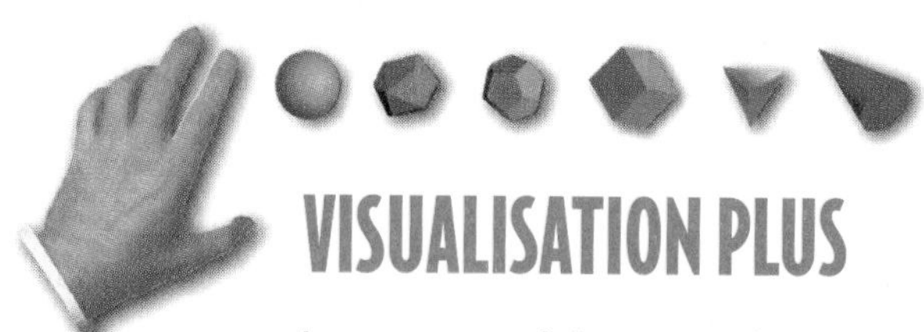

VISUALISATION PLUS

Le sens spatial se manifeste par la capacité à se fabriquer des images mentales, à voir les objets dans notre tête sans les voir avec nos yeux. On te propose ici une série d'activités qui auront pour effet d'augmenter ton imagerie mentale.

Activité 1 As-tu une bonne mémoire visuelle ?

Sur le tapis de sa chambre, Bertrand a étalé une quinzaine de photographies. Regarde-les pendant 10 s. Ensuite, de mémoire, écris la liste de ces photographies. Répète cet exercice jusqu'à ce que ta liste compte au moins 12 d'entre elles.

Activité 2 De l'ordre dans l'étagère

Observe pendant 10 s les solides rangés dans l'étagère ci-dessous. Cache ensuite cette étagère avec la main ou un cahier. Dessine les solides de la première étagère dans la seconde étagère, dans la bonne rangée et dans le même ordre, sans regarder la première étagère.

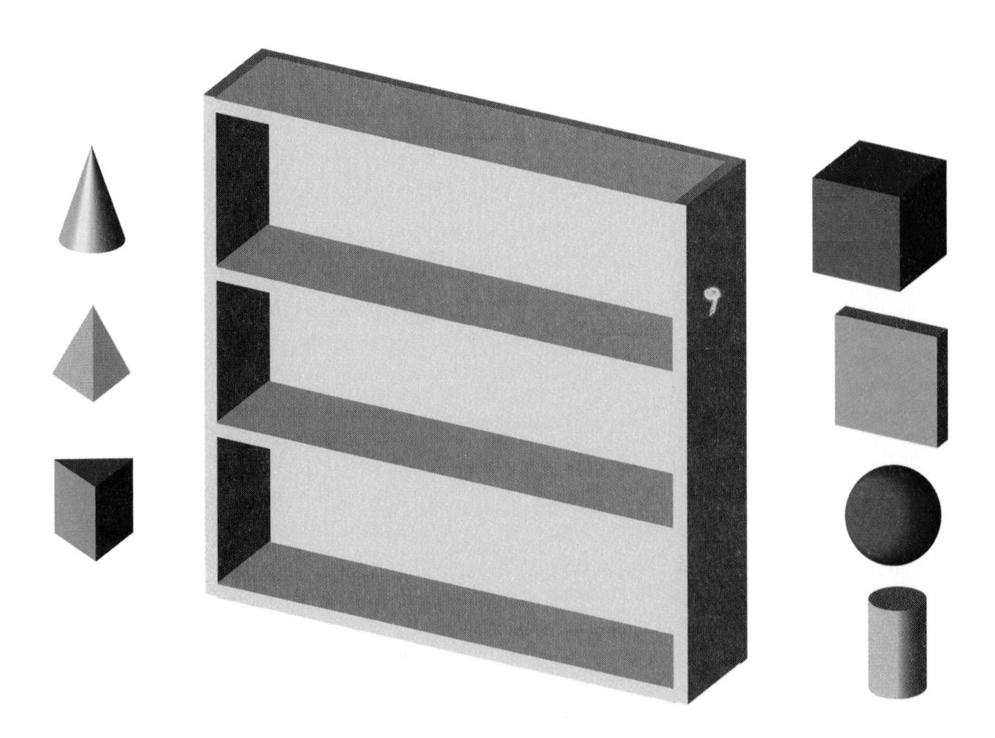

Activité 3 Le sens de l'observation

Au premier coup d'oeil, certaines personnes peuvent tout mémoriser d'une scène. C'est souvent le cas des détectives et des reporters.

Observe la reproduction de la peinture ci-dessous pendant une minute en tentant de mémoriser le plus d'informations possible. Réponds ensuite aux questions suivantes sans la regarder de nouveau.

Les Impressionnistes doivent leur nom au tableau de Monet intitulé Impression, Soleil levant.

La Terrasse à Sainte-Adresse (1856), peinture de Claude Monet.

1) Combien d'hommes y a-t-il dans cette peinture?
2) Les deux drapeaux sont-ils identiques ou différents?
3) Le Soleil est-il situé à gauche ou à droite?
4) Y a-t-il un enfant dans cette peinture?
5) Chaque femme tient-elle une ombrelle?
6) Le vent souffle-t-il du côté gauche ou du côté droit?
7) Chaque homme porte-t-il une canne?
8) Quelle est la couleur de la robe de la femme qui se tient debout?
9) Combien de bateaux y a-t-il à proximité de la terrasse?
10) Y a-t-il uniquement des bateaux à voile sur l'eau?

Activité 4 Les cinq erreurs

La seconde illustration est une reproduction de la première. On a fait malheureusement 5 erreurs en la reproduisant. Quelles sont-elles ?

Activité 5 Vision triste ou joyeuse ?

a) Voici trois dessins. Dans chacun d'eux, on peut percevoir deux sujets différents. Dans chaque cas, que voyez-vous en premier ?

1) 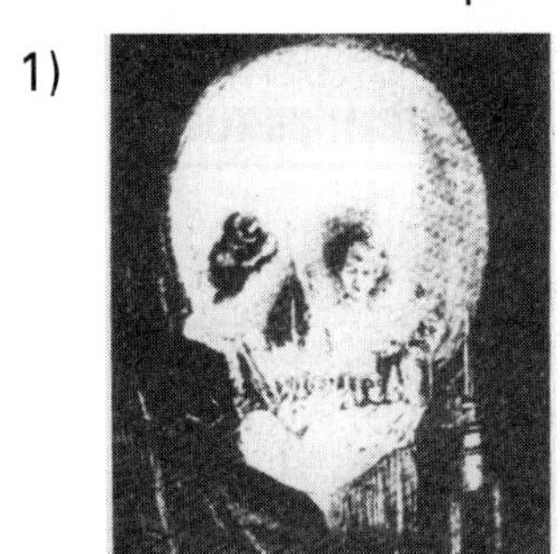

2) 

3) 

b) Quel animal voyez-vous ?

1) 

2) 

3) 

c) Où sont les visages des deux hommes en colère dans le drapeau du Canada ?

Activité 6 Être et ne pas être

a) Observe cette illustration pendant 15 s. On peut y voir deux objets. Décris-les.

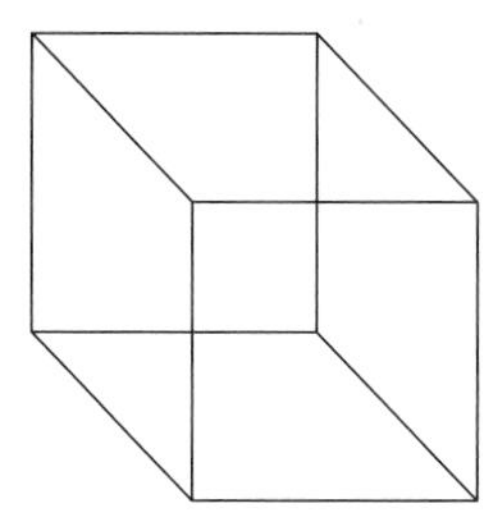

b) En observant ce solide, Éric dit qu'il voit un grand cube auquel on a retranché un petit cube.

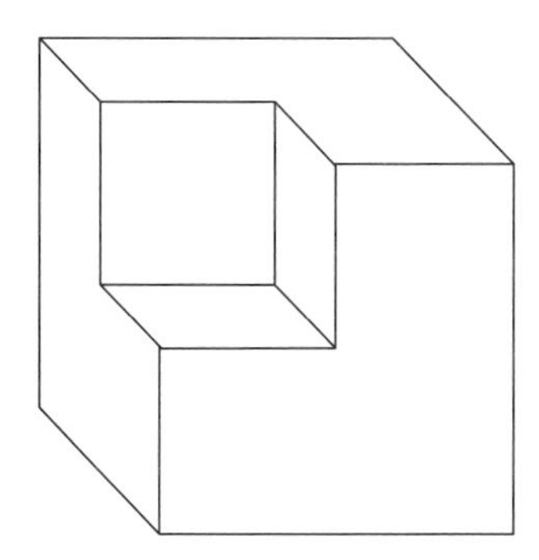

Sophie dit, pour sa part, qu'elle voit un grand cube à l'intérieur duquel on a ajouté un petit cube.

Line-Pier dit qu'elle voit un petit cube à l'extérieur d'un grand cube en direction de la diagonale qui joint le coin supérieur gauche avant au coin inférieur droit arrière.

Qui n'a pas raison ?

Activité 7 Un mot

Quel mot pouvez-vous lire ?

1)

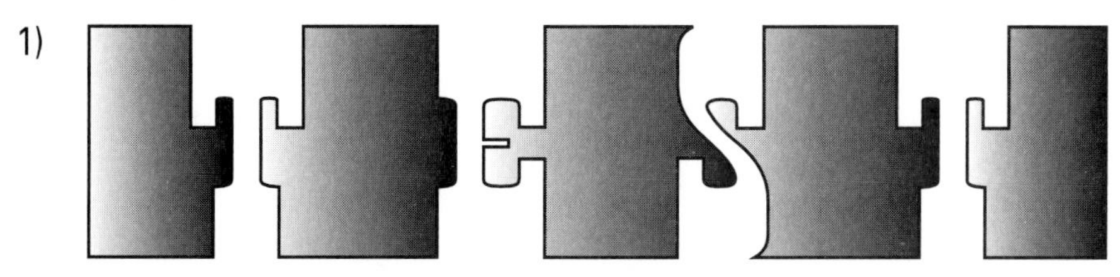

2)

Activité 8 Acuité visuelle

a) Que représente la photographie ci-contre ?

b) Pourquoi cette gravure s'intitule-t-elle *L'Île des chiens* ?

L'Île des chiens, gravure du XVIIIe siècle.

c) Trouve le cheval, l'agneau, le sanglier et les 5 visages humains dans l'illustration ci-contre.

Activité 9 L'arche

Voici le *Gateway Arch* de Saint Louis, dans le Missouri. Cette arche est aussi large que haute. Explique pourquoi elle paraît plus haute que large sur cette photo.

Activité 10 Où sont les mouches ?

Une boule est traversée horizontalement par un plan *P*. Les points *A*, *B*, *C*, *D*, *E* et *O* représentent des mouches, et ces mouches sont toutes posées sur le plan *P*.
Combien y a-t-il de mouches :

1) sur la sphère ?
2) à l'intérieur de la sphère ?
3) à l'extérieur de la sphère ?

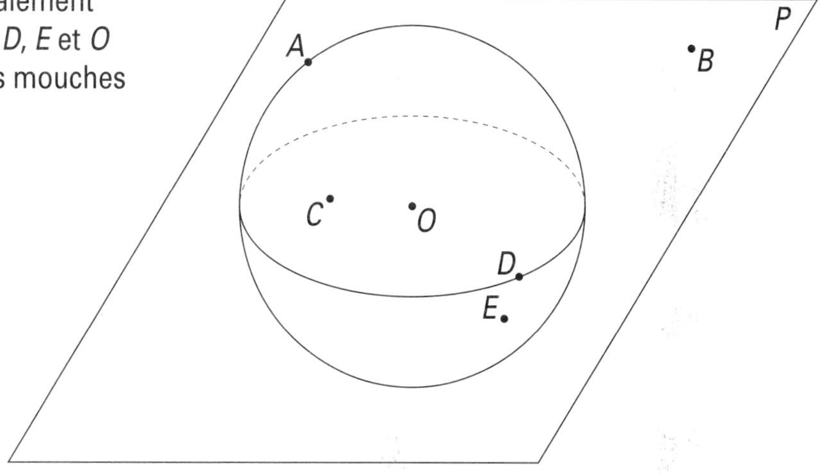

Activité 11 Le jeu d'aiguilles

Carole et Yannick ont trouvé un jeu avec lequel ils s'amusaient quand ils étaient plus jeunes. Ce jeu contient plusieurs aiguilles de différentes couleurs. Yannick en a empoigné 10 et les a laissées tomber sur la table, comme le montre la photographie ci-contre. Indique dans quel ordre on doit retirer chaque aiguille de manière à ne faire bouger aucune de celles qui restent.

Activité 12 Des cubes à visualiser

a) Lequel des trois cubes de droite n'est pas identique à celui de gauche si les lettres sur les faces sont toutes différentes?

A)

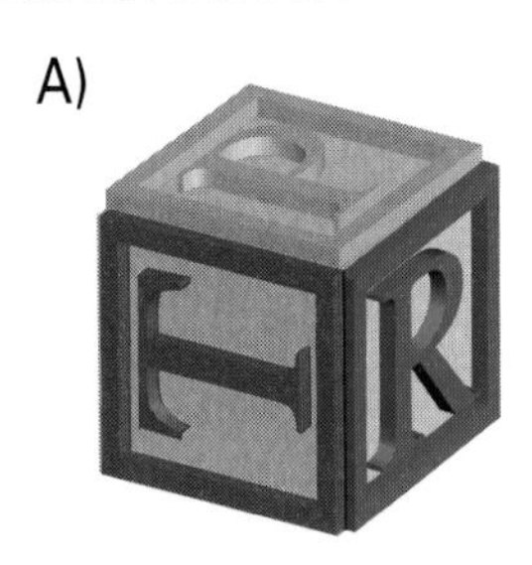

B)

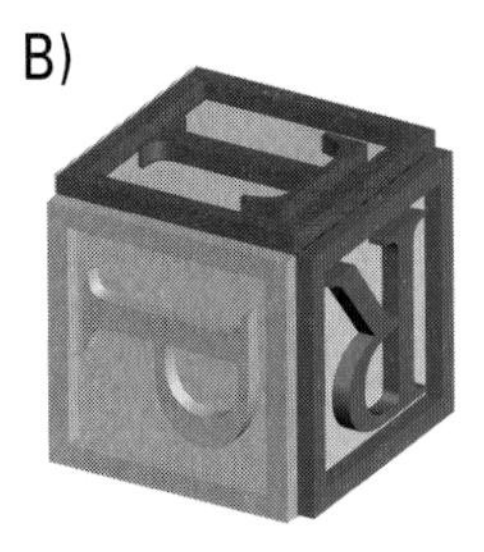

C)

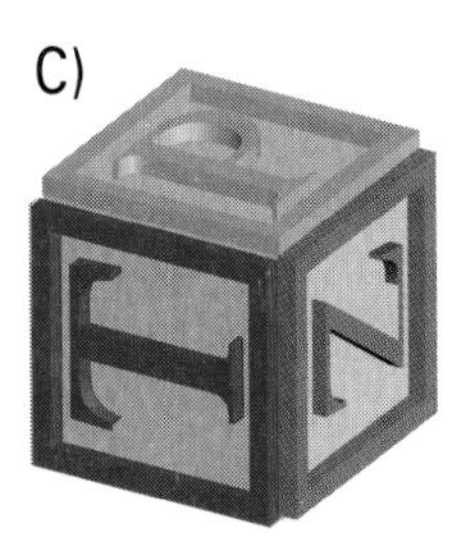

b) On donne trois représentations du même cube. Déduis la position des chiffres sur la quatrième représentation.

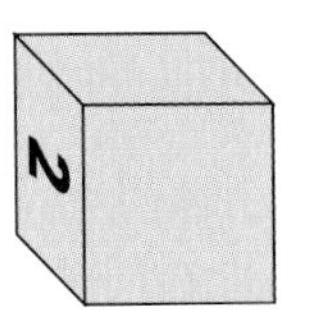

c) Nous avons tracé les segments *FB*, *BD*, *DH* et *HF* sur les faces du cube représenté ci-contre. Parmi les développements proposés, lesquels reproduisent fidèlement ces segments?

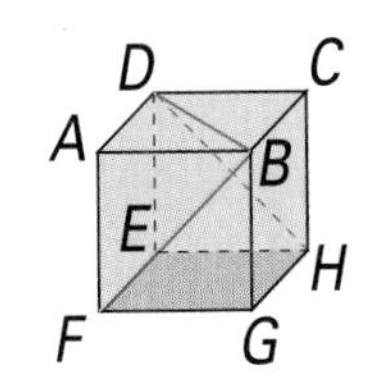

A)

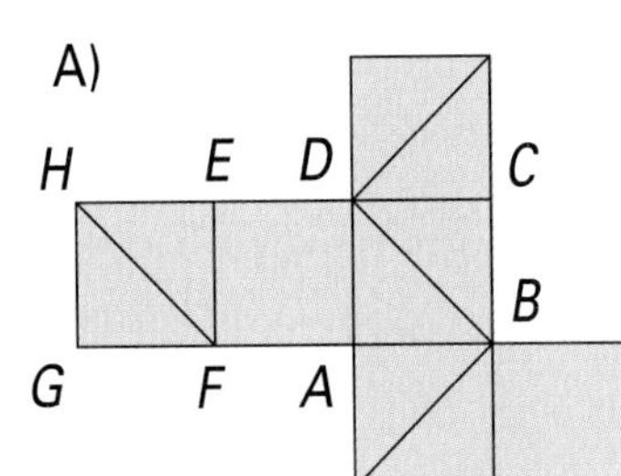

B)

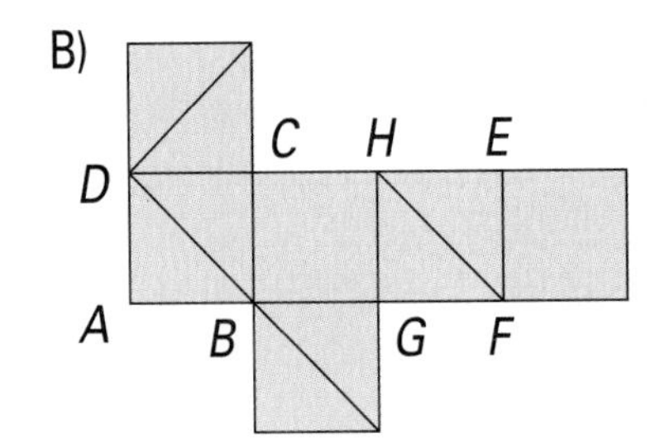

C)

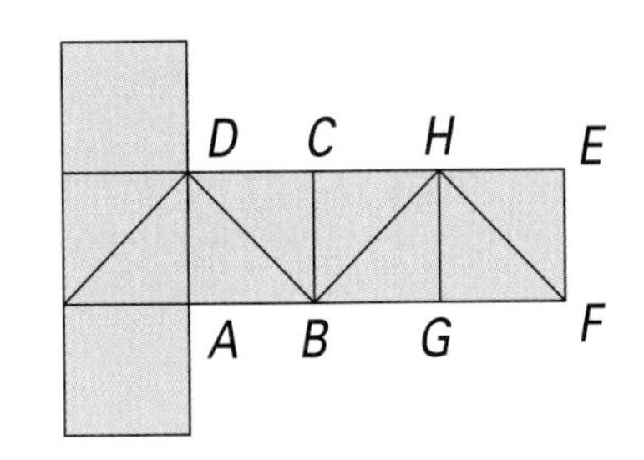

d) Voici six représentations du même cube.

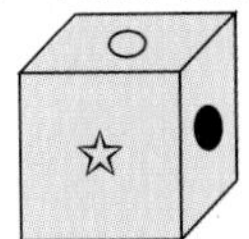

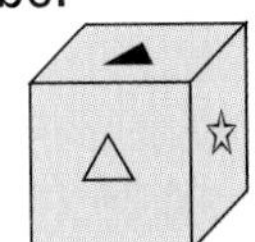

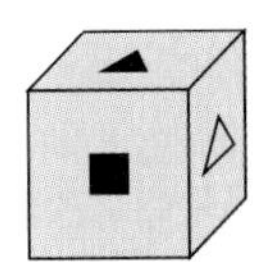

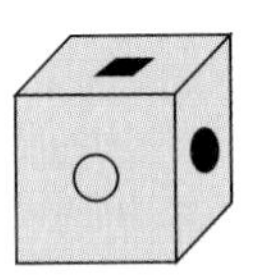

Détermine les trois paires de motifs opposés.

e) On observe un dé équilibré à six faces. On sait que le nombre total de points sur les faces opposées est de sept. Voici des développements de ce dé. Reproduis-les et indique sur chaque face les points qui manquent.

1)

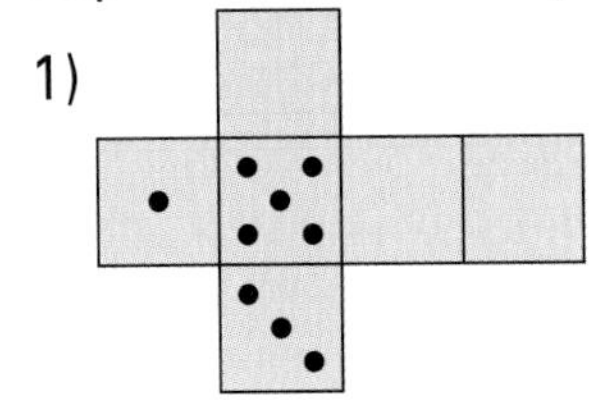

2)

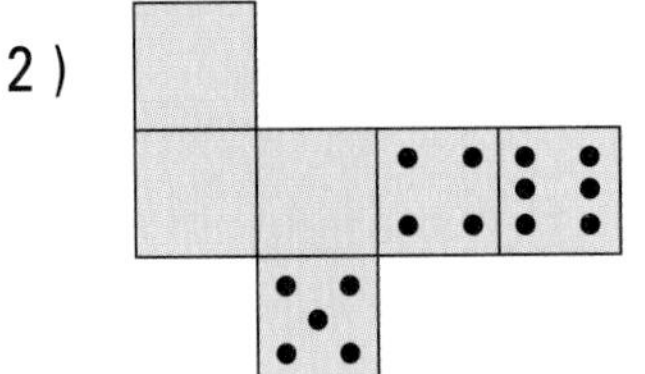

3)

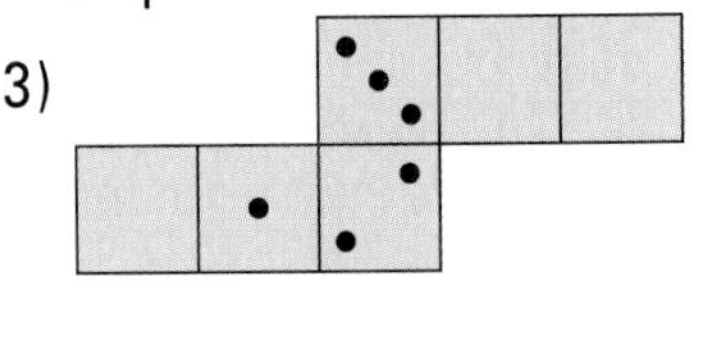

f) Quel solide peut-on associer au développement donné ?

1) 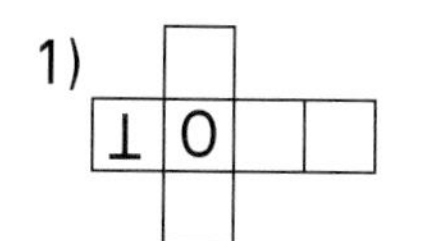 A) B) C) D)

2) A) B) C) D)

g) On a peint des triangles et des trapèzes sur le développement d'un cube. Décris l'effet obtenu sur le cube reconstitué.

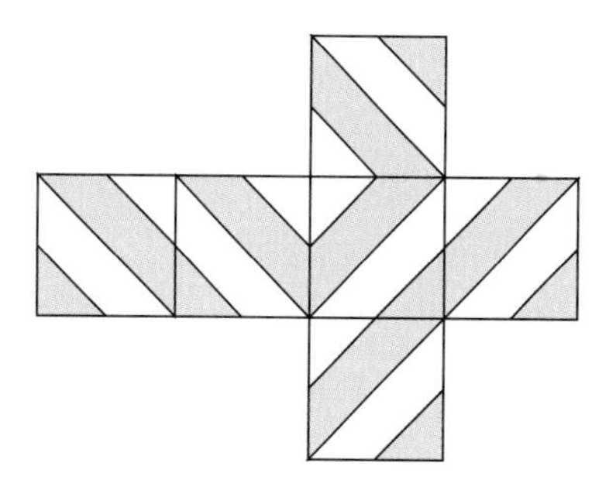

Activité 13 Un cube rouge

Voici un cube, lui-même formé de 27 petits cubes, tous identiques. On l'a trempé dans de la peinture rouge. Combien de petits cubes ont exactement :

1) 0 face rouge ?
2) 1 face rouge ?
3) 2 faces rouges ?
4) 3 faces rouges ?
5) 4 faces rouges ?

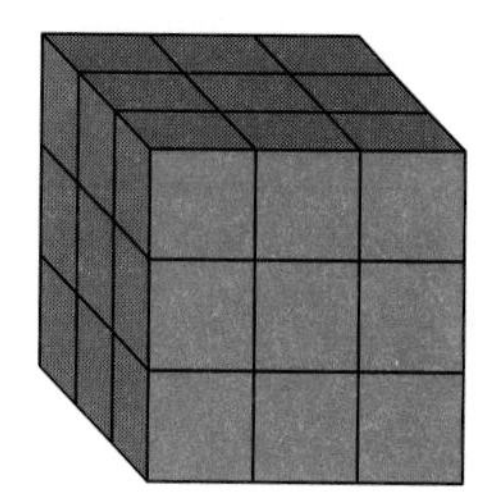

Stratégie : Faire un dessin.

Agrandissement d'un rectangle

On augmente de 20 % la longueur et la largeur d'un rectangle. De quel pourcentage son aire a-t-elle augmenté ?

Famille de triangles

Combien de triangles non congrus peut-on construire si les mesures des côtés, en centimètres, sont des nombres entiers et que le plus long côté ne peut mesurer plus de :

a) 3 cm ? *b)* 4 cm ? *c)* 5 cm ?

ORIENTATION

Avoir le sens spatial, c'est aussi être capable de s'orienter dans un monde à trois dimensions. Voici quelques activités qui aiguisent le sens de l'orientation.

Activité 1 La voiture bicolore

Kristina et Xavier se promènent dans un grand parc à bord de leur voiture bicolore. Ils reviennent toujours se stationner au même endroit, près d'un banc et d'une poubelle comme le montre l'illustration ci-contre.

a) Selon la position de la voiture, décris à quel endroit on devrait placer la poubelle et le banc dans chaque image.

1)

2)

b) Dans quel cas un policier donnerait-il une contravention si la voiture roule en deçà de la vitesse limite?

A)

B)

Activité 2 Le rallye

Voici le détail d'une carte routière. Jacinthe se dirige vers l'intersection *A* en suivant les panneaux d'intersection donnés ci-dessous.

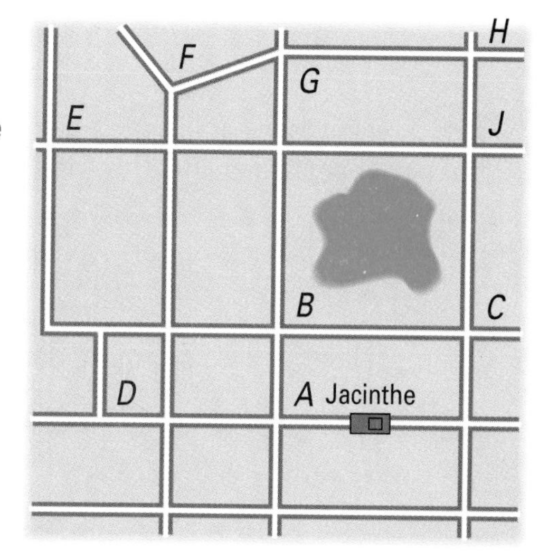

Dans chaque cas, le point sur le panneau indique la position de la voiture avant qu'elle n'arrive à l'intersection.
La flèche indique la voie à suivre.

En quelle intersection sur la carte Jacinthe aboutira-t-elle ?

1) 

2) 

Activité 3 La roue de gouvernail

Quand le capitaine tourne la roue de gouvernail à tribord (T), le bateau tourne à droite et à bâbord (B), il tourne à gauche.

Bâbord  Tribord

Dessine le trajet du bateau à partir de la position initiale donnée et en effectuant les manoeuvres décrites ci-dessous. Le bateau se déplace de 1 cm à chaque manoeuvre.

1) (T, 45°), (B, 90°), (T, 90°), (T, 0°), (B, 45°), (B, 90°), (T, 45°)

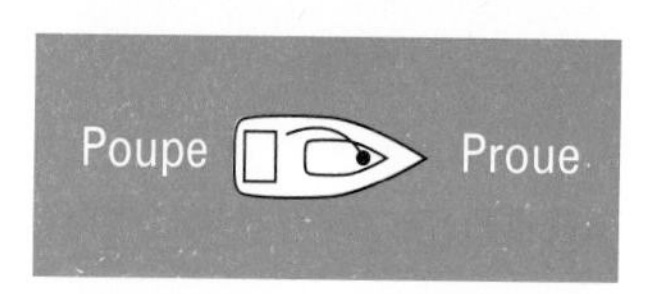

2) (B, 45°), (B, 90°), (T, 90°), (B, 30°), (T, 45°), (B, 90°), (T, 90°)

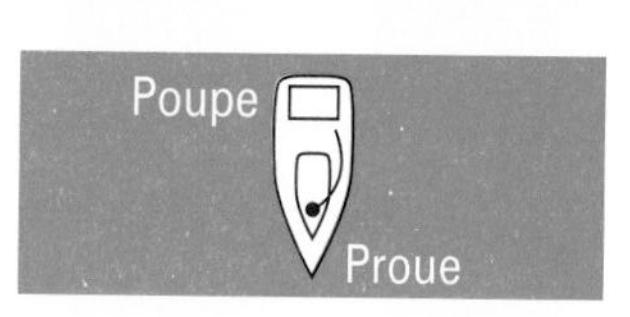

3) (T, 90°), (B, 60°), (T, 30°), (B, 45°), (B, 45°), (T, 90°), (T, 30°), (B, 45°)

Activité 4 Gauche droite

a) Quand on fait face à une carte, le nord est situé en haut, le sud en bas, l'est à droite et l'ouest à gauche. Qu'y a-t-il à droite et à gauche de la carte quand on est placé :

1) face au sud? 2) face à l'est? 3) face à l'ouest?

b) Comment est-on placé si le nord est à droite?

c) Quel point cardinal est à gauche si le nord est derrière?

Activité 5 Le sens d'observation et d'orientation

Observe ce paysage pendant 30 s. Ensuite, cache le paysage et réponds aux questions ci-dessous en justifiant chacune de tes réponses.

1) Quelle saison ce paysage représente-t-il?
2) Vers quelle heure de la journée cette scène a-t-elle lieu?
3) Dans quelle direction souffle le vent?
4) Dans quelle direction vole l'oiseau?
5) Dans quelle direction coule la rivière?

Activité 6 Les panneaux routiers

Ajoute sur les panneaux les points cardinaux qui conviennent selon les points déjà donnés.

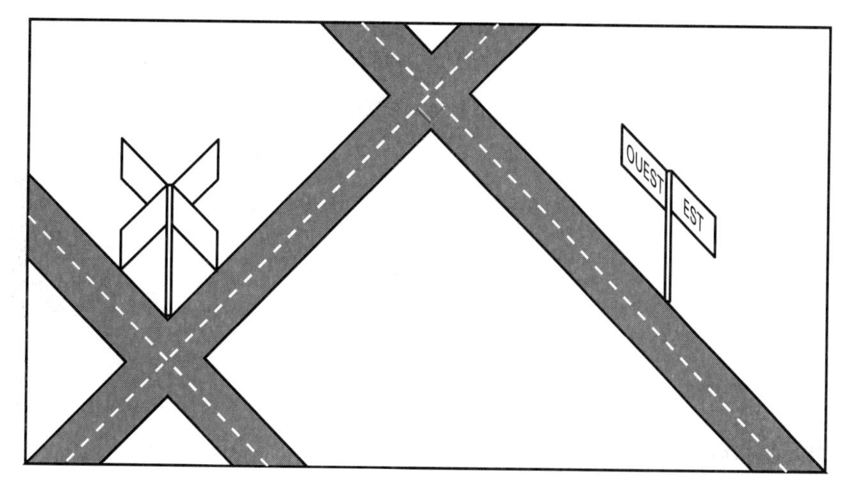

Activité 7 La plage

Sur une plage, on a construit un phare et un obélisque de même hauteur aux emplacements indiqués sur la carte.

Indique par un chiffre sur la carte à quel endroit se trouve le capitaine d'un navire qui aperçoit chaque image sous cet angle.

1) 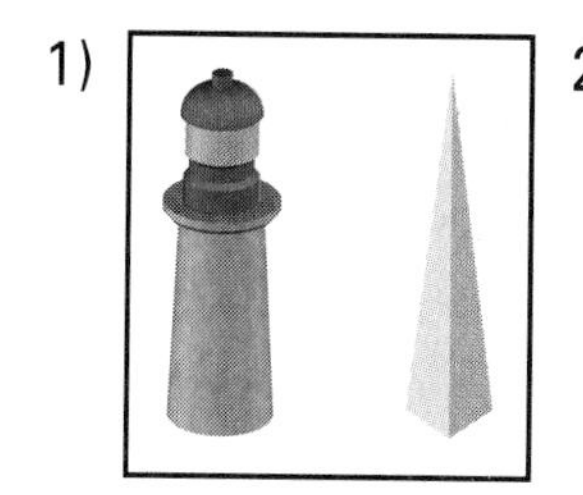

2) 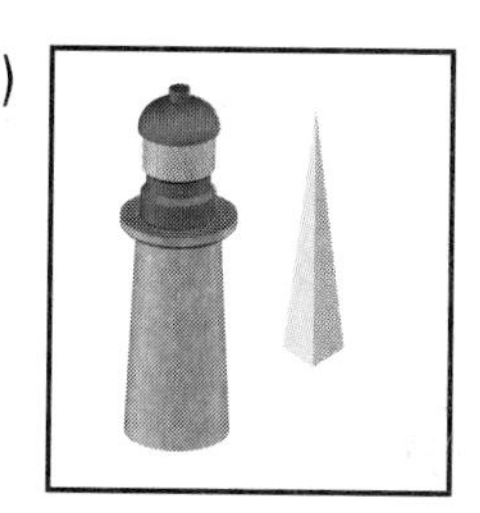

3) 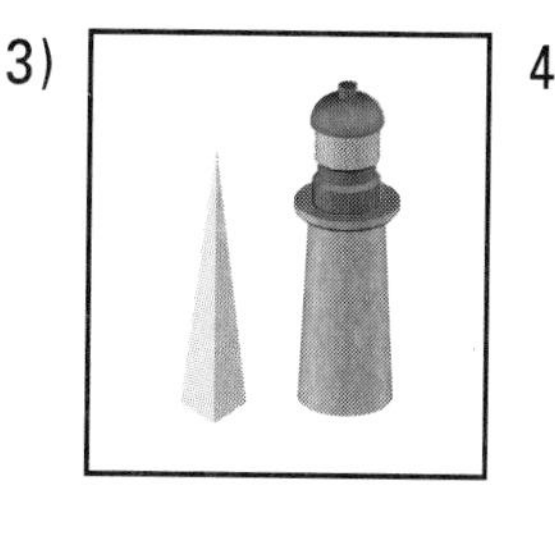

4) 

Activité 8 Dans quel ordre les photographies ont-elles été prises ?

Une photographe a pris six photographies en entrant dans le port du Vieux-Montréal. Malheureusement, en voulant les montrer à une de ses amies, elle a échappé les photographies. Les photographies ne sont donc plus placées dans l'ordre où elles ont été prises en entrant dans le port. Indique dans quel ordre elles devraient être replacées.

①

②

③

④

⑤

⑥

LA TRANSFORMATION DES SOLIDES

Notre environnement est composé d'objets aux formes variées. On perçoit ces objets de diverses façons lorsqu'ils sont en mouvement. On peut également les transformer de diverses façons. Il est important d'être capable de percevoir ces changements avec les yeux du corps et de l'esprit.

Activité 1 Positions différentes

On a représenté le bloc A sous différents angles. Seulement deux de ces représentations sont exactes. Trouve-les.

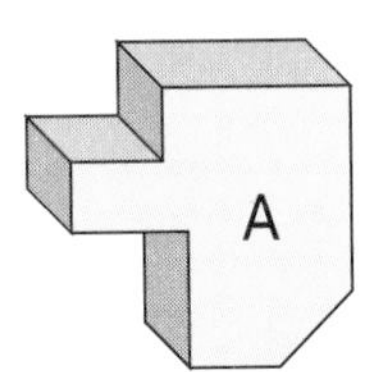

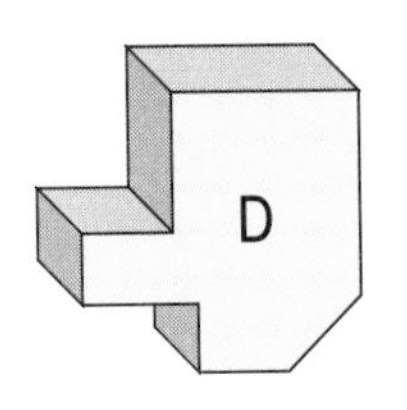

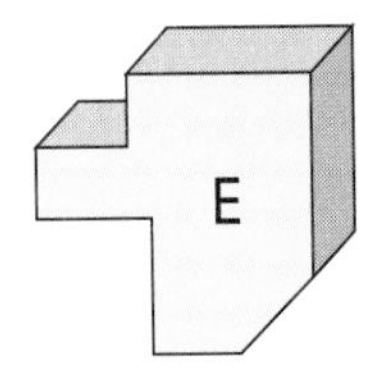

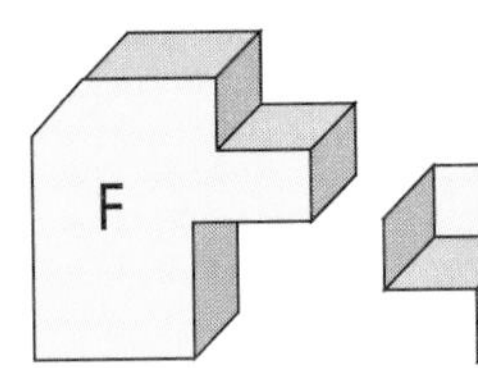

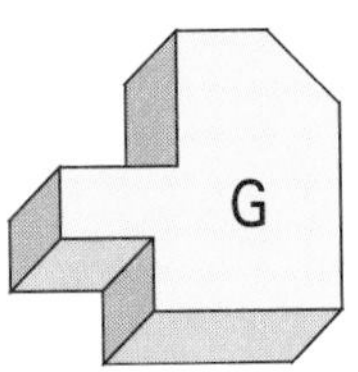

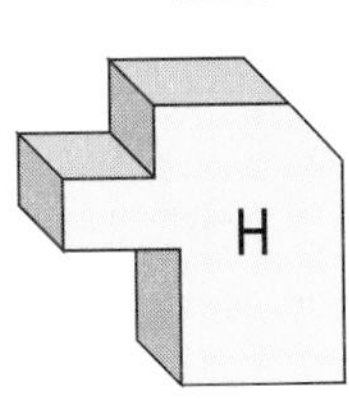

Activité 2 Les rotations de cubes

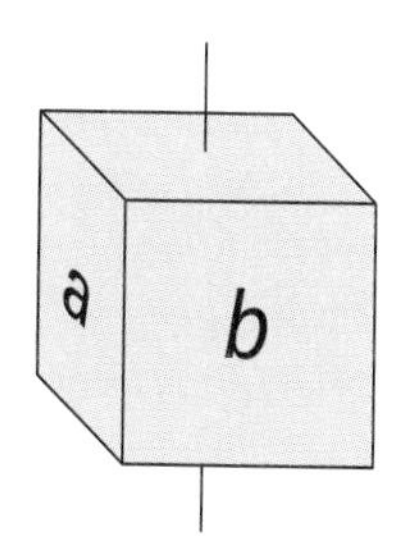

Les faces latérales d'un cube sont marquées, dans l'ordre, des lettres *a*, *b*, *c* et *d*. Indique quelle lettre on voit en premier plan à la suite du mouvement décrit et de la lettre en premier plan au départ.

1) Rotation de 180° dans le sens positif si, au départ, la lettre *c* est en premier plan.
2) Rotation de 270° dans le sens négatif si, au départ, la lettre *d* est en premier plan.
3) Rotation de 90° dans le sens positif si, au départ, la lettre *b* est en premier plan.
4) Rotation de 450° dans le sens négatif si, au départ, la lettre *a* est en premier plan.

Activité 3 Les changements de position

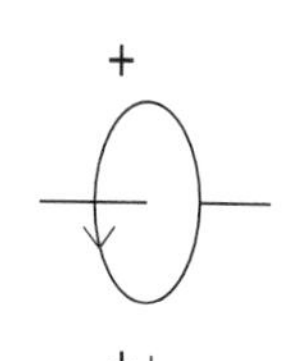

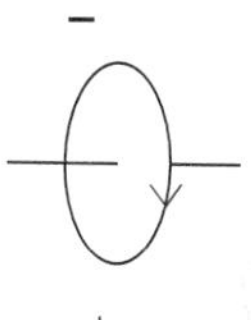

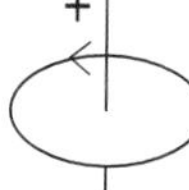

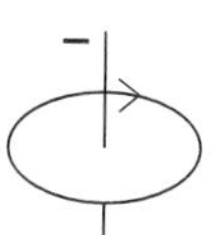

a) On a fait subir un ou deux mouvements de rotation au premier dé pour obtenir le second. Décris ces mouvements en indiquant la grandeur d'angle du mouvement de rotation et son sens.

1)

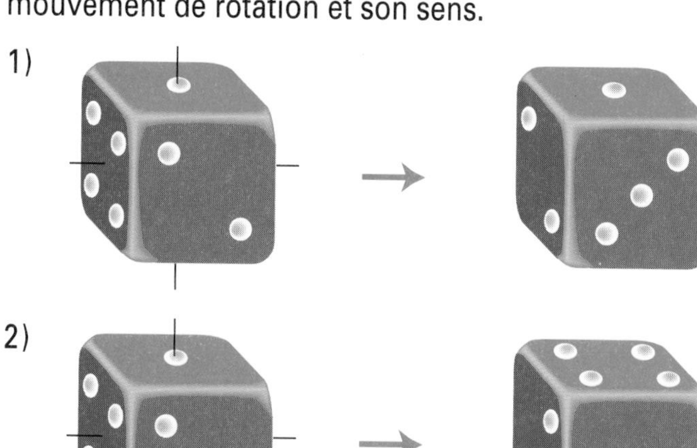

2)

3)

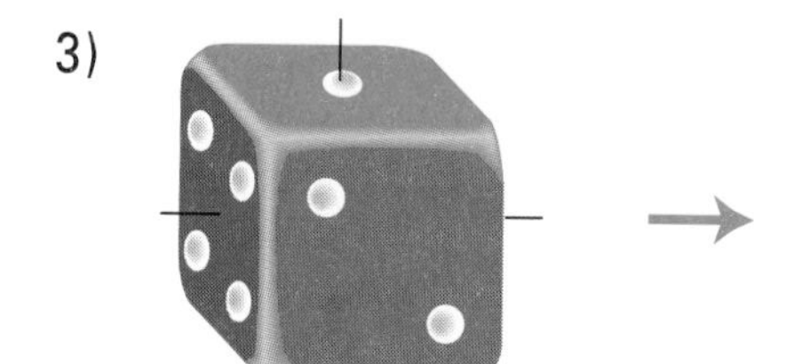

4)

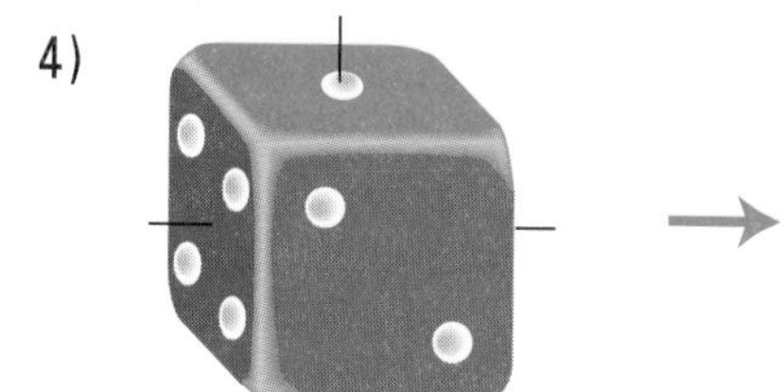

b) Dessine le cube ci-dessous en lui faisant faire le mouvement décrit.

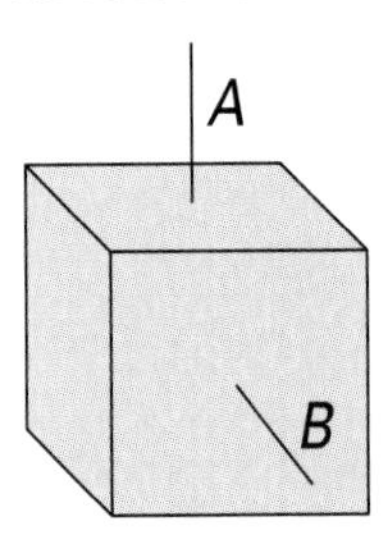

1) Une rotation de 45° suivant l'axe *A* dans le sens contraire des aiguilles d'une montre.
2) Une rotation de 45° suivant l'axe *B* dans le sens des aiguilles d'une montre.

c) Dessine ce prisme de telle sorte qu'il soit posé sur la face décrite.

1) Face *ABCD.*
2) Face *AEHD.*

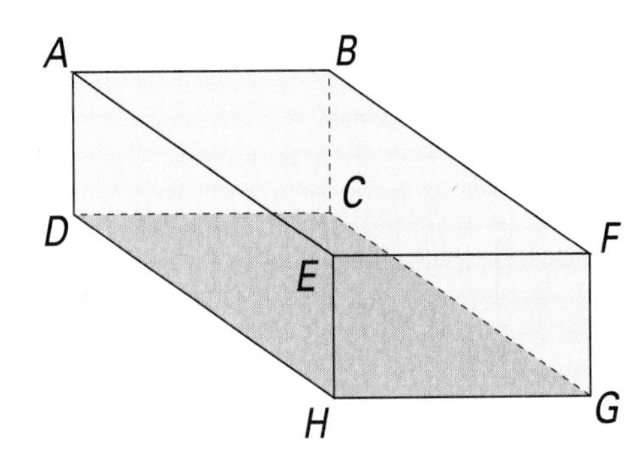

d) De combien de façons différentes peut-on poser le tétraèdre régulier *ABCD* sur le triangle équilatéral X*YZ* ?

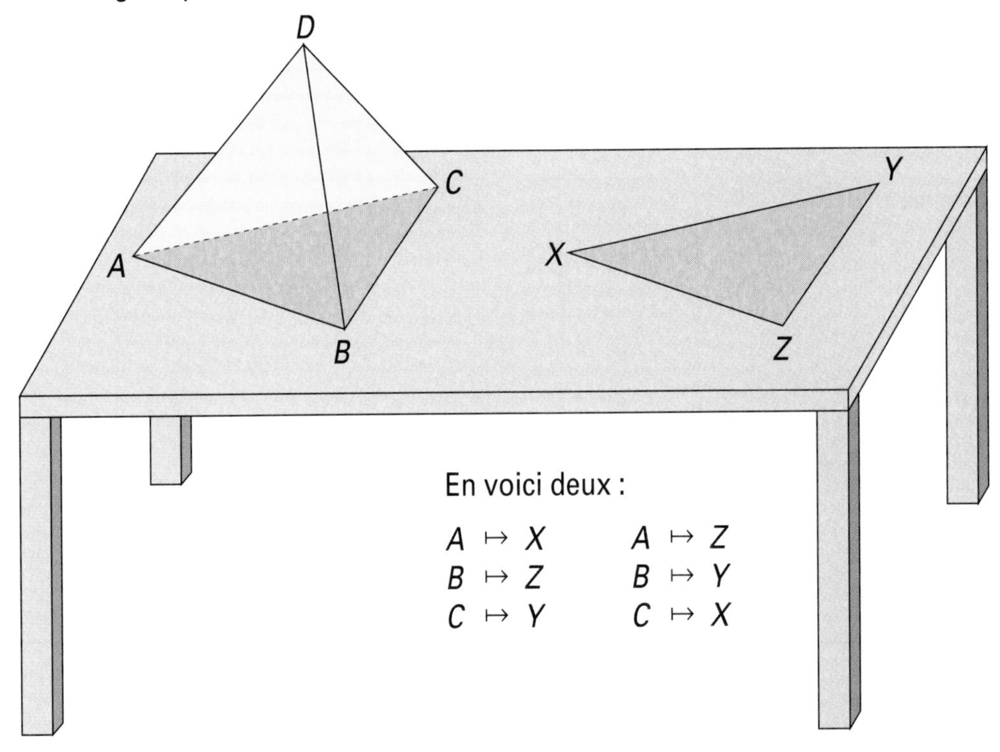

En voici deux :

$A \mapsto X$ $B \mapsto Z$ $C \mapsto Y$

$A \mapsto Z$ $B \mapsto Y$ $C \mapsto X$

Projet 1 L'immeuble à logements

Construis à l'échelle une maquette d'un immeuble ayant au moins dix logements. L'immeuble doit comprendre au minimum trois bâtiments principaux. Chacun doit être jumelé à une tour surmontée d'un toit conique. La maquette doit également présenter un terrain aménagé pour un parc.

Projet 2 La cité médiévale

En Europe, au Moyen-Âge, on entourait les cités de forteresses pour les protéger des envahisseurs. Dans un rêve, un roi t'a demandé d'être l'architecte d'une telle cité. Construis la maquette de la cité que tu aimerais lui présenter. La maquette doit comprendre des maisons d'habitation, un château et une place publique. Elle doit être entourée d'un mur surmonté de quelques tours.

Ville fortifiée du sud-ouest de la France, Carcassone a été construite au Moyen-Âge et restaurée au XIXe siècle.

Projet 3 La station orbitale

Le projet doit comprendre les installations suivantes.

1° Un quartier d'habitation où peuvent vivre au moins 20 personnes, soit environ une vingtaine d'unités cubiques.

2° Un laboratoire de l'espace ayant la forme d'un prisme triangulaire et disposant de deux capteurs solaires. Il doit avoir un volume d'au moins 10 unités cubiques.

3° Un entrepôt spatial ayant une forme cylindrique et surmonté d'une demi-boule.

4° Une rampe de lancement pour véhicule spatial ayant la forme d'un cône renversé.

Les différents édifices de la station doivent être reliés entre eux par des corridors cylindriques. La station elle-même peut être montée sur une planche ou être suspendue au plafond d'une salle.

À LA LOGICOMATHÈQUE

DÉTECTEZ L'INTRUS

- Dans chaque cas, lequel est différent des autres?

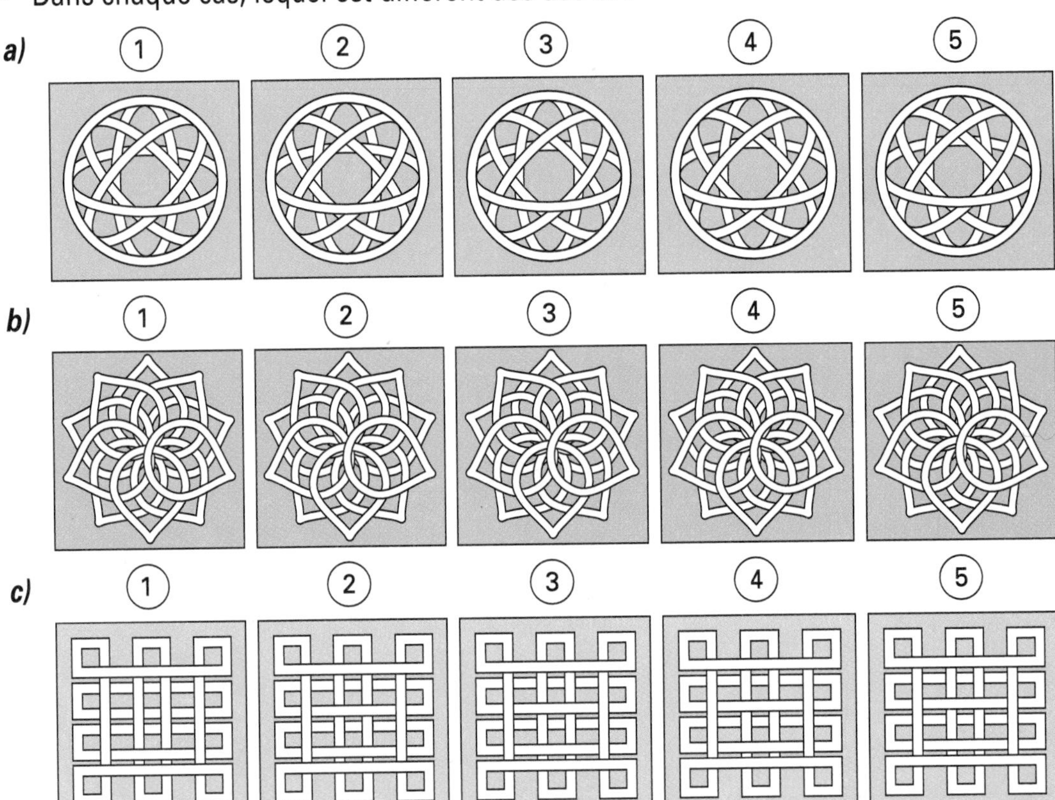

À LA MENSA

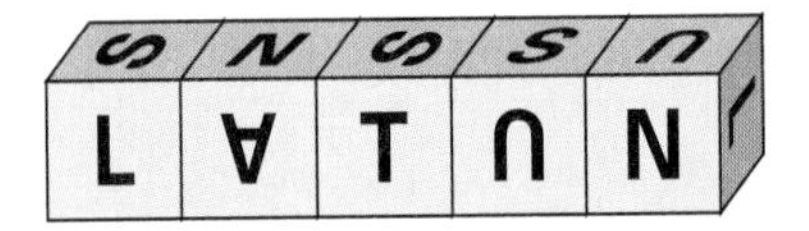

- Ces cinq cubes sont identiques.
  Que peut-on lire de l'autre côté?

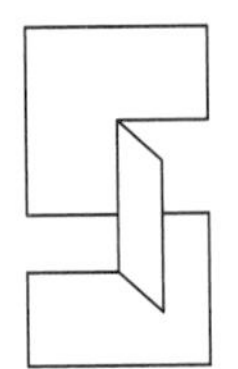

- Il semble impossible de réaliser l'objet illustré ci-contre. Cependant, on peut facilement y arriver avec une simple feuille de papier et sans rien coller. Il suffit seulement de 3 coups de ciseaux. Fabrique cet objet.

PROUVE-LE DONC!

- Martina travaille à l'emballage de cadeaux pour Noël. Les boîtes sont des prismes de même forme. Les dimensions sont telles que $a > b > c$.

  Pour économiser le ruban, sa patronne lui a demandé de le poser comme en 2. A-t-elle raison?

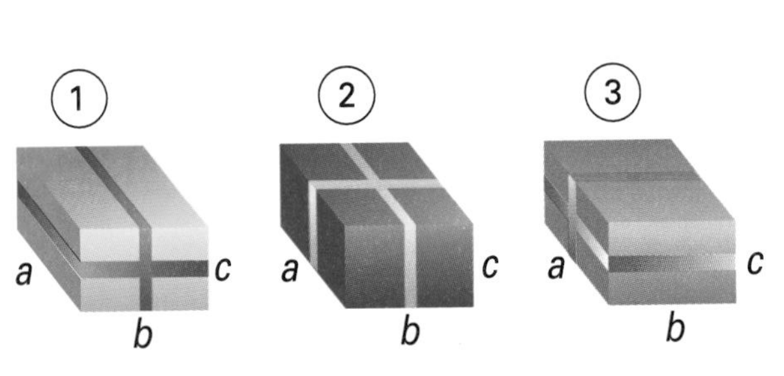

- Quel est le plus court chemin, sur la surface de ce cube, pour aller de *R* à *T* (ces deux points étant au milieu d'une arête) ?

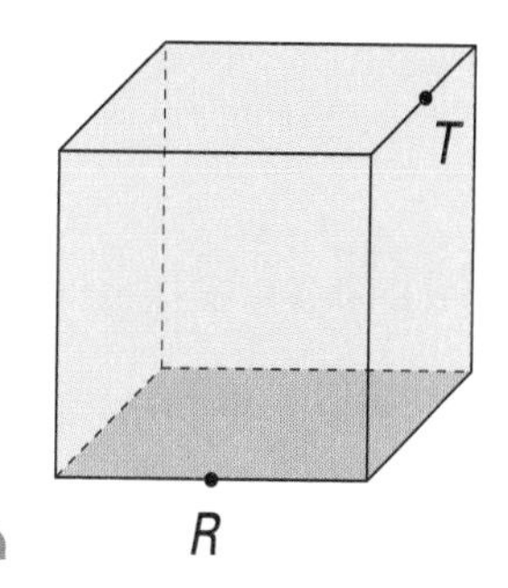

SUR LES TRACES DE LOGIC

- À la fin de ses jours, le grand-père de Nancy vivait pauvrement. Cependant, il s'est plu à raconter pendant cette période qu'il possédait une fortune. Dans son testament, il raconte qu'il a caché cette fortune dans un coffre-fort sous un rocher situé sur la ferme où il a passé son enfance. Dans le même testament, il raconte qu'il lègue cette fortune à celui ou celle de ses petits-enfants qui, le premier ou la première, réussira à ouvrir le coffre-fort à l'aide de sa combinaison.

  Effectivement, un coffre-fort a été retrouvé sur cette ferme. Maintenant, chacun et chacune s'affaire à découvrir la combinaison. Le seul indice qu'il a laissé est un message au bas d'un rectangle rempli de triangles blancs contenant des nombres et de triangles gris. Le voici :

Un polygone régulier non convexe à 5 branches vous dévoile dans l'ordre du mouvement du Soleil les chiffres des dizaines des multiples de 10 qui vous rendront riches.

Lianne, la plus astucieuse des petits-enfants, a montré le message à Logic. En une minute, et grâce à ses habiletés de visualisation, il a pu lui dire qu'il valait la peine de continuer à chercher. Peux-tu découvrir cette combinaison ?

Je connais la signification des expressions suivantes :

Solide : portion d'espace limitée par une surface rigide fermée.

Polyèdre : solide limité par des faces planes qui sont des polygones.

Arêtes : côtés des polygones constituant les faces du polyèdre.

Sommets : points de rencontre des arêtes du polyèdre.

Convexe : polyèdre contenant tout segment reliant deux quelconques de ses points.

Régulier : polyèdre dont tous les sommets sont sur une sphère et dont toutes les faces sont congrues et régulières.

Prisme : polyèdre ayant deux faces (bases) congrues et parallèles et des faces latérales qui sont des parallélogrammes.

Droit : prisme dont les faces latérales sont perpendiculaires aux bases.

Pyramide : polyèdre dont la base est un polygone quelconque et dont les faces latérales sont des triangles ayant un sommet commun.

Droite : pyramide dont le pied de la hauteur est le centre de la base.

Corps rond : solide limité par au moins une surface courbe.

Cylindre : solide limité par deux faces planes parallèles et congrues dont les frontières sont des lignes courbes simples et fermées et par une face courbe formée de segments de droite reliant les points homologues de la frontière des bases.

Cône : solide limité par une face plane appelée base dont la frontière est une ligne courbe simple et fermée et par une face courbe formée de segments reliant tous les points de cette frontière à un point pris hors de ce plan.

Boule : solide limité par une surface appelée sphère dont tous les points sont à égale distance d'un point intérieur appelé centre de la boule.

Développement d'un solide : représentation de la surface « mise à plat » d'un solide.

Section : figure formée par un plan qui coupe un solide.

Je maîtrise les habiletés suivantes :

Identifier et **décrire** des objets ou des solides.

Construire et **générer** des objets ou des solides de diverses façons.

Représenter des objets ou des solides dans un plan.

Déduire certaines mesures d'un solide en justifiant son raisonnement.

De la visualisation à la représentation

1. **Quelle catégorie** de solides chacun des objets suivants évoque-t-il?

a)

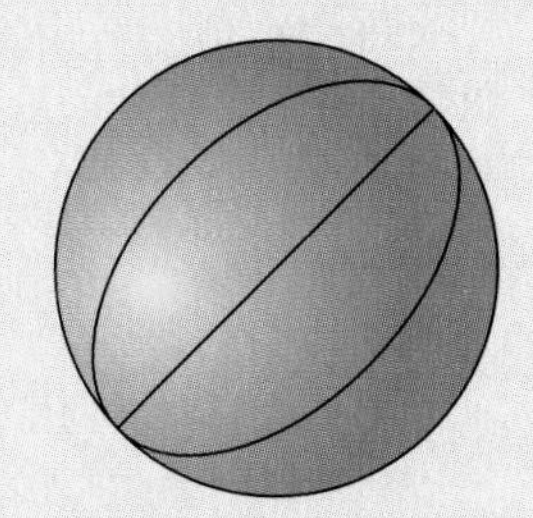

b)

c)

d)

2. **Combien de sommets, de faces et d'arêtes** compte un polyèdre qui a la base illustrée ci-contre s'il s'agit :

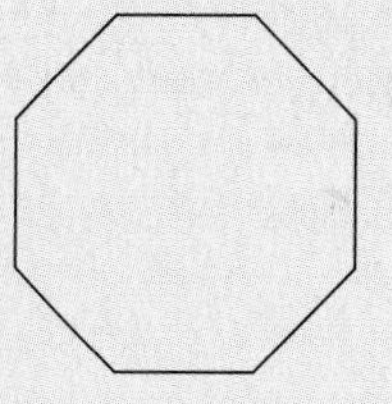

   a) d'un prisme?

   b) d'une pyramide?

3. **De quel solide** s'agit-il? (Dans tous les cas, il s'agit d'une forme simple, non composée, non transformée.)

   a) Je suis un prisme dont les bases peuvent être déterminées par la face sur laquelle je repose.

   b) J'ai toujours un sommet de plus que le nombre de sommets du polygone qui me sert de base.

   c) Toutes mes faces latérales sont toujours des rectangles.

   d) On peut me générer à partir d'un rectangle qui tourne de 360° autour d'un de ses côtés.

   e) Ma surface n'est pas développable.

   f) Je n'ai qu'une seule base et elle est circulaire.

   g) Toutes mes faces sont des triangles isocèles.

   h) Toutes mes faces sont des polygones.

4. **Donne une description** du solide ci-contre qui permet à une personne qui ne le voit pas de s'en faire une bonne idée.

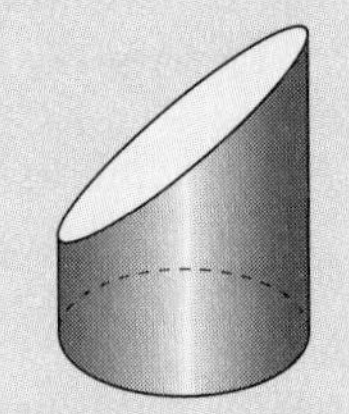

5. Voici la représentation d'un solide particulier.

   a) **Donne une description** détaillée de ce solide qui permet à quelqu'un qui ne le voit pas de s'en faire une bonne idée.

   b) S'agit-il d'un **prisme rectangulaire**?

   c) Ce solide est-il **convexe ou concave**?

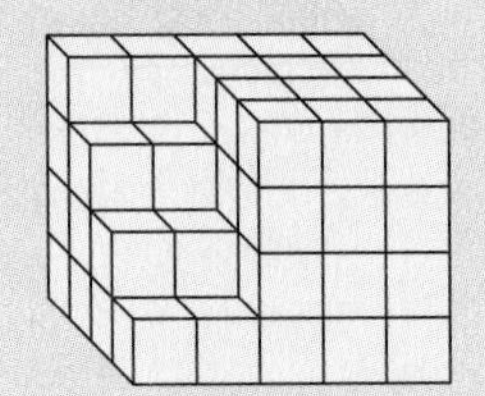

6. On a ici le dessin d'un cube. **Quelle sorte de triangle** est le triangle *AHD* dans la réalité?

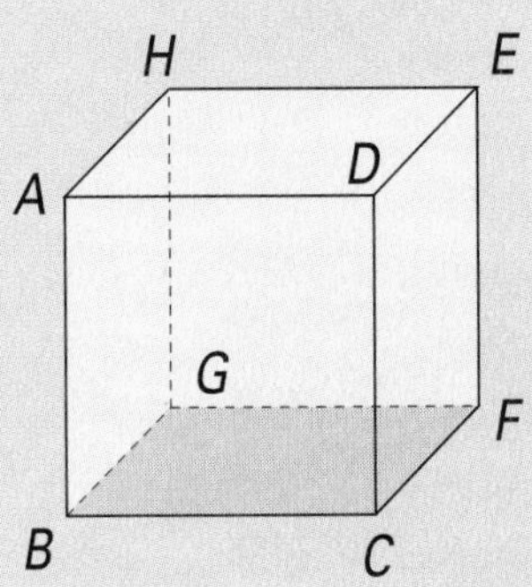

7. On trace $\overline{AB}$ passant par le centre de la boule. L'aire de la section ombrée est de 16π cm². **Détermine la mesure** de $\overline{AB}$ dans la réalité.

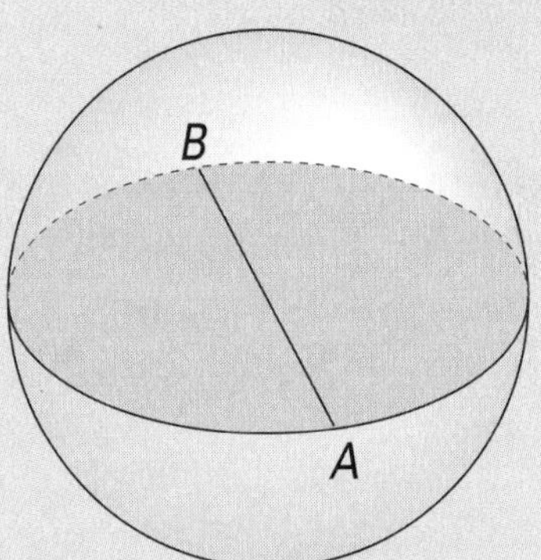

8. **Donne le nom** du solide qui est engendré par le mouvement illustré.

   a)

   b)

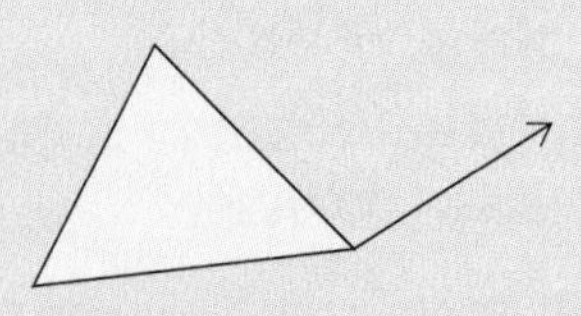

   c)

   d)

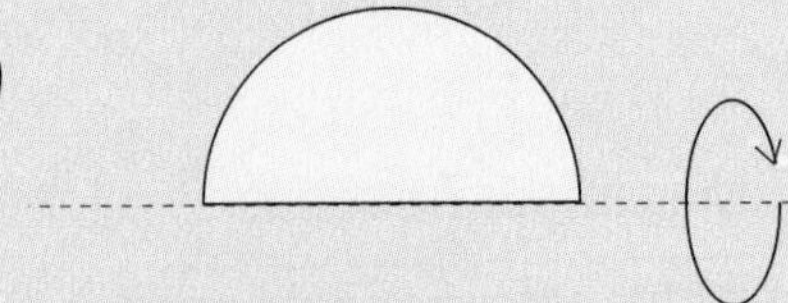

9. **Décris le solide** qui est généré si on ouvre un livre sur une table.

10. Voici le développement d'un prisme rectangulaire.

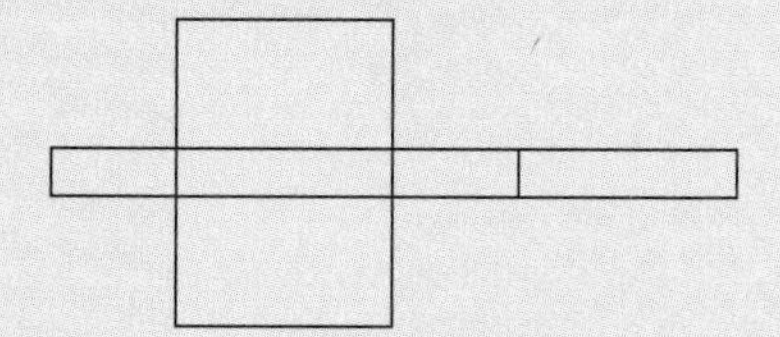

Complète les dessins **de deux autres développements** de ce même prisme.

a)

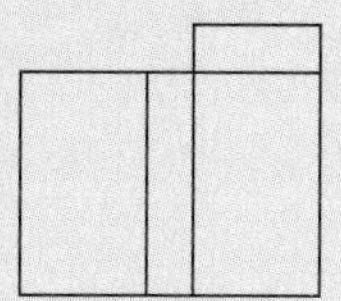

b)

11. **Trace un développement** de ce cylindre en tenant compte des mesures, données en centimètres, sur le dessin.

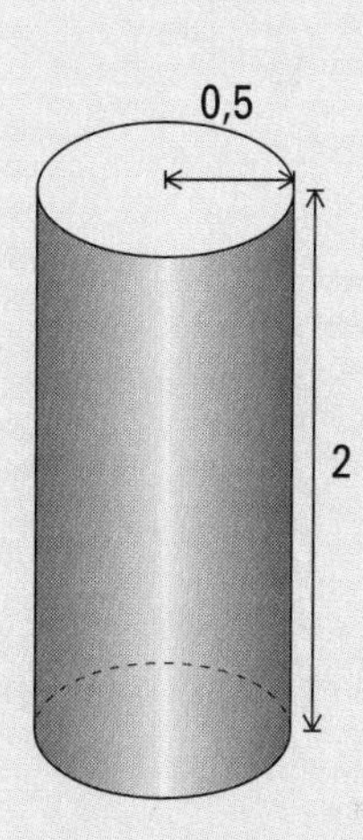

12. **Dessine un cône droit** à base circulaire **posé sur le côté.**

13. **Dessine** sur une feuille **la vue arrière** de ce solide.

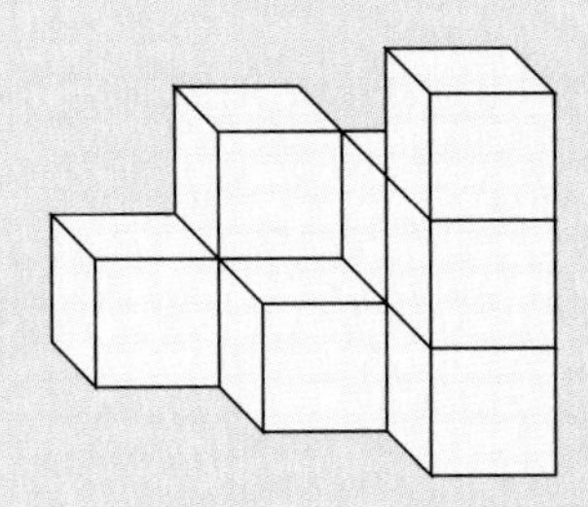

14. **Dessine en perspective cavalière** le solide décrit.

a) Un prisme droit à base carrée deux fois plus haut que large.

b) Un prisme à base rectangulaire de 2 cm sur 4 cm et ayant une hauteur de 5 cm.

15. Sur le développement d'un cube, on a inscrit ces lettres. **Quelle lettre** devrait apparaître sur la face blanche apparente de chacun des deux cubes reconstitués ?

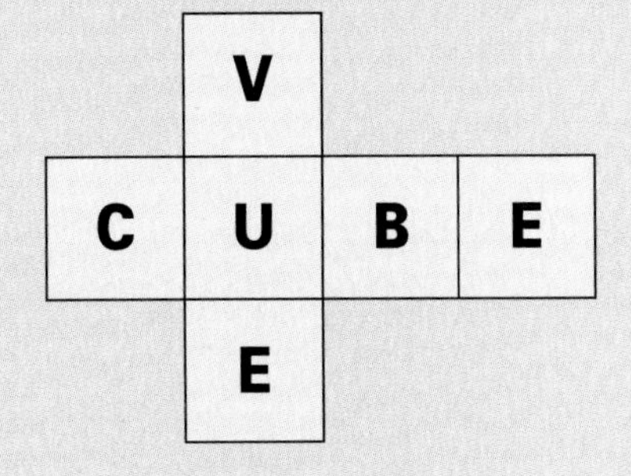

a)

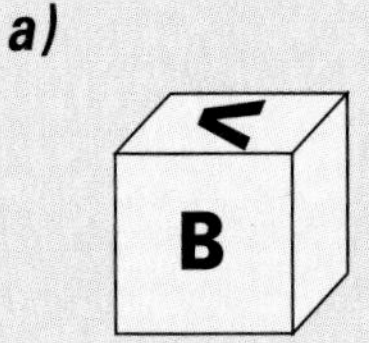

b)

16. Sur le cube ci-contre, le point U est l'intersection de $\overline{QS}$ et $\overline{RT}$, et le point V est l'intersection de $\overline{RP}$ et $\overline{MQ}$.

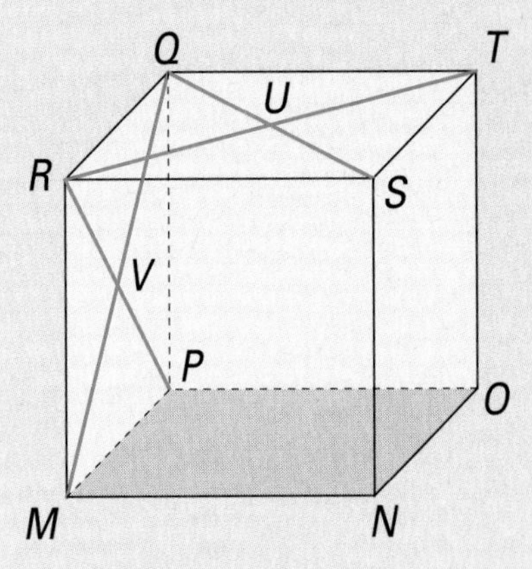

Dans la réalité,

a) le Δ *SQM* est-il **rectangle** en *Q* ?

b) le Δ *NSU* est-il **rectangle** en *S* ?

c) le Δ *UNV* est-il **isocèle** ?

d) le Δ *NSU* est-il **isocèle** ?

17. Un cylindre est deux fois plus haut que large. Le périmètre de sa base est de 25 cm. Quelle est sa hauteur ? **Justifie** ton raisonnement.

18. Résous ce problème :

On augmente de 10 % les côtés de l'angle droit d'un triangle rectangle. **De quel pourcentage** son aire a-t-elle augmenté ?

ITINÉRAIRE 2

LES RELATIONS

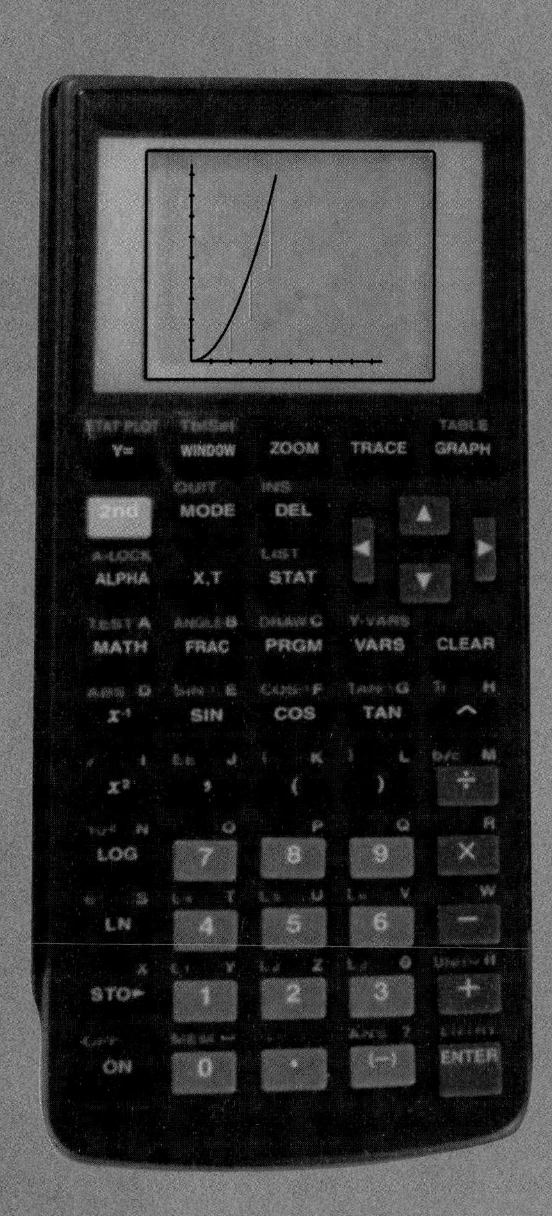

Les grandes idées :

- Notion de relation.
- Dépendance entre variables.
- Divers modes de représentation des relations.
- Diverses relations.
- Diverses caractéristiques des relations.

Objectif terminal :

Illustrer la dépendance entre les variables d'une situation.

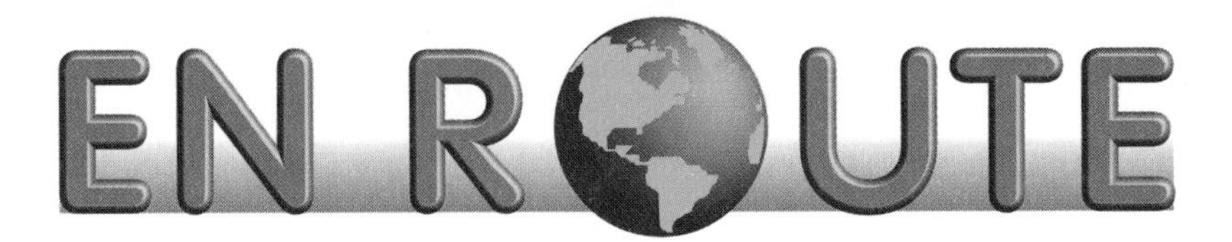

... VERS LES RELATIONS ENTRE DEUX VARIABLES

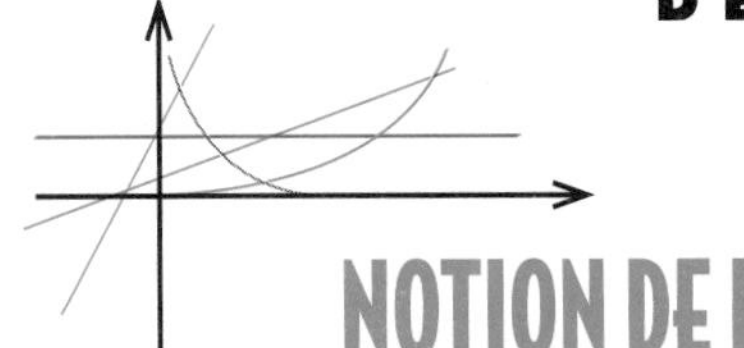

NOTION DE RELATION

Situation 1 Les pointures de chaussures

Les pointures des chaussures varient habituellement de 36 à 42 pour les femmes et de 40 à 46 pour les hommes.

1. Que veut-on dire si l'on affirme qu'une chaussure a une pointure de 38 ou de 42 ?
2. Un éboueur a laissé tomber une chaussure d'une poubelle. La pointure de la chaussure est de 46. Quelle est la taille de la personne qui portait cette chaussure ?
3. La taille a-t-elle une influence sur la pointure des chaussures ? Qu'en penses-tu ?
4. Que pourrait-on faire pour en savoir plus long sur cette relation ?
5. Que peut-on faire pour voir plus clair dans ces données ?

De nombreuses situations de la vie courante présentent deux ou plusieurs quantités qui varient. Il est alors normal de s'interroger sur les liens qui unissent ces ensembles de données. Nous faisons alors des rapprochements entre ces quantités. Parfois, nous découvrons que les données sont très intimement associées et, d'autres fois, qu'il n'en est rien.

Ce rapprochement entre deux quantités qui varient est appelé une **relation**.

Une relation est une association entre deux ensembles de données.

Situation 2 Le cadran solaire

Yannick a lu un article traitant des cadrans solaires. Cet article a piqué sa curiosité. Aujourd'hui, il en a fait l'expérience. Chaque heure, il a marqué la position de l'ombre d'un mât sur le sol et la longueur de cette ombre. Voici, sous la forme d'une table de valeurs, les données qu'il a recueillies depuis le lever du soleil jusqu'à son coucher.

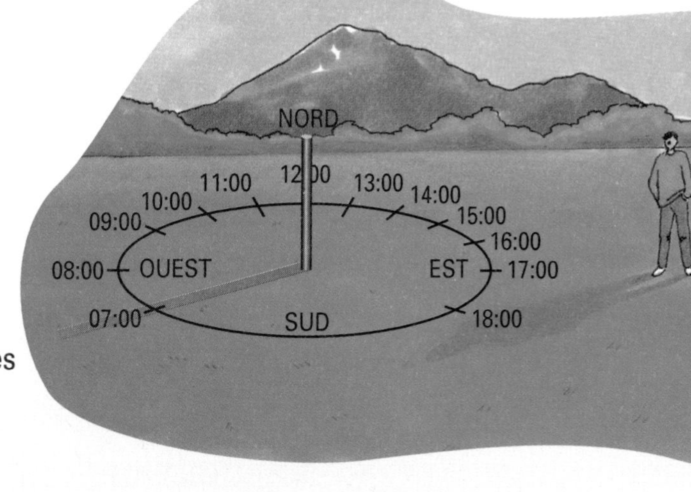

① Quels facteurs influencent la longueur de l'ombre ?

② Pourquoi l'ombre n'est-elle jamais au sud ?

③ Décris en mots la relation qui existe entre les moments de la journée et la longueur de l'ombre.

④ Comment se fait-il que la longueur de l'ombre diminue pendant quelque temps et qu'elle augmente ensuite ?

Évolution de la longueur de l'ombre

Moment de la journée	Longueur de l'ombre (en m)
07:00	4
08:00	3,9
09:00	3,6
10:00	3,1
11:00	2,4
12:00	1,5
13:00	1,5
14:00	2,4
15:00	3,1
16:00	3,6
17:00	3,9
18:00	4

⑤ Voici un graphique qui illustre la hauteur du Soleil au-dessus de l'horizon selon le moment de la journée. On a utilisé une échelle de 1 à 5.

Trace un graphique semblable qui illustre la longueur de l'ombre suivant les mêmes moments de la journée.

Hauteur du Soleil dans le ciel sur une échelle de 1 à 5

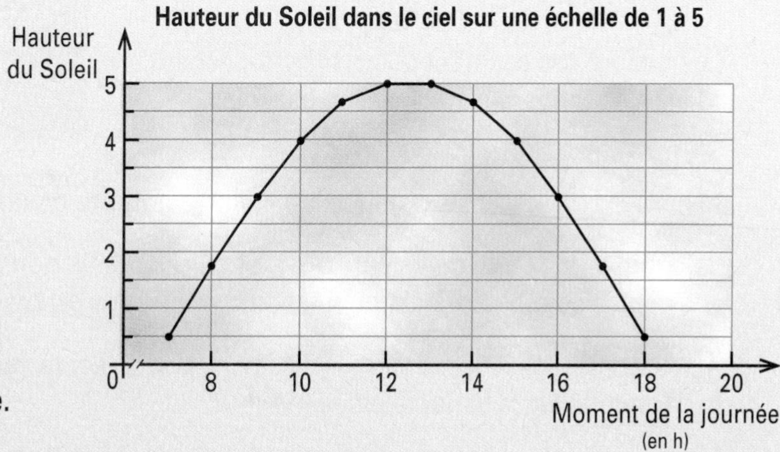

⑥ Dans cette relation, quelle quantité variant la première entraîne le plus naturellement la variation de l'autre : le moment de la journée ou la longueur de l'ombre du mât ?

On a ici une relation entre deux quantités qui prennent diverses valeurs : les moments de la journée et les longueurs de l'ombre d'un mât.

Des quantités dont les valeurs changent sont appelées des **quantités variables** ou simplement **des variables.** Si les valeurs d'une quantité ne changent pas, la quantité est alors dite **constante.**

Généralement, dans une situation, l'une des variables réagit aux variations de l'autre. Une telle variable est dite **dépendante** et l'autre est dite **indépendante.**

Lorsque les variables changent, les variations peuvent se faire dans le même sens ou dans le sens contraire.

V_1	V_2	
augmente diminue	augmente diminue	(de même sens)
augmente diminue	diminue augmente	(de sens contraire)

Situation 3 Le martin-pêcheur

Le martin-pêcheur est un oiseau qui vit au bord de l'eau et qui se nourrit principalement de petits poissons.

① Un lac poissonneux attire un plus grand nombre de martins-pêcheurs qu'un lac non poissonneux. Quel impact cela a-t-il sur le nombre de poissons dans le lac?

② Dans cette situation, quelles variables peut-on mettre en relation?

Les biologistes estiment qu'un martin-pêcheur mange en moyenne 10 poissons par jour.

Au lac Noir, il y a une semaine, on a estimé à 10 le nombre de martins-pêcheurs et à 4 000 le nombre de poissons.

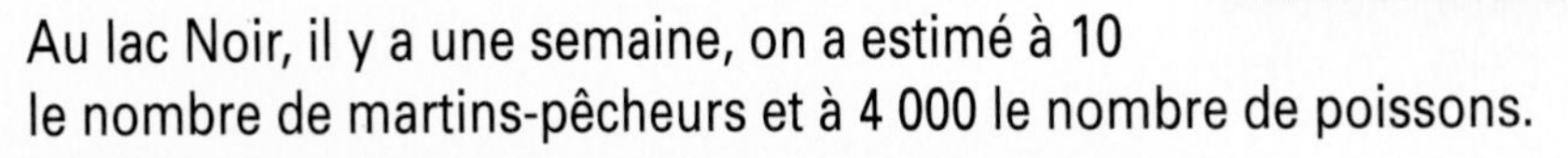

③ Donne une table de valeurs qui met en relation le nombre de jours écoulés depuis ce moment et la population de poissons du lac Noir.

④ Laquelle des deux variables mises en relation est la variable dépendante? Laquelle est la variable indépendante?

⑤ Dans quel sens les variations des variables se font-elles dans cette relation?

Certaines situations présentent parfois plusieurs variables qui peuvent être mises en relation deux à deux. À nous de choisir celles que l'on veut mettre en relation.

JOGGING

1 On donne une relation entre deux variables. Indique celle qui convient de considérer le plus naturellement comme variable dépendante, l'autre étant la variable indépendante.

a) Quand on chauffe une barre de métal, on voit la barre s'allonger. On considère la relation entre la température et l'allongement de la barre.

b) Un robinet qui fuit nous fait gaspiller de l'eau. On considère la relation entre le temps écoulé et la quantité d'eau gaspillée.

c) On sème une graine de tournesol. On considère la relation entre le temps écoulé et la hauteur du plant.

d) Une maison est chauffée au mazout. Un réservoir de 1000 l est rempli au début du mois. On considère le temps écoulé depuis le remplissage et la quantité de mazout restant dans le réservoir.

e) Une cuisinière électrique consomme en énergie 5 kWh. On considère la relation entre le temps de fonctionnement de la cuisinière et la dépense énergétique.

2 Dans une voiture, la quantité d'essence en litres dans le réservoir et la position de l'aiguille de l'indicateur de niveau de carburant sont deux quantités reliées entre elles.

a) Laquelle convient-il de considérer le plus naturellement comme variable indépendante ? comme variable dépendante ?

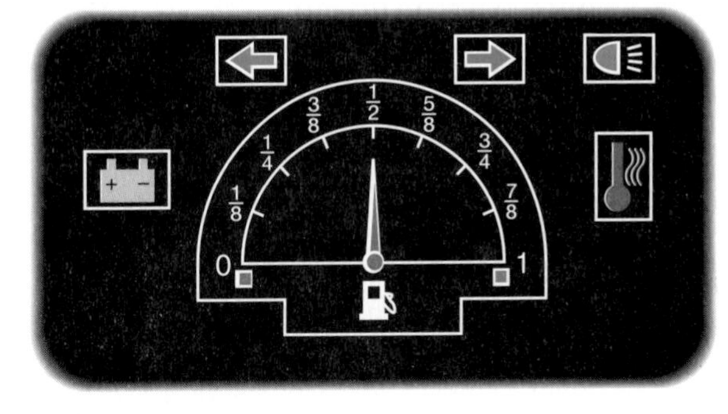

b) Si le réservoir de la voiture est plein lorsqu'il contient 40 l d'essence, donne 9 couples de cette relation dans une table de valeurs.

c) Les variables varient-elles dans le même sens ou dans le sens contraire dans cette situation ?

3 De plus en plus, l'eau potable constitue une denrée rare. On estime que la consommation d'eau par personne par jour dans une maison est en moyenne de 430 l. On considère la dépense d'eau en regard du nombre de personnes habitant la maison.

a) Quelles sont les deux variables de cette relation ?

b) Laquelle de ces variables convient-il de considérer le plus naturellement comme indépendante ?

c) Les variables varient-elles dans le même sens ou dans le sens contraire dans cette situation ?

4 Le rayon du tronc d'un arbre augmente en moyenne de 5 mm par année. On considère le diamètre de l'arbre selon son âge.

a) Quelles sont les deux variables de cette relation?

b) Quelle variable est-il préférable de considérer comme variable dépendante?

c) Décris le sens de la variation de chacune des variables de cette relation.

5 Dans une famille, le coût du transport est d'environ 50 $ par personne par mois. On considère la relation entre le nombre de personnes à la maison et le coût mensuel du transport.

a) Quelles sont les deux variables de cette relation?

b) Quelle variable est-il préférable de considérer comme variable indépendante? comme variable dépendante?

c) Décris le sens de la variation de chacune des variables de cette relation?

6 On ajoute de l'eau à un litre d'alcool. Indique quelle variable il est préférable de considérer comme variable dépendante dans chacune des relations décrites.

a) On considère la relation entre la quantité d'eau ajoutée et la quantité du mélange obtenu.

b) On considère la relation entre la quantité d'eau ajoutée et le pourcentage d'alcool du mélange.

7 Fumer, c'est reconnu, nuit gravement à la santé. La cigarette contient une foule de composants toxiques, entre autres de la nicotine. Chaque cigarette d'une certaine marque contient 0,2 mg de nicotine. On considère la relation liant le nombre de cigarettes et la quantité de nicotine. Laquelle de ces deux variables est-il préférable de considérer comme la variable dépendante?

8 Tu as sûrement déjà arrosé des fleurs ou un potager avec un tuyau d'arrosage. Tu as dû remarquer qu'à chaque tour complet de la poignée du robinet, le jet d'eau augmente. Cela est dû à la pression de l'eau. On s'intéresse à la relation entre le nombre de tours complets de la poignée et la longueur du jet d'eau. Quelle variable est-il préférable de considérer comme variable indépendante dans cette situation?

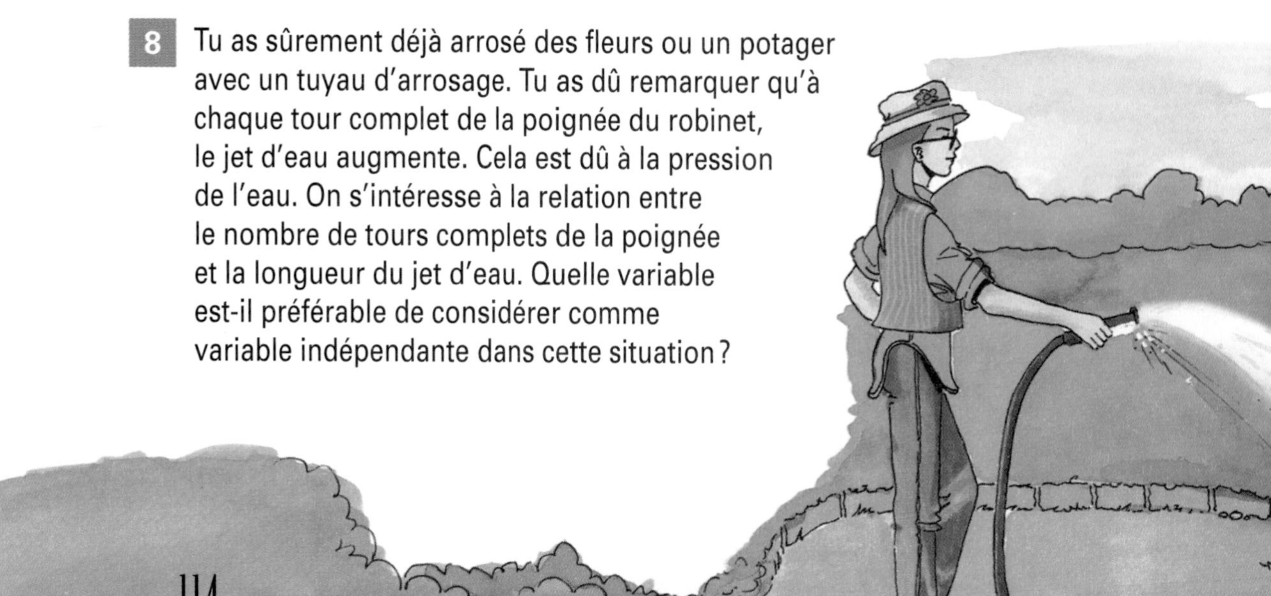

9 On a versé de l'eau dans un verre. Chaque jour, on note la hauteur de la colonne d'eau. On constate que l'eau s'évapore. On considère la relation entre le nombre de jours écoulés et la hauteur de la colonne d'eau dans le verre.

a) Laquelle de ces deux variables convient-il le mieux de considérer comme la variable dépendante?

b) Dans cette situation, les variables varient-elles dans le même sens ou dans le sens contraire?

10 Dans certaines situations, les deux variables peuvent indifféremment jouer le rôle de variable indépendante ou de variable dépendante. Lors du remplissage du réservoir d'essence de la voiture, on peut demander indifféremment de remplir le réservoir d'une certaine quantité ou pour une certaine somme d'argent.

a) Si on précise une somme d'argent, quelle variable est alors considérée comme la variable indépendante?

b) Si on précise une quantité d'essence, quelle variable est alors considérée comme la variable dépendante ?

c) Décris le sens de variation des variables dans cette situation.

11 Un millimètre de pluie équivaut approximativement à 10 mm de neige. On observe la relation entre la quantité de pluie tombée et son équivalent en neige.

a) Si on détermine que la variable indépendante est la quantité de pluie tombée, donne deux couples de nombres de cette relation.

b) Si la quantité de neige joue le rôle de la variable indépendante, donne deux couples de cette relation.

c) Décris le sens de variation des variables dans cette situation.

12 La température dans un banc de neige n'est pas partout la même. On observe la relation entre la distance au-dessous de la surface de la neige et la température prise à ce niveau. Laquelle de ces deux variables convient le mieux pour agir comme variable indépendante?

13 On remplit un verre d'eau chaude et on laisse refroidir l'eau. Toutes les deux minutes, on note sa température. Si on considère la relation entre le temps et la température de l'eau, laquelle des variables convient le mieux comme variable dépendante?

14 Dans chaque cas, indique si les variables varient dans le même sens ou dans le sens contraire.

a) La masse de colis postaux et le coût d'affranchissement.

b) Le nombre de lapins et la quantité de nourriture qu'ils consomment en une journée.

c) La durée des paiements et le montant du paiement mensuel pour l'achat d'une maison.

d) La durée de l'exécution d'un travail et le nombre de personnes affectées à cette tâche.

15 On a fait chauffer de la glace dans un récipient et on a noté chaque minute la température de l'eau.

a) Laquelle de ces variables joue le rôle de la variable dépendante?

b) Indique dans quel sens les variables de cette relation varient.

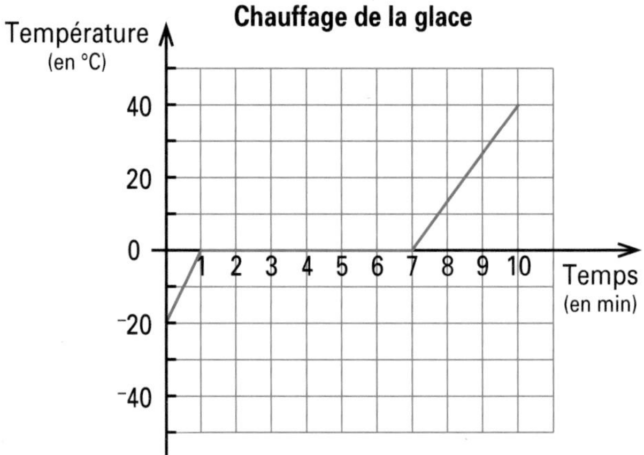

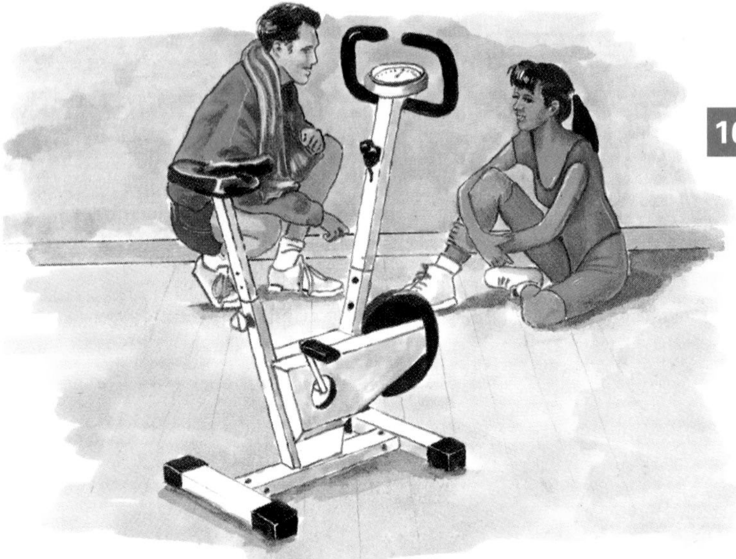

16 On fixe la force de résistance du pédalier d'une bicyclette d'exercice à l'aide d'une manivelle. On considère la relation liant l'angle de rotation de la manivelle et la force de la résistance du pédalier. Laquelle de ces deux variables doit-on considérer comme la variable dépendante?

17 La table de valeurs ci-contre montre une relation entre le volume et la masse de différentes pièces d'aluminium.

Laquelle de ces deux variables devrait-on faire correspondre à l'axe horizontal dans un graphique cartésien?

Pièces d'aluminium

Volume (en cm³)	Masse (en g)
1	2,7
2	5,4
3	8,1
4	10,8
5	13,5

1. Y a-t-il des nombres décimaux compris entre 0,74 et 0,75 ? Justifie ta réponse.
2. Y a-t-il des nombres décimaux compris entre $\frac{2}{7}$ et $\frac{3}{7}$? Justifie ta réponse.
3. Y a-t-il des fractions comprises entre $\frac{2}{7}$ et $\frac{3}{7}$? Justifie ta réponse.
4. Y a-t-il des fractions comprises entre 0,37 et 0,38 ? Justifie ta réponse.
5. Trace un cercle de 10 cm de diamètre. Noircis ensuite un secteur qui représente 0,6 de la surface intérieure de ce cercle.
6. Parmi les expressions suivantes, lesquelles ne sont pas équivalentes à $3\frac{1}{8}$?

   $3 \times \frac{1}{8}$ $\frac{31}{8}$ $24 + \frac{1}{8}$ $3 + \frac{1}{8}$ $\frac{25}{8}$

7. Quelle expression est équivalente à $^{-}4\frac{5}{8}$?

   $^{-}4 + \frac{5}{8}$ ou $^{-}4 - \frac{5}{8}$?

8. Cherche une stratégie pour effectuer chaque opération et calcule mentalement le résultat de chacune.

   a) $\frac{1}{3} + \frac{1}{4}$ ***b)*** $\frac{2}{3} - \frac{1}{4}$ ***c)*** $\frac{2}{5} + \frac{3}{4}$ ***d)*** $\frac{5}{6} - \frac{3}{4}$
   e) $\frac{1}{2} + \frac{7}{10}$ ***f)*** $\frac{3}{4} - \frac{3}{10}$ ***g)*** $\frac{7}{15} + \frac{3}{10}$ ***h)*** $1 + \frac{11}{21}$
   i) $2 - \frac{5}{7}$ ***j)*** $3\frac{2}{5} + 2\frac{1}{3}$ ***k)*** $4\frac{2}{3} - 2\frac{1}{4}$ ***l)*** $4 - 5\frac{1}{9}$

9. Explique la meilleure stratégie pour calculer mentalement le résultat de chaque opération.

   a) $\frac{1}{2} + \frac{7}{11} + \frac{3}{4}$ ***b)*** $\frac{2}{3} \times (\frac{3}{8} + \frac{3}{10})$

10. Estime le résultat dans chaque cas.

    a) $\frac{314}{425} + \frac{112}{203}$ ***b)*** $\frac{11}{99} + \frac{993}{1003}$ ***c)*** $\frac{4326}{5329} - \frac{305}{499}$ ***d)*** $\frac{5}{6} + \frac{3}{4} + \frac{7}{8} + \frac{1}{9}$

11. Estime la réponse attendue pour chacun de ces problèmes.

    a) Mon père a acheté le tiers des parts d'une compagnie. Il a inscrit le quart de ces parts à mon nom. La compagnie a émis 10 000 parts d'une valeur de 11,85 $ chacune. Quelle est la valeur du cadeau de mon père ?

    b) Ce matin, un réservoir d'eau était rempli aux trois quarts. Après un incendie, il n'est rempli qu'au tiers. Ce réservoir a une capacité de 50 000 l. Combien de litres d'eau a-t-on utilisés pour éteindre l'incendie ?

DESCRIPTION DE RELATIONS

Situation Le rôti de boeuf de la mère Michèle

(1) Identifie deux variables que l'on pourrait mettre en relation dans cette situation.

(2) On veut découvrir la relation qui lie la masse du rôti au temps de cuisson. Laquelle de ces deux variables peut-on considérer comme la variable dépendante? la variable indépendante?

(3) Complète cette table de valeurs montrant concrètement la relation entre ces deux variables.

Cuisson d'un rôti de boeuf

Masse (en kg)	1	2	3	4	5	6	...	*p*
Temps de cuisson (en h)	0,75	■	■	■	■	■	...	■

(4) À chaque couple de valeurs associées dans cette table, on peut faire correspondre un point dans un plan cartésien. Repère les points qui correspondent à cette table et relie-les par une ligne.

(5) Si ta mère te demande le temps de cuisson requis pour un rôti de 2,5 kg, quelle réponse lui donneras-tu?

(6) Ton père règle la minuterie du four pour une cuisson de 3 h. Quelle est la masse de son rôti?

(7) En désignant la variable « temps de cuisson » par la lettre ***T***, complète la formule pour un rôti ayant une masse de ***p*** kilogrammes.

T = ■

Comme on le voit dans cette situation, il existe plusieurs **modes de représentation** d'une relation entre deux variables. On peut décrire la relation :

1° en formulant une phrase qui explique comment les deux variables sont reliées l'une à l'autre ou comment les variables changent ou varient en regard l'une de l'autre ;

2° en construisant une table qui montre les couples de valeurs associées dans cette relation ;

3° en représentant les couples de valeurs associées par des points dans un plan cartésien ;

4° en donnant une formule (le plus souvent une équation) faisant intervenir les variables mises en relation dans la situation.

DESCRIPTION VERBALE D'UNE RELATION

Une bonne façon de décrire une relation est d'utiliser une phrase décrivant les changements ou les variations des variables. Ces changements caractérisent bien une relation.

Situation 1 La durée du jour

Le premier jour de l'hiver est « le jour le plus court » de l'année. Il dure environ 9 h. Par la suite, la durée de chaque jour augmente en moyenne de 2 min.

1. Quelles sont les deux variables que l'on peut associer dans cette situation ?
2. Quelles sont les deux valeurs associées au deuxième jour ? au cinquième jour ?
3. Les variables varient-elles dans le même sens ou dans le sens contraire dans cette situation ?
4.  À l'aide d'une phrase, décris cette relation.

Situation 2 La facture d'épicerie

Pour nourrir une famille, il en coûte 50 $ par semaine plus 30 $ par personne. On considère le nombre de personnes constituant la famille et le montant de la facture.

① Donne trois couples de nombres associés dans cette relation.

② Les variables varient-elles dans le même sens ou dans le sens contraire dans cette situation ?

③ À quel montant s'élève la facture d'épicerie pour une famille de 5 personnes ?

④ Combien de personnes y a-t-il dans une famille dont la facture d'épicerie s'élève en moyenne à 290 $ par semaine ?

Souvent, la phrase qui permet de décrire la relation entre deux variables d'une situation donne une description des principaux faits numériques ou précise les changements que subissent les variables mises en relation.

Pour bien **décrire** une relation à l'aide d'une phrase, on doit d'abord :

1° identifier les deux variables mises en relation ;

2° analyser profondément le lien qui les unit et les changements qu'elles subissent ;

3° décrire le plus précisément possible ce lien ou ces changements.

LES TABLES DE VALEURS

Situation 1 Les excès de vitesse

Voici une table de valeurs montrant une relation entre deux variables d'une situation.

Points d'inaptitude

Excès de vitesse (en km/h)	Nombre de points
10	0
20	1
30	2
40	3
50	5
80	7

① Quelles sont les deux variables mises en relation ici ?

② Décris en mots les changements que subit chacune de ces variables.

Situation 2 Le tarif de location de camions

Une compagnie loue des camions de déménagement. Voici ses tarifs selon la durée de la location.

Tarifs de location de camions

Variation	Nombre de jours	Tarif (en $)	Variation
	0	200	
+ 1 (+ 3)	1	250	+ 50 (+ 150)
	2	300	
+ 1	3	350	+ 50
	4	400	
+ 1	5	450	+ 50
	...	...	
	n	$200 + 50n$	

① Quelle variable est normalement considérée comme la variable indépendante dans cette situation ?

② Quel est le prix de base pour la location d'un camion ?

③ Décris, en termes de variations, la relation qui associe les valeurs des variables dans cette table.

Les tables de valeurs décrivent des relations.

Situation 3 La clientèle d'un restaurant

Johanne veut acheter un restaurant. Pour prendre sa décision, elle a besoin de connaître l'achalandage du restaurant chaque jour de la semaine. Aussi décide-t-elle de noter, toutes les heures (depuis l'ouverture), le nombre de clients et clientes qui se trouvent dans le restaurant. Voici les données qu'elle a recueillies pour le samedi.

Clientèle chez *Rapido*

Moment de la journée	Nombre de clients et clientes
07:00	3
08:00	25
09:00	30
10:00	9
11:00	2
12:00	12
13:00	11
14:00	6
15:00	3
16:00	2
17:00	3
18:00	3

① Quelle variable doit être considérée comme la variable indépendante ?

② Décris en mots la relation qui relie ces deux variables dans ses grandes lignes.

③ Dans quelle catégorie de restaurant peut-on classer le *Rapido* ?

La table de valeurs est un bon moyen de faire connaître une relation entre deux variables.

Pour **construire** une table de valeurs d'une relation, il faut :

1° bien identifier la variable indépendante et la variable dépendante dans la situation ;

2° construire la table en rangées ou en colonnes et inscrire les variables en commençant par la variable indépendante dans la première rangée ou colonne ;

3° inscrire les principales valeurs de la variable indépendante et calculer ou déduire les valeurs de la variable dépendante ;

4° donner un titre à la table si l'on veut plus de clarté.

Pour bien **interpréter** une table de valeurs, il faut connaître ses parties constituantes, analyser les couples de valeurs pour déduire les variations et se replacer dans le contexte de la situation.

LES GRAPHIQUES

Situation 1 Les cartes de hockey

Voici des graphiques très simplifiés montrant des relations entre deux variables : l'ancienneté des cartes de hockey et la valeur de ces cartes.

Dans chaque cas, décris en termes de variations la relation que tu y vois.

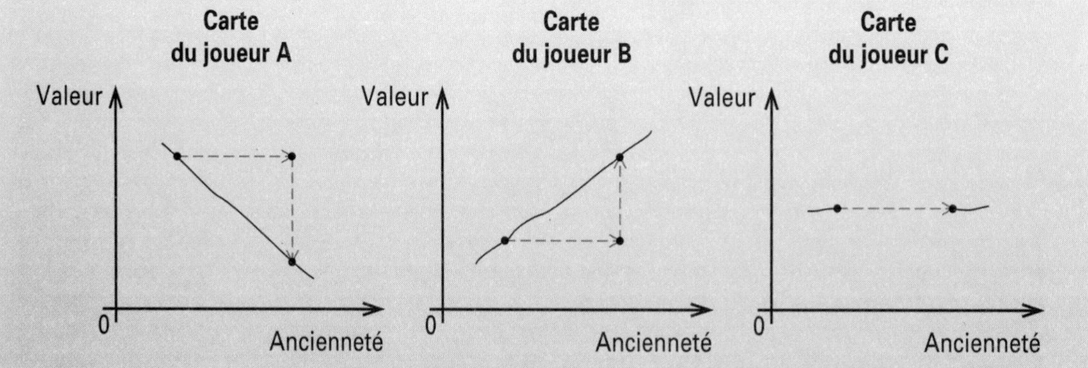

Certains graphiques montrent globalement les variations des variables. D'autres décrivent de façon très précise les variations.

Situation 2 La chandelle

Deux amoureux ont organisé un petit souper à la chandelle. Voici trois photographies prises au cours de ce souper.

(1) On a demandé à Katy et Ken de construire un graphique montrant l'évolution de la longueur d'une chandelle de 20 cm au cours du souper qui a duré 3 h. Voici ce qu'ils ont produit. Lequel des deux graphiques t'apparaît le plus réaliste ?

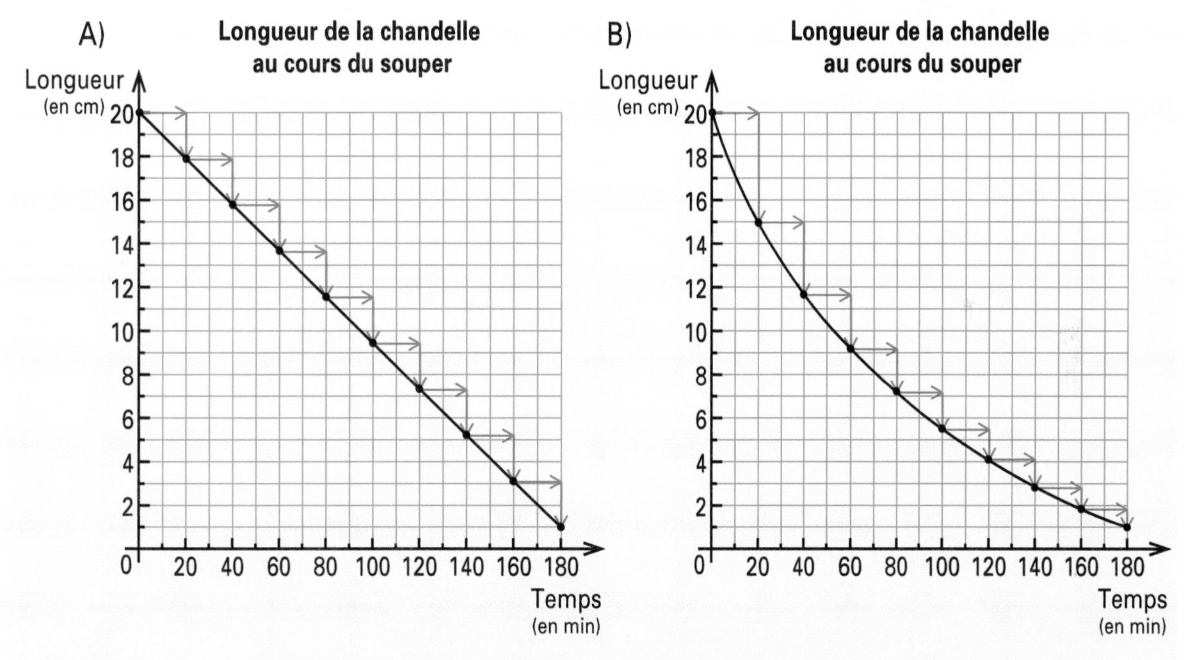

On remarque que la variable indépendante est associée à l'axe horizontal et la variable dépendante à l'axe vertical du graphique. Les axes sont gradués selon les valeurs prises par les variables.

(2) Construis un graphique illustrant chacune de ces trois autres situations possibles.

a) La chandelle a brûlé rapidement en 2 h.

b) La chandelle s'étant éteinte au milieu du repas, les amoureux l'ont rallumée 40 min plus tard.

c) Les amoureux étaient tellement distraits qu'ils ont oublié d'allumer la chandelle.

Les graphiques montrent d'un simple coup d'oeil les changements ou les variations des variables mises en relation dans une situation.

Dans la représentation graphique d'une relation, il faut :

1° identifier la variable indépendante que l'on associe à l'axe des x et la variable dépendante que l'on associe à l'axe des y ;

2° graduer les deux axes selon les valeurs prises par chacune des variables ;

3° identifier les points correspondant aux valeurs associées dans la table de valeurs et relier ces points par une ligne ;

4° donner un titre à son graphique si l'on veut plus de clarté.

Les tables de valeurs sont essentielles pour la construction manuelle des graphiques. Chaque couple de nombres associés dans la table est représenté par un point dans le plan cartésien. La ligne passant par les points montre l'évolution des changements dans la relation.

Dans certaines situations, il est parfois nécessaire de tracer un graphique précis. Dans d'autres situations, on se contente d'une **esquisse**, c'est-à-dire d'un graphique dont les axes ne sont pas gradués et dont la courbe n'a qu'une forme approchée de la courbe réelle.

Pour bien **interpréter** un graphique en regard d'une situation, il est conseillé de :

1° bien lire son titre ;

2° bien identifier les variables mises en relation ;

3° analyser le tracé de la courbe et les variations des variables ;

4° se placer dans le contexte de la situation.

LES RÈGLES DE RELATION

Les variables de certaines relations montrent parfois une **régularité** dans leurs valeurs. Ces régularités peuvent généralement s'exprimer à l'aide de **règles algébriques**.

Situation 1 Des circuits calculateurs

On a construit deux machines comportant les circuits électroniques illustrés.

① Dans chaque cas, construis une table de valeurs montrant la relation entre les entrées {0, 1, 2, 3, 4, 5, ..., 10} et les sorties obtenues.

a)

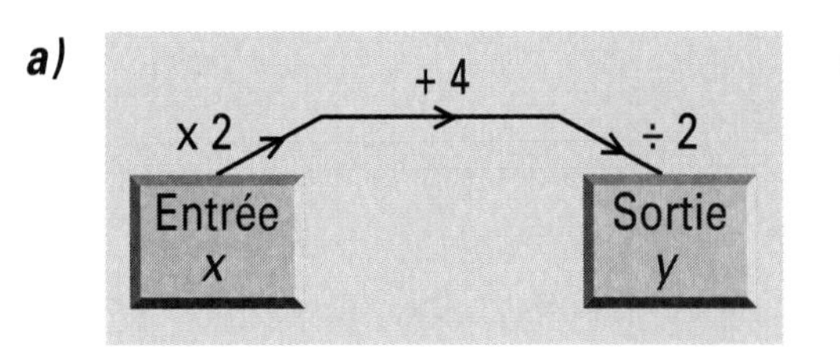

b)

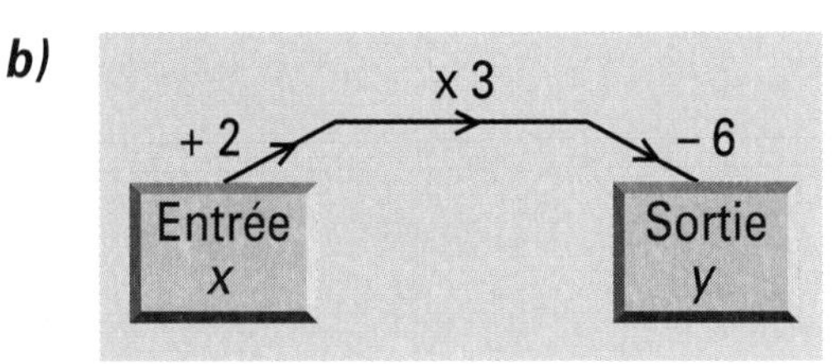

(2) Trace les graphiques cartésiens de ces deux relations.

(3) Si les entrées sont représentées par la variable x et les sorties par la variable y, trouve une règle ou une formule qui peut décrire chaque relation.

(4) Détermine la régularité et trouve la règle de la relation illustrée par chacune des tables suivantes.

a)

Abscisse (x)	Ordonnée (y)
1	3
2	5
3	7
4	9
10	21
24	49
...	...
x	■

b)

Abscisse (x)	Ordonnée (y)
1	2
2	5
3	10
4	17
5	26
6	37
...	...
x	■

Situation 2 Les suites de motifs

On crée la suite de motifs suivants et on s'intéresse à la relation entre le nombre de carrés et le périmètre de chaque motif.

(1) Construis la table de cette relation pour les 5 premiers motifs.

(2) Si le nombre de carrés de chaque motif est représenté par la variable x et le périmètre par p, donne une règle qui montre la relation entre x et p.

(3) On considère la relation entre le rang du motif et le nombre de carrés formant le motif.

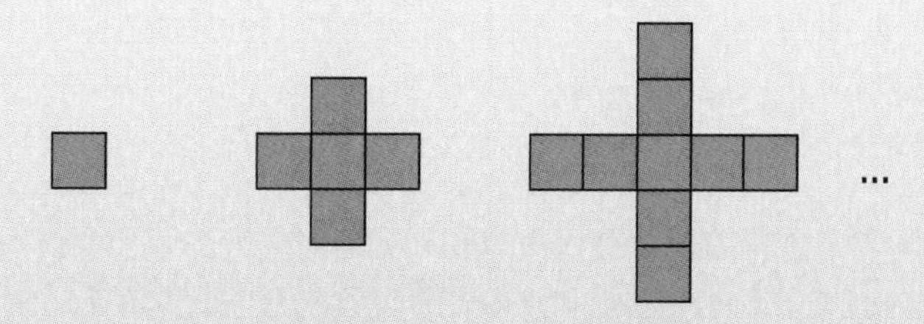

Si la variable x représente le rang du motif et y représente le nombre de carrés dans ce motif, donne la règle qui décrit cette relation.

Situation 3 Les distances de freinage

La distance de freinage pour une voiture est, entre autres, en relation avec la vitesse du véhicule. Des spécialistes ont déterminé que, dans des conditions idéales, la distance de freinage en mètres peut être calculée à partir de la vitesse en kilomètres par heure, à l'aide de la formule suivante :

$$d = 0{,}007v^2 + \frac{v}{6}$$

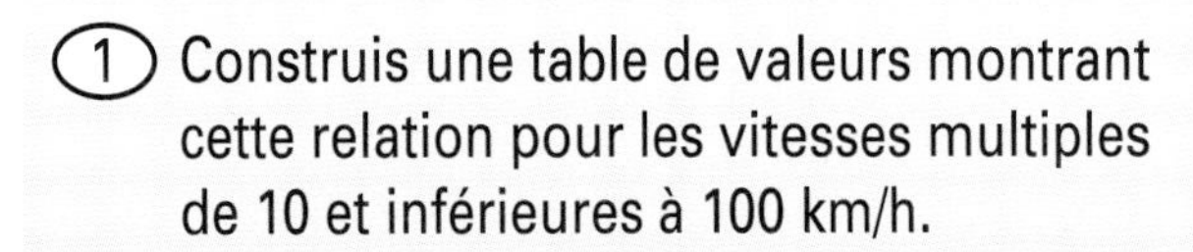

① Construis une table de valeurs montrant cette relation pour les vitesses multiples de 10 et inférieures à 100 km/h.

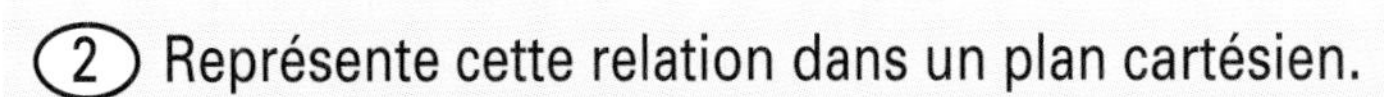

② Représente cette relation dans un plan cartésien.

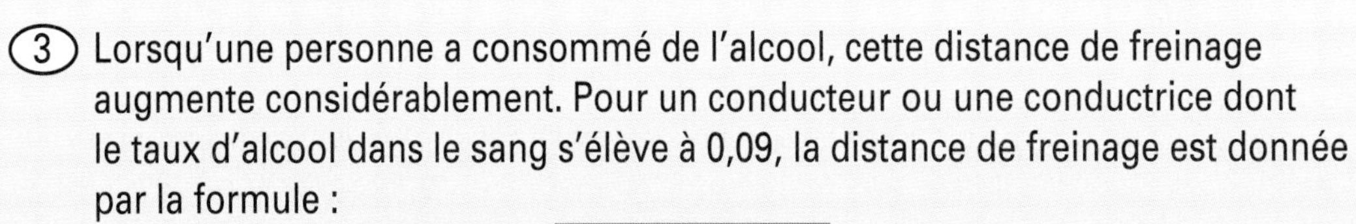

③ Lorsqu'une personne a consommé de l'alcool, cette distance de freinage augmente considérablement. Pour un conducteur ou une conductrice dont le taux d'alcool dans le sang s'élève à 0,09, la distance de freinage est donnée par la formule :

$$d = 0{,}007v^2 + \frac{v}{2}$$

Construis une table de valeurs et représente cette relation dans un plan cartésien.

On utilise des **règles** ou des **formules** pour décrire des relations. Les formules permettent de construire les tables de valeurs et ces dernières permettent la représentation dans le plan cartésien.

Nous disposons donc de quatre façons différentes de représenter la plupart des relations que nous rencontrons dans la vie. Ces diverses façons nous permettent une meilleure connaissance des relations.

Les mots et les dessins	La table de valeurs	L'équation	Le graphique
Le nombre de couverts selon le nombre de tables mises bout à bout. ...	(voir ci-dessous)	$c = 2t + 2$	Tables et couverts

Nombre (t) de tables	Nombre (c) de couverts
1	4
2	6
3	8
4	10
5	12
...	...
t	$2t + 2$

Tables et couverts

1 Un réservoir est rempli à pleine capacité. Il a une hauteur de 20 cm. Il est malheureusement percé et il se videra en 10 h.

a) Quelles sont les deux principales quantités variables dans cette relation ?

b) Les variables varient-elles dans le même sens ou dans le sens contraire dans cette situation ?

c) À partir des changements observés dans les variables, décris en mots la relation entre ces deux variables.

d) Construis une table de valeurs montrant cette relation.

e) Construis un graphique cartésien illustrant cette relation.

2 Un zoologiste affirme qu'il faut 2 kg de poisson chaque jour pour nourrir convenablement une loutre de mer. On veut observer la relation entre le nombre de loutres et la quantité de poisson nécessaire pour les nourrir.

a) Construis une table de valeurs montrant cette relation.

b) Décris comment varie chaque variable.

c) Décris en tes propres mots la relation entre ces deux variables.

3 La table de valeurs ci-dessous montre la relation entre l'âge d'un foetus et sa masse.

a) Construis un graphique illustrant cette relation.

b) À partir des changements observés dans les variables, décris en mots la relation entre l'âge et la masse d'un foetus.

Évolution d'un foetus

Âge (en semaines)	Masse moyenne d'un foetus (en g)
0	–
4	–
8	20
12	40
16	120
20	720
24	1080
28	1620
32	2430
36	3645

4 Ce graphique illustre les tarifs de transport de colis chez Courrier Uni.

a) Construis une table de valeurs à partir de ce graphique.

b) En observant les variations des variables, décris en mots la relation illustrée dans ce graphique.

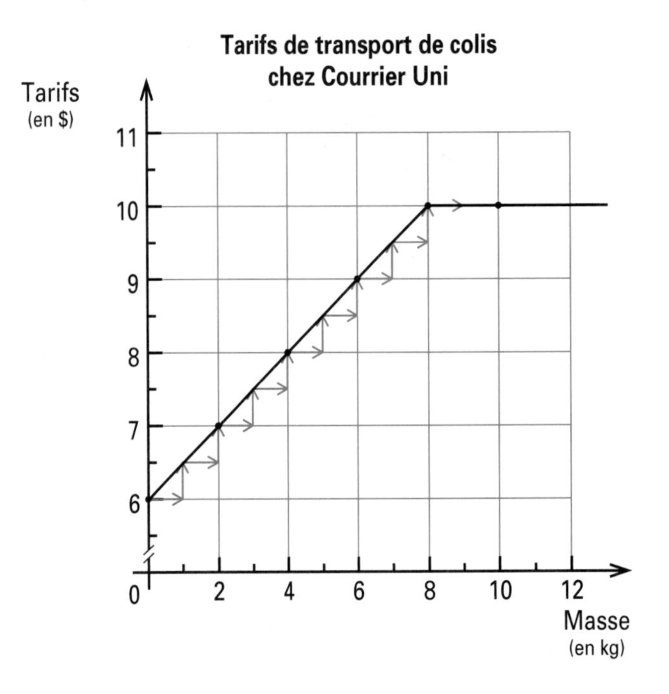

5 Le graphique ci-dessous montre la relation entre la vitesse d'une voiture et la consommation d'essence.

a) D'après ce graphique, qu'est-ce qui peut faire dire que la vitesse ne paie pas ?

b) Pour une même variation de vitesse, la variation dans la consommation d'essence est-elle toujours la même ?

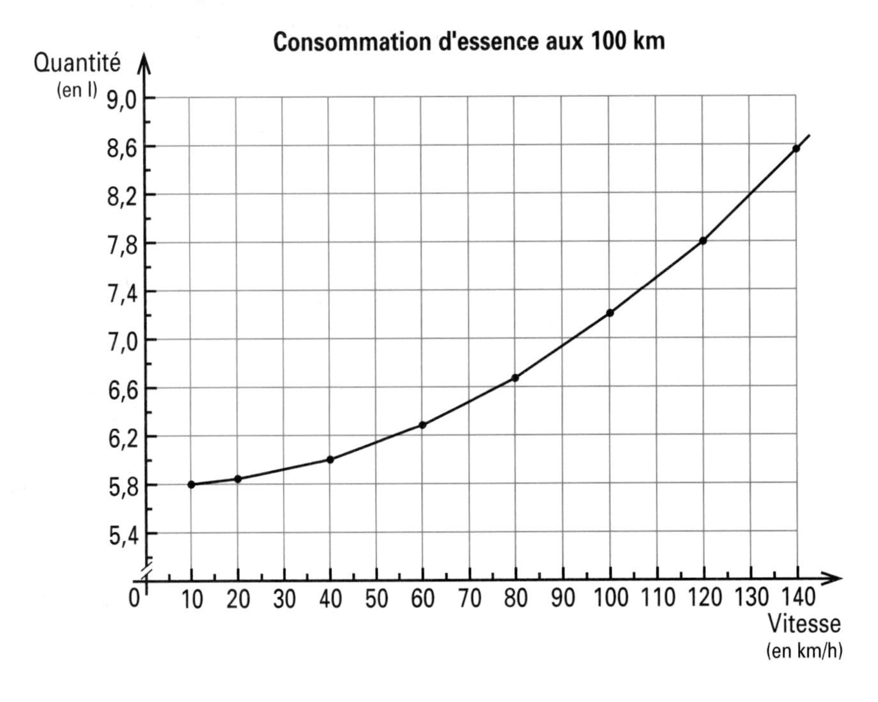

6 Une compagnie loue ses voitures selon les tarifs que montre le graphique ci-dessous.

a) Construis une table de valeurs à partir de ce graphique.

b) Décris en mots la relation entre le nombre de kilomètres parcourus et le tarif de location au kilomètre.

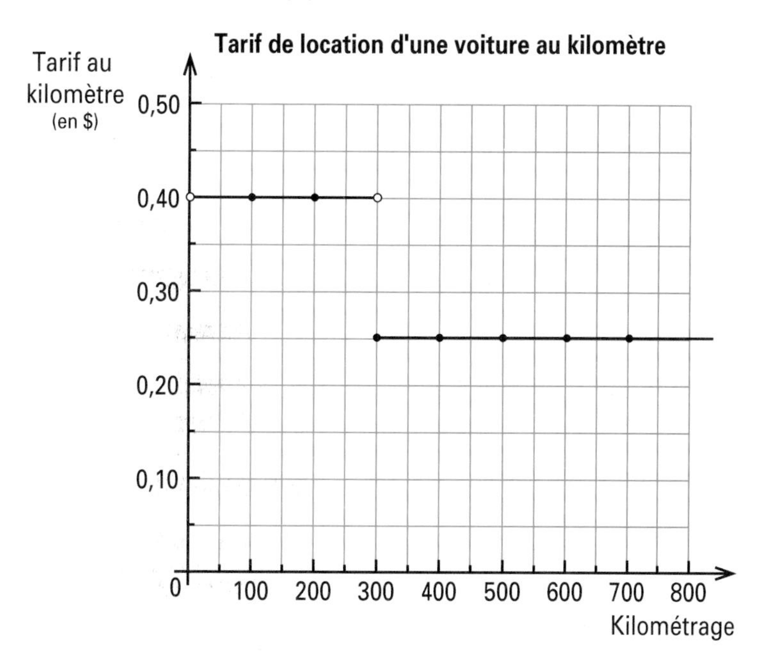

7 Deux roues A et B d'un engrenage sont reliées l'une à l'autre.

a) À partir du graphique ci-dessous, détermine quelle roue compte le plus de dents.

b) Décris cette relation en utilisant les changements que subissent les variables.

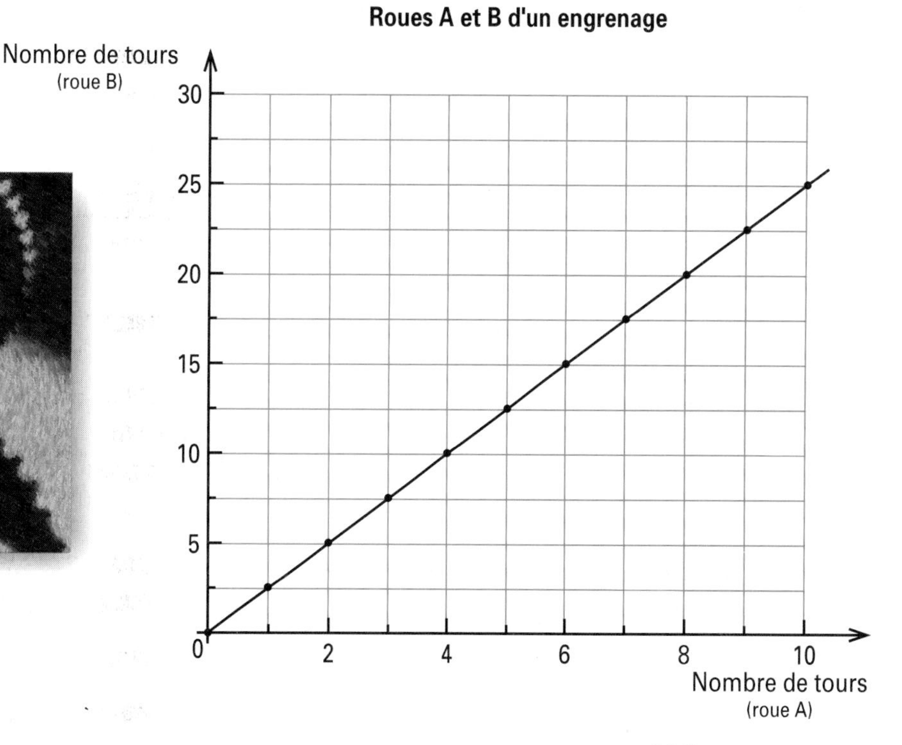

8 Léna reçoit 3 $/h pour garder des enfants. Parmi ces 4 graphiques, lequel montre le mieux le salaire gagné en regard du nombre d'heures de travail ? Indique pourquoi.

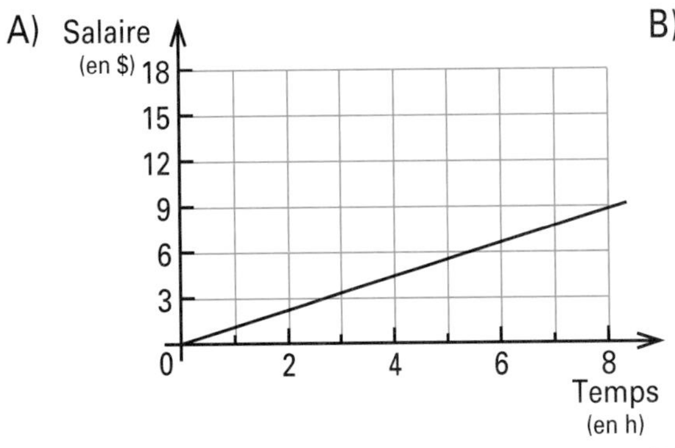

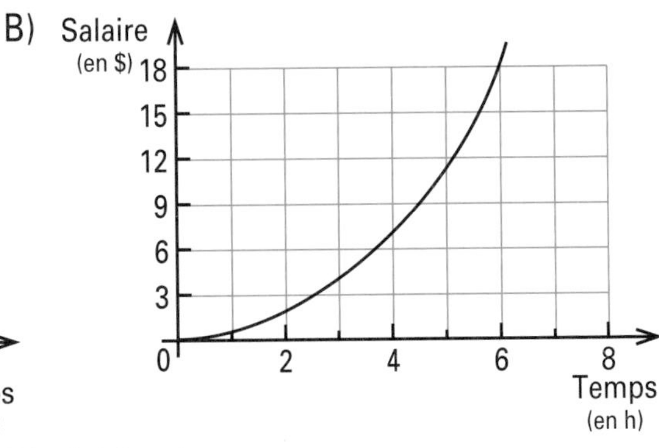

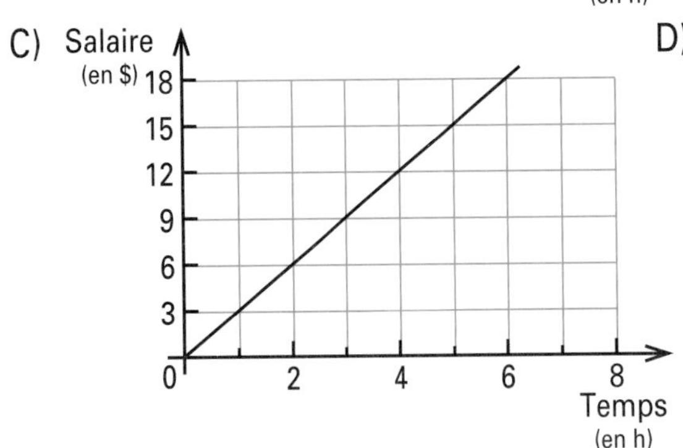

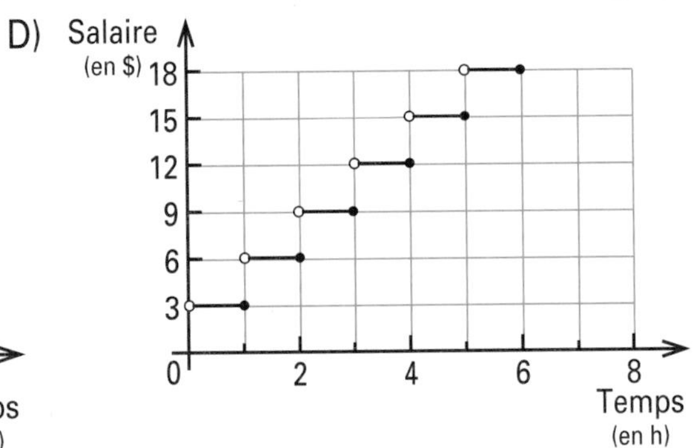

9 Un motocycliste roule sur la route. On observe la vitesse de sa motocyclette en regard du temps qui passe. Diverses situations peuvent se produire. Associe chaque graphique à l'une des phrases suivantes :

a) Le motocycliste roule et heurte un mur.

b) Le motocycliste roule, s'arrête et repart à un feu de circulation.

c) Le motocycliste roule et effectue un dépassement.

d) Le motocycliste roule et s'arrête en face d'un restaurant.

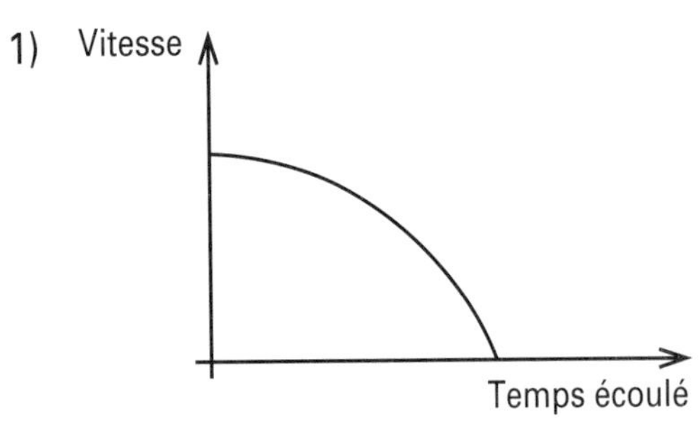

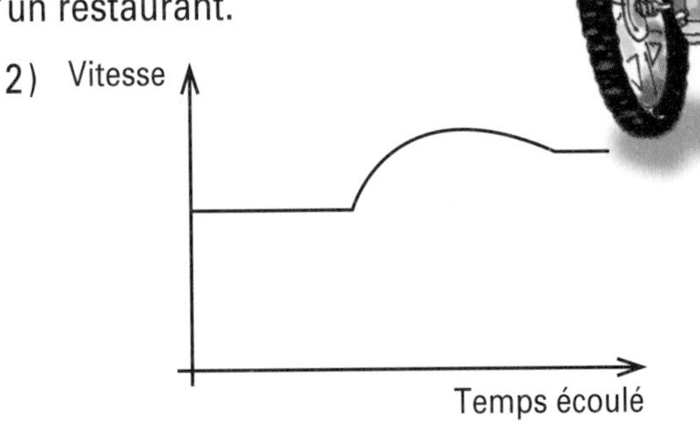

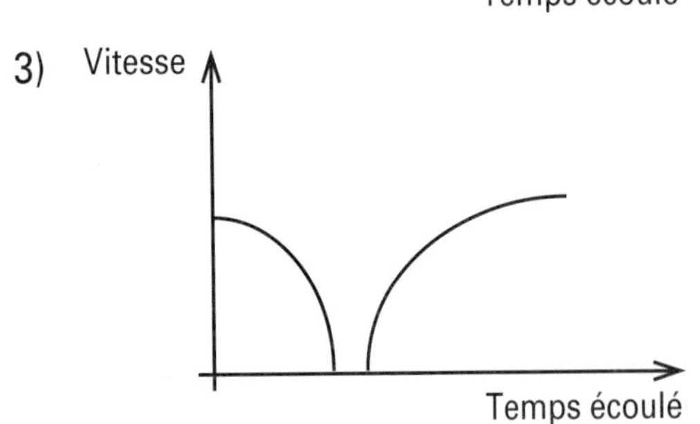

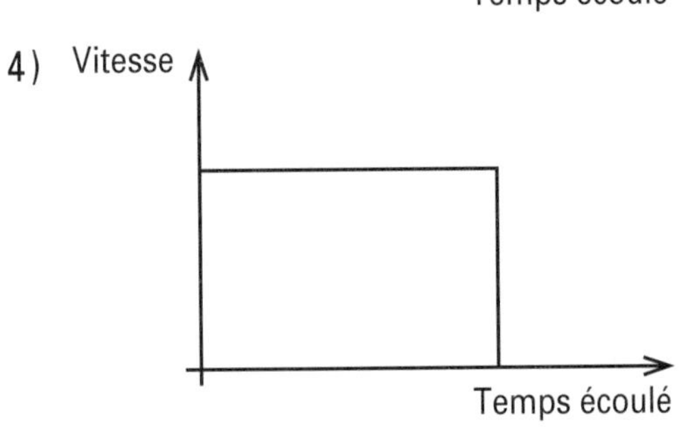

10 Annie roule sur l'autoroute. Elle est interceptée par une policière qui lui remet une contravention pour excès de vitesse. Elle poursuit ensuite sa route.

a) Esquisse un graphique montrant la relation entre le temps écoulé et la vitesse d'Annie.

b) Raconte l'histoire de ton graphique en donnant quelques détails.

11 Parmi les graphiques suivants, choisis celui qui illustre le mieux la relation entre les variables dans chaque situation décrite ci-dessous.

a) Le temps et la température de l'eau dans un chauffe-eau.

b) Le temps et la hauteur d'une balle de baseball frappée, qui monte en chandelle.

c) Le nombre de peintres et le temps pris pour peindre une maison.

d) Le nombre de concombres et leur coût d'achat.

e) Le nombre de personnes dans un cinéma et les profits du propriétaire de la salle.

f) L'âge d'un enfant et sa masse.

1)

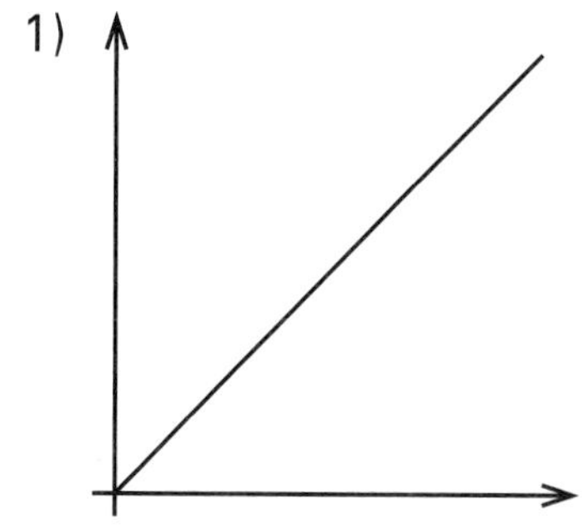

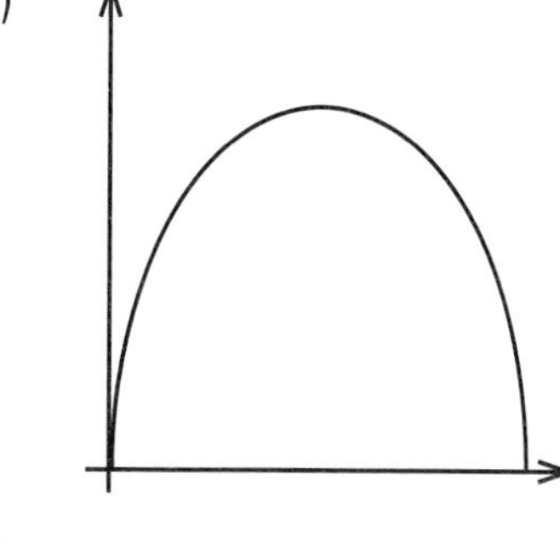

3)

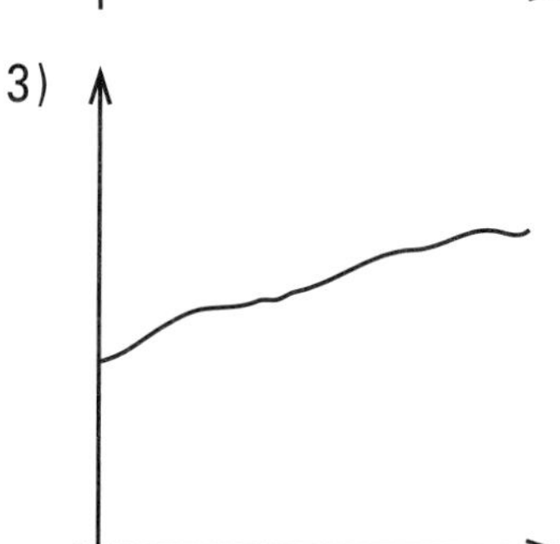

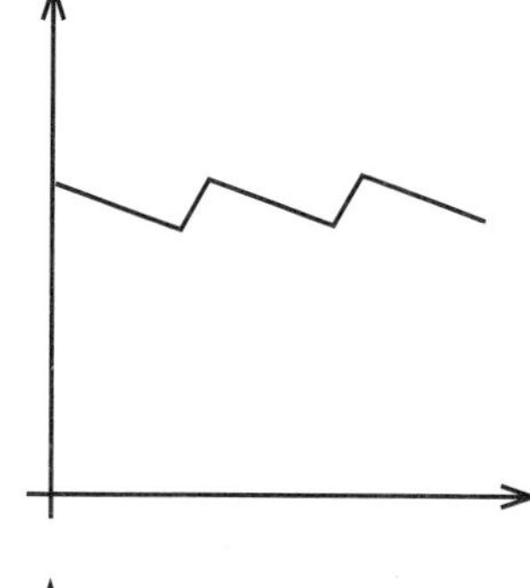

5)

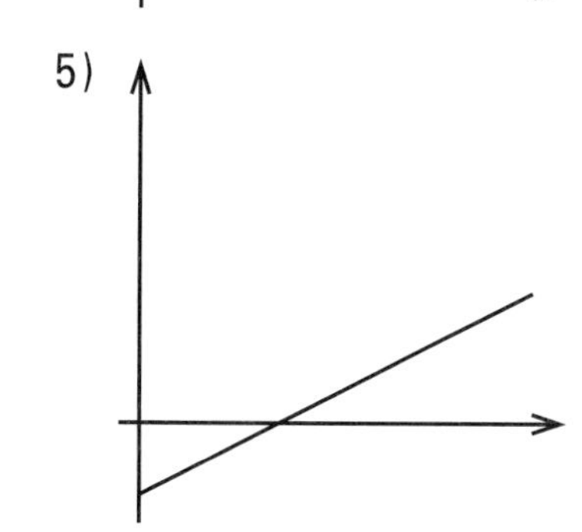

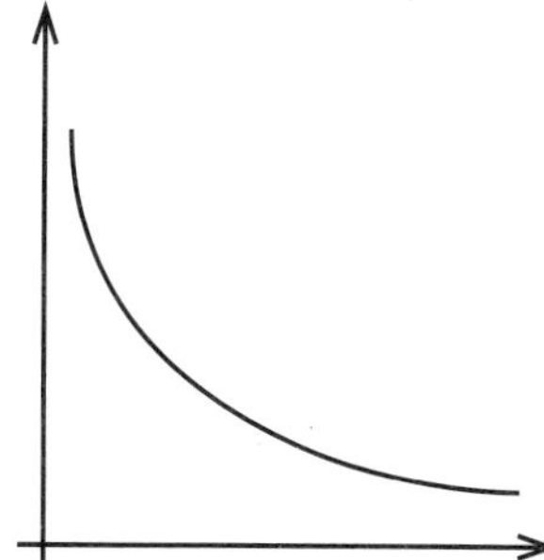

12 À partir des changements des valeurs des variables, décris en mots la relation que montre chacun des graphiques. Donne ensuite un exemple d'une situation qui conviendrait à un tel graphique.

a)

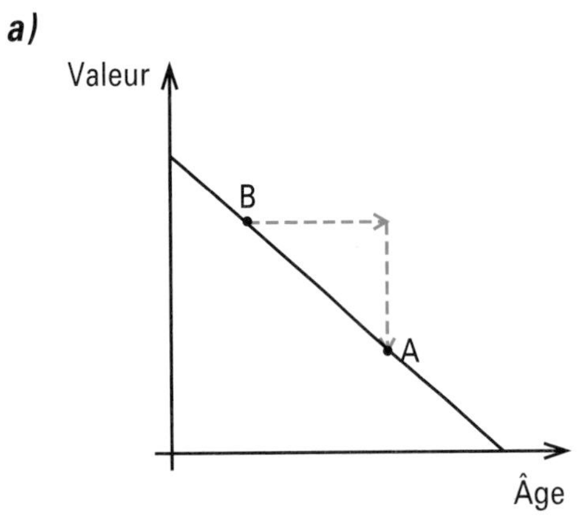

b)

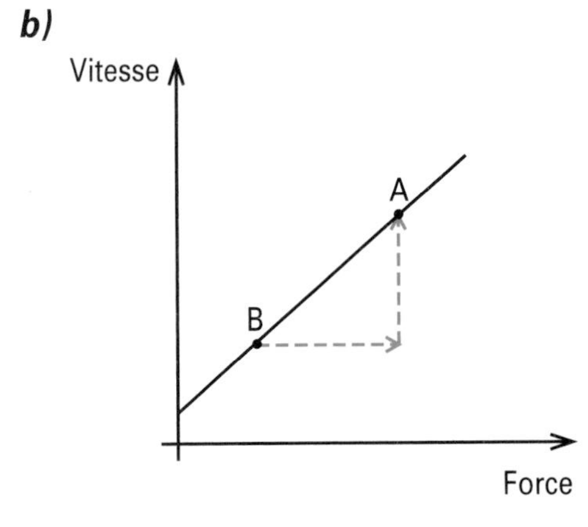

c)

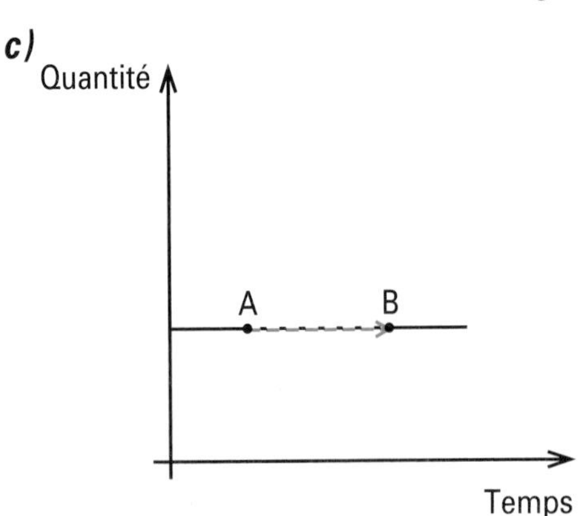

d)

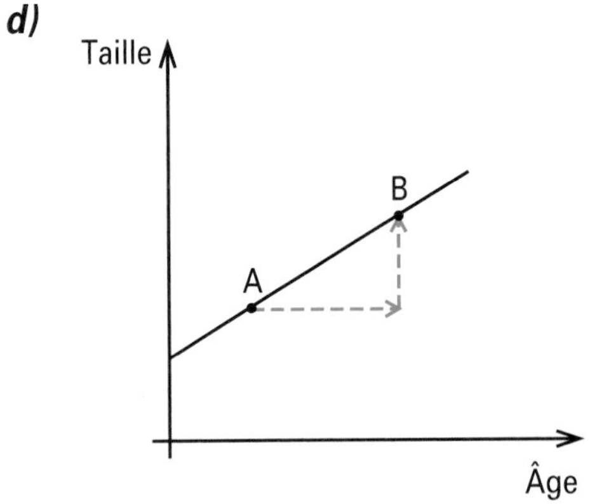

13 On a mis en relation deux variables. Dans chaque cas, traduis la relation décrite en esquissant un graphique.

a) Plus elle est âgée, plus le rendement d'une personne diminue.

b) Plus il grandit, plus il mange.

c) Plus la vitesse de la voiture augmente, plus le degré de stress du conducteur ou de la conductrice augmente.

d) La température maximale est atteinte vers midi.

e) Le temps passe et l'intensité de son amour demeure la même.

14 Esquisse un graphique montrant l'évolution de la masse de ta mère à partir du moment où elle est devenue enceinte de toi jusqu'à 3 mois après ta naissance.

Pourquoi un tourbillon se forme-t-il quand on tire le bouchon de la baignoire?

15 Phi Yem prend un bain. Trace un graphique montrant les variations du niveau de l'eau dans le bain avant, pendant et après son bain.

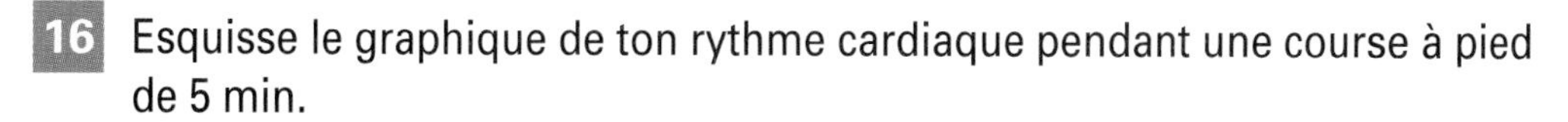

16 Esquisse le graphique de ton rythme cardiaque pendant une course à pied de 5 min.

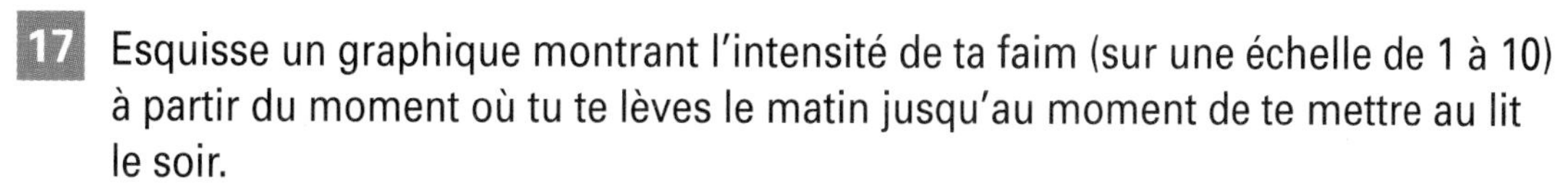

17 Esquisse un graphique montrant l'intensité de ta faim (sur une échelle de 1 à 10) à partir du moment où tu te lèves le matin jusqu'au moment de te mettre au lit le soir.

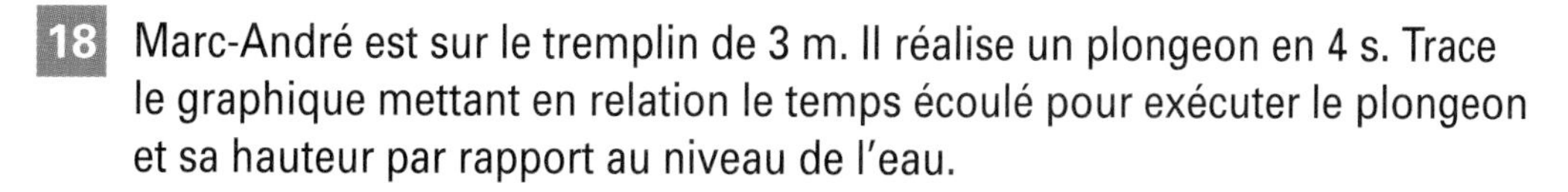

18 Marc-André est sur le tremplin de 3 m. Il réalise un plongeon en 4 s. Trace le graphique mettant en relation le temps écoulé pour exécuter le plongeon et sa hauteur par rapport au niveau de l'eau.

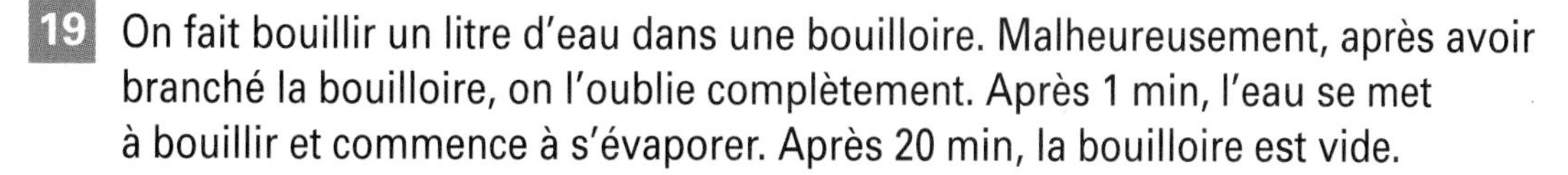

19 On fait bouillir un litre d'eau dans une bouilloire. Malheureusement, après avoir branché la bouilloire, on l'oublie complètement. Après 1 min, l'eau se met à bouillir et commence à s'évaporer. Après 20 min, la bouilloire est vide.

a) Quelles sont les deux variables dans cette situation? Indique laquelle est indépendante et laquelle est dépendante.

b) Esquisse un graphique illustrant cette relation.

20 Monique pilote un avion léger qui peut transporter 10 passagers ou passagères. Elle a fait le plein d'essence (500 l) à Drummondville et elle s'envole avec son copilote et ses 10 passagers et passagères en direction de Sherbrooke. Ces deux villes sont distantes d'environ 70 km. La durée du vol sera de 20 min à une altitude de 2000 m. Esquisse un graphique montrant les relations décrites ci-dessous.

a) La durée du vol et le nombre de passagers et passagères.

b) La durée du vol et la masse de l'avion.

c) La distance parcourue et l'altitude de l'appareil.

d) La durée du vol et la distance qui sépare l'avion de Sherbrooke.

e) La distance parcourue depuis Drummondville et la quantité d'essence dans le réservoir.

21 Esquisse un graphique montrant la relation entre l'âge d'un garçon de 0 à 20 ans et sa masse, en kilogrammes :

a) s'il a eu un développement normal ; ***b)*** s'il a eu un déséquilibre de taille.

22 Il est 07:00 et la température est de 0 °C. La météorologiste annonce que cette température va s'élever à raison de 2 °C l'heure pendant les 5 prochaines heures pour ensuite diminuer à raison de 1 °C l'heure jusqu'à 18:00.

a) Trace un graphique qui montre la relation entre le temps qui s'écoule et la température.

b) Quelle est la température prévue pour 14:00 ?

23 L'équipe de ringuette de Mado doit participer à un tournoi qui a lieu dans une autre ville. Pour s'y rendre, on loue un minibus. Le tarif de location du minibus est de 50 $ par jour plus 1 $ par kilomètre parcouru.

a) Trace un graphique illustrant cette relation.

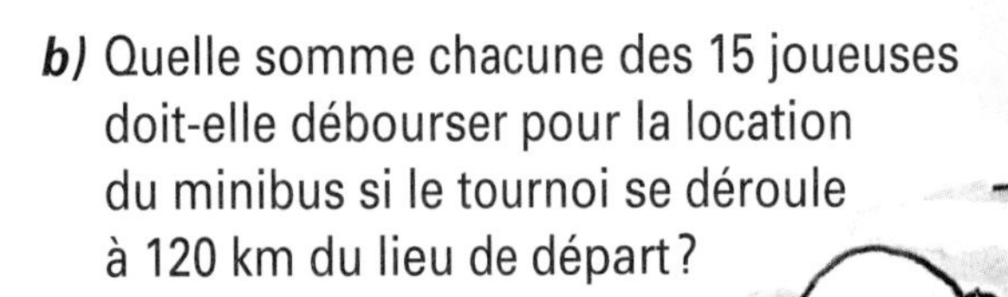

b) Quelle somme chacune des 15 joueuses doit-elle débourser pour la location du minibus si le tournoi se déroule à 120 km du lieu de départ ?

24 Sur une piste d'accélération, un bolide fait chaque seconde 20 m de plus qu'à la seconde précédente.

a) Trace un graphique qui montre la relation entre le temps qui s'écoule et la distance franchie chaque seconde.

b) Combien de temps ce bolide prend-il pour franchir une distance de 200 m ?

25 Mathieu a 4 pièces de 5 ¢ de plus qu'il n'a de pièces de 10 ¢. En tout, il a 1,40 $. Combien de pièces de chaque sorte Mathieu possède-t-il ?

a) Utilise une table associant diverses valeurs pour résoudre ce problème.

b) Combien de pièces de chaque sorte Mathieu aurait-il s'il avait en tout 1,70 $?

26 Martin monte dans la grande roue dans un parc d'attractions. Lequel des graphiques suivants convient le mieux pour représenter chacune des relations décrites ?

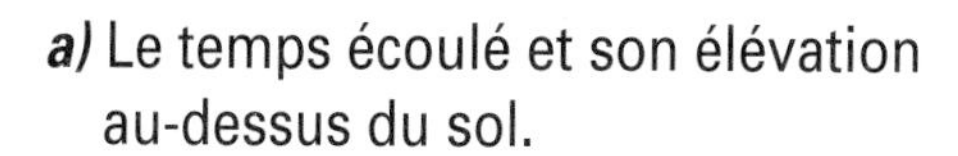

a) Le temps écoulé et son élévation au-dessus du sol.

b) Le temps écoulé et sa vitesse durant la rotation.

c) Le temps écoulé et son degré de stress.

A)

Temps écoulé

B)

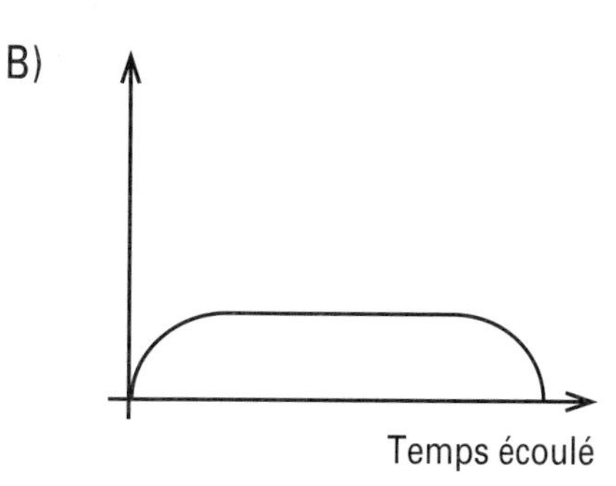

C)

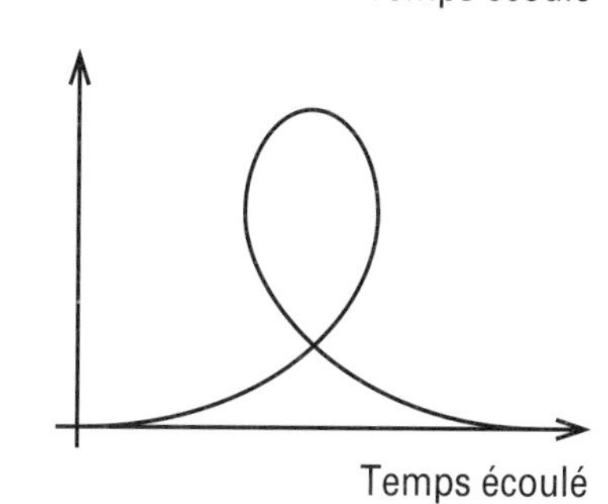

D)

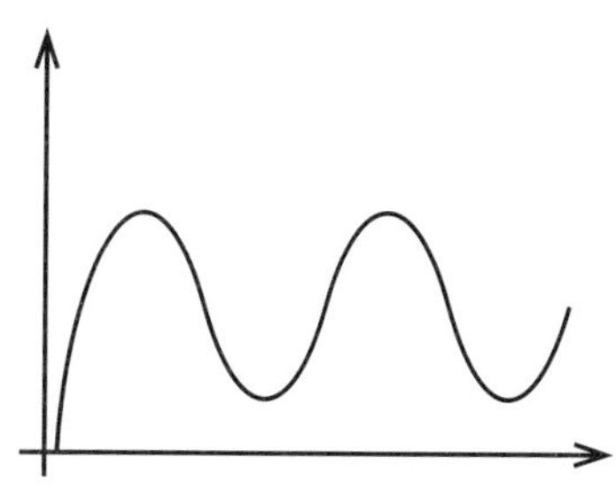

E)

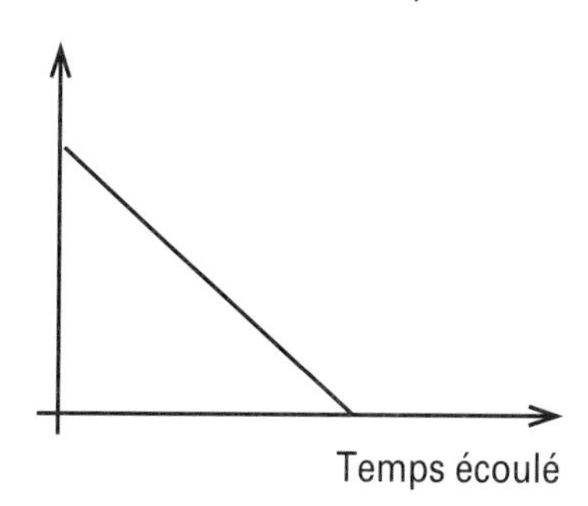

F)

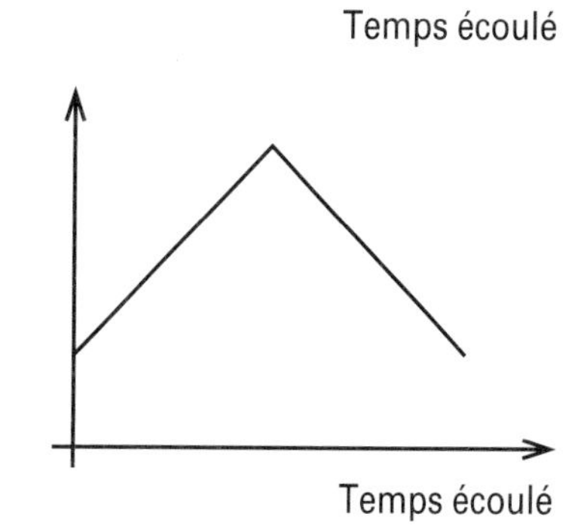

G)

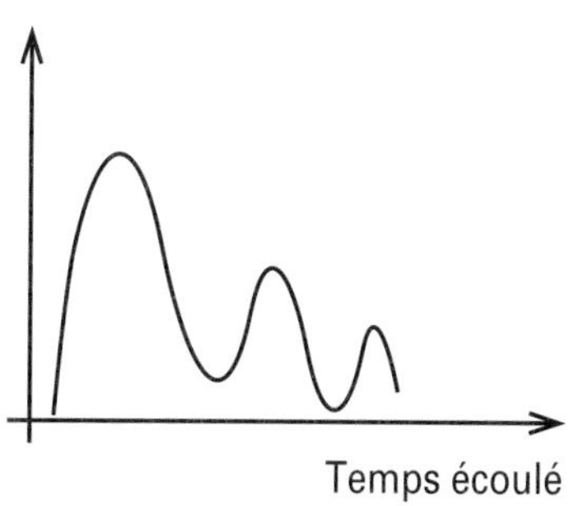

H)

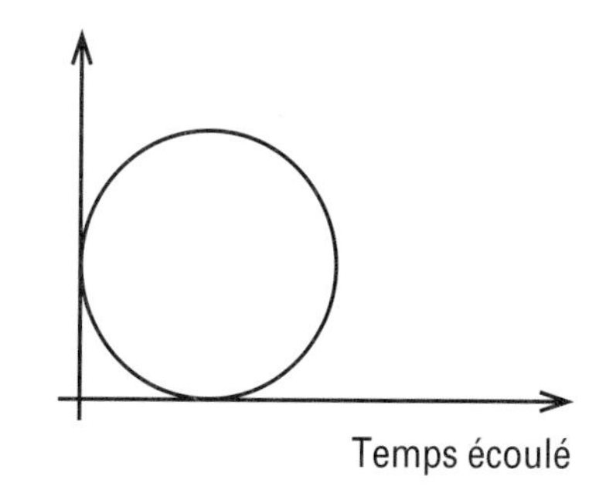

27 Un tireur à l'arc lance une flèche dans les airs. Cette flèche s'élève à une vingtaine de mètres au-dessus du sol et franchit une distance au sol de 150 m en 5 s. Esquisse un graphique montrant la relation entre :

a) la distance au sol et la hauteur de la flèche ;

b) le temps écoulé depuis le lancement et la vitesse de la flèche.

28 Voici une coupe de la montagne où Natacha pratique le ski alpin. Esquisse un graphique montrant la relation entre le temps qui s'écoule et la vitesse atteinte par Natacha si elle descend en droite ligne sans freiner.

29 Miguel était un champion du saut en hauteur et du saut en longueur. Auparavant, il sautait 2 m en hauteur et 5 m en longueur. Malheureusement, au cours des 6 derniers mois, il a pris quelque 20 kg. Esquisse un graphique montrant la relation entre :

a) le temps écoulé et les performances de Miguel au saut en hauteur ;

b) le temps écoulé et les performances de Miguel au saut en longueur.

30 La Terre tourne autour du Soleil suivant une trajectoire elliptique. Trace un graphique montrant la relation entre le temps en mois et la distance de la Terre au Soleil.

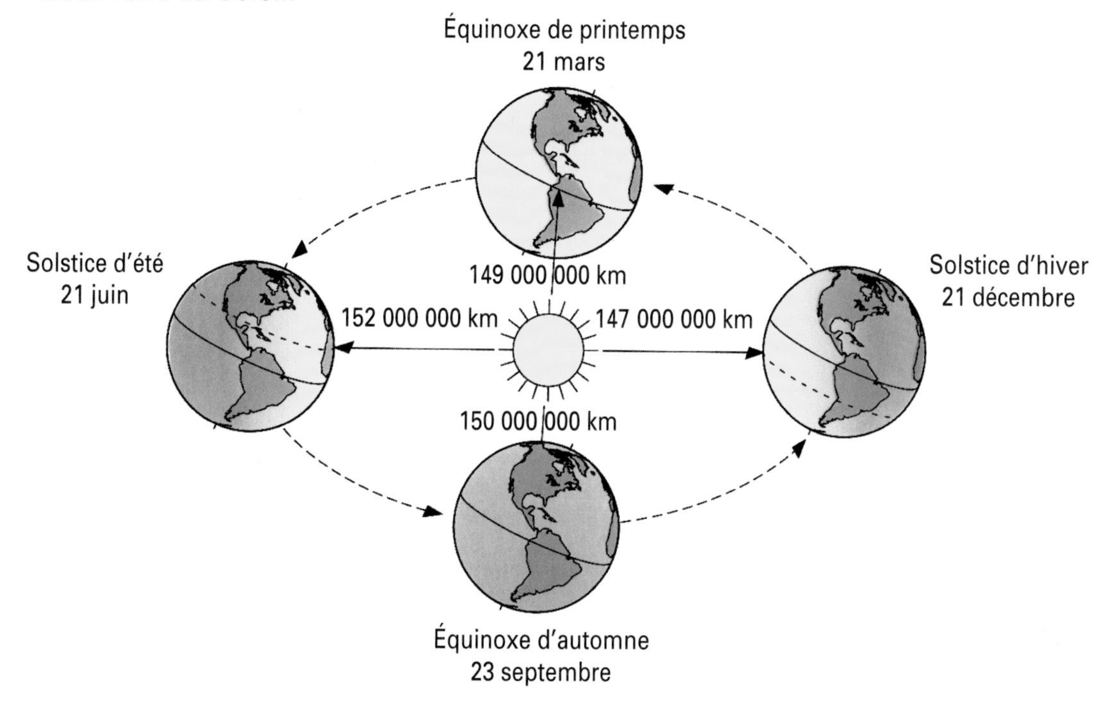

31 Esquisse un graphique montrant la relation entre :

a) le temps et l'altitude d'un avion qui décolle;

b) le temps et la vitesse de l'appareil.

32 Esquisse un graphique montrant la relation entre le temps écoulé et la vitesse d'une voiture de course en formule 1, sur un circuit dont le tracé a la forme donnée.

a)

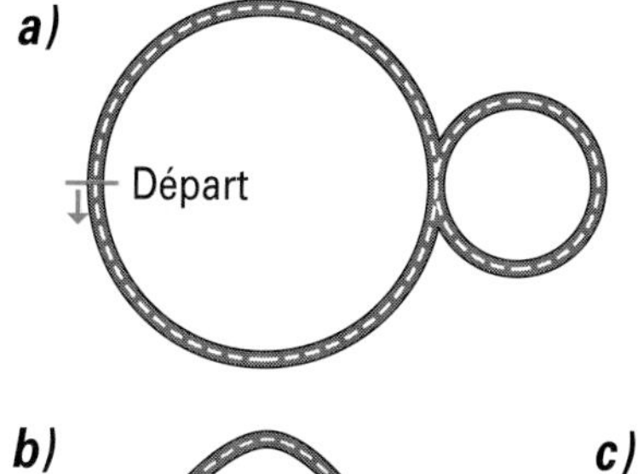

b)

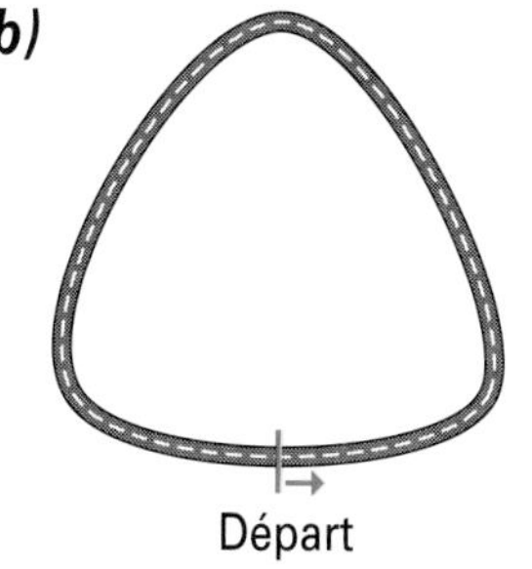

c)

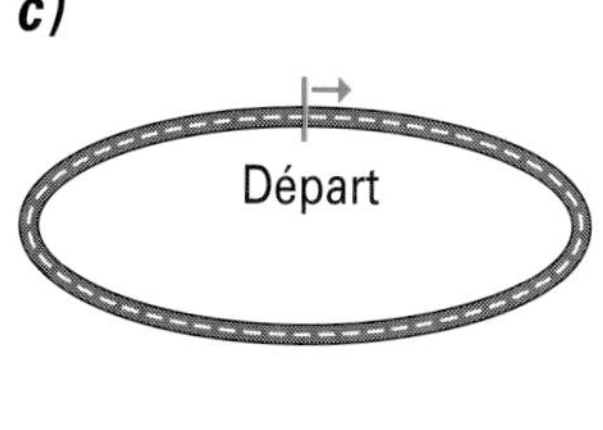

Les concurrents de Gilles Villeneuve s'accordaient pour dire qu'il était le coureur automobile le plus rapide du monde.

33 Jacques participe à une course. Voici le graphique montrant la relation entre son temps et la distance qu'il a parcourue.

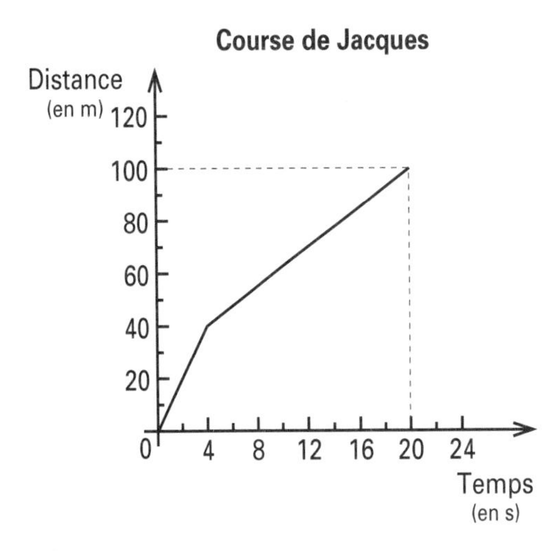

a) Explique pourquoi la ligne dans le graphique n'est pas droite.

b) Quelle a été la vitesse de Jacques durant les 4 premières secondes?

c) Quelle a été sa vitesse moyenne après 5 s?

d) En combien de temps Jacques a-t-il parcouru 50 m?

34 Frédérique et Maya ont fait une course de 100 m.
Voici le graphique montrant leur performance respective.

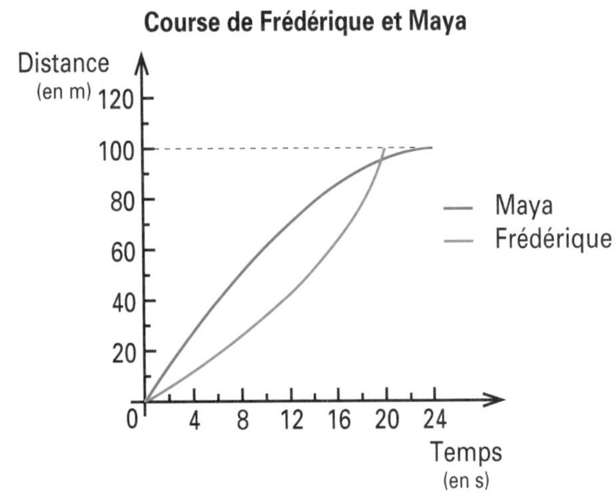

a) Qui a gagné la course?
Par combien de secondes?

b) À quelle distance Maya a-t-elle dépassé Frédérique?
Après combien de temps?

c) Qui était en avance après 18 s?

35 Quatre coureurs se sont affrontés dans une course de 500 m.

Résume en mots ce que la commentatrice a pu dire lorsqu'elle a décrit la course de chacun des coureurs.

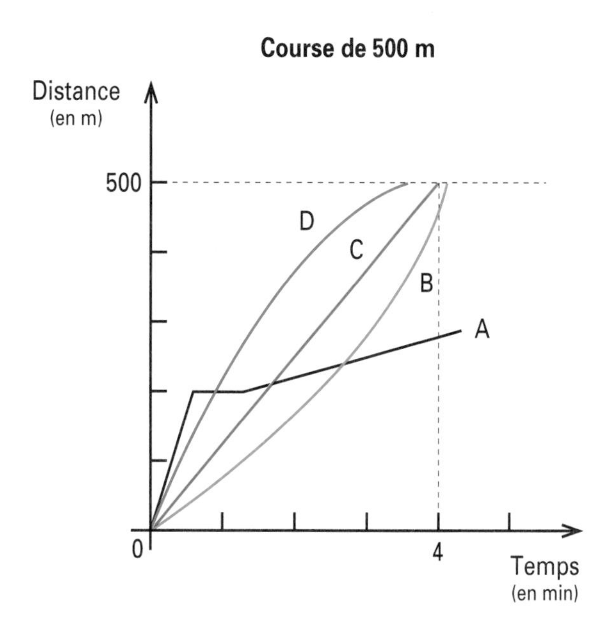

36 Voici une suite de motifs construits à partir de petits triangles équilatéraux de 1 cm de côté.

a) Construis une table de valeurs montrant comment le périmètre et l'aire du motif changent selon la mesure du côté du motif.

Mesure du côté (en cm)	1	2	3	4	...	n
Périmètre (en cm)	■	■	■	■	...	■
Aire approximative (en cm²)	0,433	■	■	■	...	■

b) Donne la règle qui permet de calculer le périmètre pour une mesure de côté de n cm.

c) Donne la règle qui permet de calculer l'aire pour une mesure de côté de n cm.

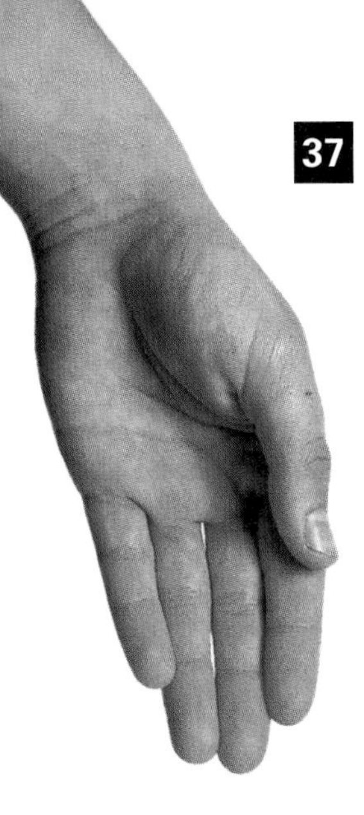

37 Dans une expérience aléatoire, 8 élèves lancent chacun 50 fois le même dé pipé. Voici ce que chacun a obtenu pour le résultat 5.

Dans cette situation, on veut mettre en relation le nombre d'essais et la probabilité du résultat 5.

Compilation pour le résultat 5

Élève	Effectif
A	12
B	18
C	15
D	21
E	20
F	19
G	12
H	19

a) Construis la table de valeurs montrant la relation entre le nombre d'essais et la probabilité d'obtenir le résultat 5 après ce nombre d'essais.

Probabilité du résultat 5 après différents nombres d'essais

Nombre d'essais	50	100	150	200	250	300	350	400
P(5)	■	■	■	■	■	■	■	■

b) Construis un graphique pour illustrer cette relation.

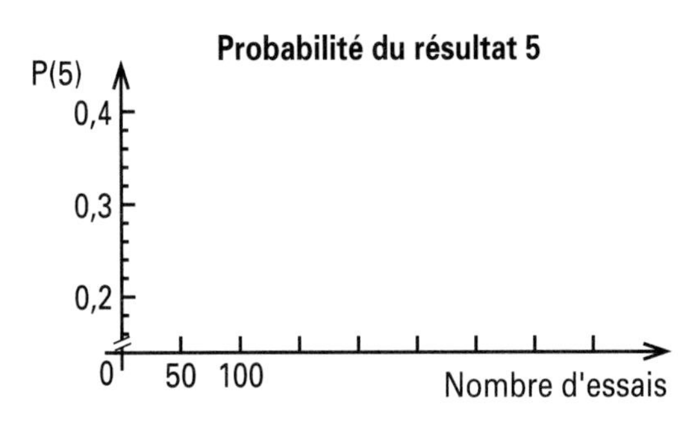

38 La distance maximale d (en kilomètres) jusqu'où l'on peut voir en s'élevant d'une hauteur h (en kilomètres) est exprimée par la formule suivante :

$$d = 111{,}7 \times \sqrt{h}$$

a) Construis une table de valeurs montrant cette relation pour une hauteur comprise entre 0,1 et 0,5 km.

b) Trace le graphique de cette relation dans un plan cartésien.

39 Pour fixer le prix P (en dollars) de ses pizzas selon le diamètre d (en centimètres), Robert utilise la formule suivante :

$$P = 0{,}01d^2 + 3{,}75$$

a) Construis une table de valeurs montrant la relation entre le diamètre des pizzas et leur coût.

b) À quel prix Robert doit-il vendre une pizza de 40 cm de diamètre ?

c) Quel est le diamètre d'une pizza que Robert vend 12,75 $?

40 Une enseignante a corrigé un examen sur 100 points. Comme l'examen était difficile, elle a transformé les résultats initiaux en utilisant la formule suivante :

$$R = r + \sqrt{100 - r}$$

a) Construis la table de valeurs montrant la relation entre les résultats initiaux qui sont des multiples de 10 (r) et les nouveaux résultats (R).

b) Trace le graphique cartésien de cette relation.

41 On utilise la formule suivante pour donner la masse moyenne m (en kilogrammes) d'une personne à partir de sa taille t (en centimètres).

Homme

$$m = (t - 100) - (\frac{t - 150}{4}), \text{ pour } t > 100$$

Femme

$$m = (t - 100) - (\frac{t - 150}{2}), \text{ pour } t > 100$$

a) Selon la formule qui te convient, complète une table de 8 couples de valeurs reliées.

b) Trace le graphique cartésien de la relation du sexe auquel tu appartiens.

c) Quelle devrait être ta masse selon cette formule ?

42 Le temps de réaction d'une personne peut être calculé en réalisant l'expérience suivante :

Une première personne tient une règle de 30 cm à la verticale. Une seconde personne ouvre son index et son pouce au maximum au niveau du 0 cm. La première personne laisse tomber la règle et la seconde personne tente de l'attraper entre ses doigts. On lit la distance d (en centimètres) que la règle a parcourue. Le temps de réaction t (en secondes) peut alors être calculé par la formule $t = \sqrt{\frac{d}{5}}$.

a) Complète une table de 8 couples de valeurs reliées.

b) Trace le graphique cartésien de cette relation.

c) Quel est ton propre temps de réaction ? Es-tu parmi les plus rapides ?

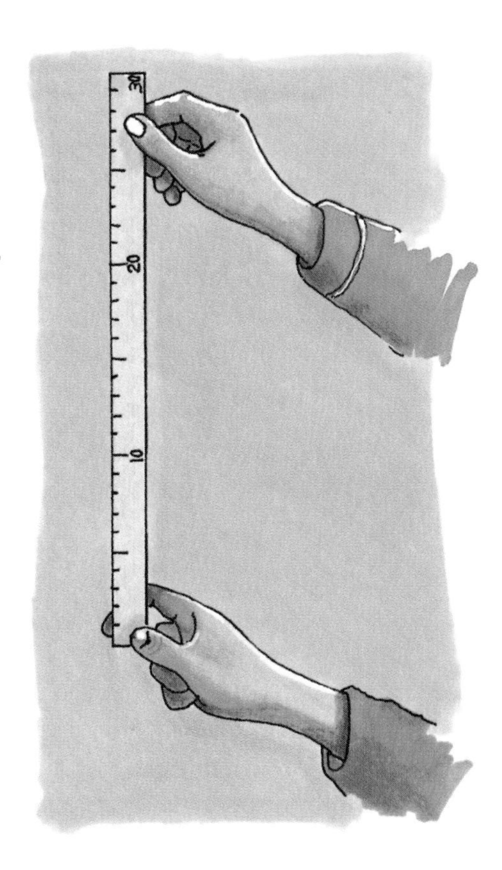

LES VISAGES DES RELATIONS

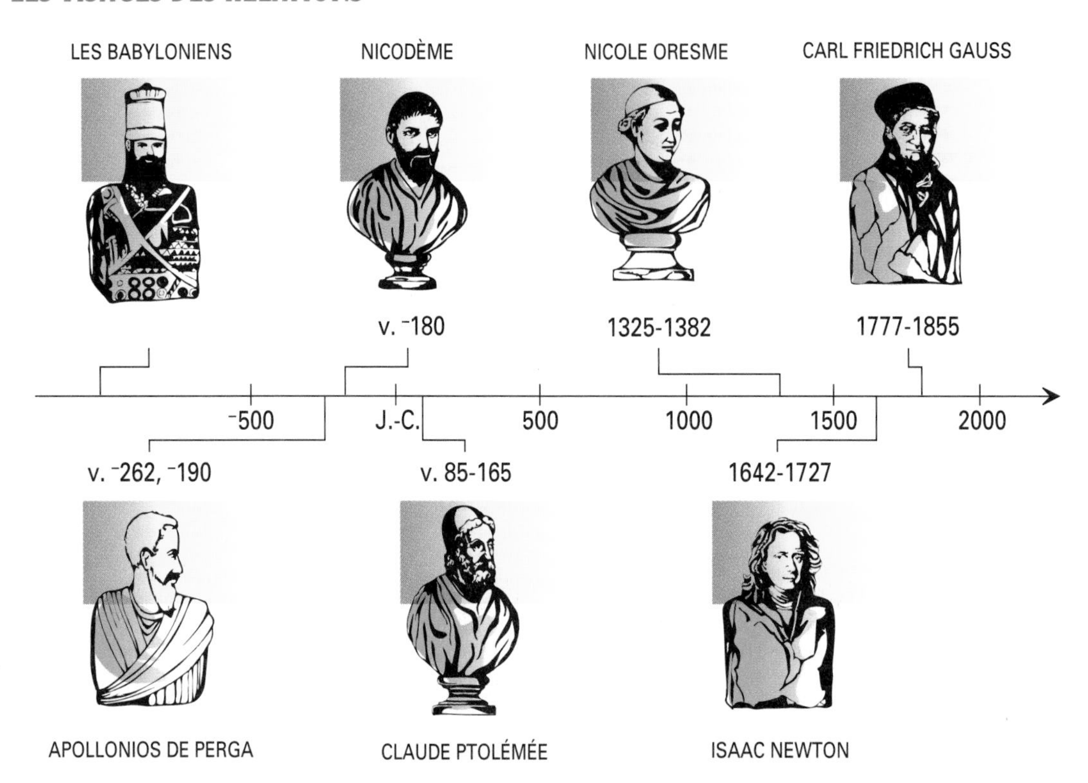

LES CONNAISSEZ-VOUS ?

Parmi ces mathématiciens, identifiez :

a) celui qui est considéré comme l'un des plus grands mathématiciens de toute l'histoire et s'intéressera aux quantités reliées et à la notion de dépendance et de variation en physique ;

b) celui qui fut l'un des plus grands astronomes de l'Antiquité et considérait la Terre comme le centre de l'Univers. Dans son livre *Almageste*, il donne une table associant degré par degré un angle à la longueur de sa corde dans un cercle ;

c) ceux qui laissèrent plusieurs tablettes d'argile dont certaines montrent des tables (récolte et taxation, nombres naturels et leurs carrés, triplets pythagoriciens, ...) donnant une bonne idée de la dépendance et des variations ;

d) celui qui associa la vitesse à la longueur d'un segment et pour qui une vitesse constante était représentée par le graphique ci-contre ;

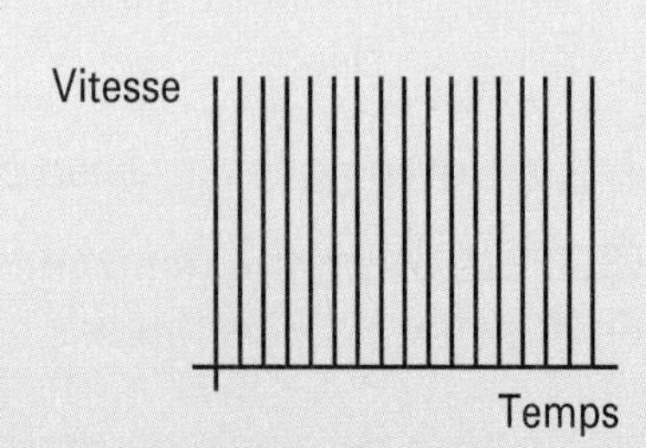

e) celui qui fut surtout connu pour ses travaux sur les relations représentées par les courbes appelées « coniques » et obtenues en coupant un cône par un plan;

f) celui qui est considéré par plusieurs comme le plus grand mathématicien de toute l'histoire, à cause de son génie, et qui affirma : « Ce n'est pas connaître mais apprendre qui apporte la plus grande joie »;

g) celui qui a découvert une relation particulière dont la représentation graphique est une courbe appelée la conchoïde.

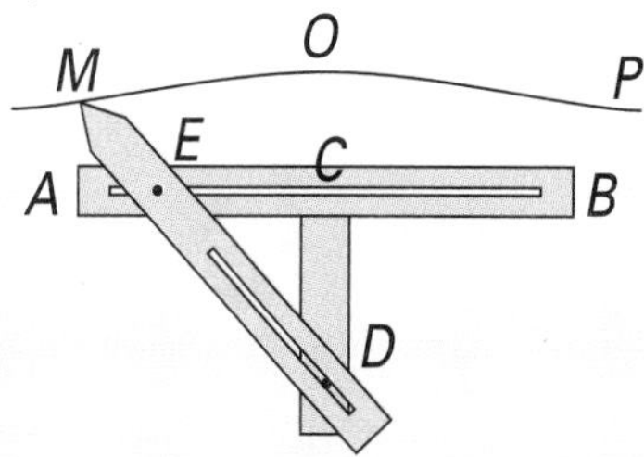

CURIOSITÉS

a) Carl Friedrich Gauss, à qui son maître demandait de faire la somme des 100 premiers nombres naturels, donna la réponse en quelques secondes. C'est qu'il avait observé une régularité. Refais son raisonnement.

1) Complète ce tableau.

Suite de nombres (en ordre croissant)	0	1	2	3	4	5	...	98	99
Suite de nombres (en ordre décroissant)	99	98	97	96	95	94	...	1	0
Somme	■	■	■	■	■	■	...	■	■

2) Quelle régularité Gauss avait-il observée?

3) Quels calculs lui suffisait-il de faire alors pour trouver la somme des 100 premiers nombres?

4) Quelle est cette somme?

5) Détermine la somme des 1 000 premiers nombres naturels.

b) Pierre de Fermat a découvert que certains nombres premiers supérieurs à 2 sont décomposables en la somme de deux nombres carrés.

1) Complète ce tableau.

Nombres premiers (>2)	3	5	7	11	13	17	19	23	29	31	37	41	...
Décomposables (oui/non)	N	O	■	■	■	■	■	■	■	■	■	■	...
Nombres décomposés, s'il y a lieu	■	1 + 4	■	■	■	■	■	■	■	■	■	■	...

2) Qu'observe-t-on de particulier si on divise par 4 les nombres premiers qui ont la propriété énoncée par Fermat ?

3) Les nombres premiers 113 et 8081 satisfont ces deux conditions. Dans chaque cas, trouve les deux nombres carrés dont ils sont la somme.

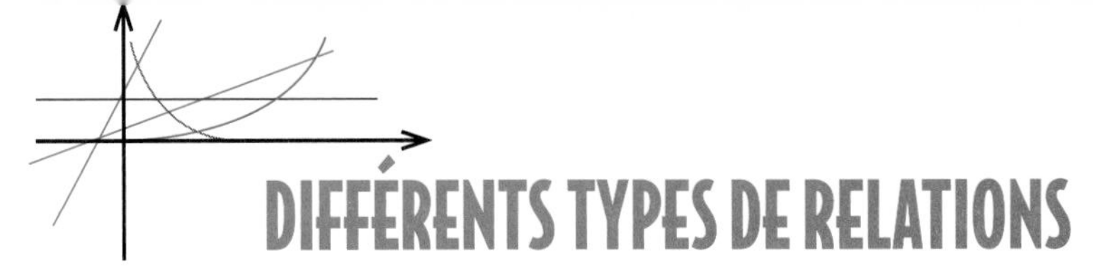

DIFFÉRENTS TYPES DE RELATIONS

Comme on a pu le constater, les relations sont nombreuses et diverses. Il est possible de pousser plus à fond l'étude des relations afin d'analyser leurs caractéristiques et d'arriver à les classer par catégories.

Situation 1 La pompe à essence

Linh se présente à la pompe à essence pour faire le plein.
Elle fait des relations entre les quantités indiquées sur les afficheurs.

Total
① 5,10 $
Prix
② 0,60 $
Quantité
③ 8,5 l

Relation 1 Linh observe la quantité d'essence pompée indiquée sur l'afficheur 3 et le prix du litre indiqué sur l'afficheur 2.

① Voici une table de valeurs de cette relation. Dans quel sens ces variables varient-elles ?

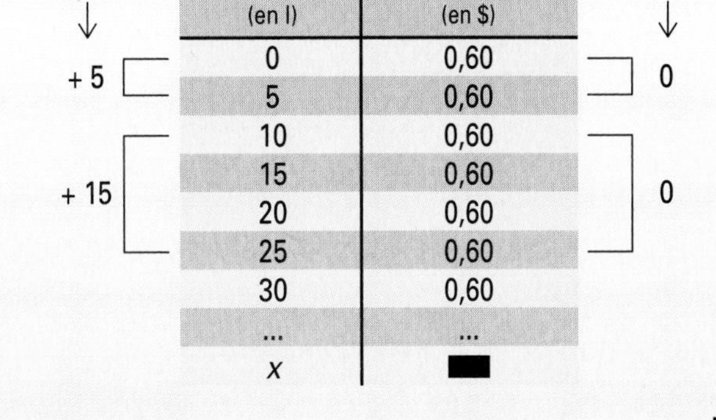

Prix du litre d'essence selon la quantité achetée

Variation	Quantité (en l)	Prix du litre (en $)	Variation
+ 5	0	0,60	0
	5	0,60	
+ 15	10	0,60	0
	15	0,60	
	20	0,60	
	25	0,60	
	30	0,60	
	...	...	
	x	▬	

② Quelle est la règle de cette relation ?

On a tracé le graphique cartésien de cette relation.

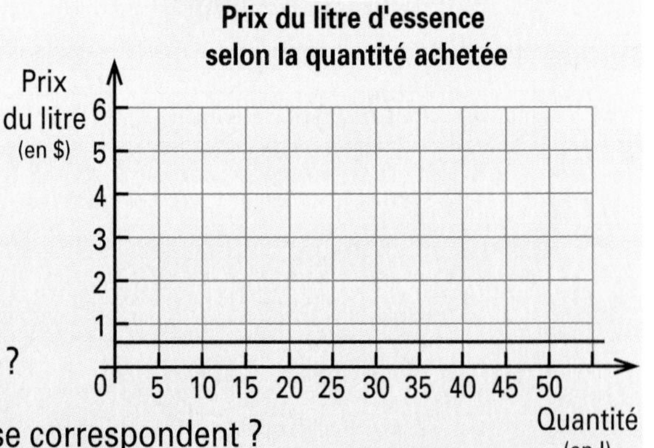

③ Quelle sorte de courbe a-t-on obtenue ?

④ Quelle caractéristique possède cette courbe ?

⑤ Que vaut le rapport de deux variations qui se correspondent ?

Une telle situation est appelée une **situation de variation nulle.** Dans de telles situations, on observe les caractéristiques suivantes :

1° La variable considérée comme la variable dépendante demeure constante à la suite des variations de la variable indépendante.

2° La règle d'une situation de variation nulle est de la forme : Variable dépendante égale une constante.

3° La variation de la variable dépendante est toujours nulle.

4° Le graphique cartésien montre une droite parallèle à l'axe des x.

Relation 2 Linh observe la quantité d'essence pompée indiquée sur l'afficheur 3 et le coût indiqué sur l'afficheur 1.

1. Voici une table de valeurs de cette relation. Les variables changent-elles dans le même sens ou dans le sens contraire?

Coût du plein d'essence

Quantité (en l)	Coût (en $)
0	0
5	3
10	6
15	9
20	12
25	15
30	18
40	24
50	30
...	...
x	■

Dans cette situation, les variables font beaucoup plus que varier dans le même sens.

2. Qu'arrive-t-il à la variable dépendante si on double, triple ou quadruple, ... les valeurs de la variable indépendante?

3. Que peut-on affirmer si l'on compare les rapports des valeurs correspondantes des variables dans cette table?

4. La somme de deux valeurs de la variable indépendante correspond-elle à la somme des valeurs correspondantes de la variable dépendante?

5. Donne la règle de cette relation.

On a représenté cette relation dans un plan cartésien.

Coût du plein d'essence

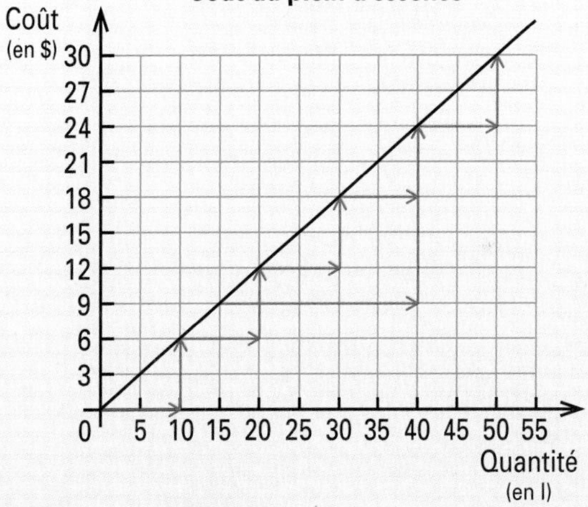

Coût (en $)
30
27
24
21
18
15
12
9
6
3
0 5 10 15 20 25 30 35 40 45 50 55
Quantité (en l)

6. Décris la courbe qu'on obtient pour cette relation.

7. Le rapport de deux variations qui se correspondent est-il constant?

8. En quel lieu remarquable cette courbe passe-t-elle?

9. Complète la phrase suivante.

Le coût du plein d'essence dépend directement de ■.

Une relation dans laquelle les valeurs associées sont proportionnelles est appelée une **situation de variation directe** ou une **situation de proportionnalité**.

On peut observer les caractéristiques suivantes dans les situations de proportionnalité :

1° Les valeurs des variables sont proportionnelles.

2° Le rapport des variations qui se correspondent est constant.

3° La règle d'une telle relation est de la forme : Variable dépendante égale une constante multipliée par une variable indépendante.

4° Le graphique montre une droite oblique passant par l'origine du plan.

Situation 2 La photocopie en couleurs

Jérémy offre un service de photocopie en couleurs. Il demande 3 $ comme prix de base plus 2 $ la page en couleurs.

Relation 1 Claudia, l'amie de Jérémy, s'interroge sur la relation qui lie le nombre de pages d'un document et le coût de sa photocopie en couleurs.

① On a construit une table de valeurs de cette relation. Dans quel sens les variables changent-elles dans cette situation ?

Photocopie de documents en couleurs

Nombre de pages	Coût (en $)
0	3
1	5
2	7
3	9
4	11
5	13
10	23
15	33
...	...
x	■

② Si le nombre de pages double, triple ou quadruple, le coût de photocopie en fait-il autant ?

③ Peut-on dire que les valeurs des variables sont proportionnelles ?

④ La somme de deux valeurs de la variable indépendante correspond-elle à la somme des deux valeurs correspondantes de la variable dépendante ?

⑤ Quelle est la règle de cette relation ?

On constate qu'on **n'a pas** ici une situation de proportionnalité. On a ajouté quelques variations des variables à la table de valeurs.

⑥ Le rapport des variations qui se correspondent est-il constant ?

Photocopie de documents en couleurs

Variation ↓	Nombre de pages	Coût (en $)	Variation ↓
	0	3	
+ 1	1	5	+ 2
+ 1	2	7	+ 2
	3	9	
+ 2	4	11	+ 4
	5	13	
+ 10	10	23	+ 20
	15	33	
	...	...	
	x	■	

On a construit le graphique cartésien de la relation entre le nombre de pages photocopiées et le coût.

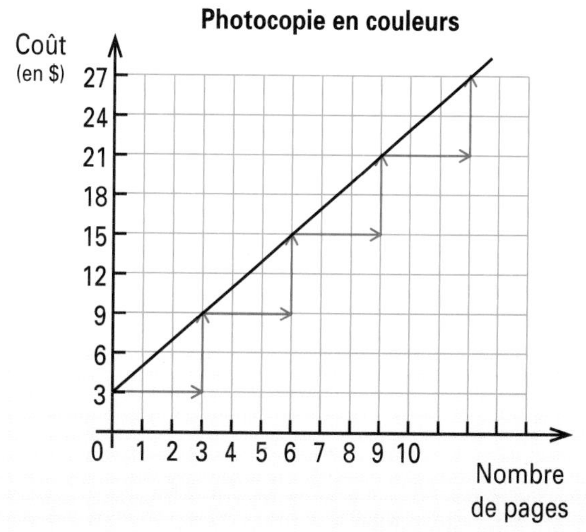

⑦ Quelles caractéristiques possède la courbe obtenue ?

⑧ Qu'est-ce qui distingue cette courbe de la courbe d'une situation de proportionnalité ?

Une telle situation est appelée une **situation de variation partielle.**

On a construit le graphique cartésien de cette relation en illustrant des variations.

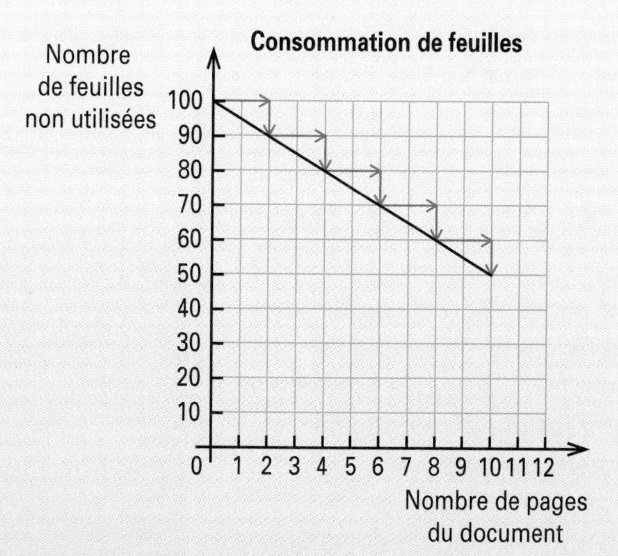

⑨ Quelles caractéristiques possède la courbe obtenue ?

⑩ Qu'est-ce qui distingue cette courbe de la courbe d'une situation de proportionnalité ?

Une telle situation est aussi une **situation de variation partielle.**

Claudia a placé 100 feuilles dans le photocopieur. Elle veut faire 5 photocopies d'un document de 12 pages. On considère la relation suivante.

Relation 2 Lien entre le nombre de pages photocopiées du document et le nombre de feuilles qui restent dans le photocopieur.

① On a construit une table de valeurs de cette relation. Dans quel sens les variables changent-elles dans cette situation ?

② Peut-on dire que les valeurs des variables sont proportionnelles ?

③ Le rapport des variations qui se correspondent est-il constant ?

④ Quelle est la règle de cette relation ?

Consommation de feuilles

Variation	Nombre de pages du document	Nombre de feuilles non utilisées	Variation
	0	100	
+ 1	1	95	− 5
	2	90	
+ 2	3	85	− 10
	4	80	
	5	75	
+ 4	6	70	− 20
	8	60	
	...	...	
	x	▬	

On peut observer les caractéristiques suivantes dans une situation de variation partielle :

1° Les valeurs des variables ne sont pas proportionnelles.

2° Le rapport des variations qui se correspondent est constant.

3° La règle d'une situation de variation partielle est de la forme : Variable dépendante égale le produit d'une constante et de la variable indépendante augmenté d'une constante.

4° Le graphique montre une droite oblique ne passant pas par l'origine du plan.

Situation 3 La croisière

Pour la fête de fin d'année, Merinda organise une croisière sur la rivière. La propriétaire du bateau lui demande 200 $ pour la promenade. On peut faire monter jusqu'à 50 passagers ou passagères à bord du bateau.

Relation Lien entre le nombre de personnes et le coût individuel.

① Voici une table de valeurs de cette relation. Les variables varient-elles dans le même sens ou dans le sens contraire ?

Coût d'une croisière par personne

Nombre de personnes	1	2	4	5	10	20	25	40	50
Coût par personne (en $)	200	100	50	40	20	10	8	5	4

② Qu'arrive-t-il au coût si le nombre de personnes est multiplié par 2 ? par 4 ? par 5 ?

③ A-t-on ici une situation de proportionnalité ? une situation de variation partielle ?

④ Si on examine deux couples de valeurs associés, quelle propriété numérique observe-t-on ?

⑤ Quelle est la règle de cette relation ?

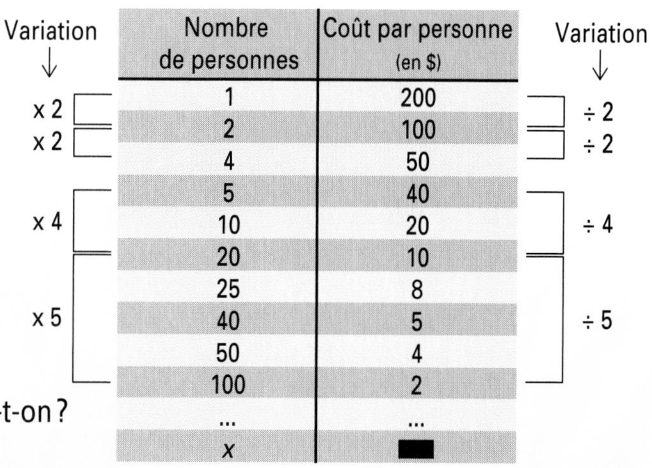

Coût d'une croisière par personne

Variation	Nombre de personnes	Coût par personne (en $)	Variation
x 2	1	200	÷ 2
x 2	2	100	÷ 2
	4	50	
x 4	5	40	÷ 4
	10	20	
x 5	20	10	÷ 5
	25	8	
	40	5	
	50	4	
	100	2	
	...	...	
	x	■	

On a représenté cette relation dans un plan cartésien.

⑥ Décris la courbe obtenue.

⑦ Quelles caractéristiques cette courbe possède-t-elle ?

⑧ Le rapport des variations qui se correspondent est-il constant ?

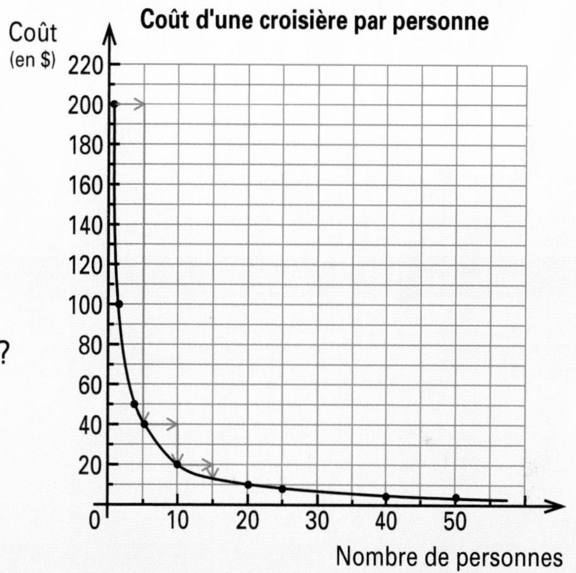

Dans cette situation, le coût **varie inversement** au nombre de personnes. Une telle situation est appelée une **situation de variation inverse.**

On peut observer les caractéristiques suivantes dans les situations de variation inverse :

1° Les valeurs des variables ne sont pas proportionnelles.

2° Le produit des valeurs reliées est constant.

3° Le rapport des variations qui se correspondent n'est pas constant.

4° La règle d'une situation de variation inverse est de la forme : Variable dépendante égale une constante divisée par la variable indépendante.

5° Le graphique correspond à une courbe dont les extrémités s'approchent lentement des deux axes.

Situation 4 La chute libre

Du haut d'un immeuble à logements, Camille a laissé tomber une balle à plusieurs reprises et ses amis et amies ont noté le temps de passage de la balle devant chaque fenêtre. Camille a ensuite fait des calculs pour déterminer la distance parcourue par la balle pendant 1 s, 2 s, 3 s, ... Elle s'est donc intéressée à la relation suivante :

Relation Lien entre le temps et la distance parcourue.

① Voici la table des valeurs que Camille a obtenue. Les variables varient-elles dans le même sens ou dans le sens contraire ?

Distance parcourue par un objet en chute libre

Temps (en s)	Distance (en m)
0	0
1	5
2	20
3	45
4	80
5	125
...	...
x	■

② A-t-on ici une situation de variation directe ? de variation partielle ? de variation inverse ?

③ Cette table cache cependant une propriété numérique remarquable. On perçoit rapidement cette relation en élevant le temps au carré. Découvre-la en observant la table ci-dessous.

Temps au carré	0	1	4	9	16	25	...
Distance (en m)	0	5	20	45	80	125	...

④ Quelle est la règle de cette relation ?

On a représenté cette relation entre le temps et la distance dans un plan cartésien.

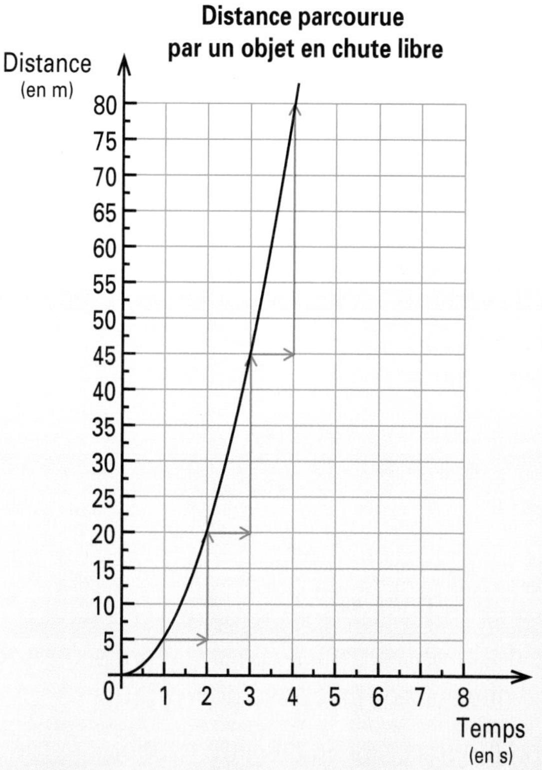

(5) Décris la courbe obtenue.

(6) Le rapport des variations qui se correspondent est-il constant ?

Les situations dans lesquelles les variables sont telles que **l'une des variables est proportionnelle au carré de l'autre** constituent une autre catégorie de relations.

On peut observer les caractéristiques suivantes dans de telles situations :

1° Les valeurs d'une variable sont proportionnelles au carré des valeurs de l'autre.

2° Le rapport des variations qui se correspondent n'est pas constant.

3° La règle de la relation d'une telle situation est de la forme : Variable dépendante égale le produit d'une constante et du carré de la variable indépendante.

4° Le graphique correspond à une courbe très particulière dite parabolique.

Voilà un cinquième type de relations. Il en existe encore bien d'autres qu'on aura l'occasion de découvrir plus tard.

Le but poursuivi ici n'est pas de mémoriser les caractéristiques de ces différents types de relations, mais de les utiliser pour mieux analyser les situations de vie qui donnent lieu à ces relations.

1 Guillaume a emprunté un livre à la bibliothèque. Il doit payer une amende de 10 ¢ par jour de retard. On s'intéresse à la relation entre le nombre de jours de retard et le montant de l'amende à payer.

a) Identifie les deux variables en termes de variable indépendante et de variable dépendante.

b) Construis une table de valeurs pour 0, 1, 2, 3, 4, 5, 6, 8 et 10 jours de retard.

c) Les valeurs reliées des variables sont-elles proportionnelles ?

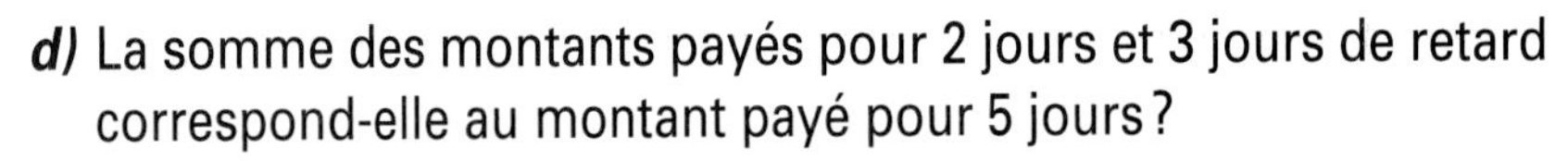

d) La somme des montants payés pour 2 jours et 3 jours de retard correspond-elle au montant payé pour 5 jours ?

e) Trace le graphique cartésien de cette relation.

f) Décris la courbe obtenue.

g) Le rapport des variations qui se correspondent est-il constant ?

h) Quelle amende Guillaume devra-t-il payer pour 18 jours de retard ?

2 Une sécheuse consomme 5 kWh. On s'intéresse à la relation entre le temps d'utilisation de la sécheuse et sa consommation d'énergie.

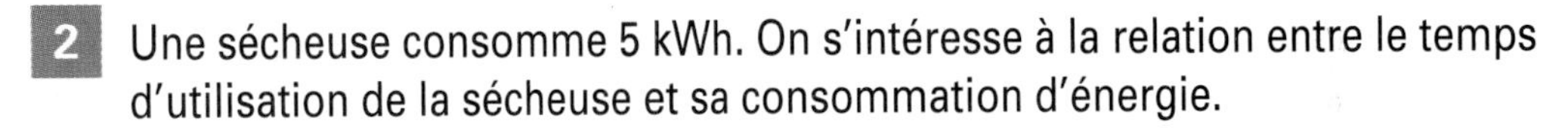

a) Identifie les deux variables de cette situation et indique laquelle est la variable indépendante et laquelle est la variable dépendante.

b) Construis une table de valeurs pour 0, 1, 2, 3, 4, 5, 8 et 10 h d'utilisation.

c) Les valeurs reliées sont-elles proportionnelles ?

d) La somme des consommations de 3 h et de 5 h correspond-elle à la consommation de 8 h ?

e) Trace le graphique cartésien de cette relation.

f) Décris la courbe obtenue.

g) Le rapport des variations qui se correspondent est-il constant ?

h) Si 1 kWh se vend 0,0454 $, quel est le coût de 30 h d'utilisation de cette sécheuse ?

3 On peut louer un véhicule tout terrain au prix de 10 $ par jour de location. Une prime de 20 $ d'assurance est exigée pour la période de location. On s'intéresse à la relation entre le coût de la location et le nombre de jours de location.

a) Identifie la variable dépendante et la variable indépendante de cette situation.

b) Construis une table de valeurs pour 0, 1, 2, 3, 4, 5, 7 et 10 jours de location.

c) Les valeurs reliées dans la table sont-elles proportionnelles ?

d) La somme des coûts de location de 3 et 4 jours correspond-elle au coût de location de 7 jours ?

e) Trace le graphique cartésien de cette relation.

f) Décris la courbe obtenue.

g) Le rapport des variations qui se correspondent est-il constant ?

h) Pendant combien de jours a-t-on loué un véhicule tout terrain si on a payé 170 $ de location ?

4 Un avion léger a 7 passagers et passagères à son bord et 3 membres d'équipage. Il voyage à une vitesse de 300 km/h. Le pilote fera le trajet entre Rivière-du-Loup et Miami en 10 h en faisant deux arrêts pour se ravitailler en essence. On s'intéresse à la relation entre le temps écoulé depuis le départ de l'avion et le nombre de personnes à bord. On considère le temps écoulé comme étant la variable indépendante de cette relation.

a) Construis une table de valeurs de cette relation pour les 10 h que dure le voyage.

b) Quelle caractéristique numérique présente la table de valeurs obtenue ?

c) Trace le graphique cartésien de cette relation.

d) Décris la courbe obtenue.

e) Que peut-on dire du rapport des variations des variables ?

f) Comment pourrait-on interpréter le fait que le nombre de personnes à bord de l'avion ne soit pas constant durant le voyage ?

5 Marielle possède un champ de fraises. Aujourd'hui, c'est samedi. Elle a invité les élèves de sa classe à venir cueillir des fraises. « Plus il y aura de monde, moins cela prendra de temps », dit-elle. Une seule personne prendrait 48 h à ramasser toutes les fraises. Pour le dîner, Marielle a préparé 60 sandwichs. On s'intéresse à la relation entre le nombre de personnes présentes et le temps nécessaire pour cueillir toutes les fraises.

a) Identifie la variable dépendante et la variable indépendante dans cette situation.

b) Construis une table de valeurs pour cette relation.

c) Quelle caractéristique numérique présente la table de valeurs ?

d) Le rapport des variations qui se correspondent est-il constant ?

e) Trace le graphique cartésien de cette relation.

f) Décris la courbe obtenue.

g) Combien de temps a duré la cueillette si 27 élèves se sont présentés ?

h) Réponds aux mêmes questions que précédemment, mais cette fois pour la relation entre le nombre de personnes et le nombre de sandwichs que chacune pourra manger.

6 On constate que le nombre de côtés de la base d'une pyramide est en relation avec le nombre de sommets (*S*), le nombre d'arêtes (*A*) et le nombre de faces (*F*).

Relation 1

Nombre de côtés du polygone de base		Nombre de sommets (*S*)
3		4
4		■
5		■
...		...

Relation 2

Nombre de côtés du polygone de base		Nombre d'arêtes (*A*)
3		6
4		■
5		■
...		...

Relation 3

Nombre de côtés du polygone de base	3	4	5	...
Nombre de faces (F)	■	■	■	...

Pour chaque relation :

a) identifie la variable dépendante et la variable indépendante ;

b) construis une table de 5 couples de valeurs ;

c) indique si le rapport des variations qui se correspondent est constant ou non ;

d) trace le graphique cartésien ;

e) décris la courbe obtenue ;

f) donne la règle.

7 On met en relation le nombre de pentagones utilisés pour former chaque motif ci-dessous et le périmètre du motif. Chaque côté mesure 1 cm.

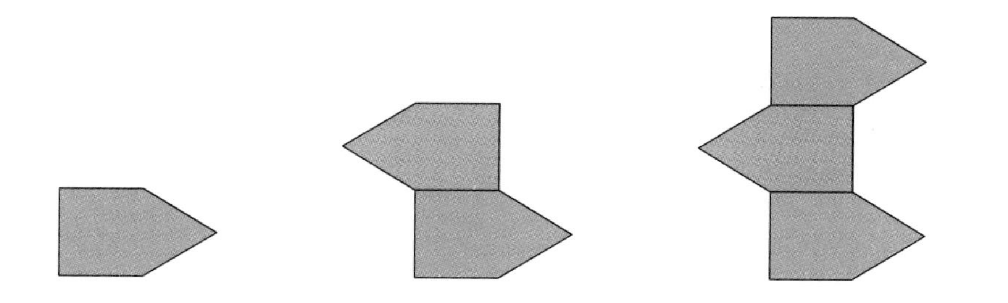

a) Complète la table de valeurs suivante pour cette relation.

Périmètre du motif selon le nombre de pentagones

Nombre de pentagones	1	2	3	4	5	6	...
Périmètre du motif (en cm)	■	■	■	■	■	■	...

b) Quelle caractéristique numérique présente cette table de valeurs ?

c) A-t-on ici une situation de proportionnalité ?

d) Construis le graphique cartésien de cette relation.

e) Décris la courbe obtenue.

f) Le rapport des variations qui se correspondent est-il constant ?

g) Combien de pentagones compte un motif dont le périmètre est de 50 cm ?

8 Le 21 juillet 1969, Edwin Aldrin fut le deuxième homme à marcher sur la Lune avec la mission *Apollo 11*. Sur la Lune, il ne pesait que 1/6 de sa pesanteur terrestre.

a) Construis une table de valeurs montrant la pesanteur lunaire pour différentes pesanteurs terrestres.

Pesanteur lunaire selon la pesanteur terrestre

Pesanteur terrestre (en kg)	0	6	12	18	24	30	36	42	48	54	...
Pesanteur lunaire (en kg)	■	■	■	■	■	■	■	■	■	■	...

Edwin Aldrin, photographié par Neil Armstrong, lors de la mission Apollo 11. *On voit Armstrong et le module lunaire dans la visière du casque de l'astronaute.*

b) A-t-on ici une situation de proportionnalité ?

c) Décris le graphique cartésien de cette relation.

d) Le rapport des variations qui se correspondent est-il constant ?

e) Quelle est la pesanteur terrestre d'un objet dont la pesanteur lunaire est de 52,6 kg ?

Quelle serait ta pesanteur sur la Lune ?

9 Une patiente est en observation dans un hôpital. On lui a installé un soluté qui coule au rythme de 250 ml l'heure. On considère la relation qui associe le temps écoulé à la quantité de soluté administrée.

a) Complète cette table de valeurs.

Administration du soluté

Nombre de quarts d'heure	1	2	3	4	5	8	10	12	16	20	...
Quantité de soluté (en ml)	■	■	■	■	■	■	■	■	■	■	...

b) Quelle caractéristique numérique présente cette table de valeurs ?

c) Construis le graphique cartésien de cette relation.

d) Décris la courbe obtenue.

e) Le rapport des variations qui se correspondent est-il constant?

f) Quelle quantité totale de soluté a été administrée au patient au bout de 12 h 25 min?

10 Selon l'historien grec Hérodote, les pharaons égyptiens ont employé 100 000 ouvriers durant 20 ans pour construire la grande pyramide de Kheops. Cependant, ces ouvriers ne travaillaient que 8 mois par année, car ils devaient vaquer aux travaux des champs lors de la crue du Nil. Considérons la relation entre le nombre d'ouvriers et le temps que suggère cette relation.

a) Complète cette table de valeurs quelque peu idéalisée.

Construction de la pyramide de Kheops

Nombre d'ouvriers (en centaines de mille)	1	2	3	4	5	8	10	12	16	20	...
Temps (en a)	20	■	■	■	■	■	■	■	■	■	...

b) Quelle caractéristique numérique présente cette table de valeurs?

c) A-t-on ici une situation de proportionnalité?

d) Construis le graphique cartésien de cette relation.

e) Décris la courbe obtenue.

f) Le rapport des variations qui se correspondent est-il constant?

g) Combien d'ouvriers aurait-il fallu à Kheops pour construire sa pyramide en 6 ans, en les faisant travailler toute l'année?

h) Si la construction de la pyramide avait commencé approximativement en 2628 av. J.-C., combien aurait-il fallu d'ouvriers travaillant 6 mois par année pour la terminer avant la mort de Kheops survenue en $^{-}2620$ environ?

11 On observe la relation entre la mesure des côtés d'un carré et son aire.

a) Construis une table montrant cette relation.

L'aire du carré en regard de son côté

Mesure du côté (en cm)	0	1	2	3	4	5	6	7	...
Aire (en cm^2)	■	■	■	■	■	■	■	■	...

b) Quelle caractéristique numérique présente cette table de valeurs?

c) A-t-on ici une situation de proportionnalité?

d) Construis le graphique cartésien de cette relation.

e) Décris la courbe obtenue.

f) Le rapport des variations qui se correspondent est-il constant?

g) Quelle est la mesure du côté d'un carré qui a une aire de 2500 cm^2?

12 On trace un demi-cercle dont le diamètre *BC* mesure 10 cm. Du sommet *C* et en utilisant le diamètre *BC* comme côté, on trace successivement des angles ayant comme mesure 10°, 20°, 30°, 40°, etc. Ensuite, on forme des triangles en joignant les points A_n d'intersection du second côté avec le demi-cercle à l'extrémité *B* du diamètre. On établit alors la relation liant la mesure de l'angle *C* à celle de l'angle A_n.

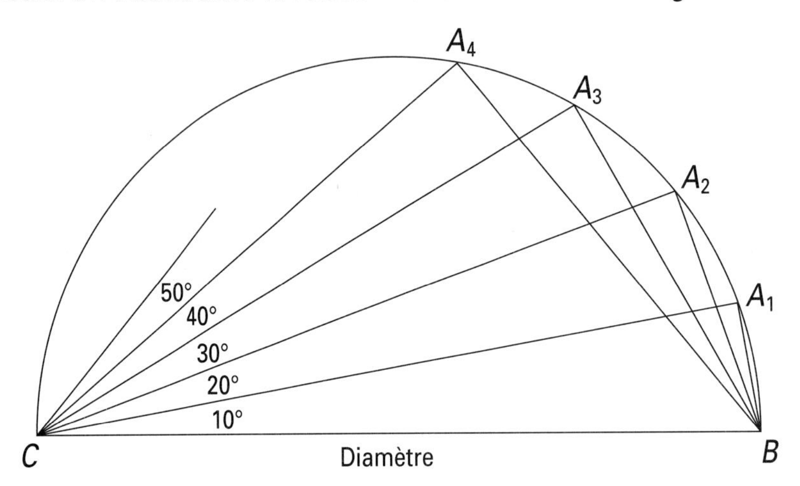

a) Quelle mesure maximale l'angle *C* peut-il avoir?

b) Construis une table de valeurs montrant la relation entre les mesures de $\angle C$ et celles de $\angle A_n$. (Utilise ton rapporteur.)

c) Le rapport des variations qui se correspondent est-il constant?

d) Trace le graphique de cette relation dans un plan cartésien en associant une mesure d'angle de 20° à un segment de 1 cm.

e) Donne deux caractéristiques de cette relation.

f) Quelle propriété géométrique cette relation met-elle en évidence?

13 On place des briques sur le piston d'un cylindre contenant un gaz. Chaque fois qu'une brique est déposée, le piston s'enfonce réduisant ainsi le volume du gaz. Voici la table des valeurs obtenues.

Compression d'un gaz

Nombre de briques	Volume (en cm³)
1	240
2	120
3	80
4	60
5	48
6	40
8	30
10	24

a) Décris en mots la relation observée dans cette table de valeurs.

b) Donne la caractéristique numérique que montre cette table.

c) Le rapport des variations qui se correspondent est-il constant?

d) Construis et décris le graphique illustrant cette relation.

14 Une base de plein air offre la possibilité de faire du saut à l'élastique. On a mesuré l'allongement de l'élastique selon la masse de la personne qui saute. On a noté ces données dans une table de valeurs.

Allongement d'un élastique

Masse de la personne (en kg)	Allongement de l'élastique (en m)
40	60
50	75
60	90
70	105
80	120
90	135
100	150

a) Quelle caractéristique numérique cette table montre-t-elle?

b) Construis un graphique illustrant cette relation.

c) Donne deux caractéristiques importantes de cette relation.

d) Sachant que le coefficient d'allongement correspond au quotient de l'allongement en mètres par unité de masse (en kilogrammes), détermine le coefficient d'allongement de cet élastique.

15 Les sauts d'une grenouille atteignent en moyenne 20 cm de longueur. Elle doit parcourir une distance de 20 m pour retrouver son étang. On veut mettre en relation le nombre de sauts effectués et la distance qu'il lui reste à parcourir.

a) Complète la table de valeurs suivante décrivant cette relation.

Retour à l'étang d'une grenouille

Nombre de sauts	0	10	20	30	40	50	60	70	80	90	100
Distance restante (en m)	■	■	■	■	■	■	■	■	■	■	■

b) Trace le graphique de cette relation dans un plan cartésien.

c) Eugénie prétend que c'est une situation de variation inverse. A-t-elle raison? Justifie ta réponse.

16 On construit une suite de cubes en augmentant chaque fois la mesure du côté du cube précédent d'un centimètre et on calcule l'aire de toutes les faces.

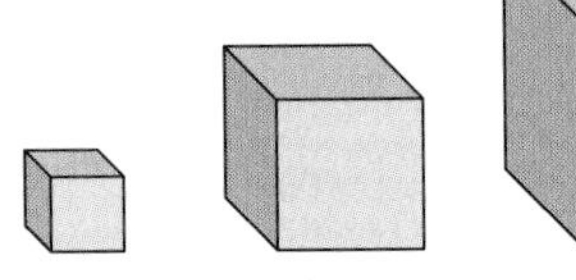
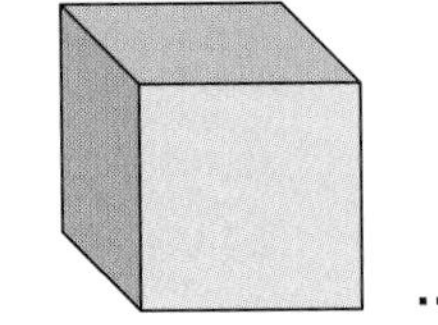

a) Complète la table de valeurs suivante pour cette relation.

Relation entre la mesure des côtés et l'aire totale

Mesure du côté (en cm)	0	1	2	3	4	5	...
Aire totale (en cm^2)	0	6	■	■	■	■	...

b) Donne la caractéristique numérique que montre cette table.

c) Le rapport des variations qui se correspondent est-il constant ?

d) Construis et décris le graphique illustrant cette relation.

e) Quelle est la mesure de l'arête d'un cube dont l'aire totale est de 253,5 cm^2 ?

17 Une cycliste se déplace à la vitesse de 30 km/h.

a) Construis une table de valeurs montrant la relation entre le temps écoulé en heures et la distance parcourue en kilomètres.

b) Donne les caractéristiques principales de cette relation.

18 Le tonnerre nous parvient parfois plusieurs secondes après l'éclair. Cela est dû au fait que la lumière voyage plus vite que le son.

a) Décris en mots la relation que montre cette table de valeurs.

Éloignement de l'éclair

Temps écoulé depuis l'éclair (en s)	0	1	2	3	4	5	...	t
Distance parcourue par le tonnerre (en m)	0	331	662	993	1324	1655	...	$331t$

b) Donne les principales caractéristiques de cette relation.

19 Sarah commence à travailler comme serveuse dans un restaurant. Sa patronne lui montre une table de valeurs indiquant le coût des repas et le montant de la taxe qui s'applique à chaque coût. Les coûts augmentent de 10 ¢ en 10 ¢ et le taux de la taxe est de 10 %.

a) Identifie les deux variables de cette situation et indique laquelle est la variable indépendante et laquelle est la variable dépendante.

b) Construis la partie de la table pour le coût de repas variant entre 15 $ et 16 $.

c) Donne les principales caractéristiques de cette relation.

20 Dans un magasin, on accorde des réductions de 25 %.

a) Construis une table de valeurs montrant la relation entre une liste de prix et les réductions associées.

b) Décris en mots cette relation et donne ses caractéristiques les plus importantes.

21 Le carat est une unité de masse équivalant à 0,2 g.

a) Complète cette table de valeurs qui montre la relation entre le nombre de carats et le nombre de grammes.

Équivalence entre les carats et les grammes

Nombre de carats	1	2	5	12	18	20	24	30	50	80	100
Masse (en g)	■	■	■	■	■	■	■	■	■	■	■

b) Donne deux caractéristiques importantes de cette relation.

22 La relation entre le rayon d'un disque et son aire est décrite par la formule :

$$A = \pi r^2$$

a) Construis une table de valeurs illustrant cette relation pour des rayons variant de 0 cm à 10 cm.

b) Illustre cette relation dans un plan cartésien.

c) Détermine le rayon d'un disque dont l'aire est approximativement de 483,05 cm^2.

23 La vitesse des avions supersoniques se calcule en Mach du nom du physicien autrichien Ernst Mach. Un Mach (*Ma*) équivaut approximativement à 1191,6 km/h.

Le Concorde *peut voyager plus vite que le son. Il traverse l'océan Atlantique en moins de 4 h.*

a) Complète la table de valeurs suivante montrant la relation entre ces deux types de vitesses.

Vitesses courantes en vitesses en Mach

V (en km/h)	500	1000	1500	2000	2500	3000	...	x
V (en Ma)	■	■	■	■	■	■	...	■

b) Donne deux caractéristiques importantes de cette relation.

24 On doit vider rapidement une piscine à cause d'un problème dans sa structure. Avec une seule pompe, il faudra 12 h pour la vider complètement. En ajoutant des pompes de même débit, il faudra moins de temps.

a) Construis une table montrant la relation entre le nombre de pompes et le temps en heures nécessaire pour vider la piscine.

Évacuation d'eau selon le nombre de pompes

Nombre de pompes	1	2	3	4	5	6	8	...
Temps (en h)	12	■	■	■	■	■	■	...

b) Quelle caractéristique numérique présente cette table de valeurs?

c) A-t-on ici une situation de proportionnalité?

d) Décris les variations des variables dans cette situation.

e) Construis le graphique cartésien de cette relation.

f) Décris la courbe obtenue.

g) Combien de pompes a-t-on utilisées si le travail a été fait en 45 min?

25 Le coût de la peinture nécessaire pour peindre un mur dépend de l'aire du mur. On sait qu'avec une certaine marque de peinture, un mur carré de 2 m de côté coûte environ 4 $ de peinture. On veut considérer la relation entre la mesure des côtés de murs carrés et le coût de la peinture. Fais une étude complète de cette relation (table, graphique et description de la relation avec ses principales caractéristiques).

26 Construis 4 triangles équilatéraux, puis vérifie si la relation entre la mesure des côtés d'un triangle équilatéral et sa hauteur est une situation de proportionnalité.

27 Construis une table de valeurs montrant la relation entre la mesure d'un angle et celle de son complément. Donne deux caractéristiques de cette relation.

28 Une montre retarde de 2 s toutes les 5 h. On s'intéresse à la relation entre le temps écoulé et le retard pris durant ce temps.

a) Trace le graphique cartésien de cette relation.

b) Donne quelques caractéristiques de cette relation.

29 Le numérateur d'une fraction est 4 et son dénominateur est un nombre naturel variable. On observe la relation entre la valeur du dénominateur et la valeur de la fraction.

a) Construis une table de valeurs décrivant cette relation.

b) Donne quelques caractéristiques de cette relation.

30 Sébastien a construit un enclos pour ses lapins. Son enclos limite une surface de 20 m^2.

a) Construis une table de valeurs montrant la relation entre le nombre de lapins dans l'enclos et l'aire dont dispose, en principe, chaque lapin.

b) Esquisse un graphique illustrant cette relation.

c) Donne deux caractéristiques importantes de cette situation.

31 La masse volumique est le rapport masse/volume. Pour le fer, la masse volumique est de 7,9 g/cm^3. On a mesuré le volume de différentes pièces de fer.

a) À partir de cette information, complète la table suivante.

Pièces de fer

Volume (en cm^3)	10	25	40	50	120	300	500	1000
Masse (en g)	■	■	■	■	■	■	■	■

b) Donne les principales caractéristiques de cette relation.

c) Un marchand de ferrailles vérifie la pureté de quelques pièces de ce métal. Il les trempe dans l'eau pour en mesurer le volume et ensuite les pèse soigneusement. Voici les données obtenues. Découvre les pièces qui ne sont pas du fer pur.

Relevé de pièces de ferrailles

	Pièces				
	A	B	C	D	E
Volume (en cm^3)	6	8	20	32	100
Masse (en g)	47,4	68,2	158	252,8	279

32 Une cuisinière doit prévoir 500 g de pâtes pour 4 personnes.

a) Construis un graphique montrant la relation entre le nombre de personnes et la quantité de pâtes.

b) Donne quelques caractéristiques de cette relation.

33 Un litre de peinture couvre approximativement une surface de 12 m^2 .

a) Construis une table de valeurs montrant la relation entre la quantité de peinture utilisée et la surface peinte.

b) Donne quelques caractéristiques de cette relation.

34 Au cours de ses envolées, un pilote d'un petit avion a besoin de savoir jusqu'à quelle hauteur il peut s'élever avant d'atteindre le point de congélation. Lors de son cours de pilotage, on lui a appris la formule suivante, valable pour une altitude inférieure à 12 000 m.

T = température au sol – altitude ÷ 100

Aujourd'hui, la température au sol est de 10 °C. Trace un graphique montrant la relation entre l'altitude et la température.

35 La formule pour convertir en degrés Celsius des températures données en degrés Fahrenheit est la suivante :

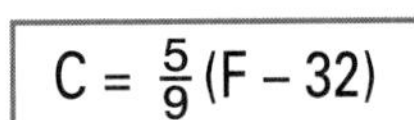

$C = \frac{5}{9}(F - 32)$

Pourquoi a-t-on la chair de poule quand on a froid?

a) Construis une table qui montre la relation entre les températures situées entre -40 °F et 40 °F et leurs températures équivalentes en degrés Celsius.

Conversion des températures

Température (en °F)	-40	-30	-20	-10	0	10	20	30	40
Température (en °C)	■	■	■	■	■	■	■	■	■

b) Construis le graphique et donne deux caractéristiques de cette relation.

36 La somme des mesures en degrés des angles intérieurs d'un polygone est donnée par la formule suivante :

$S_a = (n - 2) \times 180$ dans laquelle n est le nombre de côtés du polygone.

a) Construis une table de valeurs mettant en relation le nombre de côtés du polygone et la somme des mesures de ses angles intérieurs.

b) Donne quelques caractéristiques de cette relation.

37 Le poids, c'est la force qu'exerce l'attraction terrestre sur un corps. On dit que le poids est proportionnel à la masse.

a) Que veut-on dire par cette dernière phrase ?

b) Complète alors cette table de valeurs.

Lien entre masse et poids

Masse (en kg)	10	20	30	40	50	80	100	...
Poids (en newtons)	98	■	■	■	■	■	■	...

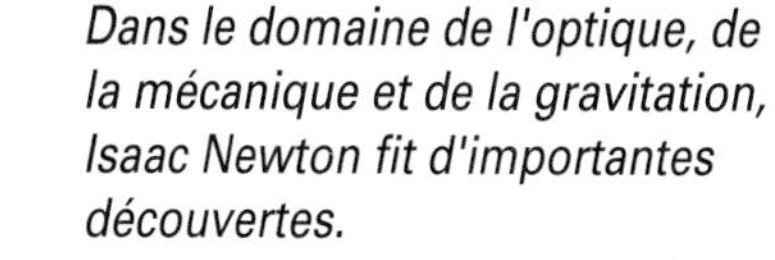

Dans le domaine de l'optique, de la mécanique et de la gravitation, Isaac Newton fit d'importantes découvertes.

38 On considère la relation entre un nombre et le produit de ce nombre avec son opposé.

a) Construis un graphique d'une telle relation.

b) Donne quelques caractéristiques de cette relation.

39 On dit que la pression exercée par un soulier à talons hauts sur un linoléum est inversement proportionnelle à la surface pressée.

a) Que veut-on dire par cette dernière phrase ?

b) Complète cette table de valeurs, sachant qu'il s'agit d'une situation de variation inverse.

Pression d'un talon de soulier

Surface pressée (en cm²)	0,5	1	2	3	4	5	10	...
Pression (en kPa)	≈ 6000	■	■	■	■	■	■	...

40 On appelle « oeil » le point noir à l'intersection de deux lignes dans le rectangle.

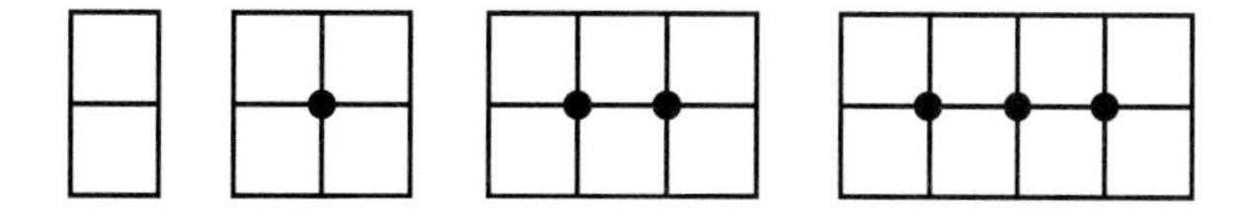

a) Construis une table de valeurs montrant la relation entre le nombre de « yeux » dans le rectangle et :

1) l'aire du rectangle ;

2) le périmètre du rectangle.

b) Trace le graphique de ces deux relations dans un plan cartésien.

c) Décris en mots ces deux relations, puis donnes-en quelques caractéristiques.

d) Recherche les deux règles qui permettent de calculer l'aire et le périmètre du rectangle, à partir du nombre de « yeux ».

41 Pierre-François utilise un projecteur pour présenter des diapositives à ses amis et amies. Le mur qui lui sert d'écran est formé de briques de mêmes dimensions. Il constate que s'il place son projecteur à 3 m du mur, la lumière d'une diapositive couvre 18 briques, à 6 m, 72 briques sont éclairées et à 9 m, il en compte 162.

a) Construis une table de valeurs à partir des données de ce problème.

b) Combien de briques seraient éclairées si on plaçait le projecteur à 1 m du mur?

c) Trace le graphique cartésien de cette relation.

d) Que veut-on dire par la phrase suivante? Le nombre de briques éclairées est proportionnel au carré de la distance séparant le mur du projecteur.

42 On construit différents triangles rectangles sur la même base *AB*.

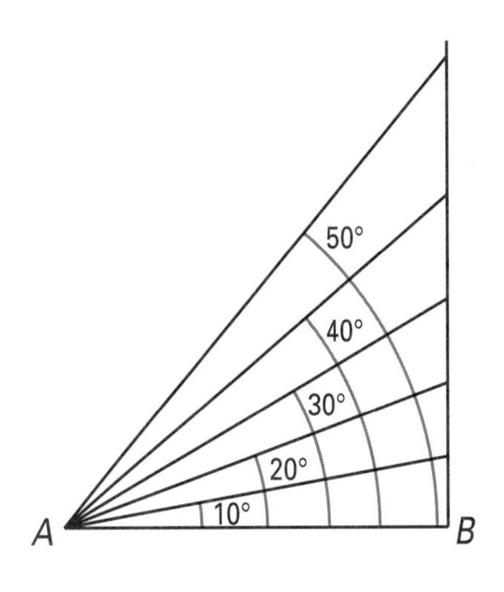

a) Les mesures du côté opposé à l'angle *A* sont-elles proportionnelles aux mesures de l'angle *A*?

b) Construis une table de valeurs illustrant la relation entre la mesure en degrés de l'angle et la longueur du côté opposé.

c) Construis le graphique cartésien de cette relation pour les mesures de l'angle *A* illustrées ici.

43 Décris les relations qui relient le rayon d'un cercle à sa circonférence et à son aire.

Un problème provenant d'une situation réelle a besoin d'être simplifié, idéalisé et structuré pour être résolu. Ce processus est appelé la **modélisation du problème,** car il nous permet d'obtenir un modèle. Ce modèle, d'une part, conserve les caractéristiques essentielles du problème, et d'autre part, est suffisamment simplifié pour permettre l'utilisation d'outils mathématiques.

La modélisation est le processus qui part du modèle réel et qui va vers le modèle mathématique. **La modélisation d'un problème commence par l'identification de ce que l'on cherche, des données essentielles et des conditions.**

Par la suite, il faut poursuivre le travail de résolution, c'est-à-dire faire des liens entre les données, faire des déductions, faire des calculs, vérifier des hypothèses, appliquer des méthodes mathématiques connues, évaluer la solution, etc.

Une des démarches importantes de modélisation est justement celle utilisée dans cet itinéraire, soit :

1° inscrire des données dans une table de valeurs ;
2° compléter la table ;
3° analyser et généraliser la table ;
4° représenter graphiquement ;
5° analyser et interpréter le graphique en regard de la situation réelle.

Modélise ces problèmes, puis résous-les.

Camping de fin de semaine

Huit personnes partent en camping pour 3 jours et doivent transporter leur eau potable. Elles ont lu dans un guide qu'un groupe de cinq personnes a besoin de 12,5 l d'eau par jour. Quelle quantité d'eau le groupe doit-il emporter ?

La réduction du taux d'alcool

Jasmin ajoute de l'eau pour réduire un litre d'alcool à 90 % en alcool à 10 %. Quelle quantité de liquide alcoolisée obtiendra-t-il à la fin de l'opération ?

La plus grande figure

Quel rectangle ayant des dimensions entières et un périmètre de 20 cm a en même temps la plus grande aire ?

La réunion de peintres

Josélito peut peindre une grande chambre en 2 h. Maria peut peindre la même chambre en 3 h. S'ils travaillaient ensemble, combien de temps leur faudrait-il pour peindre la chambre ?

Stratégie : Utiliser une table de valeurs ou un graphique.

La plus grande aire

Karine a reçu un lapin miniature pour son anniversaire. Pour l'été, elle veut lui aménager un enclos à l'arrière de la maison. Elle a trouvé dans le hangar de son père une clôture en grillage de 4 m de longueur. Pour gagner du terrain, elle décide d'utiliser le mur de la maison qui formera l'un des côtés de son enclos rectangulaire. Quelles doivent être les dimensions de son enclos pour obtenir une aire maximale ?

Le bon grain et l'ivraie

L'ivraie, c'est une mauvaise herbe. Une botaniste a examiné un terrain carré de 1 m de côté et a recensé 3 plants d'ivraie. En supposant que les plants soient répartis de façon uniforme, combien devrait-il y avoir de plants d'ivraie sur un terrain de 30 m de côté ?

Le vidéoclub

Un vidéoclub offre à ses clients et clientes deux options :

Option 1 : 20 $ pour l'abonnement plus 2 $ pour chaque location de film.
Option 2 : aucun frais d'abonnement mais 3 $ pour chaque location de film.

À partir de quel moment la première option est-elle plus avantageuse ?

Le plus grand rectangle

Le triangle rectangle ci-contre est isocèle et a une base de 8 cm. La hauteur relative à cette base est de 4 cm. Dans ce triangle, on construit un rectangle ayant un côté porté par la base. Quelle est l'aire du plus grand rectangle qu'on peut ainsi construire dans ce triangle ?

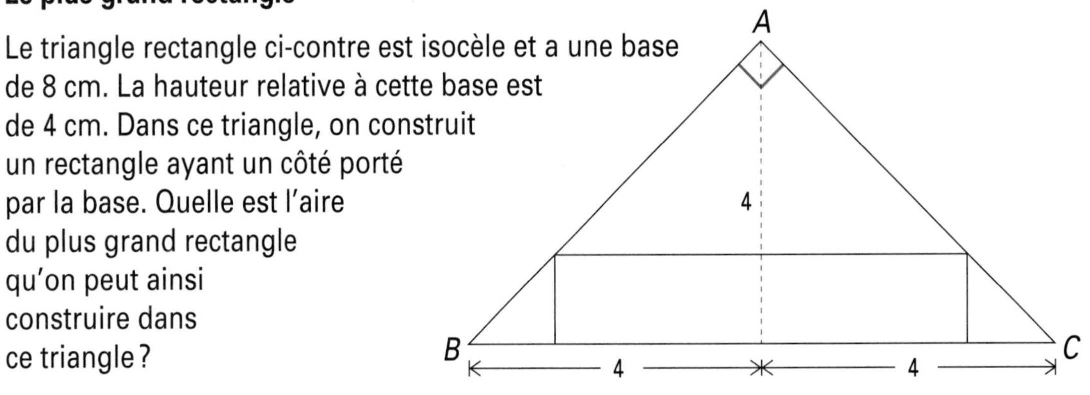

Projet Périmètre *versus* aire de rectangle

Recherche tous les rectangles différents qui ont des dimensions entières et dont le nombre qui indique le périmètre est le même que celui qui indique l'aire.

a) Comment un périmètre peut-il être égal à une aire? Explique ta réponse.

b) Comment peux-tu savoir si tu as trouvé tous les cas?

Les tables de valeurs et les graphiques peuvent nous aider à répondre à la seconde question.

c) Considérons les rectangles de longueur 1 et de largeur variable. On a construit une table de valeurs et un graphique cartésien montrant la relation entre la largeur et le périmètre, et entre la largeur et l'aire.

Rectangle de longueur 1

Largeur	Périmètre	Aire
1	4	1
2	6	2
3	8	3
4	10	4
5	12	5
6	14	6
...	...	...

Comparaison du périmètre et de l'aire avec une longueur constante de 1

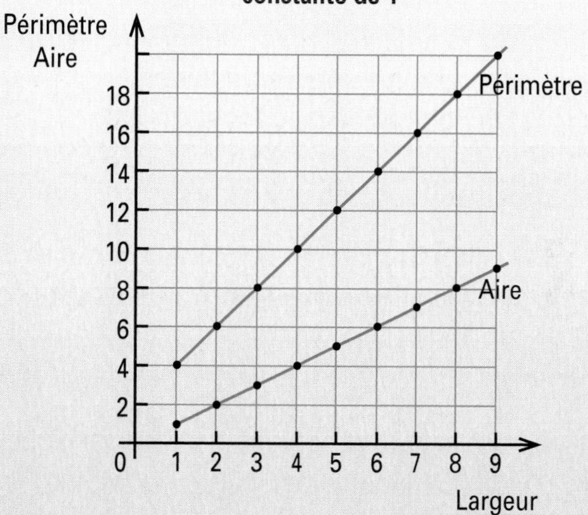

D'après la table de valeurs et le graphique, est-il possible d'avoir des rectangles de longueur 1 qui ont le même nombre pour exprimer leur périmètre et leur aire? Justifie ta réponse.

d) Construis les mêmes tables de valeurs et les mêmes graphiques pour des rectangles de longueur 2, ensuite de longueur 3, de longueur 4 et de longueur 5. Dans chaque cas, tire les conclusions qui s'imposent.

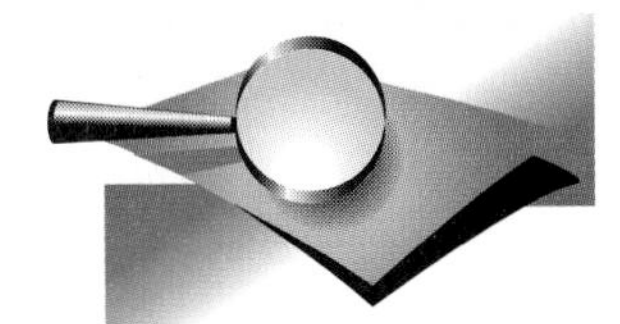

À LA LOGICOMATHÈQUE

DÉTECTEZ L'INTRUS

- Détermine lequel de ces 3 graphiques est un intrus.

A) **Aire de figures dont l'une des dimensions est constante et l'autre variable**

B) **Aire de figures dont l'une des dimensions est constante et l'autre variable**

C) **Aire de figures dont l'une des dimensions est constante et l'autre variable**

Aire

18
16
14
12
10
8
6
4
2

0 1 2 3 4 5 6 7 8 9 10
Hauteur

À LA MENSA

- Trouve la règle de la relation qui associe le nombre de droites et le nombre de points d'intersection, sachant que toutes les droites doivent se couper deux à deux.

- Trouve la règle de la relation qui associe le nombre de côtés du polygone et le nombre de diagonales.

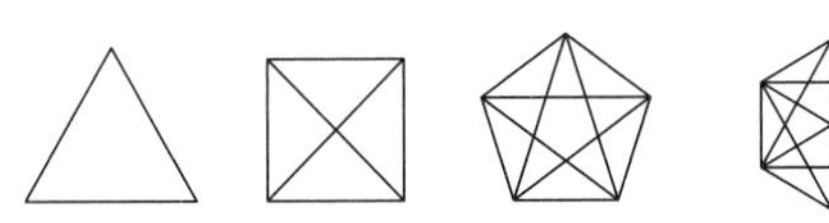

PROUVE-LE DONC!

- À l'aide d'une règle, démontre que la mesure de l'arc d'un secteur dans un cercle de 10 cm de rayon est directement proportionnelle à la mesure n en degrés de l'angle au centre.

SUR LES TRACES DE LOGIC

- Un prisonnier se voit remettre un plan accompagné de la note suivante :

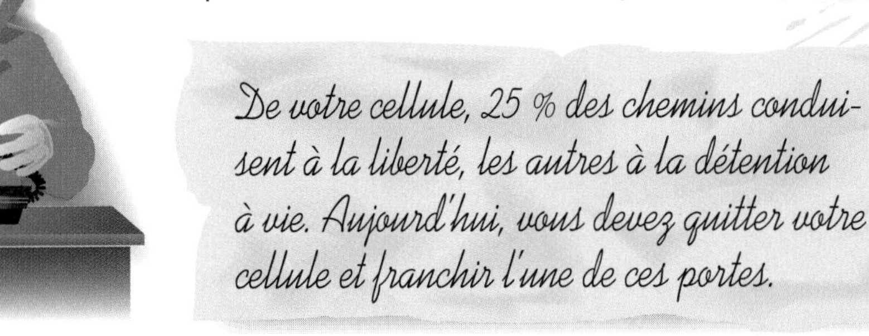

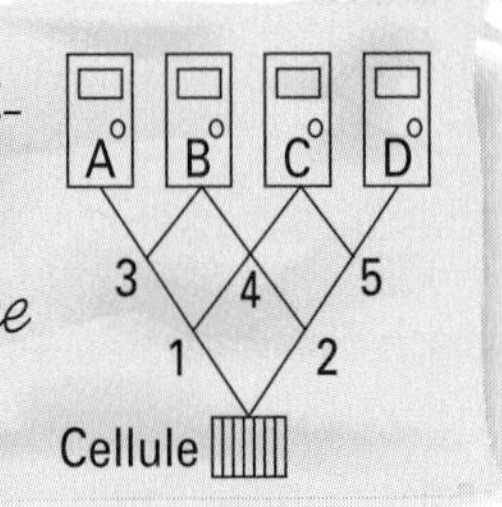

Ne voulant prendre aucun risque, le prisonnier téléphone à Logic pour lui expliquer la situation. Logic lui indique immédiatement une sortie vers la liberté.

Explique le raisonnement qu'il a dû faire.

Je connais la signification des expressions suivantes :

Relation : lien qui existe entre deux variables d'une situation ou association entre deux ensembles de données.

Variable indépendante : quantité qui, variant dans une situation, entraîne généralement la variation d'une autre quantité de la situation.

Variable dépendante : quantité qui généralement varie conséquemment à la variation d'une autre quantité.

Table de valeurs : table présentant des couples de valeurs associées par une relation.

Règle : expression algébrique traduisant une régularité entre des variables d'une situation.

Graphique cartésien : ensemble de points ou ligne tracée dans un plan cartésien correspondant aux couples de valeurs associées par la relation.

Situation de variation

- nulle : situation dans laquelle la variable dépendante conserve la même valeur;
- directe : situation dans laquelle les valeurs prises par les variables sont proportionnelles;
- partielle : situation dans laquelle les valeurs associées ne sont pas proportionnelles mais dont le rapport des variations est constant;
- inverse : situation dans laquelle le produit des valeurs associées est constant.

Je maîtrise les habiletés suivantes :

Déterminer la variable dépendante et la variable indépendante d'une relation.

Représenter une relation (ou sa règle) par une table de valeurs.

Représenter une relation (ou sa règle) par un graphique.

Interpréter (décrire en mots) la relation entre deux variables décrites par une table de valeurs ou un graphique en regard d'une situation donnée.

Donner en ses propres mots les principales caractéristiques d'une relation.

Relation entre variables

1. On pèse plus dans l'air que dans l'eau. On considère la relation entre les poids d'objets pesés dans l'air et dans l'eau. **Laquelle de ces deux variables** est-il préférable de considérer comme variable indépendante ?

2. On prescrit un médicament pour une certaine maladie. La dose à prendre est en relation avec l'âge de la personne malade. Ainsi, des médecins recommandent une dose de 10 g de ce médicament pour des enfants de 0 à 5 ans en l'augmentant de 10 g à chaque tranche de 5 ans par la suite.

   a) **Laquelle des variables** (âge ou dose) est la **variable dépendante** ?

   b) **Construis une table de valeurs** montrant cette relation pour des âges multiples de 5.

3. **Décris en mots** la relation que tu observes entre ces deux suites de motifs.

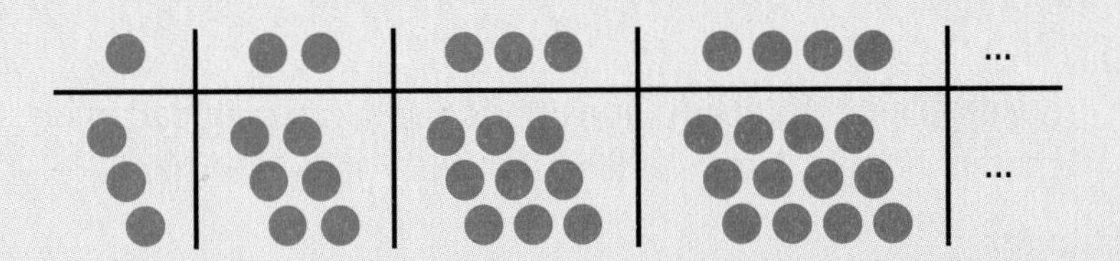

4. Dave prend le métro à une station et descend 3 stations plus loin. **Esquisse un graphique** montrant la relation entre :

   a) le temps qui s'écoule et la vitesse de la rame de métro ;

   b) le temps qui s'écoule et la distance parcourue depuis que Dave est monté dans la rame.

5. Martine a 10 pièces de 1 $ et décide de les jouer dans une machine à sous. Elle joue une pièce à la fois. À la quatrième et sixième tentatives, elle gagne respectivement 5 $ et 2 $. Dame chance ne lui ayant plus souri, elle a tout perdu. On considère la relation entre le nombre de tentatives et l'avoir de Martine après chaque tentative.

   a) **Laquelle des variables** « tentative » ou « avoir » est-il préférable de considérer comme **variable dépendante** ?

   b) **Construis une table de valeurs** de cette relation.

   c) **Trace un graphique cartésien** montrant cette relation.

6. Voici le graphique de la relation entre le temps qui passe et la distance parcourue par un bolide.

   a) **Quelle est la variable dépendante** ?

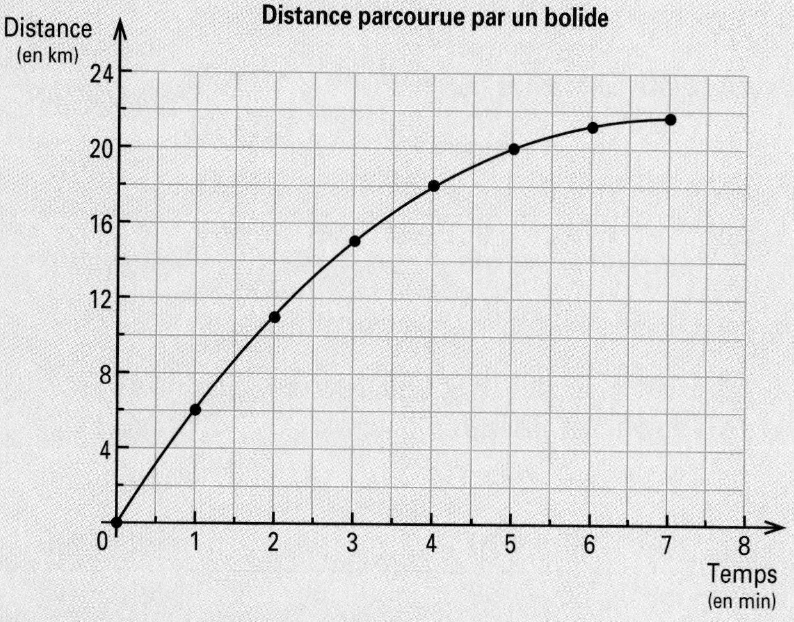

   b) **Construis une table de valeurs** de cette relation.

   c) **Décris en mots** la relation que tu observes.

   d) **Esquisse un graphique** de la vitesse du bolide pour chaque minute.

7. On a chauffé différentes quantités d'eau pendant 2 min et on a observé les augmentations de température. Voici une table des valeurs observées.

Réchauffement de différentes quantités d'eau

Quantité d'eau (en ml)	Augmentation de température (en °C)
100	24,0
200	12,0
300	8,0
400	6,0
500	4,8

   a) **Laquelle** de ces variables est-il préférable de choisir comme **variable indépendante** ?

   b) **Trace le graphique cartésien** de cette relation.

   c) **Décris en mots** la relation observée.

   d) **Donne deux caractéristiques** importantes de cette relation.

8. La température extérieure en degrés Celsius peut être estimée à partir du nombre x de cricris que fait un grillon en 15 s. La température est approximativement donnée par la formule suivante :

$t = \frac{x}{2} + 3$ dans laquelle x est le nombre de cricris en 15 s.

a) **Reproduis** et **complète** cette table de valeurs.

Mesure de la température

Nombre de cricris en 15 s	6	8	10	12	14	16	18	20	22
Température (en °C)	■	■	■	■	■	■	■	■	■

b) **Donne deux caractéristiques** importantes de cette relation.

9. En couture, les patrons donnent la relation suivante entre les mesures en centimètres de la poitrine et celles des hanches.

Mesures de patrons

Tour de poitrine (en cm)	78	80	83	87	92	97	102	107	112
Tour de hanches (en cm)	83	85	88	92	97	102	107	112	117

Donne deux caractéristiques importantes de cette relation.

10. À la papeterie, on offre deux crayons pour 1 $.

a) **Trace un graphique** montrant la relation entre le nombre de crayons et le coût.

b) **Donne deux caractéristiques** importantes de cette relation.

11. Résous ce problème en utilisant une table de valeurs.

On considère que la poussée exercée par le vent sur une voile est proportionnelle à l'aire de la voile. À un certain vent, une voile carrée de 2 m de côté reçoit une poussée de 8 newtons et, au même vent, une voile carrée de 3 m de côté reçoit une poussée de 18 newtons. **Trouve** la poussée reçue par une voile carrée de 4 m de côté au même vent.

ITINÉRAIRE 3

LA RELATION DE PYTHAGORE

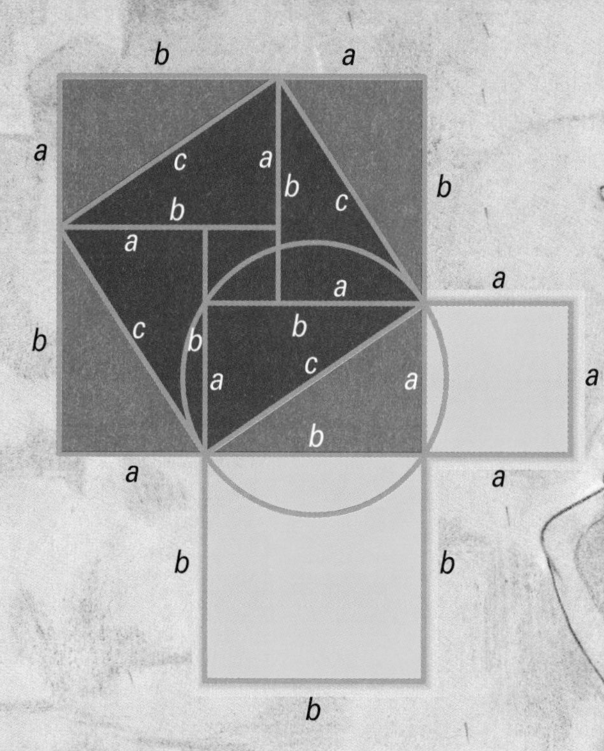

Les grandes idées :

- Triangle rectangle.
- Relation entre les côtés.
- Nombres rationnels et nombres irrationnels.
- Droite des nombres réels.

Objectif terminal :

Résoudre des problèmes en utilisant la relation de Pythagore.

... VERS LA RELATION ENTRE LES CÔTÉS D'UN TRIANGLE RECTANGLE

LA RELATION DE PYTHAGORE

Au VIe siècle av. J.-C., près de Crotone au sud de l'Italie, vivait une secte dont le chef se faisait appeler Pythagore. Ce dernier était disciple du grand sage Thalès de Milet, considéré comme le fondateur des mathématiques grecques. Retrouvons les deux hommes qui conversent par un bel après-midi de printemps.

Activité 1 Aire d'un carré et racine carrée

On connaît bien la relation entre la mesure du côté du carré et son aire.

a) Complète cette table de valeurs pour illustrer cette relation.

c (en unités)	0	1	2	3	4	5	6	7	8	9	10	...
A (en unités carrées)	■	■	■	■	■	■	■	■	■	■	■	...

b) Dans cette relation, quelle est la variable indépendante? la variable dépendante?

c) Complète la règle de cette relation : $A =$ ■.

d) Quelle expression algébrique représente l'aire des carrés dans chaque cas ?

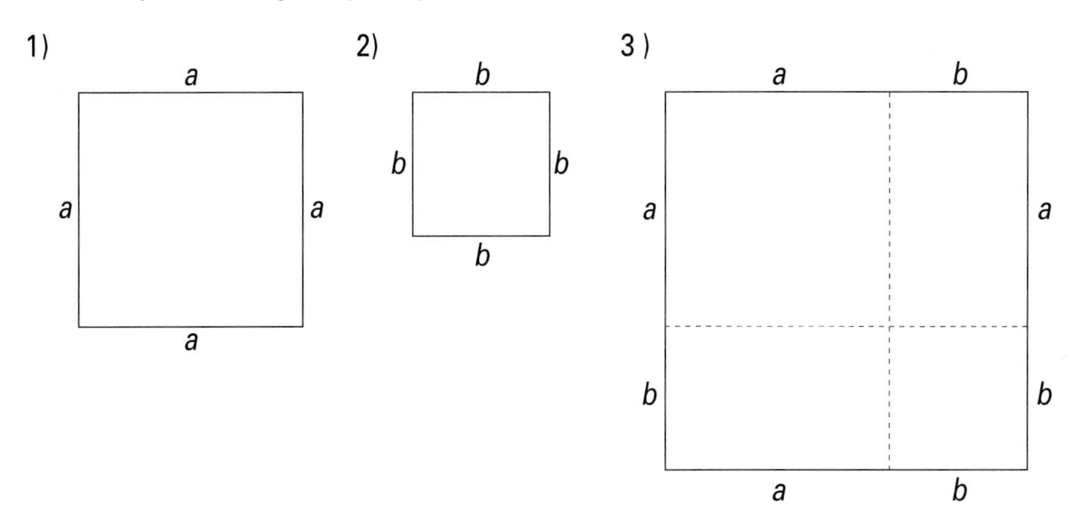

e) Observons la relation dans laquelle l'aire joue le rôle de la variable indépendante et la mesure du côté celui de la variable dépendante. Complète cette table.

A (en unités carrées)	0	1	2	3	4	5	6	7	8	9	10	...
c (en unités)	0	1	$\sqrt{2}$	$\sqrt{3}$	■	■	■	■	■	■	■	...

f) Quelle opération faut-il effectuer pour calculer la mesure du côté d'un carré à partir de son aire ?

g) Complète la règle de cette dernière relation : $c =$ ■.

h) À partir de l'aire donnée, détermine la mesure du côté de chacun de ces carreaux.

Activité 2 Le triangle rectangle

a) Choisissez trois bâtonnets dont les mesures sont des nombres entiers et construisez un triangle.

b) Pour construire un triangle, les trois bâtonnets choisis peuvent-ils être de n'importe quelle longueur ?

c) Y a-t-il un ou une élève de la classe qui a construit un triangle rectangle ? Si oui, quelles sont les mesures de ses bâtonnets ?

d) Comment peut-on être sûr qu'il s'agit bien d'un triangle rectangle ?

Allons plus loin dans notre étude des triangles rectangles.

e) À partir de deux bâtonnets de 4 et 6 unités, et d'un troisième à déterminer, combien de triangles rectangles différents peut-on construire ? Construisez ces triangles rectangles.

f) À l'aide de la règle, déterminez la longueur du troisième bâtonnet qui complète la construction de ces triangles rectangles.

Le plus long côté d'un triangle rectangle est appelé l'**hypoténuse** et les deux côtés formant l'angle droit sont appelés les **cathètes.**

g) Combien de triangles rectangles différents peut-on faire avec deux bâtonnets placés en position des cathètes ?

Cela veut dire que si l'on donne la longueur des deux cathètes, la longueur de l'hypoténuse ne peut plus varier.

h) Les cathètes d'un triangle rectangle mesurent 6 et 8 unités. Trouvez la mesure de l'hypoténuse à partir de la construction proposée.

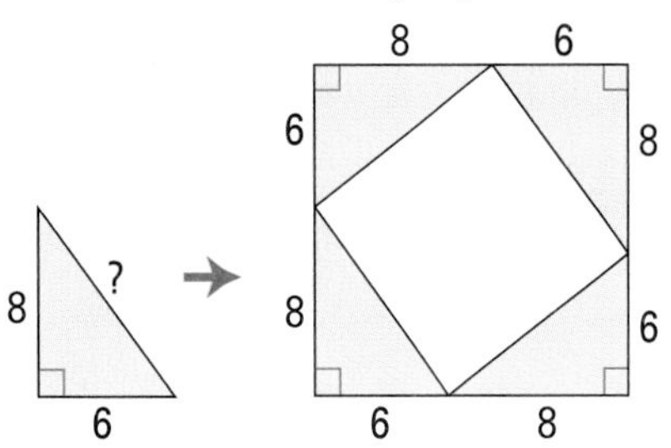

i) Quelle relation y a-t-il entre les trois nombres 6, 8 et 10 ?

j) Quelle relation y a-t-il entre les mesures des côtés d'un triangle rectangle ?

On peut s'en convaincre en construisant un carré ayant une aire en unités carrées de c^2 à l'aide de 4 triangles rectangles congrus que l'on déplace pour former deux carrés ayant respectivement une aire en unités carrées de a^2 et de b^2.

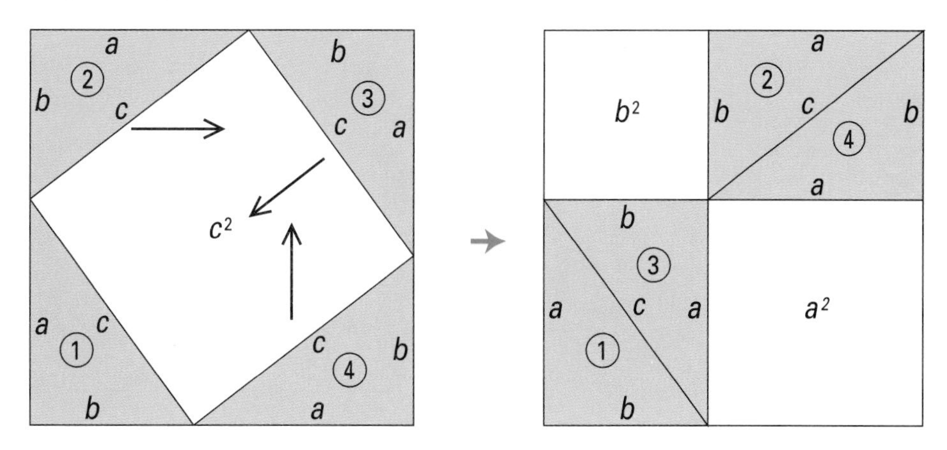

On peut s'en convaincre par une preuve algébrique plus rigoureuse.

k) Il suffit de comparer les aires des carrés *DEFG* en première et troisième position.

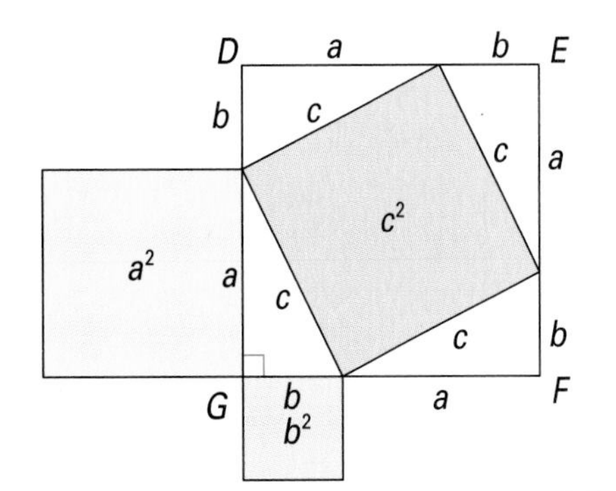

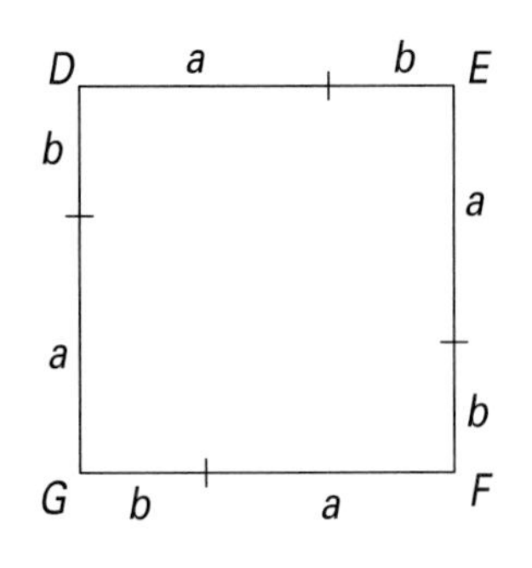

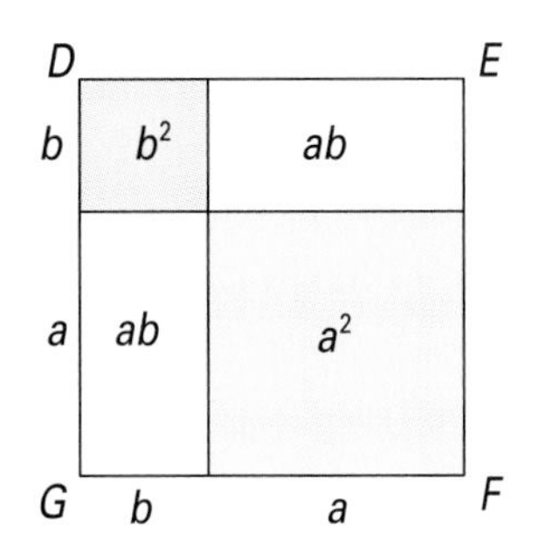

Complétez les égalités suivantes. **Aire du carré *DEFG* = c^2 + ■ = $a^2 + b^2$ + ■**

En soustrayant 2***ab*** de chaque côté de l'égalité, on obtient la relation désirée.

$$c^2 = a^2 + b^2$$

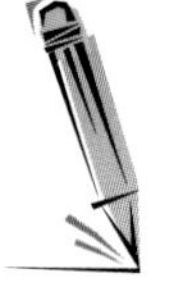

Cette relation s'énonce comme suit :

Dans un triangle rectangle, **le carré de l'hypoténuse est égal à la somme des carrés des cathètes.**

l) On sait que $c^2 = a^2 + b^2$. Mais que vaut c ? Qui a raison ?

m) Si $c^2 = a^2 + b^2$, alors que vaut :

1) a^2 ?   2) a ?   3) b^2 ?   4) b ?

n) Toi, qui fais partie de la 75e génération environ depuis Pythagore, calcule la mesure manquante dans chacun des triangles rectangles sur les drapeaux que l'on peut observer ci-dessous .

1) 2) 3)

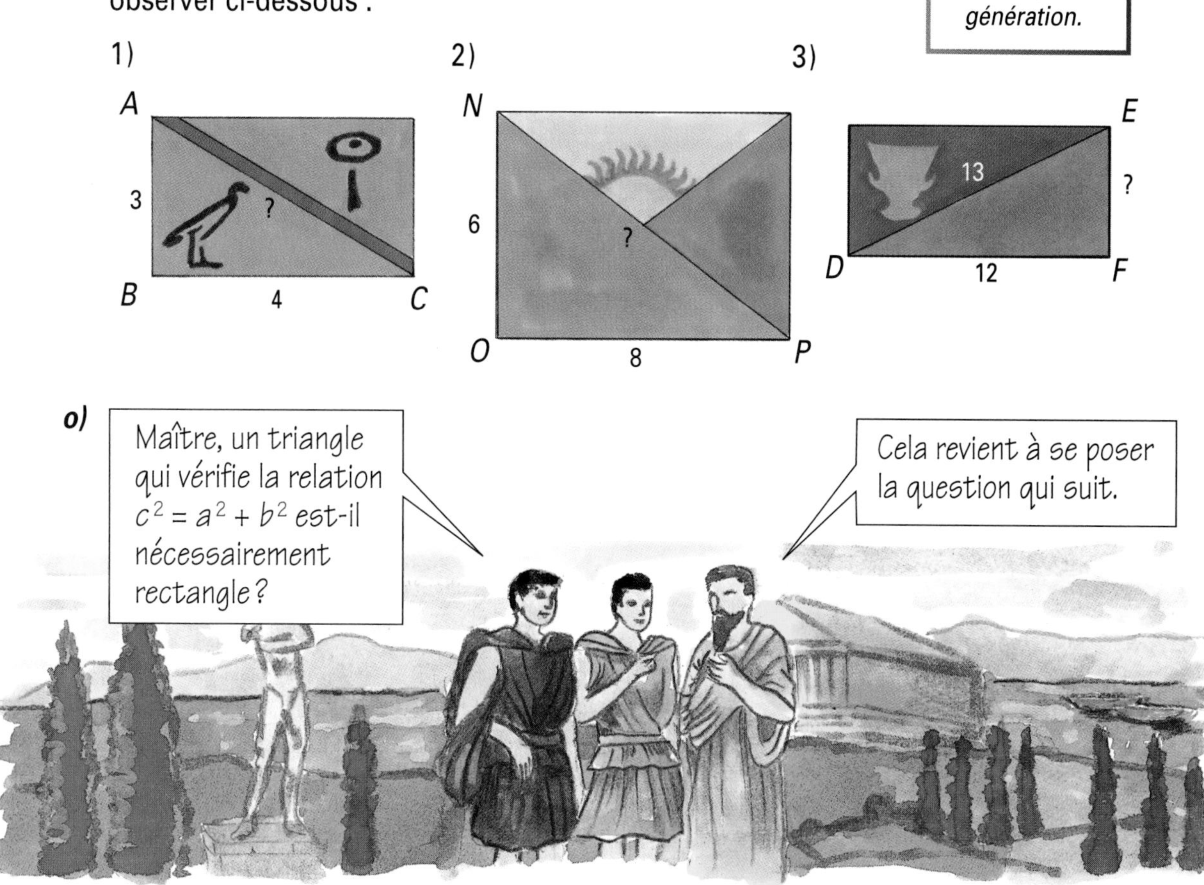

o)

Est-il possible de construire deux triangles rectangles ayant les mêmes cathètes et qui ne sont pas superposables ?

Cela nous assure de la propriété suivante :

Un triangle dont les mesures des côtés vérifient la relation $c^2 = a^2 + b^2$ est un triangle rectangle.

p) Détermine si les triangles suivants sont rectangles.

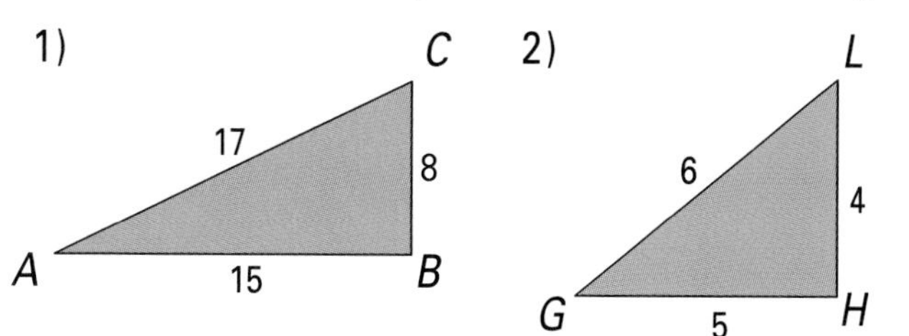

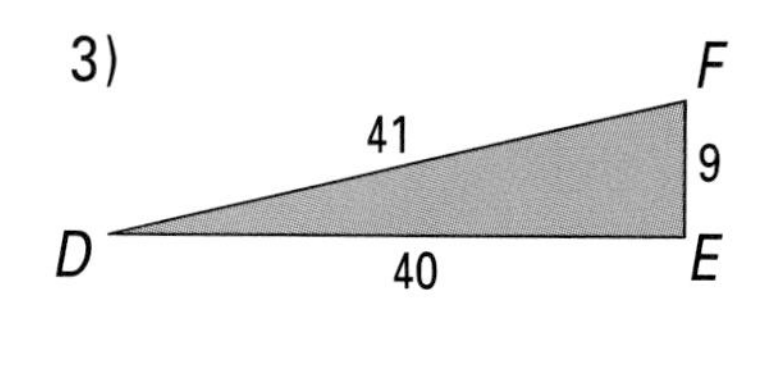

Depuis Pythagore, nombreux sont ceux et celles qui se sont intéressés à cette relation. Cet intérêt témoigne de sa richesse. On a même fabriqué de nombreux casse-tête qui tentent de l'exprimer. En voici quelques-uns.

Activité 3 Des casse-tête à réaliser

a) Détermine le point *P* symétrique de *A* par rapport à $\overline{CB}$. Ensuite, juxtapose les deux carrés *ACDE* et *CBRS* comme le montre la seconde illustration. Trace $\overline{BP}$ et $\overline{PC}$ et découpe suivant ces lignes. Reconstitue le carré *ABMN* à l'aide des 5 pièces obtenues.

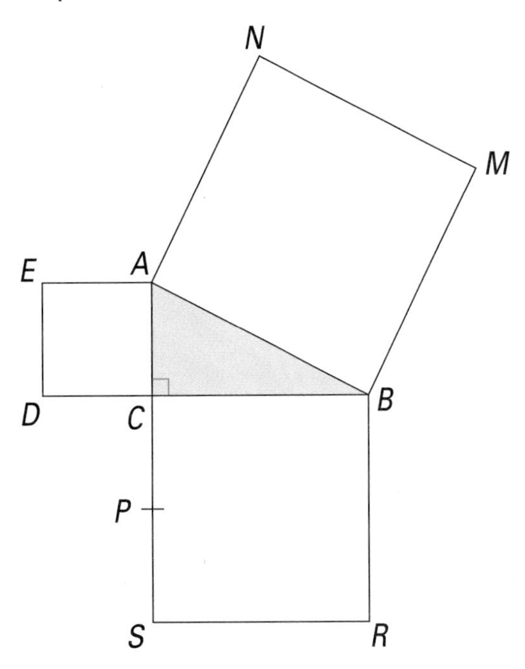

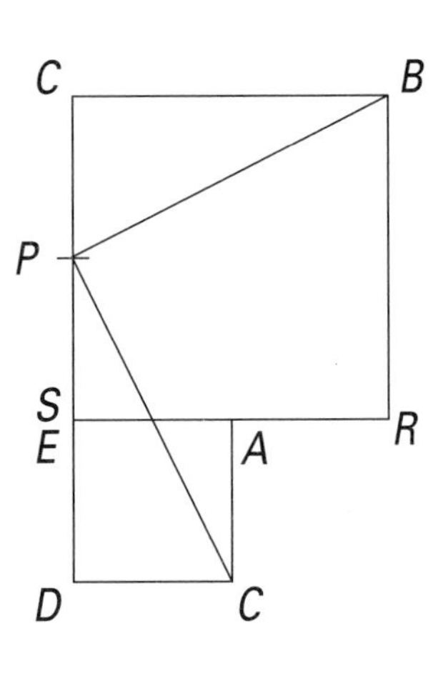

b) Reproduis le dessin ci-dessous sur une feuille. Trouve le centre *O* du carré correspondant au côté *a* du triangle et trace, à partir de ce point, une droite perpendiculaire à l'hypoténuse et une autre parallèle à l'hypoténuse du triangle.

Découpe les 4 morceaux ainsi formés et le carré de côté *b*. Reconstitue ensuite le carré de côté *c*.

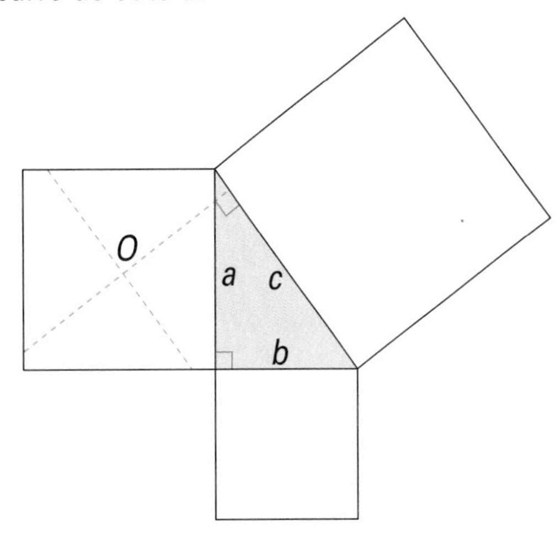

Sur cette gravure italienne du XVe siècle, Pythagore fait une expérience musicale au moyen de cordes sous tension. Il fut le premier à comprendre que la gamme avait des fondements mathématiques.

Activité 4 Pick et Pythagore

Un dénommé Pick a observé qu'il est possible dans un géoplan de calculer l'aire d'un polygone en utilisant le nombre de points du géoplan sur le contour du polygone et le nombre de points à l'intérieur du polygone. Il a observé que l'aire (A) est égale à la moitié du nombre (b) de points sur le contour du polygone augmentée du nombre (i) de points à l'intérieur et diminuée de 1. Ainsi, il obtient la relation :

$$A = \left(\frac{b}{2}\right) + i - 1$$

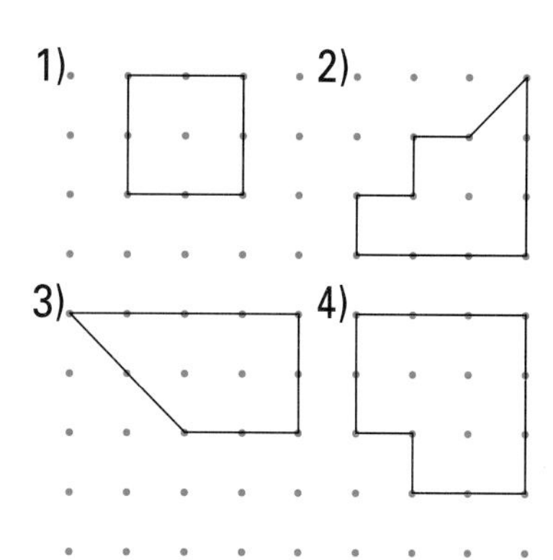

a) Calcule l'aire de ces polygones en utilisant la formule de Pick.

La relation de Pick confirme la relation de Pythagore. Il suffit de calculer l'aire du carré complété sur l'hypoténuse du triangle rectangle. On déduit alors la mesure de l'hypoténuse à partir de l'aire du carré. On peut constater par la suite la véracité de la relation de Pythagore.

$$\text{Aire de } ABCD = \frac{4}{2} + 12 - 1$$
$$= 13$$

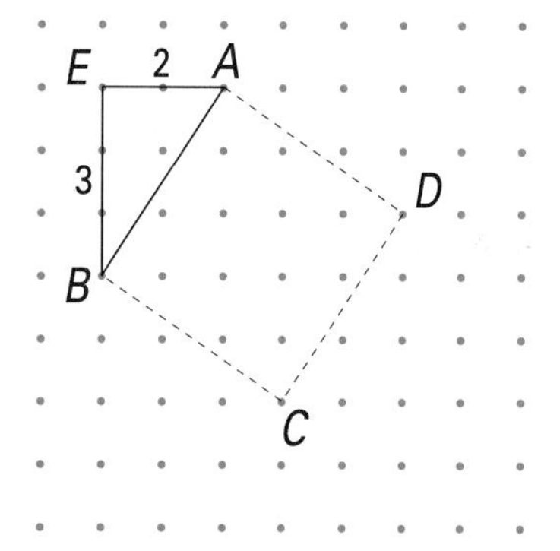

Comme l'aire du carré est de 13 unités carrées, l'hypoténuse mesure $\sqrt{13}$ unités et ce nombre vérifie la relation de Pythagore :

$$(\sqrt{13})^2 = 3^2 + 2^2$$

b) Dans chaque cas, complète le carré sur l'hypoténuse, puis calcule l'hypoténuse en utilisant la formule de Pick.

1)

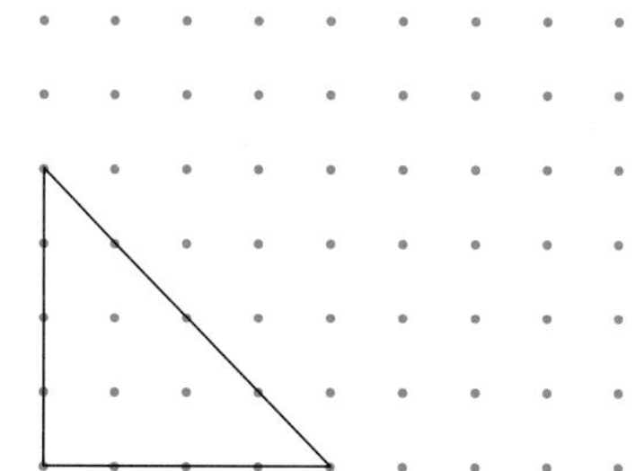

2)

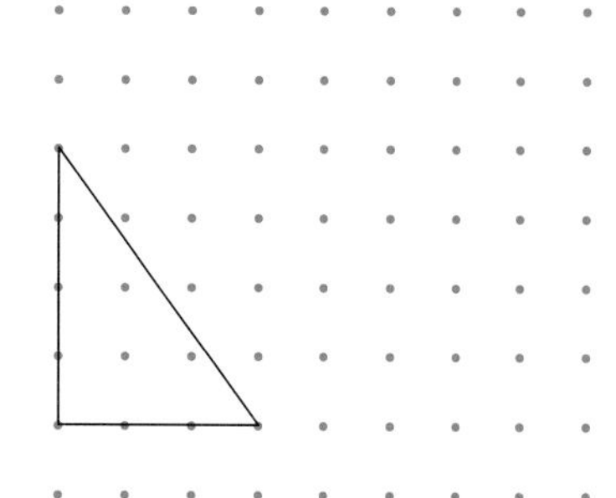

1 Avec une précision de deux décimales, calcule la mesure de l'hypoténuse dans chacun des triangles rectangles illustrés ci-dessous.

a)

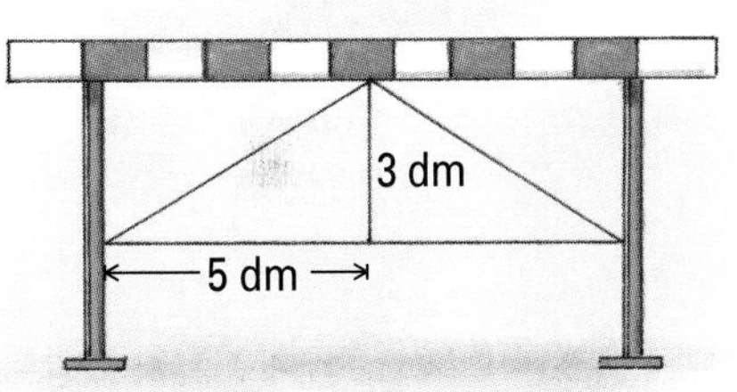

b)

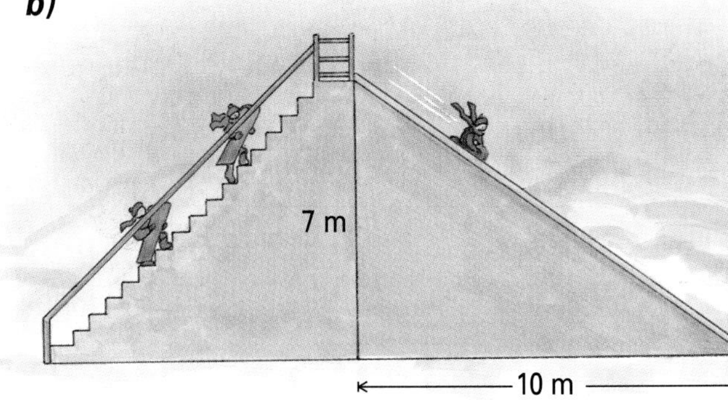

c)

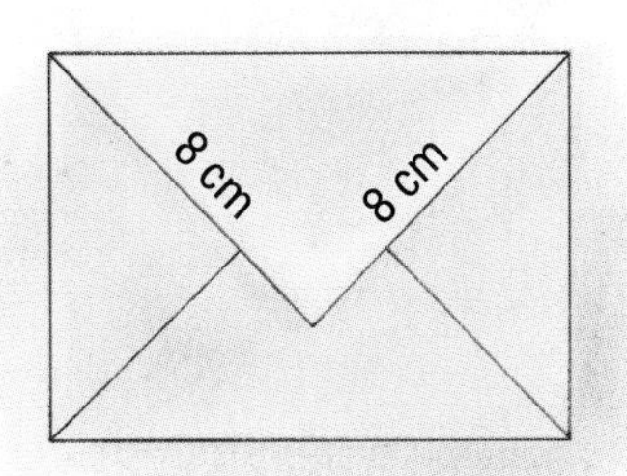

d)

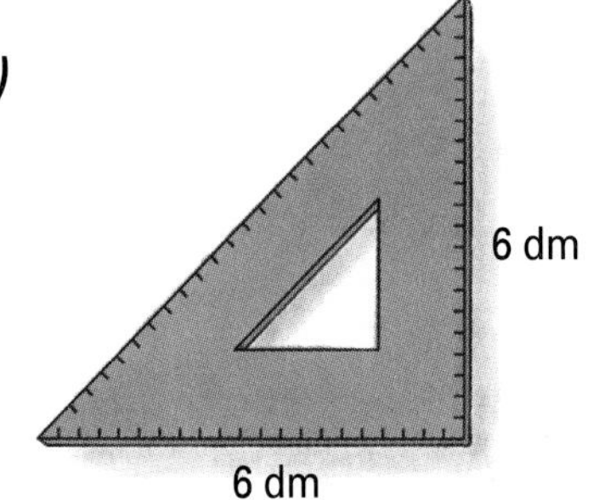

2 Avec une précision de deux décimales, détermine la mesure de la cathète représentée par une variable dans les triangles rectangles illustrés.

a)

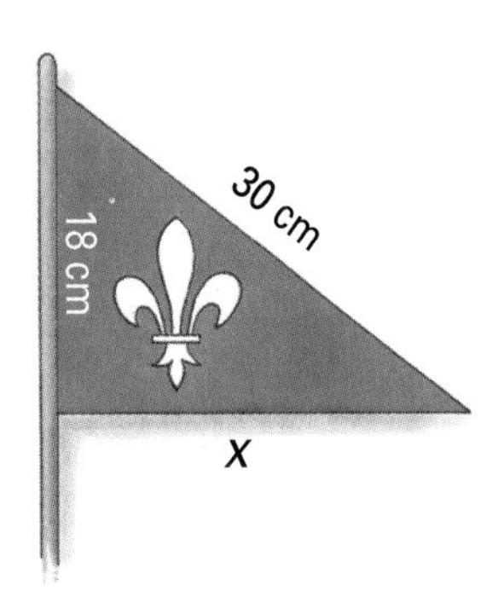

b)

c)

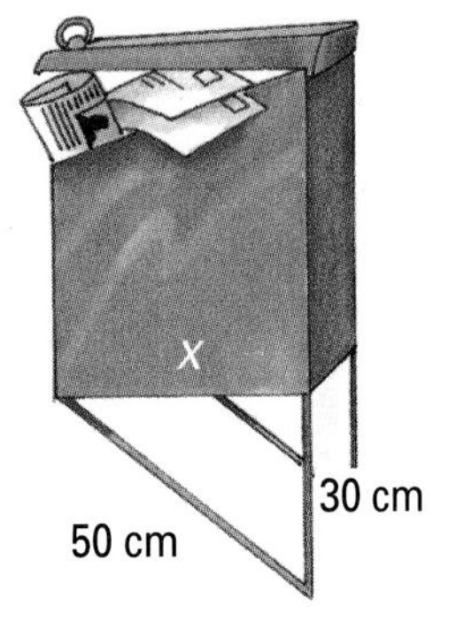

d)

3 Reproduis et complète ce tableau, sachant que *r*, *s* et *t* représentent les mesures, en centimètres, des côtés de triangles rectangles.

Relation dans le triangle rectangle

	Cathètes		Hypoténuse
	r	*s*	*t*
a)	9	12	■
b)	7	■	25
c)	■	8,4	8,5
d)	3,6	■	8,5
e)	3,9	5,2	■
f)	■	$\frac{9}{2}$	$\frac{15}{2}$
g)	28	45	■
h)	■	$\frac{24}{5}$	$\frac{26}{5}$
i)	■	6,3	8,7
j)	33	56	■

4 La queue de l'ombre forme un angle droit dont chaque côté mesure 2,8 cm. Quelle distance sépare les extrémités de la queue ?

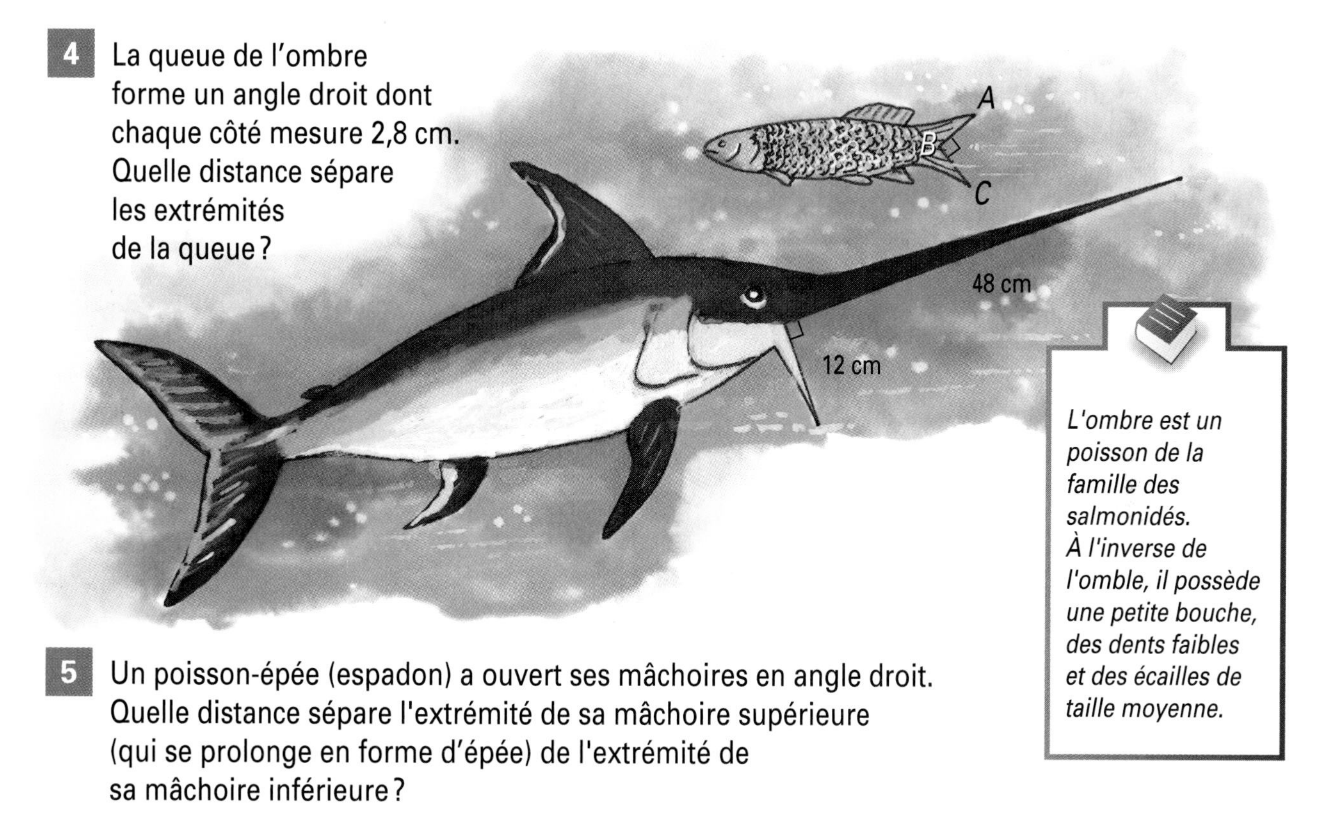

L'ombre est un poisson de la famille des salmonidés. À l'inverse de l'omble, il possède une petite bouche, des dents faibles et des écailles de taille moyenne.

5 Un poisson-épée (espadon) a ouvert ses mâchoires en angle droit. Quelle distance sépare l'extrémité de sa mâchoire supérieure (qui se prolonge en forme d'épée) de l'extrémité de sa mâchoire inférieure ?

6 On désigne la grandeur d'un écran de téléviseur par la mesure de sa diagonale. L'écran d'un téléviseur dont la diagonale mesure 68,5 cm a une largeur de 56 cm. Quelle est la hauteur de l'écran ?

7 Calcule le périmètre de cette figure à l'aide du quadrillage.

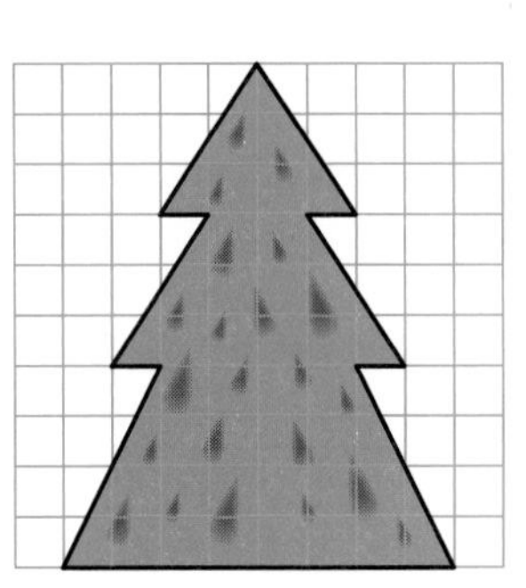

8 Calcule la mesure inconnue dans chacun des triangles rectangles donnés.

a)

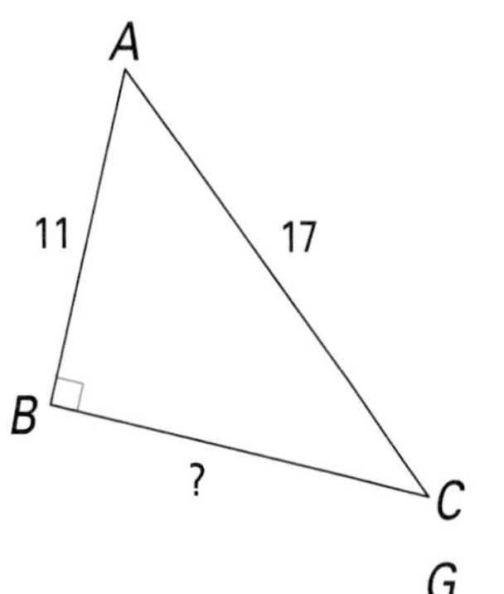

b)

D
24
?
E
21
F

c)

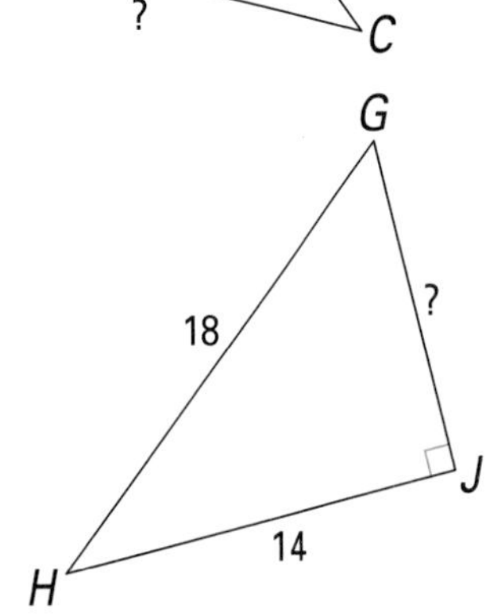

d)

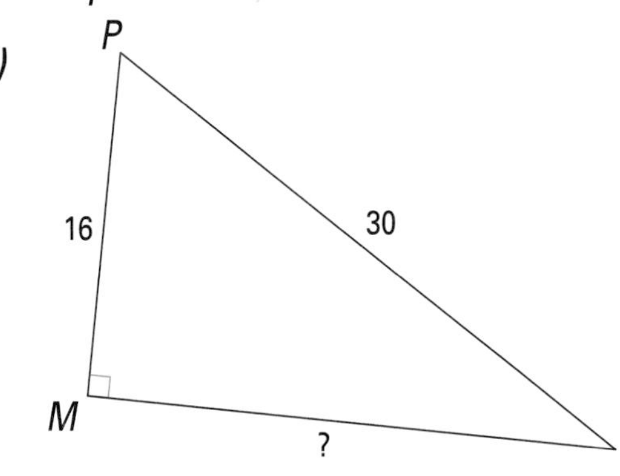

9 Détermine le périmètre de ce trapèze rectangle.

A 12 B
8
?
D 18 C

10 Une chèvre est attachée au coin C d'un pré carré de 40 m de côté.

a) Quelle doit être, au minimum, la longueur de la corde pour que la chèvre puisse brouter partout dans le pré?

b) Giovanni dit qu'avec la moitié de cette corde il obtient le même résultat en attachant la chèvre ailleurs. À quel endroit Giovanni attache-t-il la chèvre?

11 La ligne de jeu d'un terrain de baseball décrit un carré de 27,5 m de côté. Le joueur du deuxième but lance la balle au marbre. Quelle est la longueur de la trajectoire de la balle?

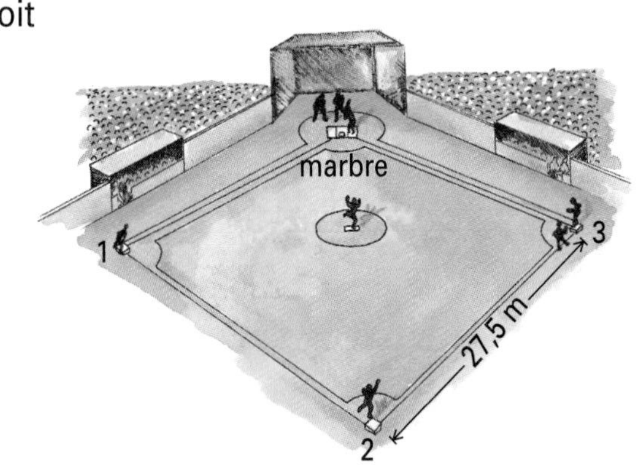

12 Détermine les longueurs représentées par les variables *a*, *b*, *c*, *d*, *e* et *f* dans cette figure.

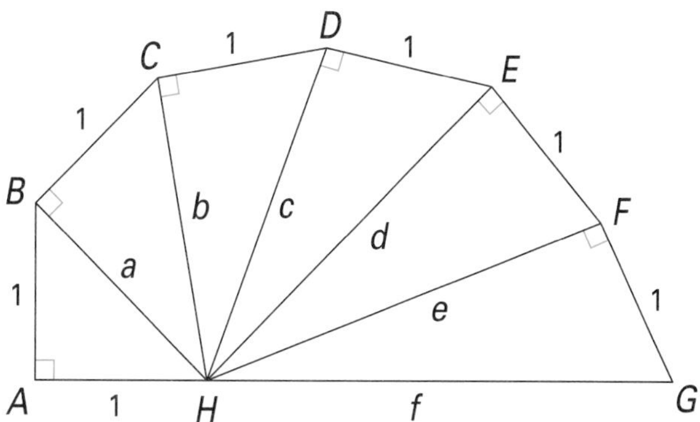

13 Un triplet pythagoricien correspond à trois nombres qui vérifient la relation de Pythagore. Indique si le triplet donné est pythagoricien.

a) (8, 17, 18) ***b)*** (7, 24, 25) ***c)*** (9, 40, 41) ***d)*** (0,4 ; 0,9 ; 1,3)

14 Analyse la régularité dans cette suite de triplets pythagoriciens et ajoute deux autres triplets pythagoriciens.

$(3, 4, 5) \mapsto (6, 8, 10) \mapsto (9, 12, 15) \mapsto ...$

15 Observe le modèle suivant et complète les triplets pythagoriciens.

$\frac{1}{2} + \frac{1}{4} = \frac{3}{4} \mapsto (3, 4, 5)$

$\frac{1}{4} + \frac{1}{6} = \frac{5}{12} \mapsto (5, 12, ■)$

$\frac{1}{6} + \frac{1}{■} = \frac{■}{■} \mapsto (■, ■, ■)$

$\frac{■}{■} + \frac{■}{■} = \frac{■}{■} \mapsto (■, ■, ■)$

16 Peut-on former des triplets pythagoriciens sur un modèle semblable mais en utilisant des dénominateurs impairs ? Si oui, donne un exemple.

17 Une jardinière est en train d'aménager un parterre de forme triangulaire. Elle a planté 3 piquets. Ils sont distants de 4,6 m, 3 m et 3,5 m. Le parterre aura-t-il la forme d'un triangle rectangle ?

18 Les côtés d'un terrain triangulaire mesurent respectivement 20 m, 99 m et 101 m. Ce terrain a-t-il la forme d'un triangle rectangle ? Si oui, calcule son aire.

19 Jean-Lou affirme que si on prend un triplet pythagoricien et qu'on multiplie les trois nombres par un même facteur, on obtient un autre triplet pythagoricien. Donne un exemple de cette affirmation.

20 Le triplet $(\frac{4}{3}, \frac{7}{5}, \frac{29}{15})$ est-il pythagoricien ? Justifie ta réponse.

21 Dans une colonie de vacances, on a proposé de faire une chasse au trésor. Le plan est le suivant :

Se rendre au grand pin. De là, parcourir 45 m vers l'EST. Ensuite, marcher 17 m vers le NORD, puis 12 m vers l'OUEST et 5 m vers le NORD. Par la suite, parcourir 9 m vers l'EST et 14 m vers le NORD. Enfin, marcher 2 m vers l'OUEST et 6 m vers le SUD. C'est à cet endroit que le trésor se trouve.

a) Représente cette situation par un dessin.

b) Calcule la distance en ligne droite du grand pin au trésor.

22 La figure *ABCD* est un rectangle. D'après les mesures données,

a) calcule l'aire du triangle *CMN*;

b) calcule le périmètre du triangle *CMN*.

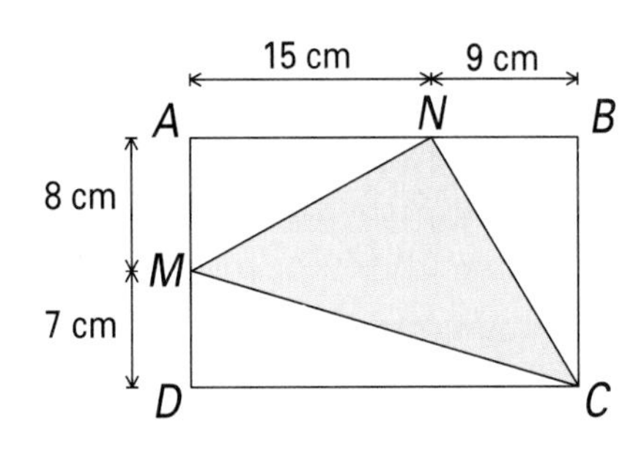

23 Les diagonales d'un losange mesurent respectivement 16 mm et 24 mm. Calcule le périmètre de ce losange en centimètres. Justifie chaque étape de ta démarche par un énoncé géométrique.

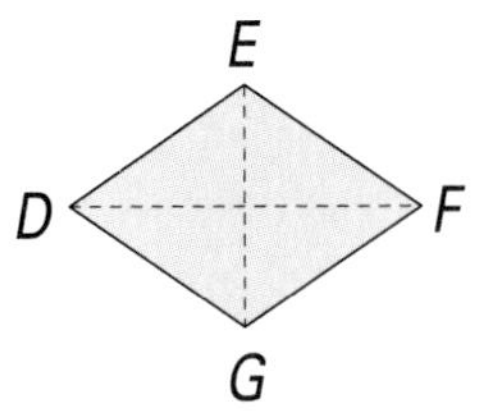

24 On assemble quatre triangles rectangles congrus de manière à former la figure ci-contre.

a) Calcule l'aire du carré *ABCD*.

b) Calcule l'aire d'un des quatre triangles rectangles.

c) Calcule l'aire du carré *RSTU* de deux manières différentes.

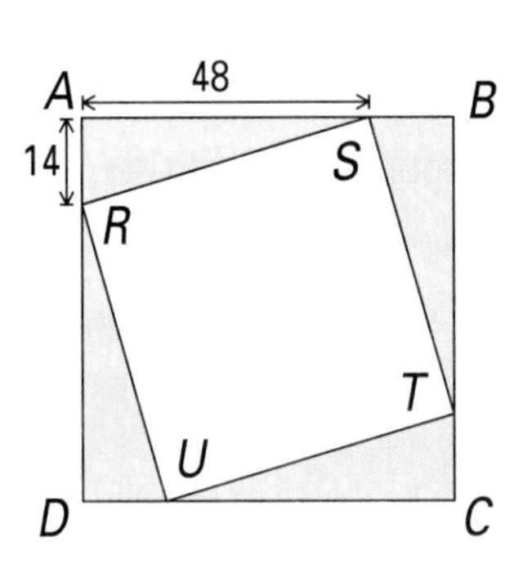

25 Un édifice de dix étages est en flammes. Chaque étage a 4 m de haut et l'échelle du camion de pompiers est à 1,8 m du sol. Quelle longueur d'échelle faut-il déployer pour sauver quelqu'un situé au neuvième étage? Le pied de l'échelle est à 12 m de l'édifice.

Comment l'eau peut-elle éteindre le feu ?

26 Un cylindre a un rayon de 4 cm et une hauteur de 12 cm. Quelle longueur doit avoir un ruban décoratif qui ferait le tour du cylindre en allant du sommet jusqu'à la base si le point de départ est vis-à-vis le point d'arrivée ? Justifie les étapes de ta démarche.

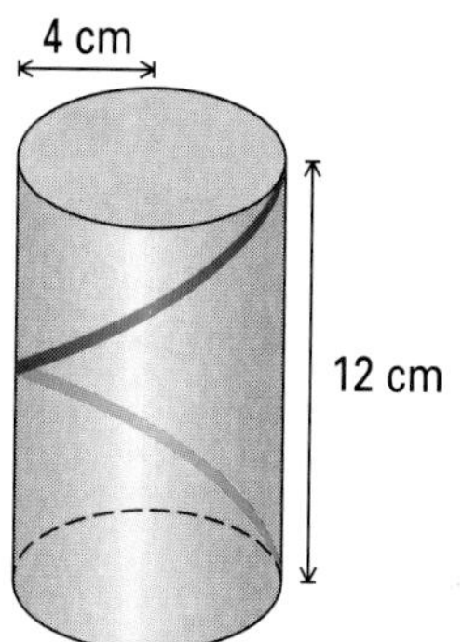

27 Chaque jour, Luc et sa conjointe Lina font une marche jusqu'au parc du quartier. Ce parc de forme rectangulaire mesure 200 m sur 300 m. Arrivés au parc, Luc longe deux côtés du parc pendant que Lina traverse le parc en diagonale. Ils se rejoignent alors pour terminer leur marche ensemble. Quelle distance Luc a-t-il parcourue de plus que Lina?

28 Charlotte a planté 3 rosiers. Les distances entre les rosiers sont de 25 m, 12 m et 22,5 m. Ces rosiers sont-ils les sommets d'un triangle rectangle? Justifie ta réponse.

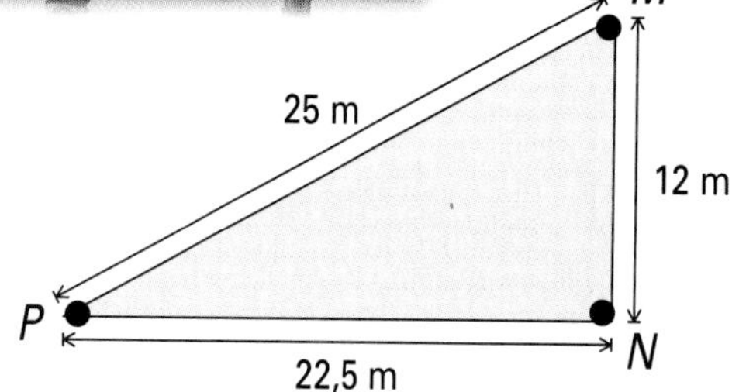

29 Montre numériquement que le triangle ACB est ou n'est pas rectangle à partir des données fournies sur la figure ci-contre.

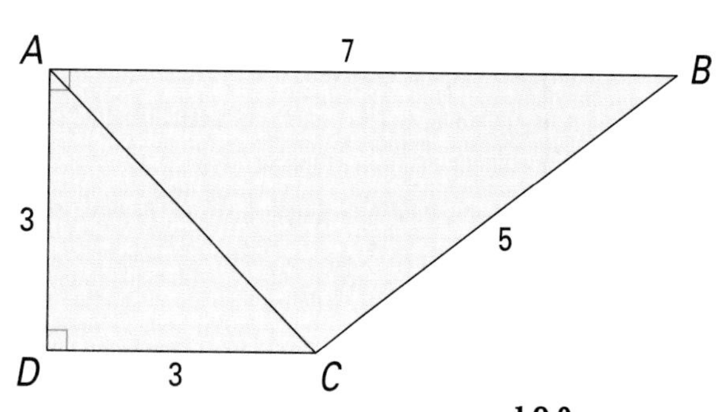

30 Un escalier compte trois marches de 20 cm de hauteur sur 25 cm de profondeur.

a) Quelle est la hauteur de l'escalier?

b) Quelle est la profondeur de l'escalier?

c) Quelle est la longueur de la rampe?

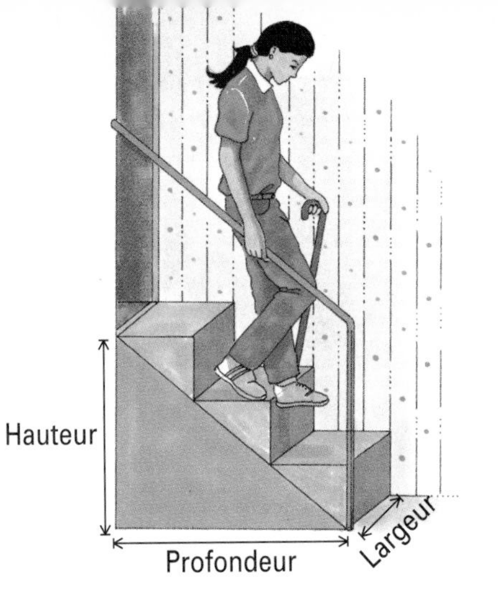

31

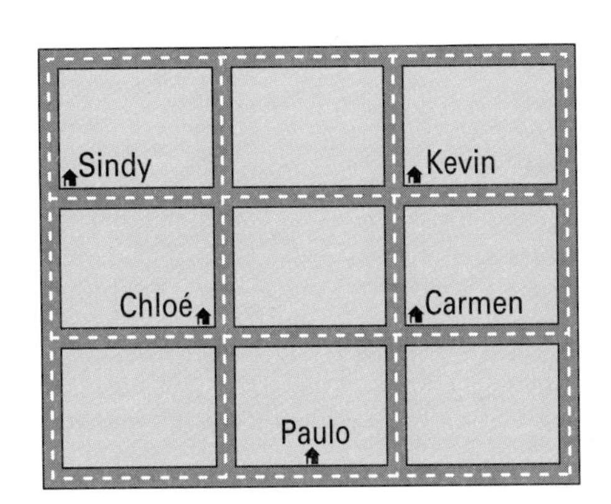

Dans une ville, chacun des pâtés de maisons mesurent 150 m sur 200 m. Cinq amis se sont procuré des émetteurs-récepteurs portatifs qui ont une portée de 300 m chacun. Selon ce plan, quels amis ne peuvent pas se parler?

32 On juxtapose des carrés afin d'obtenir des rectangles et on trace les diagonales partant de A. Les rapports des mesures des diagonales et des bases sont-ils équivalents?

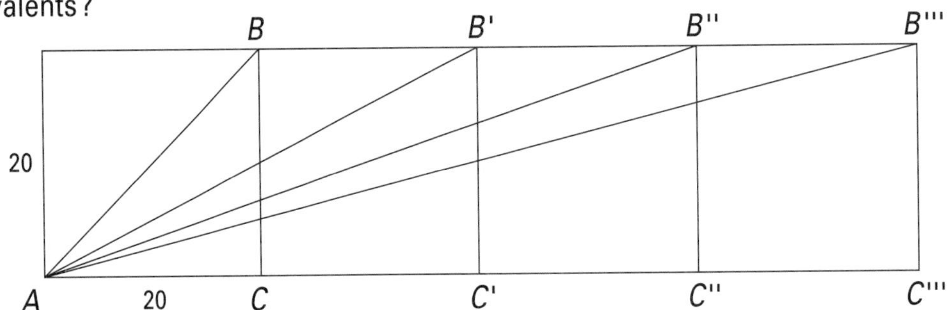

33 Deux triangles isocèles ont des côtés congrus mesurant 5 cm. L'un d'eux a une base qui mesure 6 cm et l'autre une base qui mesure 8 cm. Lequel a la plus grande aire? Justifie chaque étape de ta démarche par un énoncé géométrique approprié.

34 On inscrit des carrés dans des cercles. À l'aide des deux figures suivantes, vérifie si les aires des carrés sont dans le même rapport que les aires des disques.

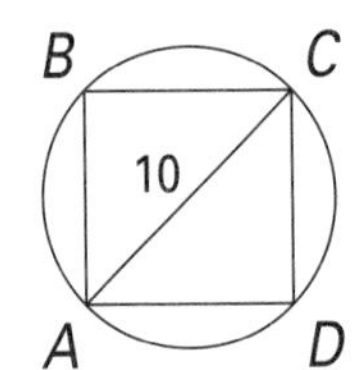

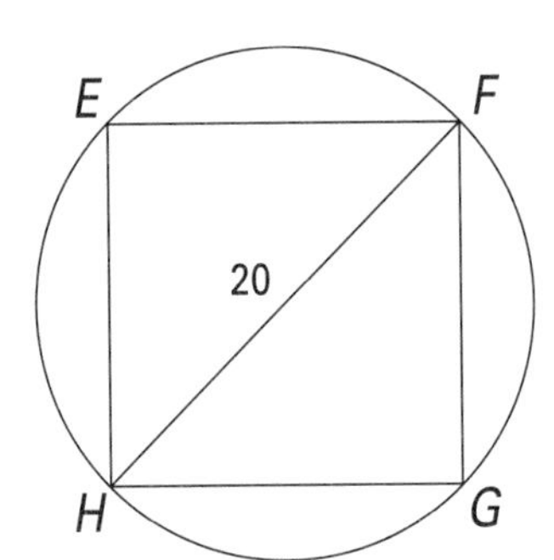

35 On veut s'assurer que le coin d'une maison forme bien un angle droit. Si on fixe un repère *P* au sol, un autre *Q* à 8 m de *P* et un dernier *R* à 6 m de *P*, quelle distance doit-il y avoir entre les repères *Q* et *R*?

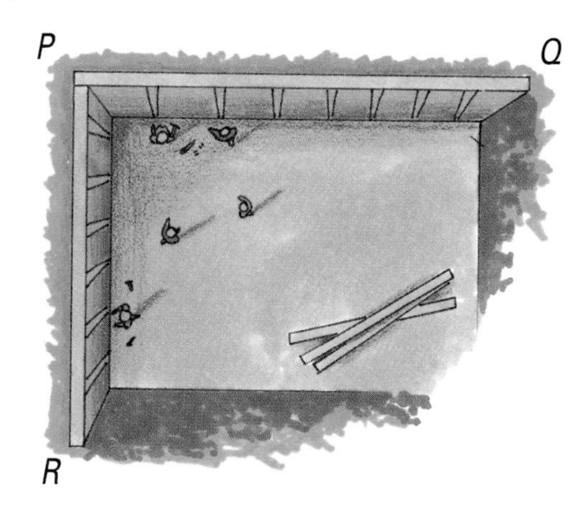

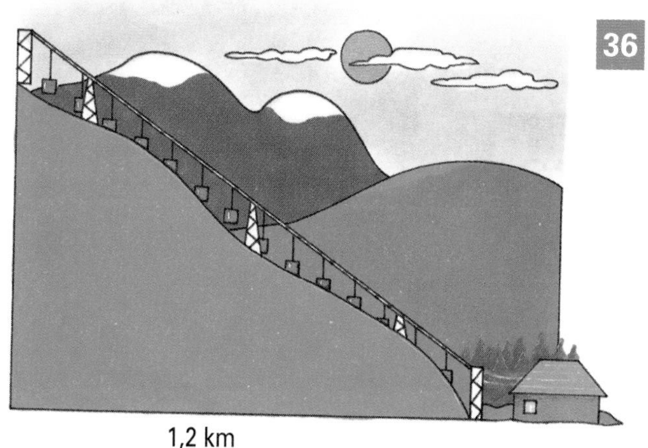

36 On veut construire un téléférique pour se rendre au sommet d'une montagne qui s'élève de 800 m sur 1,2 km.

a) Quelle distance approximative parcourra-t-on pour se rendre au sommet en téléférique?

b) Combien de temps faudra-t-il pour atteindre le sommet si le téléférique se déplace de 2 m par seconde?

37 Une mère est au point *A* et se rend compte que son fils vient de mettre le feu à une tente située au point *B*. Comme elle n'est pas loin de la rivière, elle court vers celle-ci pour remplir son seau d'eau afin d'éteindre le feu. Elle y parvient du premier coup. Remise de ses émotions, elle se demande vers quel endroit de la rivière elle aurait dû se diriger pour raccourcir son trajet le plus possible.

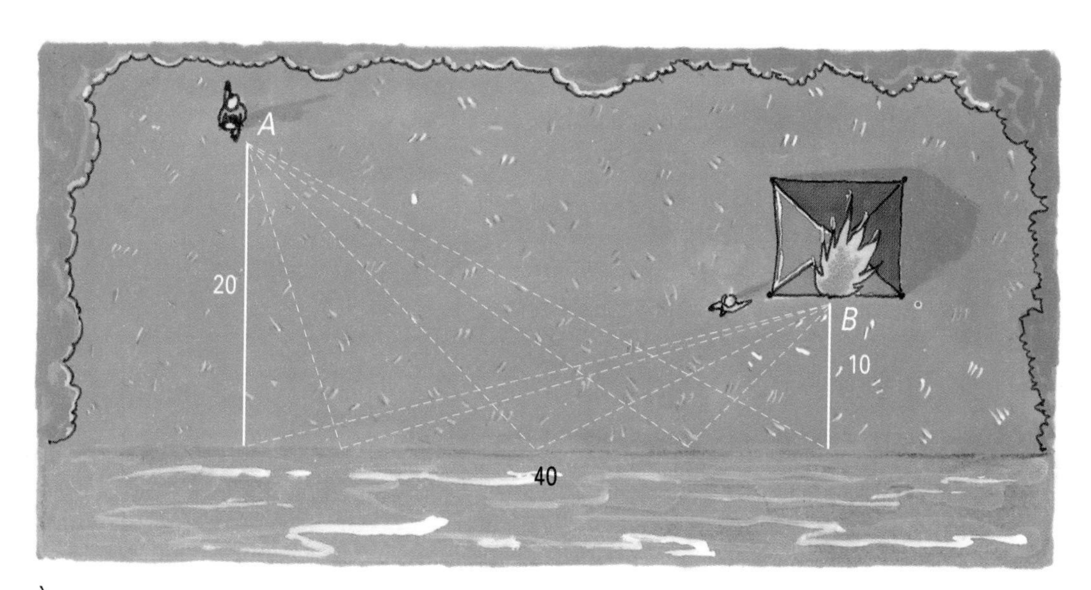

À partir des distances fournies en mètres sur l'illustration, réponds à sa question en faisant différents essais à l'aide d'une table de valeurs.

38 On taille en angle les 4 bords d'une pièce de bois de 30 cm sur 40 cm. L'épaisseur de la pièce est de 3 cm et, une fois taillée, la face de côté a une largeur de 4 cm. Quelle est l'aire de la surface supérieure de cette pièce de bois une fois taillée ?

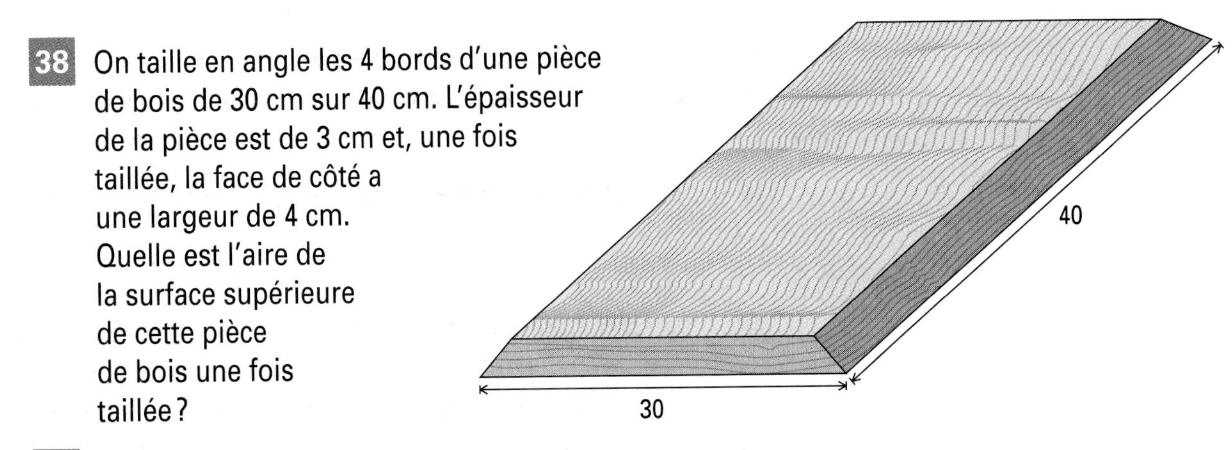

39 Dans un triangle rectangle, une cathète mesure le double de l'autre. Combien de fois l'hypoténuse contient-elle la plus courte de ces cathètes ? (Construis une table à l'aide de quelques cas particuliers.)

40 Quelle est la hauteur d'un triangle équilatéral de 12 cm de côté ? Justifie chaque étape de ta démarche par un énoncé géométrique.

41 Un parallélogramme est tel que l'une de ses diagonales est perpendiculaire à deux de ses côtés. Ce parallélogramme mesure 12 cm sur 10 cm. Détermine l'aire de ce parallélogramme. Justifie chaque étape de ta démarche.

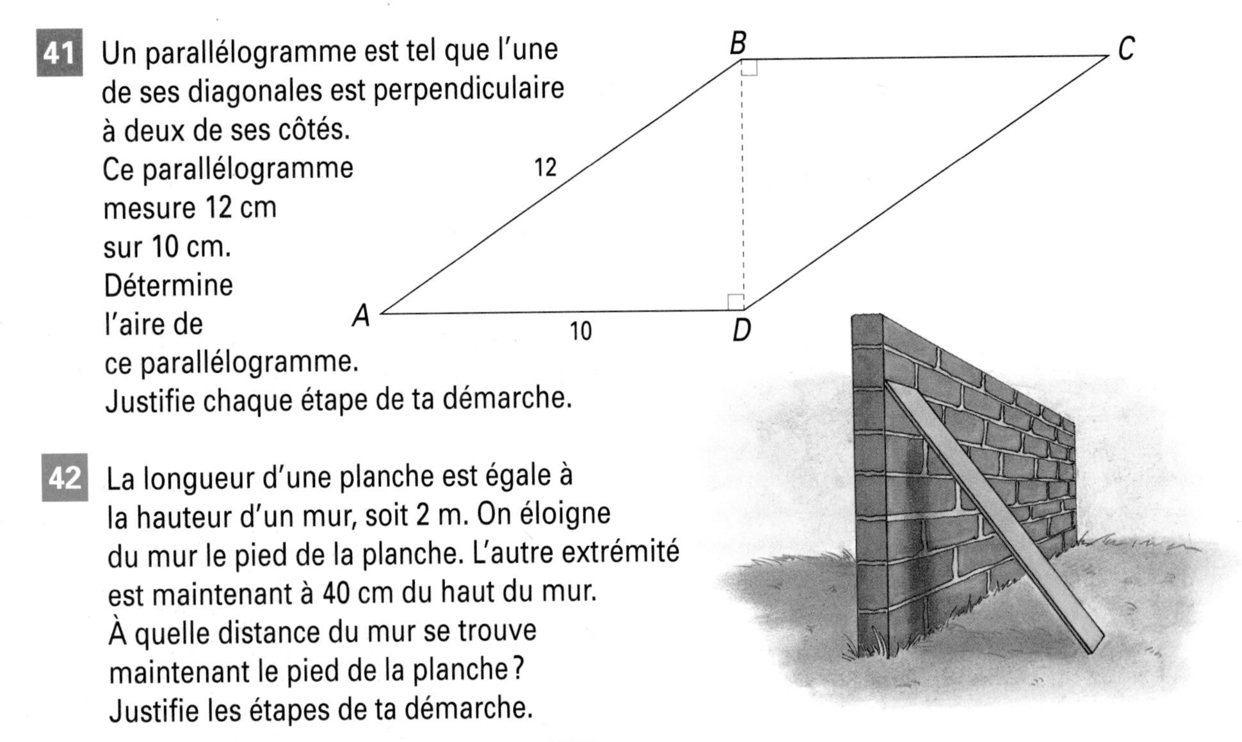

42 La longueur d'une planche est égale à la hauteur d'un mur, soit 2 m. On éloigne du mur le pied de la planche. L'autre extrémité est maintenant à 40 cm du haut du mur. À quelle distance du mur se trouve maintenant le pied de la planche ? Justifie les étapes de ta démarche.

43 Un joueur de basket-ball qui mesure 2 m lance au panier un ballon qu'il tient au-dessus de sa tête. Le panier est à une hauteur de 3,05 m et le joueur se tient à 8 m du support du panier. Quelle distance sépare le ballon du panier ?

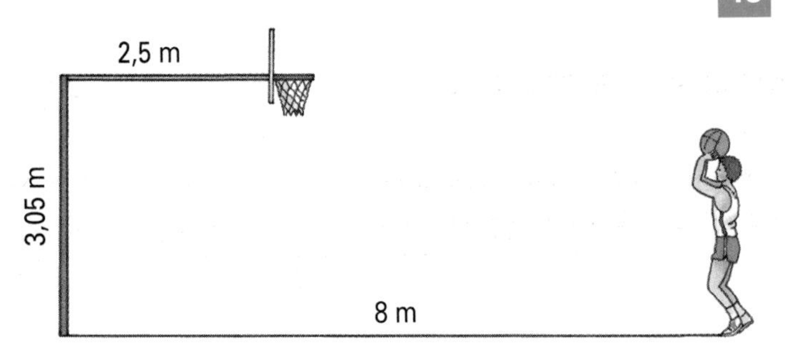

44 On a construit des triangles rectangles sur les côtés du triangle rectangle *ABC*.

a) Calcule l'aire des 3 triangles ainsi formés.

b) L'aire du triangle rectangle construit sur l'hypoténuse du triangle *ABC* est-elle égale à la somme des aires des deux autres triangles rectangles construits sur les deux cathètes ?

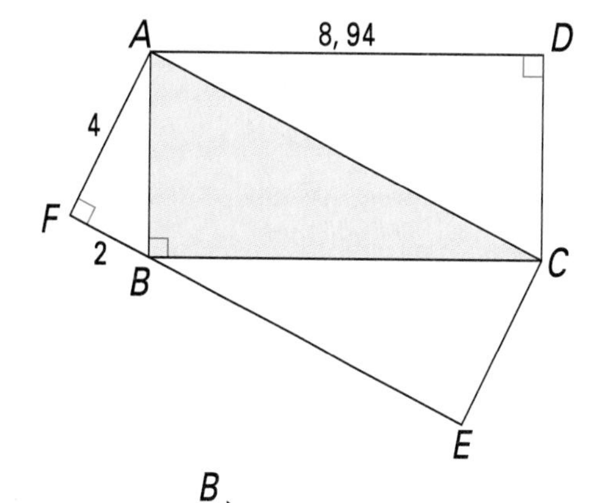

45 ***a)*** Trace un triangle rectangle *ABC* dont les cathètes mesurent 36 mm et 48 mm.

b) Calcule l'hypoténuse *BC* de ce triangle rectangle.

c) Trace les trois cercles qui ont respectivement pour diamètre *AB*, *AC* et *BC*.

d) Calcule l'aire de ces trois cercles.

e) Quelle relation y a-t-il entre les aires de ces 3 cercles ?

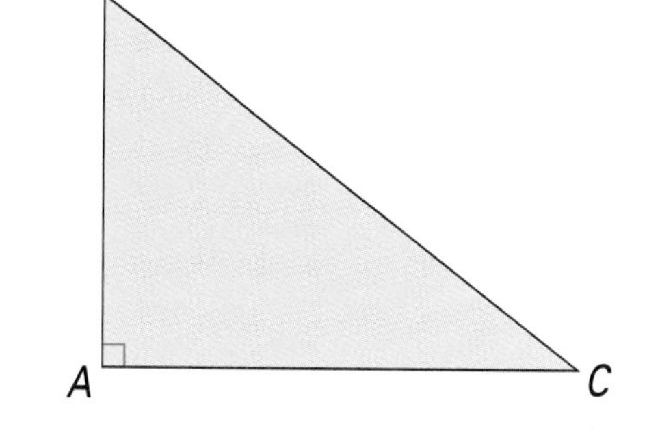

46 On coupe une boule de 6 cm de rayon par un plan qui passe par le milieu du rayon qui lui est perpendiculaire.

Calcule l'aire de la section ainsi obtenue. Justifie les étapes de ta démarche.

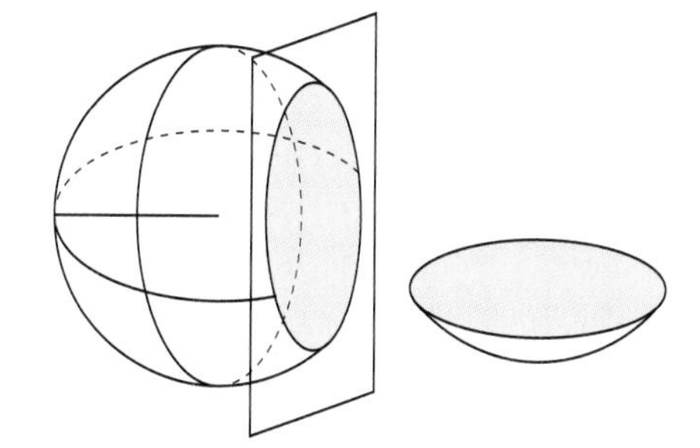

47 On a un cube de bois de 10 cm de côté. On le coupe en deux morceaux à l'aide d'une scie. Le trait de scie passe par les trois points *A*, *B* et *C* situés respectivement à 3 cm, 8 cm et 8 cm d'un même sommet du cube. On applique la face de la section obtenue sur un tampon encreur et on imprime cette face sur une feuille de papier.

a) Dessine le triangle *ABC* ainsi obtenu.

b) Quel est le périmètre du Δ *ABC* ?

c) Quelle est l'aire du Δ *ABC* ?

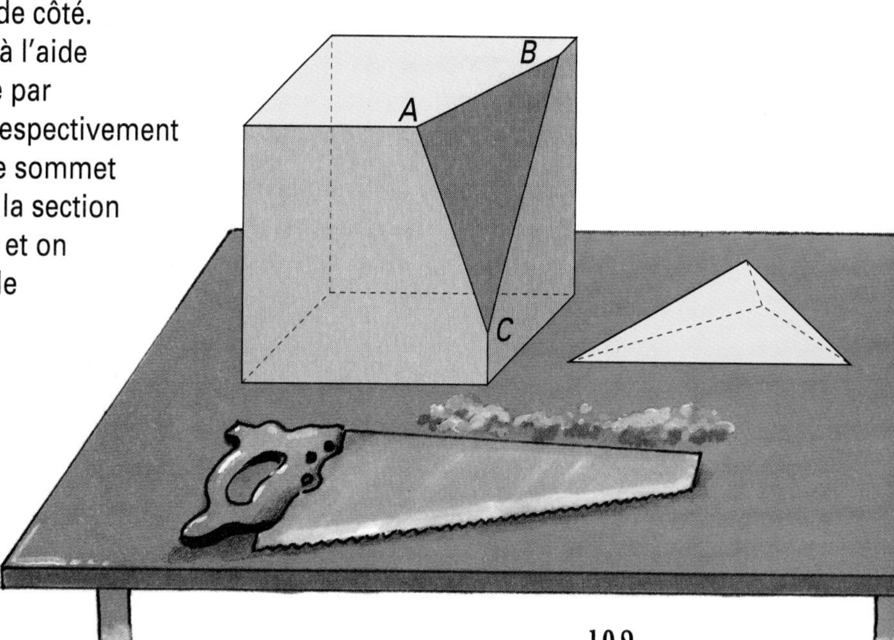

48 Après avoir suivi les instructions ci-dessous, Paola a tiré une conclusion à propos des points M, N, R et S. Quelle est cette conclusion ?

> 1° Tracer un triangle quelconque MNO.
>
> 2° À l'aide de la règle, tracer la hauteur MR et la hauteur NS.
>
> 3° Tracer le cercle de diamètre MN.

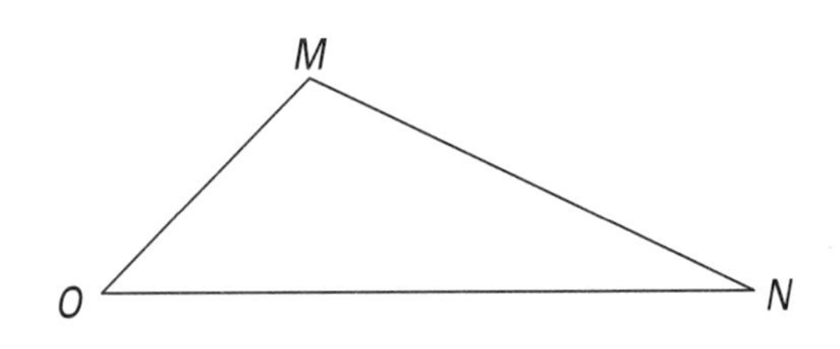

49 Sylvio trace un rectangle $PQRS$ et déclare que $(\text{m } \overline{PQ})^2 + (\text{m } \overline{PS})^2 = (\text{m } \overline{PR})^2$. A-t-il raison ? Justifie ta réponse.

50 Calcule le périmètre de ce losange, sachant que l'aire est de 19,44 cm². Justifie les étapes de ta démarche.

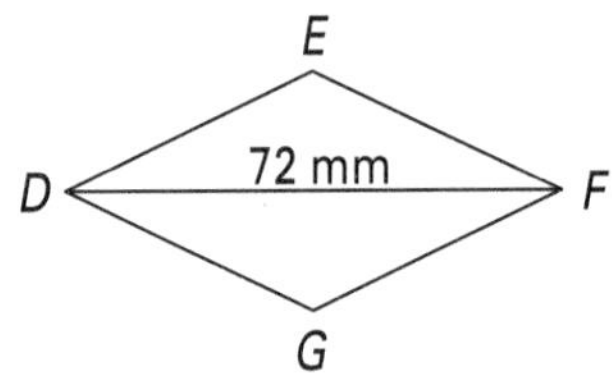

51 Calcule l'aire du triangle ABC ci-contre. Les mesures sont données en centimètres. Justifie ta démarche.

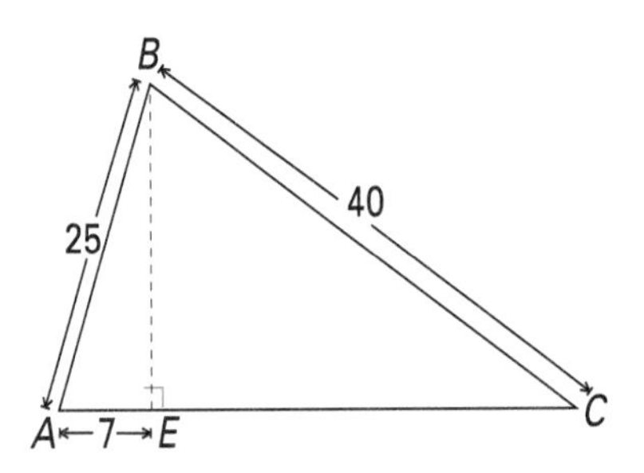

52 Marjo place dans un des plateaux d'une balance deux carrés d'aluminium ayant respectivement 8 cm et 6 cm de côté. Dans l'autre plateau, elle place un carré de 10 cm de côté. Tous les carrés ont la même épaisseur. La balance est-elle en équilibre ? Justifie ta réponse.

53 Trace 3 triangles rectangles quelconques. À partir de chacun de ces triangles, trace un cercle ayant l'hypoténuse comme diamètre. Quelle conclusion t'inspirent ces constructions ?

54 Cette pyramide à base carrée est régulière (triangles latéraux, isocèles et congrus). Trouve la hauteur h de cette pyramide d'après les mesures données. Justifie les étapes de ta démarche.

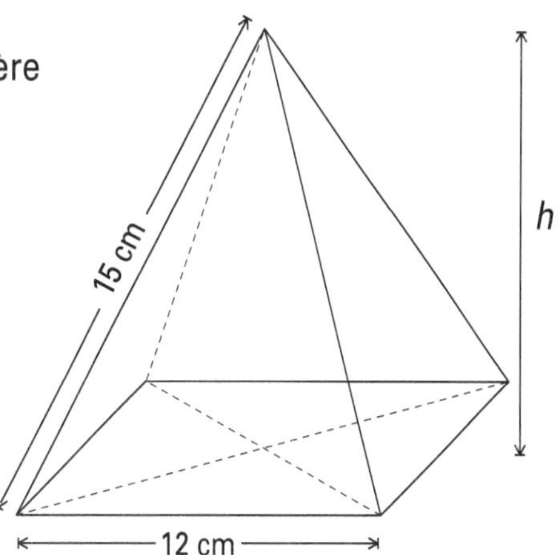

55 Voici un cône dont la base a un diamètre de 8 cm et qui a une hauteur de 15 cm.

a) Dessine un développement de ce cône.

b) Calcule la mesure de l'apothème OB de ce cône. Justifie ta démarche.

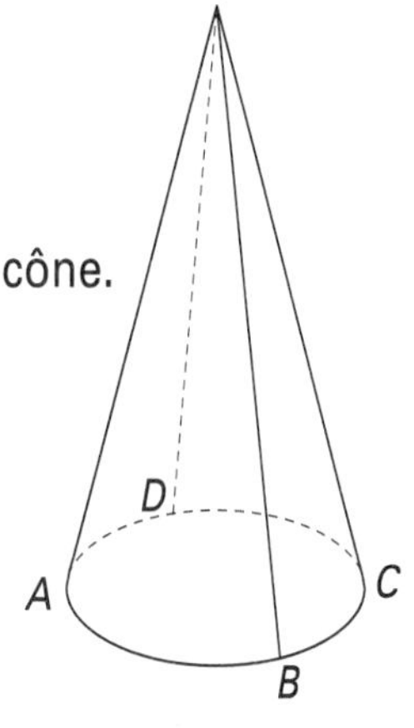

56 Voici un cube *ABCDEFGH*.

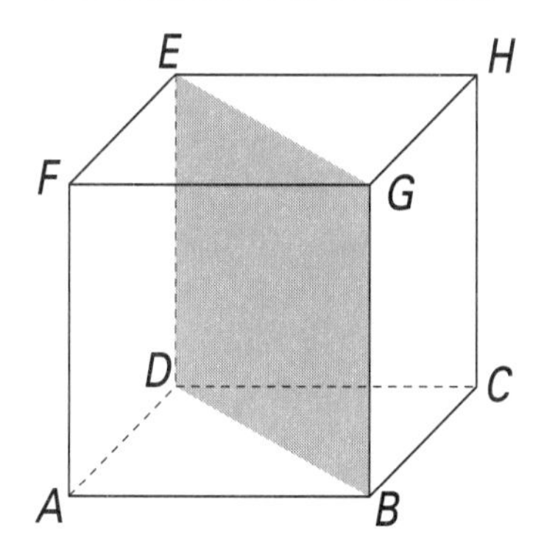

Ce cube a une arête de 4 cm.

On le coupe en deux par un plan passant par les sommets *D*, *B*, *G* et *E*.

Dessine, en grandeur réelle et en indiquant les mesures, la section *DBGE* obtenue.

57 Vrai ou faux? Pour tous nombres positifs x et y tels que $x > y$, les trois nombres représentés par $x^2 - y^2$, $2xy$ et $x^2 + y^2$ sont des triplets pythagoriciens. (Construis une table de valeurs pour vérifier cette affirmation.)

Sur cette gravure ancienne datant de 1504, on a représenté Boethius en train de calculer à la main et Pythagore, à l'aide d'un boulier. Qu'auraient-ils fait s'ils avaient eu une calculatrice? L'auraient-ils utilisée?

1. À partir de l'aire de chacun des carrés, détermine la mesure de son côté.

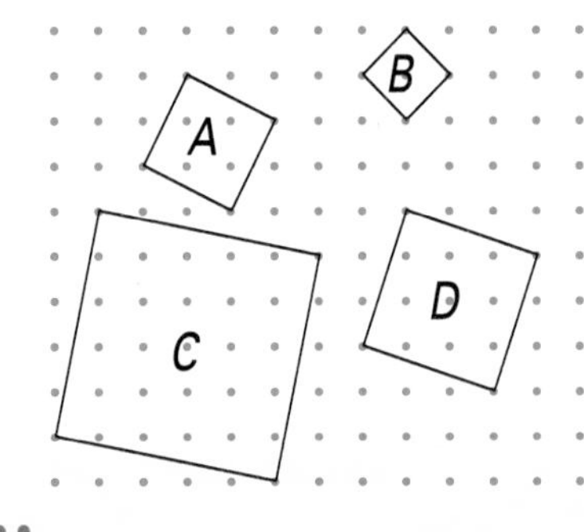

2. On donne les cathètes d'un triangle rectangle. Estime les deux limites entre lesquelles on peut situer la mesure de l'hypoténuse.

   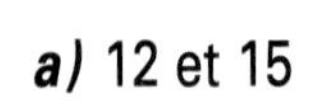

   a) 12 et 15 ***b)*** $\frac{1}{4}$ et $\frac{3}{8}$

   c) 0,8 et 1,5

3. On donne l'aire d'un carré. Calcule mentalement la mesure de son côté.

   a) 225 m^2 ***b)*** 144 mm^2 ***c)*** 625 cm^2 ***d)*** 900 mm^2 ***e)*** 1600 dam^2

   f) 0,09 km^2 ***g)*** 0,16 cm^2 ***h)*** 0,01 km^2 ***i)*** 2,25 cm^2 ***j)*** 1,44 dm^2

4. Vérifie mentalement si les 3 nombres donnés peuvent constituer les mesures d'un triangle rectangle.

   a) 3, 6, 10 ***b)*** 5, 8, 12 ***c)*** 5, 12, 13 ***d)*** 9, 12, 15

5. Dans chaque cas, calcule mentalement le résultat.

   a) $\sqrt{100} + \sqrt{400}$ ***b)*** $\sqrt{25} + 16$ ***c)*** $\sqrt{81} \times \sqrt{36}$ ***d)*** $\sqrt{144} \div \sqrt{16}$

6. Sachant que $\sqrt{2} \approx 1{,}41$ et $\sqrt{3} \approx 1{,}73$, estime chaque résultat.

   a) $2\sqrt{2}$ ***b)*** $\sqrt{2} + \sqrt{3}$ ***c)*** $\sqrt{3} - \sqrt{2}$ ***d)*** $\sqrt{2} \times \sqrt{3}$ ***e)*** $\sqrt{3} \div \sqrt{2}$

7. Estime chaque racine carrée.

   a) $\sqrt{27}$ ***b)*** $\sqrt{80}$ ***c)*** $\sqrt{140}$ ***d)*** $\sqrt{325}$ ***e)*** $\sqrt{1\,290}$

   f) $\sqrt{2\,000}$ ***g)*** $\sqrt{24\,800}$ ***h)*** $\sqrt{325\,000}$ ***i)*** $\sqrt{3\,500\,000}$

8. On peut réduire le radicande pour s'aider à estimer une racine carrée.
   Ex. : $\sqrt{72} = \sqrt{36 \times 2} = 6\sqrt{2} \approx 6 \times 1{,}4 = 8{,}4$

   Estime chaque résultat par la technique la plus appropriée.

   a) $\sqrt{18}$ ***b)*** $\sqrt{50}$ ***c)*** $\sqrt{80}$ ***d)*** $\sqrt{98}$

   e) $\sqrt{200}$ ***f)*** $\sqrt{500}$ ***g)*** $\sqrt{900}$ ***h)*** $\sqrt{5\,000}$

9. Estime la réponse attendue pour chacun de ces problèmes.

   a) Une tour de télévision de 100 m de hauteur est retenue par des câbles d'acier ancrés à 20 m de la base. Quelle est la longueur de ces câbles ?

   b) Au baseball, le monticule du lanceur est au centre de la diagonale d'un carré de 27,5 m de côté. Quelle distance le lanceur doit-il parcourir pour couvrir le premier but ?

RELATION DE PYTHAGORE ET PLAN CARTÉSIEN

Activité Fouilles archéologiques

Des archéologues font des fouilles sur le site d'une vieille cité. La personne qui dirige les travaux a utilisé un plan cartésien pour décrire la position des endroits où s'effectuent les fouilles.

Le quartier général est situé à l'origine du plan. Chaque unité de repérage est le décamètre.

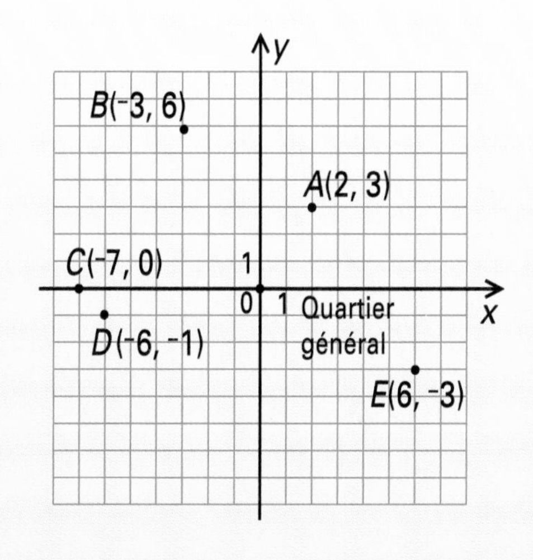

a) Peut-on calculer la distance entre chaque lieu de fouilles et le quartier général ? Si oui, calcule ces distances.

b) Sans autres données que les coordonnées, peut-on calculer la distance entre deux lieux de fouilles ? Si oui, calcule les distances entre :

1) *A* et *B* 2) *A* et *C* 3) *D* et *E*

c) À partir des coordonnées de deux points quelconques dans un plan, est-on toujours capable de tracer un triangle rectangle dont l'hypoténuse est le segment joignant ces deux points ?

d) Que retiens-tu de cette activité ? Fais-en un résumé.

CARREFOUR

QU'EN PENSEZ-VOUS ?

e) Quelle expression peut représenter la distance entre l'origine et un point *P* du premier quadrant dont les coordonnées sont (a, b) ?

f) Quelle expression peut représenter la distance entre deux points du premier quadrant dont les coordonnées sont (a, b) et (c, d) ?

g) Quelle expression peut représenter la distance entre deux points dont l'un a comme coordonnées $(a, 0)$ et l'autre $(0, b)$?

h) À la translation $t_{(2,\ 4)}$, on peut associer un déplacement sur une certaine distance. Quelle est cette distance ?

i) Calcule la distance entre les points donnés et l'origine.
Les coordonnées sont des entiers.

1)

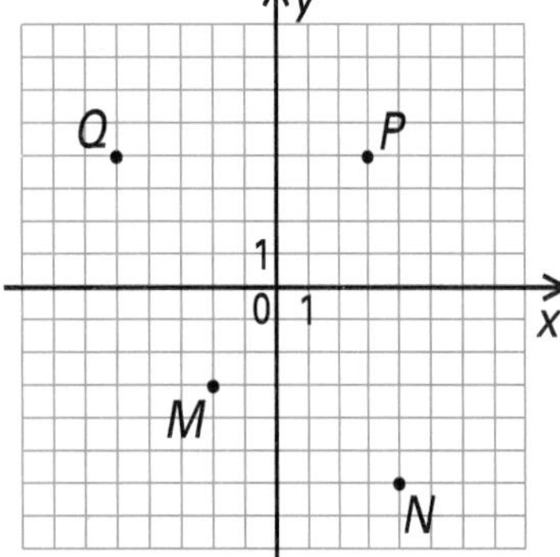

2)

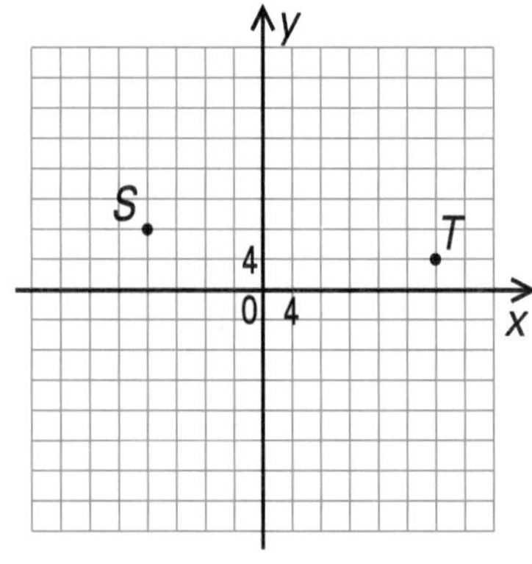

j) Calcule la distance entre les points suivants, sachant que les coordonnées sont des entiers.

1) *A* et *B*

2) *D* et *B*

3) *C* et *A*

4) *C* et *D*

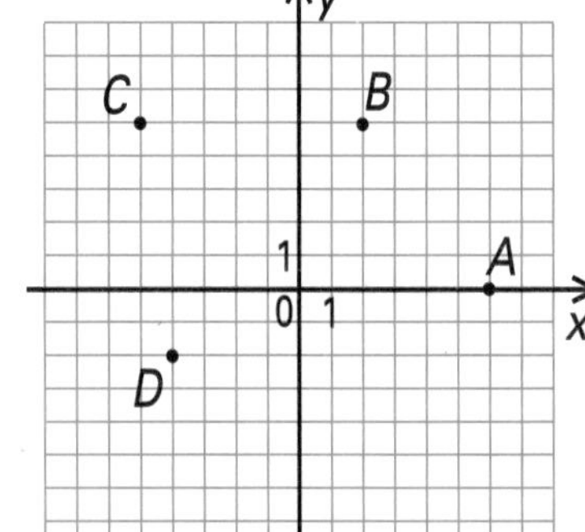

k) Sachant que les coordonnées sont des entiers, calcule :

1) le périmètre du Δ *ABC* ;

2) l'aire du Δ *ABC*.

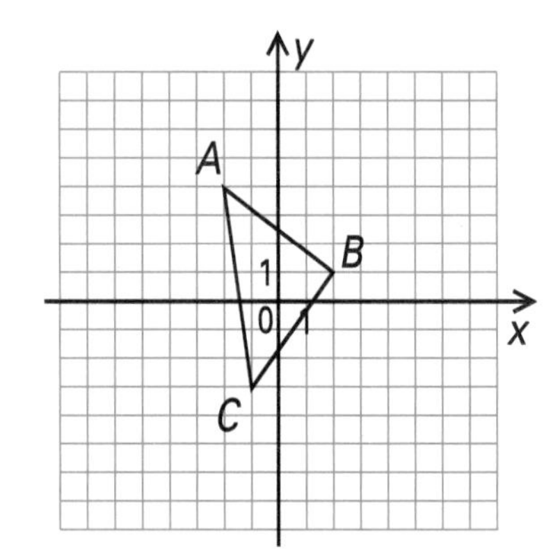

l) Détermine l'aire de ces figures, sachant que les coordonnées des sommets sont des entiers.

1)

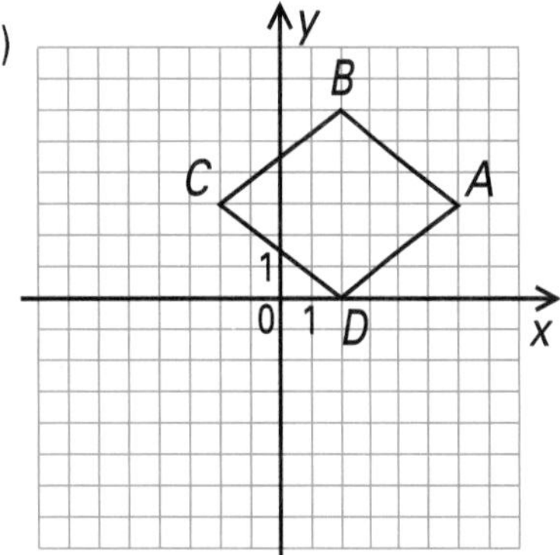

2)

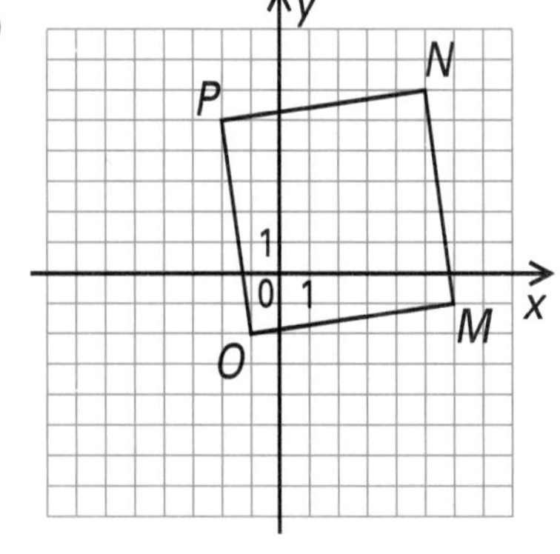

LES NOMBRES RATIONNELS

Une saison de misère

① Ce texte utilise différentes sortes de nombres et différentes formes d'écriture des nombres. Nomme-les.

② Peut-on écrire un même nombre sous différentes formes ? Si oui, écris chaque nombre du texte précédent sous les autres formes.

③ Sachant qu'un **nombre rationnel** est un nombre qui peut s'écrire sous la forme $\frac{a}{b}$, où *a* et *b* sont des nombres entiers et *b* est différent de 0, indique si tous les nombres de ce texte sont rationnels.

④ On a construit des boîtes pour représenter les nombres naturels, les nombres entiers et les nombres rationnels. On veut les placer les unes dans les autres afin d'illustrer la relation entre ces trois ensembles de nombres. Dans quel ordre les placerais-tu ?

L'appellation **nombres rationnels** comprend les nombres naturels, les nombres entiers, les nombres décimaux, les pourcentages et les fractions.

Les nombres rationnels se représentent facilement sur une droite numérique. Il suffit de fixer un repère qui est le plus souvent 0 et un autre entier.

a) Fixe un repère approprié sur une droite numérique et place le nombre -5.

b) Fixe un repère approprié sur une droite numérique et place le nombre 2,45.

c) Fixe un repère approprié sur une droite numérique et place le nombre $2\frac{5}{8}$.

Les nombres rationnels possèdent quelques belles **caractéristiques.**

QU'EN PENSEZ-VOUS ?

d) Entre deux nombres rationnels, existe-t-il toujours un autre nombre rationnel? Qu'en est-il entre 1,45 et 1,46? $\frac{3}{5}$ et $\frac{4}{5}$? 88 % et 89 %? Justifiez votre réponse.

e) Que peut-on vouloir dire par l'expression « les nombres rationnels sont denses » ?

f) Quelle caractéristique les développements décimaux des nombres rationnels de chaque groupe ont-ils?

Groupe 1

$\frac{2}{3}$ =	$\frac{117}{101}$ =
$\frac{7}{11}$ =	$\frac{163}{88}$ =
$\frac{16}{33}$ =	$\frac{14\,253}{9\,999}$ =

Groupe 2

$\frac{1}{8}$ =	$\frac{15}{16}$ =
$\frac{54}{125}$ =	$\frac{31}{32}$ =

g) Que devrait-on faire aux nombres rationnels du groupe 2 pour rendre leur développement décimal illimité, sans changer leur valeur?

Les nombres rationnels ont toujours la particularité suivante : **leur développement décimal présente une période, c'est-à-dire un 0 ou un groupe quelconque de chiffres qui se répètent indéfiniment.** On signale cette particularité en plaçant un trait sur le ou les chiffres qui forment la période.

Ex. : $\frac{4}{9} = 0,\overline{4}$ $\quad \frac{7}{11} = 0,\overline{63}$ $\quad \frac{16}{25} = 0,64\overline{0}$ $\quad \frac{83}{66} = 1,2\overline{57}$

Les nombres rationnels ont un développement décimal illimité et périodique.

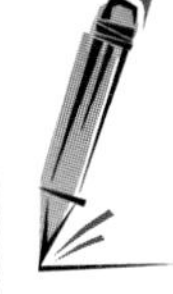

Il est normal de s'interroger pour savoir si l'énoncé réciproque est aussi vrai, c'est-à-dire qu'à tout développement décimal illimité et périodique correspond un nombre rationnel de la forme $\frac{a}{b}$ (avec $b \neq 0$).

h) Si un nombre a un développement décimal limité ou de période 0, on déduit instantanément la fraction correspondante. Montre que cela est vrai en donnant un exemple.

i) À l'aide de ta calculatrice, recherche deux entiers *a* et *b* tels que $\frac{a}{b} = 1,\overline{12}$ en faisant différents essais.

Faire différents essais n'est pas ici une méthode très efficace. Il existe une méthode plus systématique très efficace. Cette méthode est la suivante :

Méthode	Exemple
1° Poser une équation avec le nombre en notation décimale.	$n = 1,1212...$
2° Multiplier chaque membre de l'équation par les puissances de 10 qui font glisser la virgule immédiatement : • après la période ; • avant la période.	$100n = 112,1212...$ $n = 1,1212...$
3° Soustraire la deuxième équation de la première.	$100n = 112,1212...$ $-\quad n = -1,1212...$ $99n = 111$
4° Résoudre l'équation afin d'obtenir la fraction cherchée.	$n = \frac{111}{99}$ ou $\frac{37}{33}$

j) Écris ces nombres rationnels sous la forme d'un quotient de deux entiers.

1) $0,2\overline{4}$ 2) $0,12\overline{5}$ 3) $1,5\overline{62}$ 4) $2,91\overline{23}$

JOGGING

1 Écris ces nombres en utilisant la notation périodique.

a) 0,191 919 1... *b)* 2,345 454 5... *c)* 0,356 356 ... *d)* 1,911 111 ...

2 Écris ces nombres rationnels en notation décimale en indiquant la période par un trait.

a) $\frac{2}{3}$ *b)* $\frac{4}{5}$ *c)* $\frac{17}{11}$ *d)* $\frac{4}{7}$ *e)* $\frac{17}{44}$

3 Écris le nombre rationnel donné sous sa forme fractionnaire.

a) 0,9 *b)* 1,34 *c)* $1,5\overline{43}$ *d)* $0,62\overline{84}$

4 Dans chaque cas, lequel est le plus grand nombre rationnel ?

a) 2,44 ou $2,\overline{4}$? *b)* $0,4\overline{9}$ ou $0,\overline{495}$? *c)* 0,1 ou $0,\overline{10}$? *d)* $1,\overline{1}$ ou $1,\overline{11}$?

5 Vrai ou faux ?

a) $\frac{1}{3} = 0,333$ *b)* $\frac{3}{8} = 0,125\ 000$ *c)* $\frac{1}{6} = 0,1\overline{6}$ *d)* $\frac{5}{7} = 0,\overline{714\ 285}$

6 Explique pourquoi on n'obtient qu'une approximation d'un nombre rationnel lorsqu'on omet de signaler une période différente de 0.

À l'aide de cloches et de verres d'eau, Pythagore démontre sa théorie de l'essence mathématique de la musique.

7 On néglige habituellement de signaler la période 0. Pourquoi ?

8 À l'aide de ta calculatrice, trouve le développement décimal des trois premières fractions et déduis celui des deux autres.

a) $\frac{1}{9}, \frac{2}{9}, \frac{3}{9}, \frac{4}{9}, \frac{5}{9}$

b) $\frac{1}{11}, \frac{2}{11}, \frac{3}{11}, \frac{4}{11}, \frac{5}{11}$

c) $\frac{1}{99}, \frac{2}{99}, \frac{3}{99}, \frac{45}{99}, \frac{56}{99}$

d) $\frac{11}{999}, \frac{218}{999}, \frac{325}{999}, \frac{451}{999}, \frac{567}{999}$

9 Montre que les nombres $0{,}4\overline{9}$ et $0{,}5$ représentent le même nombre rationnel.

10 Est-il vrai que $0{,}\overline{9} = 1$? Justifie ta réponse.

11

Peux-tu en faire autant ? Explique ta réponse.

12 Explique pourquoi une période apparaît dans le développement décimal d'un nombre rationnel.

13 La somme de deux nombres périodiques est-elle périodique ? Donne un exemple qui appuie ta réponse.

14 Peut-on afficher sur une calculatrice un nombre rationnel dont le développement décimal a une période différente de 0 ? Justifie ta réponse.

15 En utilisant deux fractions appropriées, montre que le produit de deux nombres périodiques est périodique.

LES NOMBRES NON RATIONNELS

La définition des nombres rationnels a laissé Denise perplexe. Retrouvons-la avec ses interrogations.

Une question de rationalité

① Invente un nombre qui a un développement décimal illimité et non périodique.

② Le nombre 0,123 456 7... ne peut pas s'écrire sous la forme d'un quotient de deux entiers en utilisant la méthode connue. Pourquoi ?

Pour les Anciens, il était extrêmement difficile d'admettre l'existence de tels nombres. Du temps de Pythagore, on croyait que tous les nombres étaient rationnels. Mais voilà que Pythagore et les siens se heurtèrent au problème qui suit.

De plus, le nombre qui multiplié par lui-même donne 2 ne montre pas de période.

1,4 x 1,4 = 1,96

1,41 x 1,41 = 1,9881

1,414 x 1,414 = 1,999 396

...

1,414 213 562 x 1,414 213 562 = 1,999 999 998 941 827 844

...

1,414 213 562 373 095 045 619 x 1,414 213 562 373 095 045 619 = 1,999 ...1

Aujourd'hui, on peut calculer plus de un milliard de décimales de $\sqrt{2}$ et de π et l'on n'a toujours pas vu apparaître de période.

On appelle **nombres irrationnels,** les nombres qui ont un développement décimal illimité et non périodique.

On obtient de tels nombres avec les racines carrées, cubiques ..., qui ne s'extraient pas exactement. D'autres nombres également, tels que π, sont des nombres irrationnels.

Les **nombres irrationnels** correspondent à des **mesures de segments.**

a) Calcule la longueur de ces segments en utilisant l'unité du quadrillage.

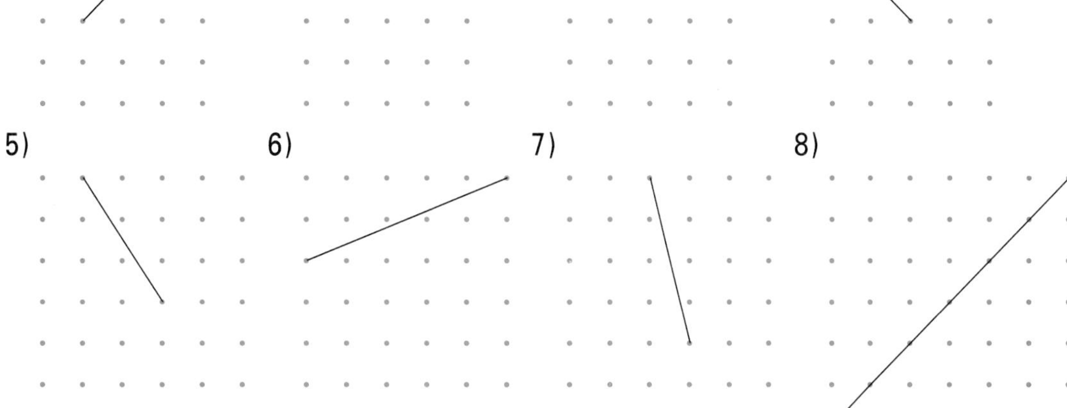

Si les nombres irrationnels correspondent à des longueurs de segments, cela veut dire que chacun a une place sur la droite numérique et qu'il nous est possible de la déterminer.

b) Observe la construction ci-contre et indique ce que l'on a fait pour trouver le point correspondant à $\sqrt{2}$.

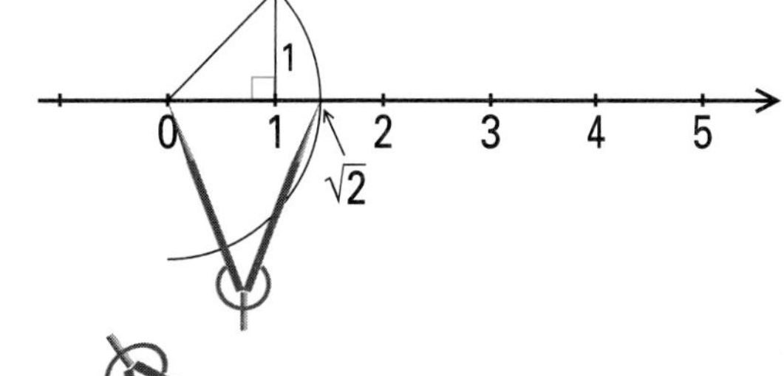

Cela veut dire que la droite des nombres rationnels est pleine de trous !

c) Voici comment on a repéré le point correspondant à $\sqrt{3}$ sur la droite numérique. Explique comment on s'y est pris.

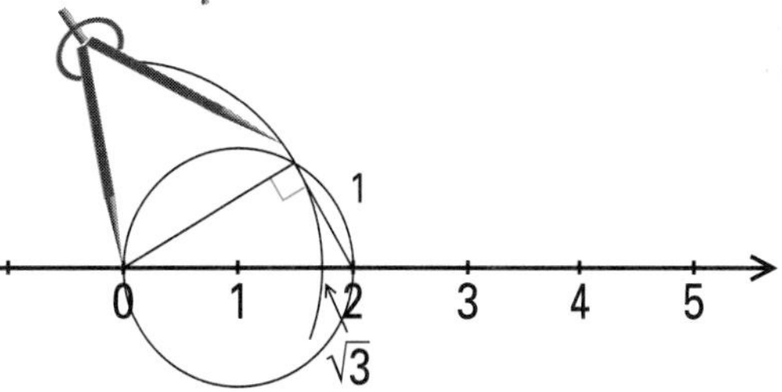

Pour placer un nombre irrationnel de la forme $\sqrt{a}$ sur la droite numérique, il suffit d'exprimer *a* sous la forme d'une somme ou d'une différence de deux nombres carrés.

Ex. : Pour placer $\sqrt{5}$ sur la droite numérique, on utilise le fait que :

$5 = 4 + 1$ ou $5 = 9 - 4$

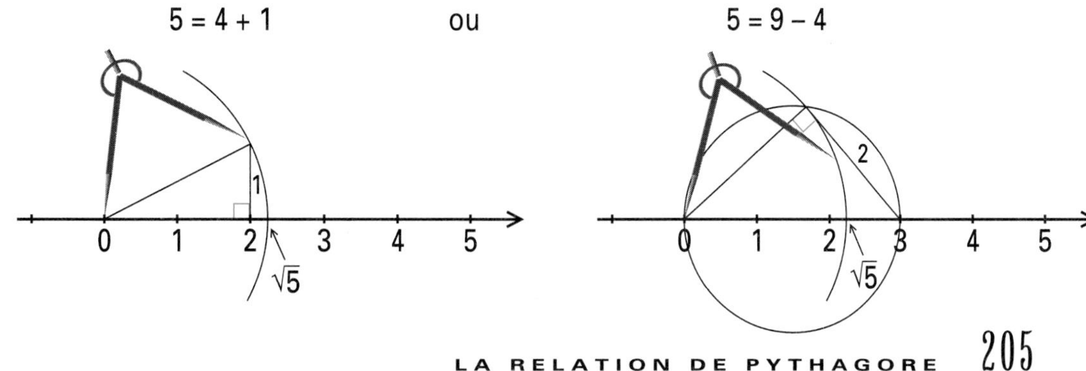

En jouant avec deux colonnes de nombres carrés, on peut rapidement exprimer le radicande sous la forme d'une somme ou d'une différence de deux nombres carrés.

1	+	1	=	2
4	+	4	=	8
9	+	9	=	18
16	+	16	=	32
25	+	25	=	50
36	+	36	=	72
...	+	...	=	...

1				
4	+	1	=	5
9	+	4	=	13
16	+	9	=	25
25	+	16	=	41
36	+	25	=	61
49	+	36	=	85
...	+	...	=	...

1				
4				
9	+	1	=	10
16	+	4	=	20
25	+	9	=	34
36	+	16	=	52
49	+	25	=	74
64	+	36	=	100
...	+	...	=	...

1				
4	–	1	=	3
9	–	4	=	5
16	–	9	=	7
25	–	16	=	9
36	–	25	=	11
49	–	36	=	13
...	–	...	=	...

1				
4				
9	–	1	=	8
16	–	4	=	12
25	–	9	=	16
36	–	16	=	20
49	–	25	=	24
64	–	36	=	28
...	–	...	=	...

1				
4				
9				
16	–	1	=	15
25	–	4	=	21
36	–	9	=	27
49	–	16	=	33
64	–	25	=	39
...	–	36	=	...
...	–	...	=	...

d) Parmi les entiers de 1 à 20, quels sont les deux seuls entiers qu'on ne peut exprimer sous la forme d'une somme ou d'une différence de deux carrés ?

e) Choisis les nombres appropriés et repère sur une droite numérique les nombres irrationnels suivants :

1) $\sqrt{7}$ 2) $\sqrt{11}$ 3) $\sqrt{15}$ 4) $\sqrt{20}$

f) Que pourrait-on faire pour trouver le point correspondant à $\sqrt{6}$?
Fais une suggestion.

Les nombres irrationnels viennent « combler les trous » non occupés par les nombres rationnels sur la droite numérique. On a ainsi une correspondance entre les nombres et les points d'une droite.

Tout nombre rationnel ou irrationnel correspond à un et un seul point sur la droite, et à tout point de la droite correspond un et un seul nombre rationnel ou irrationnel.

L'ensemble contenant tous les nombres rationnels et irrationnels est appelé **l'ensemble des nombres réels** que l'on note $\mathbb{R}$.

Ainsi, on convient d'appeler la droite numérique, la **droite des nombres réels**.

JOGGING

1 Nomme 5 nombres rationnels dont l'un d'eux en notation décimale.

2 Dans chaque cas, identifie le nombre irrationnel correspondant au point indiqué par la flèche.

a)

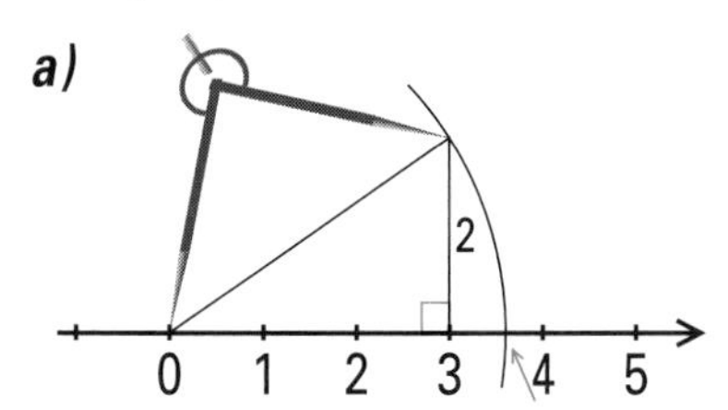

b)

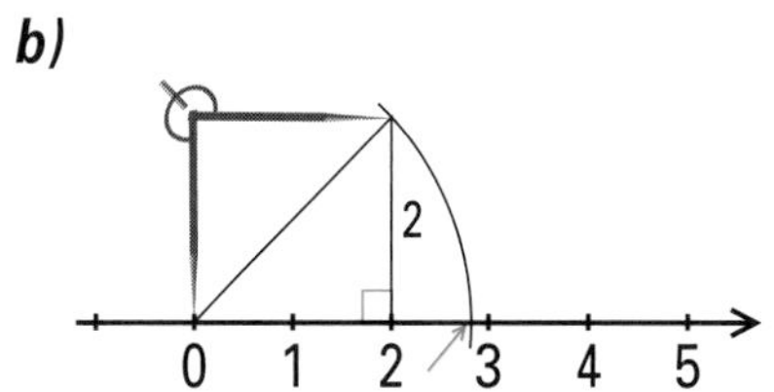

c)

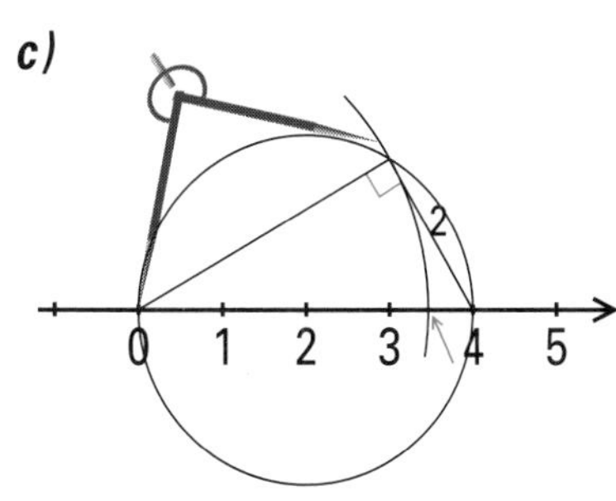

d)

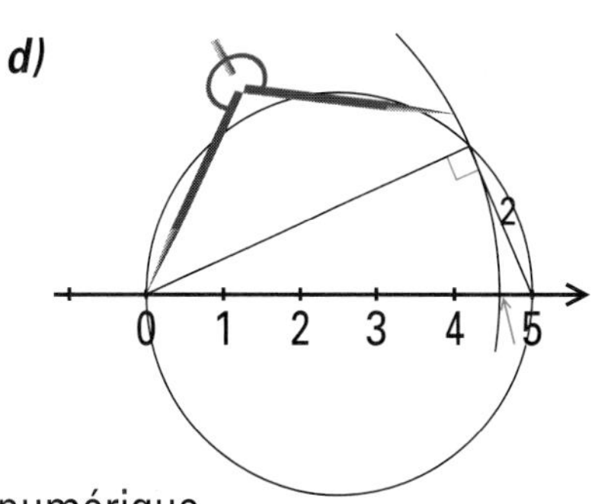

3 Place les nombres irrationnels suivants sur une droite numérique.

a) $\sqrt{8}$ *b)* $\sqrt{26}$ *c)* $\sqrt{40}$ *d)* $\sqrt{85}$

4 Vrai ou faux ?

a) Le nombre $\sqrt{9}$ est irrationnel. *b)* Le nombre $\sqrt{250}$ est irrationnel.

5 Vrai ou faux ?

a) $\sqrt{55} = 7,4$ *b)* $\sqrt{89} \approx 9,43$ *c)* Si $a > b$, alors $\sqrt{a} > \sqrt{b}$.

6 Quelle est la meilleure approximation de $\sqrt{160}$, 13 ou 40 ? Justifie ton choix.

7 Trouve le nombre manquant pour que l'égalité soit vraie.

a) $\sqrt{144} = ■$ *b)* $\sqrt{225} = ■$ *c)* $\sqrt{625} = ■$ *d)* $\sqrt{■} = 19$

e) $\sqrt{■} = 40$ *f)* $(\sqrt{8})^2 = ■$ *g)* $\sqrt{0,09} = ■$ *h)* $\sqrt{■} = 0,4$

8 *a)* Complète la table de valeurs ci-contre.

n	0	1	2	3	4	5	6	7	8	9
$\sqrt{n}$	■	■	■	■	■	■	■	■	■	■

b) Dans un plan cartésien, représente les couples de cette table de valeurs.

c) Si n représente la variable indépendante et $\sqrt{n}$ la variable dépendante, laquelle varie le plus vite ?

9 Construis une table de valeurs pour décrire la relation entre le côté d'un carré et la mesure de sa diagonale, puis exprime cette relation en mots.

10 Avec ta calculatrice, trouve le résultat de $\sqrt{3} + \sqrt{3}$.

11 Parmi les expressions suivantes, laquelle est équivalente à $\sqrt{3} + \sqrt{3}$?

$2\sqrt{3}$ ou $\sqrt{6}$?

12 Que suggères-tu comme résultat de $\sqrt{a} + \sqrt{a}$? Vérifie ta réponse.

13 Que suggères-tu comme résultat de $\sqrt{a} \cdot \sqrt{b}$? Vérifie ta réponse.

14 Si $x^2 = 169$, détermine les valeurs possibles de x.

15 Est-il possible de trouver une ou des valeurs qui vérifient l'équation $x^2 + 25 = 0$? Justifie ta réponse.

16 Est-il possible qu'un nombre soit inférieur à sa racine carrée? Si oui, donne un exemple.

17 *a)* On veut transformer un rectangle de 3 cm sur 4 cm en un carré de même périmètre. Quelle sera la longueur de son côté?

b) On veut transformer un rectangle de 3 cm sur 4 cm en un carré de même aire. Quelle sera la longueur de son côté?

18 Dans ce géoplan, détermine la mesure des 5 segments.

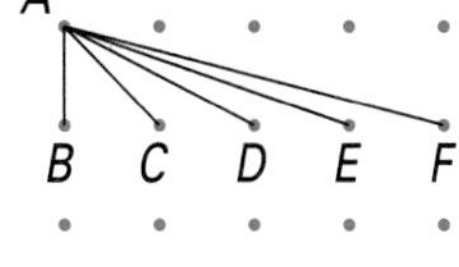

19 Si m $\overline{AB} = \sqrt{2}$ et que m $\overline{AD} = \sqrt{5}$, détermine m $\overline{AC}$ et m $\overline{AE}$.

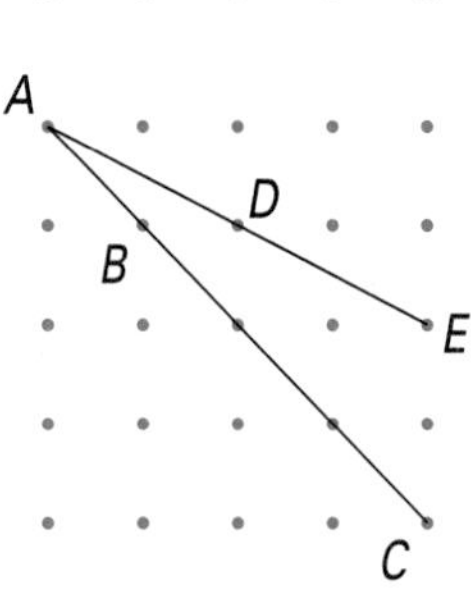

20 Dans ce géoplan, combien de segments obliques joignant A à un autre point ont une mesure rationnelle?

LES VISAGES DES NOMBRES IRRATIONNELS

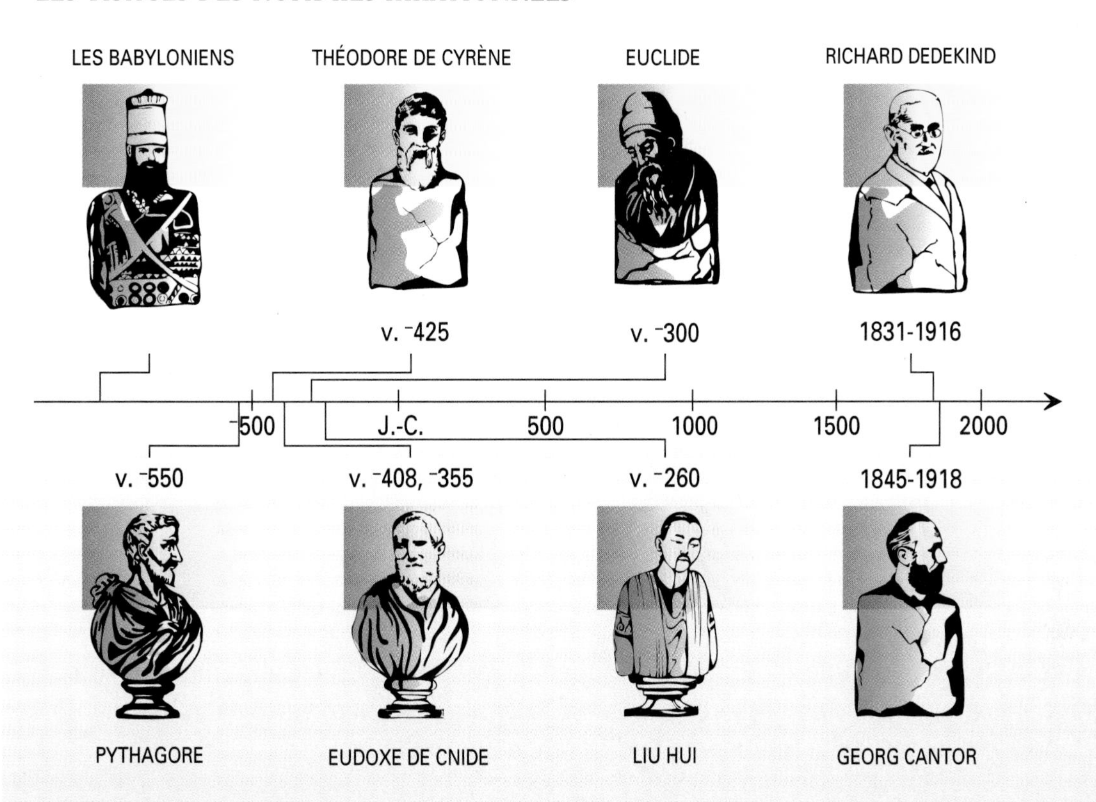

LES CONNAISSEZ-VOUS ?

Parmi ces mathématiciens, identifiez :

a) celui qui fut le professeur de Platon et de Théétète d'Athènes. Il collabora à écrire les fondements de la théorie des irrationnels contenus dans le livre X de la collection les *Éléments*;

b) ceux qui utilisaient la relation de Pythagore bien avant la naissance de ce dernier;

c) celui qui a fait une étude rigoureuse des nombres irrationnels et est considéré comme l'inventeur de la droite numérique;

d) celui qui, à l'autre bout du monde, et sans connaître Pythagore et ses découvertes, a démontré la même relation par un découpage de figures;

e) celui qui a apporté une réponse au problème posé par les nombres irrationnels par le biais de sa remarquable théorie des proportions, théorie exposée dans le livre V des *Éléments* ;

f) celui qui a écrit une oeuvre colossale éclipsant ses oeuvres précédentes. Cette oeuvre marque les véritables débuts de la mathématique;

g) celui qui est considéré comme le père de la théorie des ensembles, qui englobe sa théorie sur les nombres et, en particulier, sur les nombres irrationnels;

h) celui qui, bouleversé par la découverte de nombres qui n'étaient pas rationnels, a connu avec les siens une triste fin.

CURIOSITÉS

Voici une construction originale en ce qui a trait à la relation de Pythagore. Cette construction nous vient de vieux travaux mathématiques chinois.

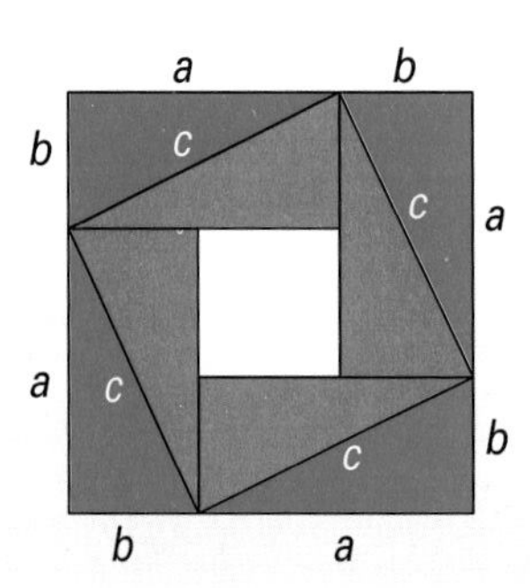

Huit triangles rectangles congrus sont situés à l'intérieur d'un carré dont la mesure du côté est égale à la somme des cathètes. La partie non recouverte est un carré dont la mesure du côté représente la différence des cathètes.

a) En utilisant les variables a et b, exprime la mesure du côté :

1) du grand carré; 2) du petit carré intérieur.

b) Décris en mots trois façons différentes d'obtenir l'aire du carré de côté c.

c) Dans chaque cas, donne les trois expressions algébriques qui représentent l'aire.

Plusieurs mathématiciens et mathématiciennes ont cherché une méthode pour extraire des racines carrées. Isaac Newton (1642-1727) a proposé la méthode suivante :

	Exemple : $\sqrt{72}$
1° On détermine le plus grand carré contenu dans le radicande et on extrait sa racine.	$\sqrt{64} = 8$
2° On divise le radicande par la racine obtenue.	$72 \div 8 = 9$
3° On fait la moyenne de la racine et du quotient.	$\frac{(8 + 9)}{2} = 8,5$
Cette moyenne est une bonne approximation de la racine cherchée.	$\sqrt{72} \approx 8,5$

d) Calcule une approximation de $\sqrt{112}$ à l'aide de cette méthode.

Pour résoudre un problème, il faut d'abord le comprendre. On peut identifier trois grandes stratégies qui nous aident à comprendre un problème.

1° Un problème a besoin d'être simplifié, idéalisé, structuré ou modélisé pour être résolu plus facilement.

2° La visualisation ou la représentation de la situation et l'interprétation des données, des faits et des relations par un schéma ou un dessin facilitent la résolution d'un problème.

3° Pour s'aider à comprendre un problème, on doit aussi s'interroger sur le problème. S'interroger sur un problème, c'est s'interroger sur la signification de chaque mot, souligner les mots importants, mettre les mots en relation, faire les déductions qui s'imposent. Une bonne façon de procéder est de s'imaginer que l'on doit expliquer le problème à quelqu'un en utilisant d'autres mots.

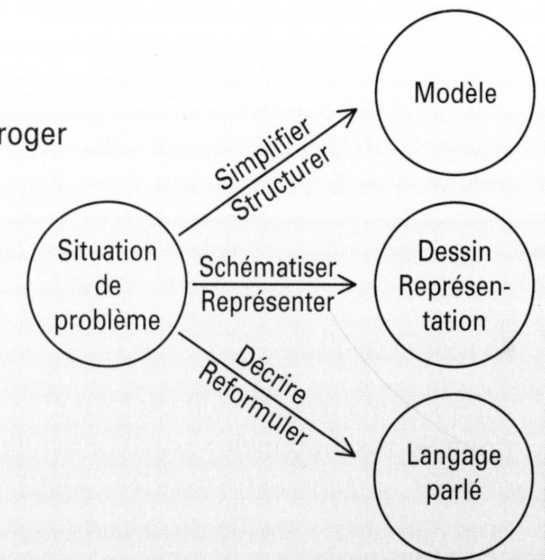

En équipe de deux, l'un explique le problème en ses propres mots et l'autre doit le résoudre. Ensuite, on inverse les rôles pour le problème suivant. Il est interdit de lire le problème à l'autre.

Les satellites naturels

Le plus gros des satellites naturels du système solaire est Ganymède. Il tourne autour de la planète Jupiter. Son diamètre est d'environ 5260 km. Celui de la Lune est d'environ 3476 km. Représentée à l'échelle sur une planche à dessin, la Lune est un disque de 2 cm de diamètre. Quelle est l'aire du disque représentant Ganymède sur le dessin ?

Les Jeux olympiques et les olympiades

L'expression *Jeux olympiques* désigne la compétition sportive internationale qui dure environ une quinzaine de jours. Il existe deux Jeux olympiques : les Jeux d'été et les Jeux d'hiver. Le terme *olympiade* correspond à la période de quatre ans qui sépare deux célébrations des Jeux olympiques. Il n'y a pas eu de Jeux olympiques au cours des deux Grandes Guerres mondiales (1914-1918, 1939-1945). En 1992, les Jeux olympiques de Barcelone (Espagne) étaient les XXIIes Jeux olympiques de la XXVe olympiade. En quelle année eurent lieu les premiers Jeux olympiques modernes ?

Stratégie : Faire différentes tentatives.

Le plus court chemin

Une fourmi est en *A* sur une boîte de conserve de 20 cm de diamètre et de 20 cm de hauteur. Elle veut se rendre en *B*. Comme elle s'est blessée à une patte, elle veut prendre le plus court chemin. Quelle distance minimale doit-elle parcourir ?

La moitié de l'aire

On trace un carré de 8 unités de côté. L'une de ses diagonales est $\overline{AC}$. Ensuite, on trace un autre carré intérieur *AFEG* dont l'aire est la moitié de celle du carré original. Quelle est la longueur de la diagonale *AE* ?

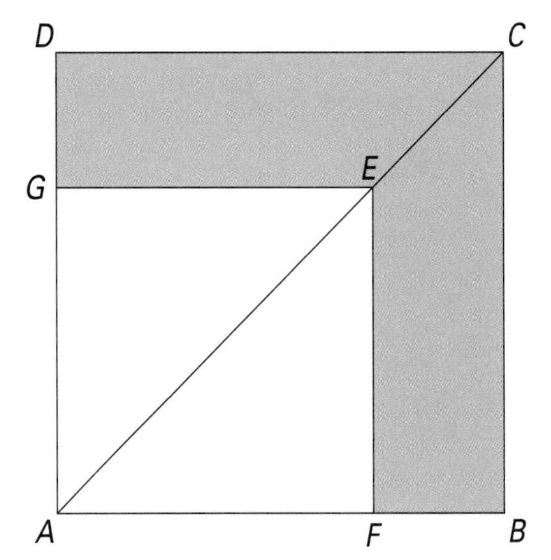

Les diagonales du cube

Un cube présente deux sortes de diagonales dont le rapport est constant. Quelle est la valeur de ce rapport ? Utilise les données numériques de ton choix.

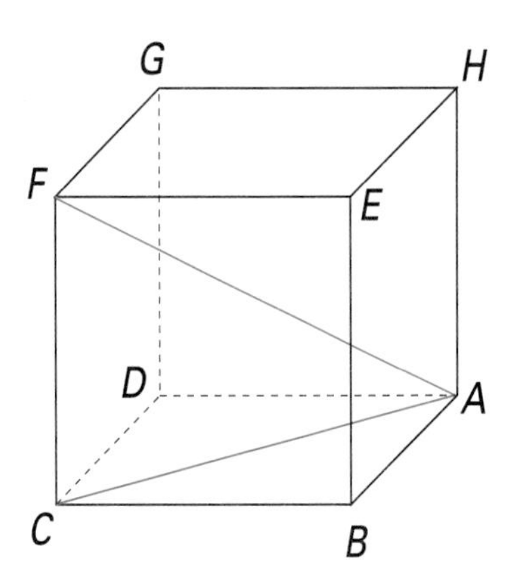

Projet 1 Quadrature du rectangle

1° Construire un rectangle en carton de 2 dm sur 1 dm.

2° Construire un deuxième rectangle de même aire ayant comme longueur la moyenne des deux dimensions du rectangle précédent, soit $(\frac{2+1}{2}) = \frac{3}{2}$. Pour conserver la même aire, il faut que sa largeur corresponde à $2 \div \frac{3}{2} = \frac{4}{3}$.

3° Construire trois autres rectangles en suivant la même démarche. Faire un montage avec les rectangles qui montre que les dimensions du dernier rectangle s'approchent de $\sqrt{2}$ dm.

Cette démarche a été proposée par Héron d'Alexandrie, mathématicien grec du début de notre ère.

Projet 2 Plus que des carrés

Le mathématicien Euclide a généralisé la relation de Pythagore en affirmant que l'aire de toute figure construite sur l'hypoténuse est égale à la somme des aires de figures semblables et semblablement placées sur les cathètes. Dessiner quelques beaux motifs illustrant à votre façon la relation de Pythagore. Les meilleurs dessins pourront être exposés dans la classe.

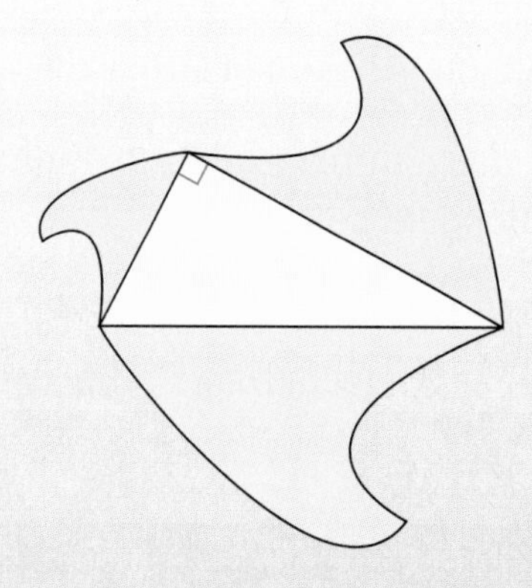

Projet 3 Les boîtes de nombres

Fabriquer des boîtes en carton illustrant les relations d'inclusion entre les différents ensembles de nombres : nombres naturels ($\mathbb{N}$), nombres entiers ($\mathbb{Z}$), nombres rationnels ($\mathbb{Q}$), nombres irrationnels ($\mathbb{Q}'$) et nombres réels ($\mathbb{R}$). Découper des nombres et les déposer dans chaque boîte.

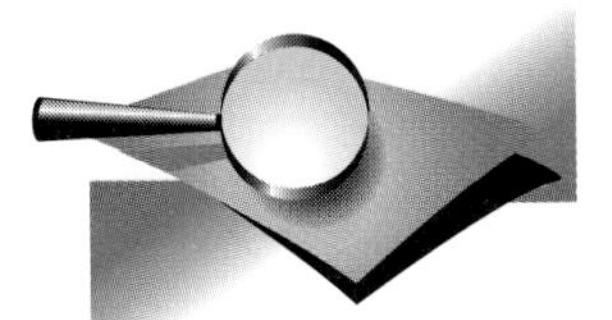

À LA LOGICOMATHÈQUE

DÉTECTEZ L'INTRUS

- Découvre l'intrus dans chaque cas.

a)	*b)*	*c)*	*d)*
1) (3, 4, 5)	1) $\sqrt{15}$	1) $\sqrt{5}$	1) $\sqrt{5}$
2) (5, 12, 13)	2) $\sqrt{24}$	2) $\sqrt{13}$	2) $\sqrt{20}$
3) (8, 15, 17)	3) $\sqrt{48}$	3) $\sqrt{25}$	3) $\sqrt{45}$
4) (9, 40, 41)	4) $\sqrt{80}$	4) $\sqrt{47}$	4) $\sqrt{72}$
5) (11, 60, 61)	5) $\sqrt{97}$	5) $\sqrt{61}$	5) $\sqrt{125}$
6) (12, 18, 25)	6) $\sqrt{120}$	6) $\sqrt{85}$	6) $\sqrt{180}$

À LA MENSA

- Dans l'illustration ci-contre, *ABED* est un rectangle. Le point *A* est le centre du cercle et *E* est sur le cercle. Le cercle a 5 unités de rayon. Quelle est la hauteur du rectangle *ABED* si la largeur est de 3 unités ?

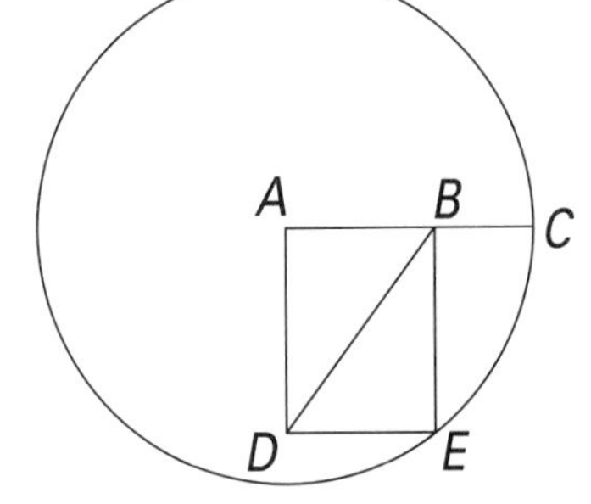

- Trouve deux autres triplets de Pythagore qui prolongent cette suite.

(3, 4, 5) $\mapsto$ (5, 12, 13) $\mapsto$ (7, 24, 25) $\mapsto$ (9, 40, 41) $\mapsto$ (11, 60, 61) $\mapsto$ ...

(Indice : Les deux derniers nombres du triplet dépendent du premier.)

PROUVE-LE DONC !

- Montre que la médiane *AM* du triangle *ABC* partage ce triangle en deux triangles de même aire.

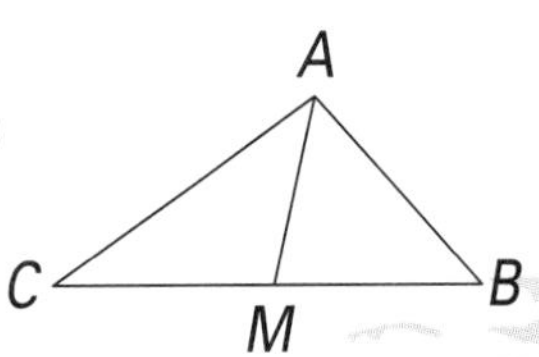

SUR LES TRACES DE LOGIC

- Une célèbre chanteuse décède subitement. Sa notaire convoque ses 4 soeurs pour la lecture du testament. Il ne contient que la phrase suivante :

Après avoir consulté Logic, l'une des soeurs prétend que la fortune lui revient. Découvre le prénom de cette soeur et donne les arguments qui appuient cette affirmation.

Je connais la signification des expressions suivantes :

Cathètes :	côtés ou mesures des côtés de l'angle droit dans un triangle rectangle.
Hypoténuse :	côté ou mesure du côté opposé à l'angle droit dans un triangle rectangle.
Nombre rationnel :	nombre dont le développement décimal est illimité et périodique.
Nombre irrationnel :	nombre dont le développement décimal est illimité et non périodique.
Nombre réel :	nombre rationnel ou nombre irrationnel.
Radical :	symbole indiquant une racine à extraire.
Radicande :	expression numérique ou algébrique sous un radical.
Racine carrée positive :	nombre positif qui, élevé au carré, donne le radicande.
Racine carrée négative :	nombre négatif qui, élevé au carré, donne le radicande.
Droite des nombres réels :	droite dont chaque point est en correspondance avec un nombre réel.

Je maîtrise les habiletés suivantes :

Exprimer en mots et à l'aide de variables la relation de Pythagore.

Résoudre des problèmes en utilisant la relation de Pythagore.

Vérifier qu'un triangle est rectangle à l'aide de la relation de Pythagore.

Justifier une affirmation en utilisant la relation de Pythagore.

Identifier et **situer** des nombres irrationnels sur la droite numérique.

Estimer une racine carrée.

Relation de Pythagore

1. On donne un triangle. Dans chaque cas, **exprime la relation** qui existe entre les mesures des côtés en utilisant les variables indiquées.

   a) Triangle équilatéral.

   b) Triangle rectangle.

   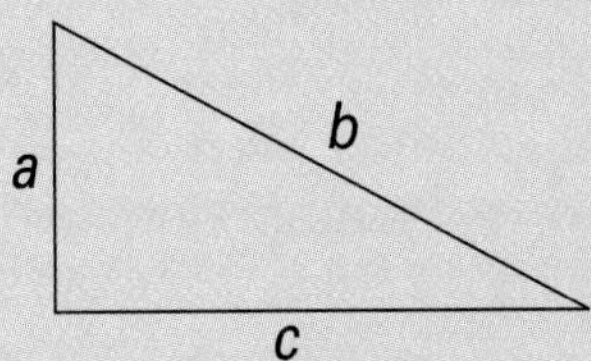

2. Si a et b sont les mesures des cathètes d'un triangle rectangle et que c est la mesure de l'hypoténuse, **laquelle** des relations suivantes est vraie ?

   A) $a + b < c$ B) $a + b = c$ C) $a + b > c$

3. **Trace** un autre carré dont l'aire est égale à la somme des aires des deux carrés illustrés.

   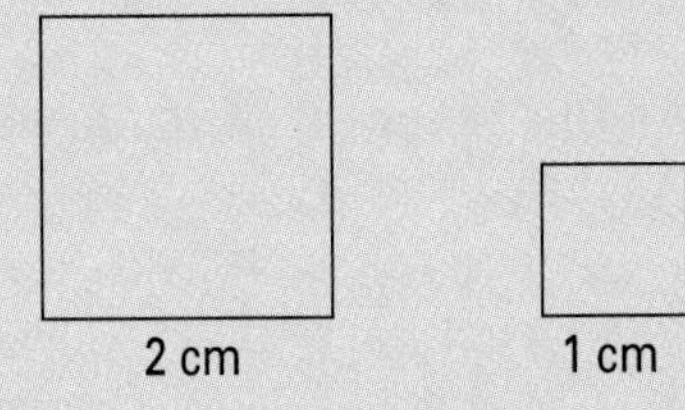

4. Un secrétaire s'ouvre avec un compas d'abattant comme le montre l'illustration. **Quelle est la longueur** de ce compas d'abattant ? Les mesures sont données en centimètres.

   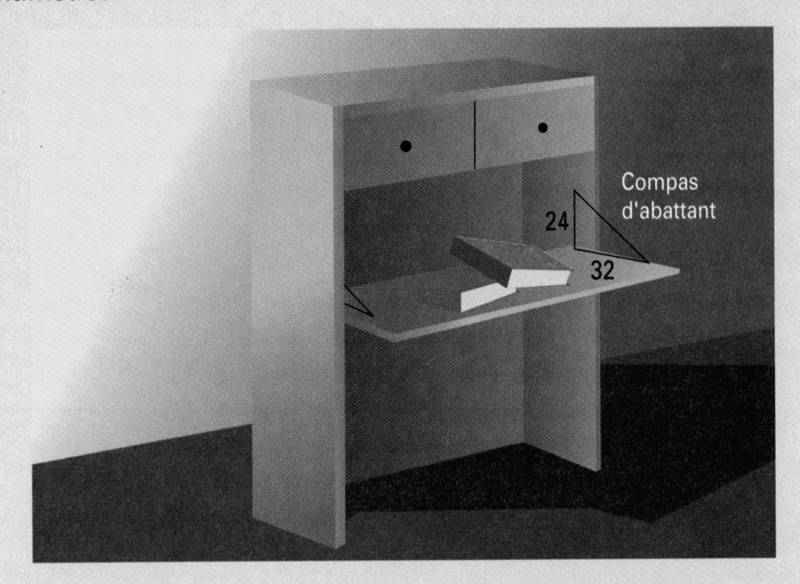

5. Un poteau de clôture de 2,4 m projette une ombre de 1,8 m au soleil. **Quelle est la distance** du sommet du poteau à l'extrémité de l'ombre?

6. **Calcule la mesure de la diagonale *EC*** de ce prisme droit rectangulaire.

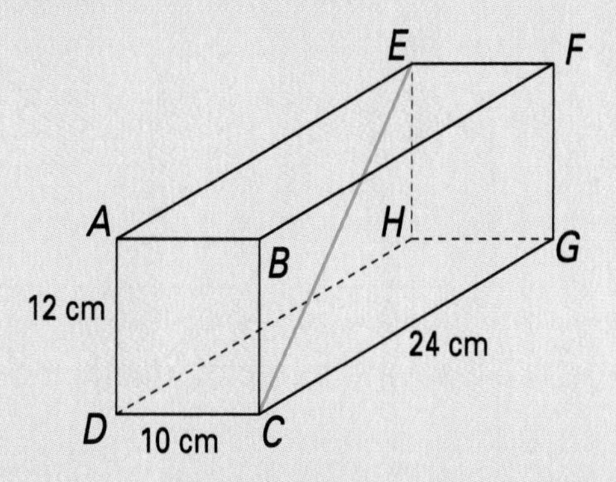

7. Une nageuse part du coin *A* de la piscine ci-dessous qui mesure 20 m sur 10 m. Elle veut aller toucher l'un des trois points qui se trouvent de l'autre côté de la piscine, puis revenir au coin *B*. Les points *X*, *Y*, et *Z* représentent respectivement $\frac{1}{4}$, $\frac{1}{2}$ et $\frac{3}{4}$ de la longueur de la piscine. **Quel point** la nageuse devrait-elle aller toucher si elle veut effectuer le plus court trajet?

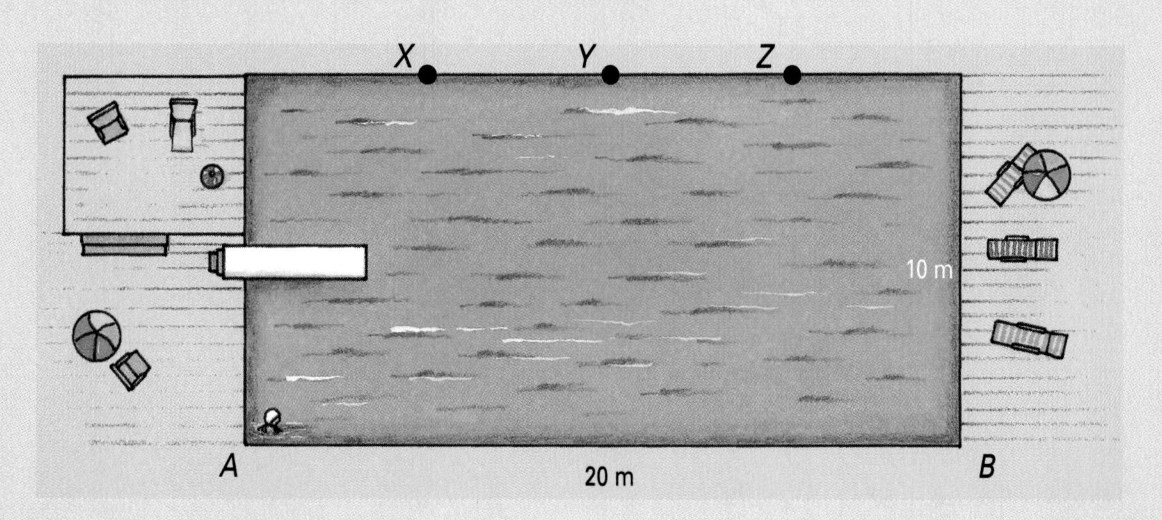

8. Les deux triangles dont on donne les mesures des côtés ont la particularité qu'un même nombre exprime leur périmètre et leur aire. **Ces triangles sont-ils rectangles** ?

   a) 6, 8, 10 ***b)*** 5, 12, 13

9. **Lequel de ces triplets** n'est pas **pythagoricien** ?

   A) (8, 15, 17) B) (7, 24, 27)

10. Un carré est inscrit dans un cercle de 10 cm de diamètre. Sur deux de ses côtés, on construit deux autres carrés ombragés. **Quelle est la somme des aires** de ces deux carrés ombragés ? Justifie ta réponse.

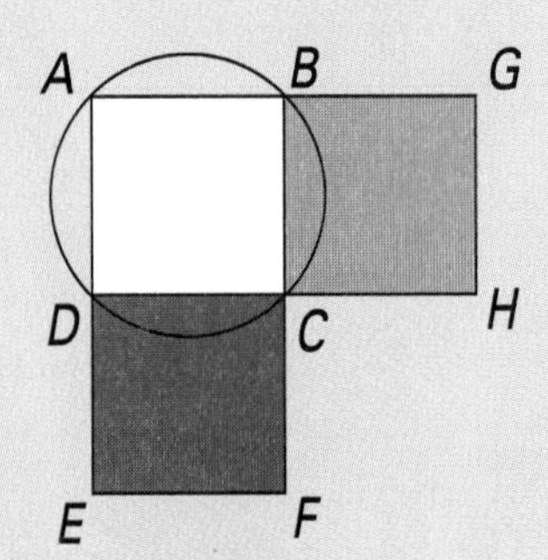

11. Voici une corde qui compte 13 noeuds.

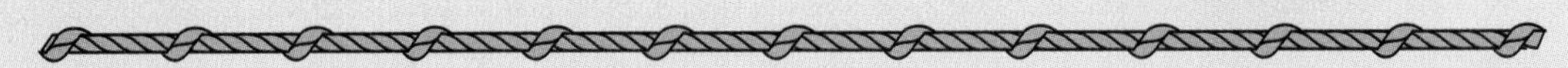

Montre qu'il est possible de la plier de façon à former un triangle rectangle.

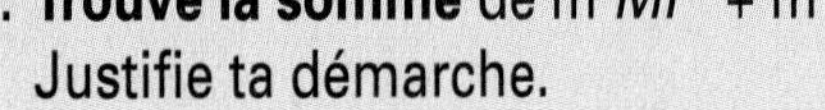

12. **Trouve la somme** de m $\overline{MP}$ + m $\overline{PN}$.
    Justifie ta démarche.

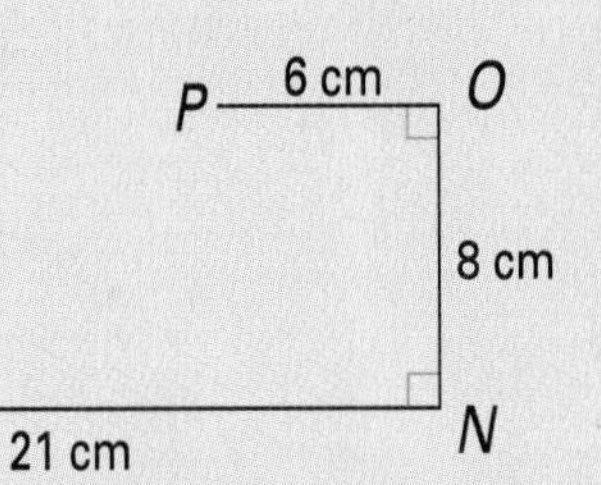

13. **Écris** le nombre rationnel $0,1\overline{28}$ sous la forme du quotient de deux entiers.

14. Dans chaque cas, **quel nombre irrationnel** est indiqué par la flèche sur la droite numérique ?

a)

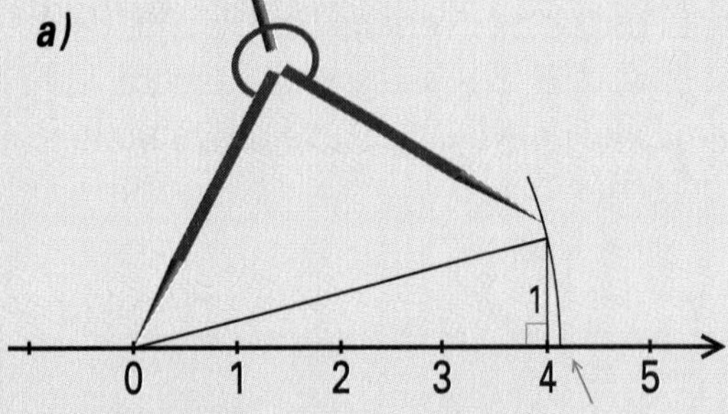

b)

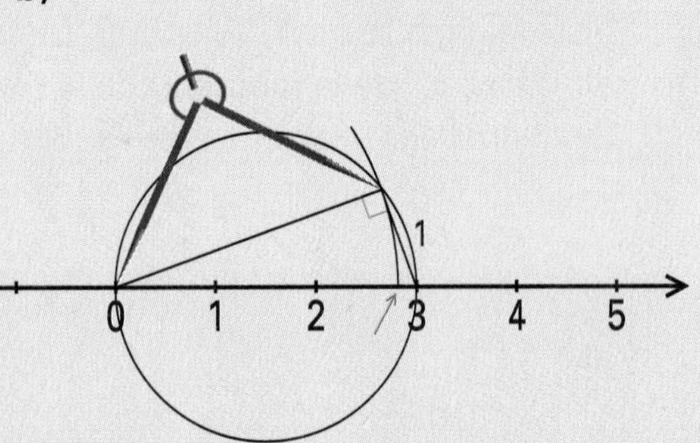

15. **Repère** $\sqrt{7}$ sur une droite numérique.

16. Un triangle rectangle *ABC* a des côtés qui mesurent respectivement 3 cm, 4 cm et 5 cm. On joint les points *E* et *F* qui sont situés au milieu des côtés de l'angle droit. **Montre** que :

$$m\ \overline{EF} = \frac{m\ \overline{AC}}{2}$$

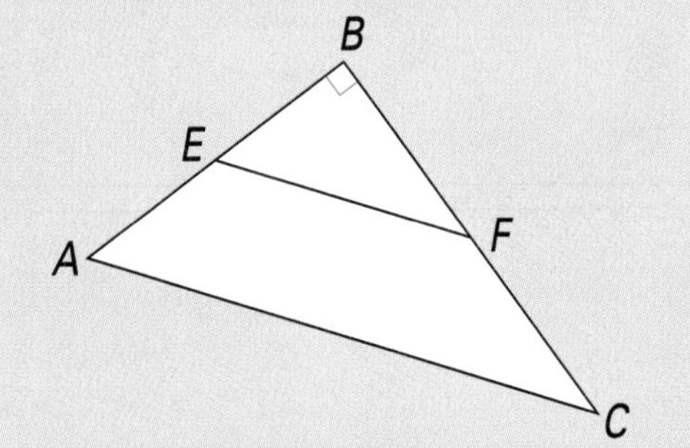

ITINÉRAIRE 4

LE CALCUL ALGÉBRIQUE

Les grandes idées :

- Propriétés des exposants.
- Addition et soustraction de polynômes.
- Multiplication de polynômes.
- Quotient de polynômes.

Objectif terminal :

Transformer une expression arithmétique ou algébrique en une expression équivalente.

$E = mc^2$

EN ROUTE

... VERS LA MANIPULATION ALGÉBRIQUE

DIVERSES NOTATIONS

LA NOTATION EXPONENTIELLE

Activité 1 Économiser un million

Depuis peu, Karl est sur le marché du travail. Comme il n'aime pas travailler, il souhaite devenir millionnaire très rapidement. Sa patronne lui fait la recommandation ci-contre en disant qu'il pourra ainsi réaliser son rêve.

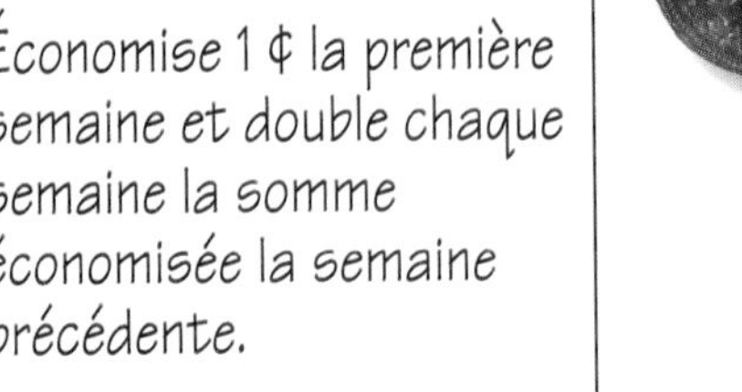

Complète la table suivante qui permet d'en faire la simulation.

Calcul des économies

Semaine	Économie (en ¢)	Total (en ¢)
1	1	1
2	2	3
3	4	7
4		
5		
6		
7		
8		
9		
10		

1. Quelle caractéristique les nombres de la colonne « Économie » montrent-ils ?

2. Quelle somme Karl économisera-t-il en 10 semaines ?

3. À l'aide de ta calculatrice, détermine la somme que Karl économisera la vingtième semaine.

4. Quelle caractéristique les nombres de la colonne « Total » montrent-ils ?

5. Combien Karl aura-t-il économisé au total après 20 semaines ?

6. Son rêve est-il réalisable ?

Activité 2 Un voyage dans l'espace

Un vaisseau spatial voyage par étapes dans l'espace. D'une étape à l'autre, il parcourt la même distance.

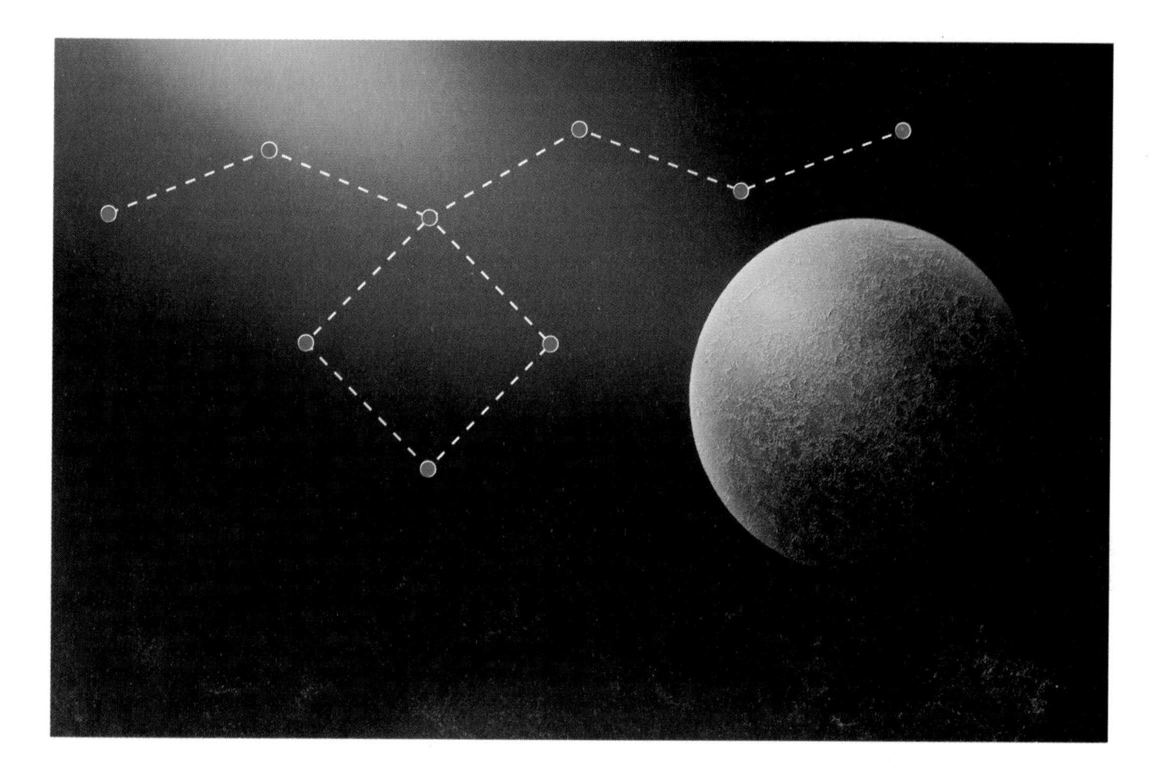

Chaque étape correspond à une distance de $\boldsymbol{m}$ années-lumière.
La force d'accélération de ce vaisseau est incroyable ! Chaque minute, sa vitesse se multiplie par elle-même.

La lumière parcourt approximativement 300 000 km/s.

(1) À quelle distance, en kilomètres, une année-lumière correspond-elle ?

(2) Que signifie l'expression *force d'accélération* ?

(3) Quelle distance ce vaisseau spatial parcourt-il en 2 étapes ? 15 étapes ? a étapes ?

(4) Si sa vitesse est de $\boldsymbol{m}$ km/min à la fin de la première minute, quelle est sa vitesse après 2 min ? 15 min ? a min ?

(5) Existe-t-il mathématiquement une différence entre les notations $\boldsymbol{am}$ et $\boldsymbol{m^a}$?

(6) Laquelle des deux expressions, am et m^a, varie le plus vite si l'on donne des valeurs numériques à a et m ?

Des expressions telles que 2^{19} ou m^a sont des **expressions exponentielles.**

La façon d'écrire de telles expressions est une question de **convention.** Une fois adoptée, il faut la respecter.

a) Quelle caractéristique chacune des multiplications suivantes possède-t-elle ?

1) 1 x 2 x 3 x 4 x 5 x 6 2) 3 x 3 x 3 x 3 x 3 x 3

Les conventions naissent généralement du besoin d'utiliser des raccourcis. Ainsi, pour la première multiplication, on convient d'écrire 6 ! et pour la seconde, on note 3^6.

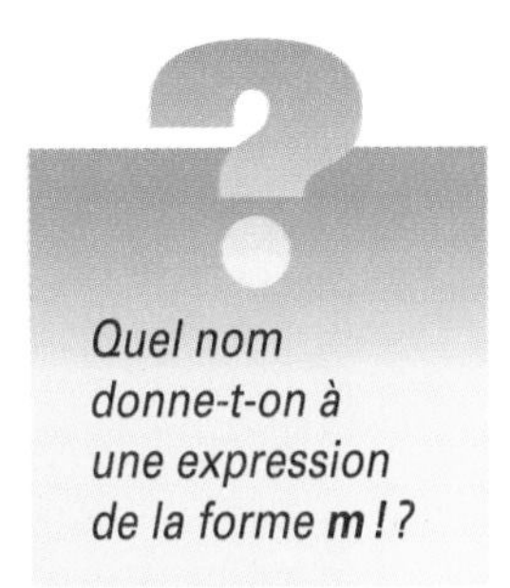

Quel nom donne-t-on à une expression de la forme ***m** ! ?*

b) Que signifient alors les notations suivantes ?

1) 8 ! 2) 5^4 3) 8^3 4) 10 !

La notation exponentielle correspond à l'opération **exponentiation.**

L'exponentiation est l'opération qui consiste à affecter une base d'un exposant afin d'obtenir une puissance.

$(\text{base})^{(\text{exposant})} = (\text{puissance})$

c) Ta calculatrice dispose probablement d'une touche qui permet de calculer des puissances. Cette touche est identifiée par y^x ou a^m ou ...

Repère cette touche sur ta calculatrice et exécute les séquences suivantes.

1) 2 y^x 3 = 2) 3  5  3) 5  3 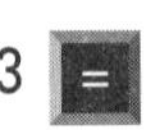 4) 9 y^x 5 

d) À l'aide de ta calculatrice, calcule les puissances suivantes, puis tire une conclusion.

1) 2 y^x 1 = 2) 7 y^x 1 = 3) 15 y^x 1 = 4) 19 y^x 1 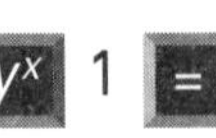

e) À l'aide de ta calculatrice, calcule les puissances suivantes, puis tire une conclusion.

1) 2 y^x 0 = 2) 7 y^x 0 = 3) 15 y^x 0 = 4) 19 y^x 0 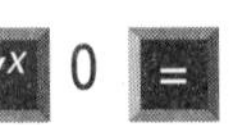

f) À l'aide de ta calculatrice, calcule les puissances suivantes, puis tire une conclusion.

1) 1 y^x 5 = 2) 1 y^x 7 = 3) 1 y^x 20 = 4) 1 y^x 999 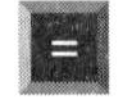

g) Ce modèle présente une régularité dans sa construction. Reproduisez-le sur du papier quadrillé, puis trouvez les trois premiers termes du modèle.

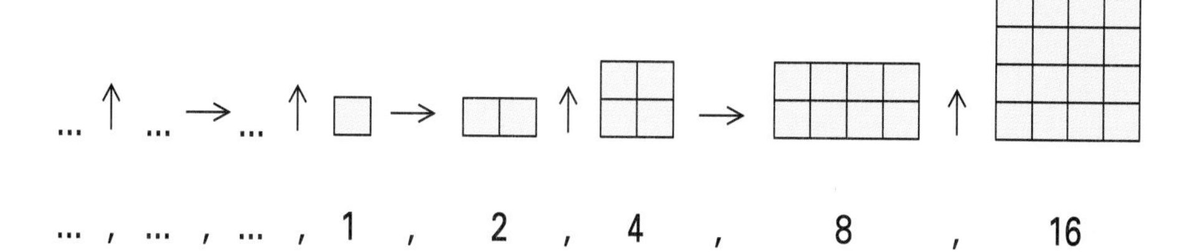

…, …, …, 1, 2, 4, 8, 16

h) En utilisant une calculatrice, exécutez les séquences suivantes.

1) 2 y^x -1 =
2) 2 y^x -2 =
3) 2 y^x -3 =
4) 2 y^x -4 =

i) Quelle signification doit-on attribuer à un exposant négatif ? Vérifiez votre réponse.

j) Quelle est la signification de l'exposant $\frac{1}{2}$ ou 0,5 ? Vérifiez votre réponse.

k) À l'aide d'une calculatrice, exécutez les séquences suivantes.

1) 4 y^x 0,5 =
2) 9 y^x 0,5 =
3) 25 y^x 0,5 =
4) 49 y^x 0,5 =

l) On peut écrire le nombre 64 de plusieurs façons en notation exponentielle. Donnez-en 3.

m) Trouvez une expression équivalente à m^{-a} si m est différent de 0 et a est un entier positif.

n) Pouvez-vous expliquer le résultat affiché sur la calculatrice pour chacune des séquences suivantes ?

1) 0 y^x 0 =
2) 0 y^x -1 =
3) -2 y^x 0,5 =

o) Quelle séquence permet de calculer $-(25)^{1/2}$ qui correspond à $-\sqrt{25}$ et qui vaut -5 ?

p) Quel résultat une calculatrice affiche-t-elle pour le calcul $(-25)^{1/2}$?

On retiendra que :

	Exemples
1° Pour une base ***m*** et un exposant entier ***a*** > 1, $$m^a = \underbrace{m \cdot m \cdot m \cdot \ldots \cdot m}_{a \text{ fois}}$$	$7^3 = 7 \times 7 \times 7$ $x^4 = x \cdot x \cdot x \cdot x$
2° Pour une base ***m*** et l'exposant 1, $$m^1 = m$$	$9^1 = 9$ $y^1 = y$
3° Pour une base ***m*** ≠ 0 et l'exposant 0, $$m^0 = 1$$	$5^0 = 1$ $n^0 = 1$ (pour $n \neq 0$)
4° Pour une base ***m*** ≠ 0 et un exposant entier ***a*** > 0, $$m^{-a} = \frac{1}{m^a}$$	$4^{-3} = \frac{1}{4^3}$ $t^{-3} = \frac{1}{t^3}$ (pour $t \neq 0$)
5° Pour une base ***m*** > 0 et l'exposant $\frac{1}{2}$, $$m^{1/2} = \sqrt{m}$$	$25^{1/2} = \sqrt{25} = 5$ $-25^{1/2} = -(25^{1/2}) = -\sqrt{25} = -5$

Christine de Suède s'entretenant avec René Descartes, détail d'un tableau de L. M. Dumesnil.

1 Écris chaque nombre sous une forme exponentielle.

a) 9 *b)* 25 *c)* 144
d) 81 *e)* 125 *f)* 216

2 Détermine la puissance de chaque expression exponentielle.

a) 7^3 *b)* 10^5
c) 9^{-1} *d)* 20^0

3 À l'aide de ta calculatrice, calcule la puissance de chaque expression.

a) 5^8 *b)* 12^6
c) 9^{-6} *d)* $0{,}4^5$

4 La première ligne de la table ci-dessous est précédée d'une infinité d'autres lignes.

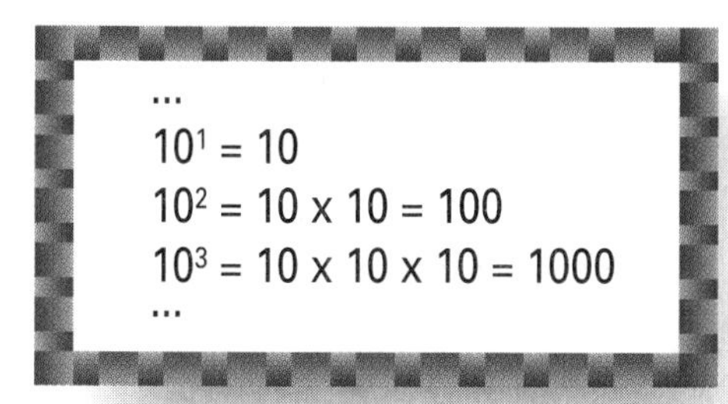
...
$10^1 = 10$
$10^2 = 10 \times 10 = 100$
$10^3 = 10 \times 10 \times 10 = 1000$
...

a) Ajoute les cinq lignes qui précèdent la première ligne donnée.

b) Décris la régularité observée.

5 Donne la signification de chaque expression d'après la définition de l'exposant.

a) 4^{-2} *b)* 5^{-3} *c)* 6^{-4} *d)* m^{-5} *e)* m^{-a}

6 Écris chaque nombre sous une forme exponentielle.

a) 64 *b)* 512 *c)* ⁻8 *d)* 6561 *e)* ⁻343
f) 125 *g)* 400 *h)* 10 000 *i)* 1 *j)* 19

7 Détermine la base.

a) $■^4 = 81$ *b)* $■^1 = 501$ *c)* $■^{-2} = 0{,}01$ *d)* $■^{-1} = \frac{1}{4}$
e) $■^3 = 216$ *f)* $■^3 = 343$ *g)* $■^{-4} = 0{,}0001$ *h)* $■^{-2} = \frac{1}{49}$

8 Détermine l'exposant.

a) $10^{■} = 0{,}1$ *b)* $8^{■} = 1$ *c)* $8^{■} = 4096$ *d)* $5^{■} = 1\,953\,125$
e) $5^{■} = 0{,}04$ *f)* $4^{■} = 0{,}015\,625$ *g)* $20^{■} = 0{,}05$ *h)* $5^{■} = 0{,}0016$

9 Donne l'exposant de 10 dont la puissance correspond à chaque nombre.

a) Un million.
b) Un millième.
c) Un milliard.
d) Un dix-millième.
e) Un trillion.
f) Un dixième.
g) Mille.
h) Un centième.

10 Transforme chaque expression en une expression équivalente qui utilise un exposant positif. Les variables sont toutes différentes de 0.

a) 2^{-2}
b) 5^{-4}
c) 10^{-3}
d) $\frac{1}{10^{-1}}$
e) $\frac{1}{5^{-2}}$
f) x^{-2}
g) a^{-n}
h) $\frac{1}{a^{-2}}$

11 Vrai ou faux ? Justifie ta réponse.

a) $1 \div 10^2 = 1 \times 10^{-2}$
b) $1 \div 10^3 = 1 \times 10^{-3}$

12 Exprime chaque nombre sous la forme d'une multiplication utilisant une puissance de 10.

a) 800 = 8 x 100 = 8 x ■
b) 0,3 = 3 x 0,1 = 3 x ■
c) 0,004 = 4 x ■ = 4 x ■
d) 32 000 = 32 x ■ = 32 x ■
e) 0,000 045 = 45 x ■ = 45 x ■
f) 10,01 = 1001 x ■ = 1001 x ■

13 Quelle expression représente la plus grande valeur si $a = 2$?

a) 2^2a ou $2a^2$ ou $(2a)^2$?
b) $2^{-2}a$ ou $2a^{-2}$ ou $(2a)^{-2}$?

14 À quelle condition l'expression a^n représente-t-elle des valeurs supérieures à b^n ?

15 Sachant que l'exponentiation est une opération prioritaire à la multiplication, calcule les expressions suivantes.

a) 4×3^2
b) $(4 \times 3)^2$
c) 3×4^2
d) $3^2 \times 4^2$

16 Quelle expression représente la plus grande valeur ?

a) $2^2 + 3^2$ ou $(2 + 3)^2$?
b) $3^2 + 4^2$ ou $(3 + 4)^2$?
c) $3^2 - 2^2$ ou $(3 - 2)^2$?
d) $4^2 - 2^4$ ou $(4 - 2)^2$?

17 Un essaim d'abeilles compte environ 60 000 individus. Une maladie contagieuse et mortelle se propage dans la ruche au rythme suivant : tous les jours, chaque individu atteint transmet la maladie à 5 autres individus, puis meurt. Dans combien de temps l'essaim sera-t-il complètement décimé ? Utilise une table de valeurs pour résoudre ce problème.

18 Kateri a deux parents qui ont eu chacun deux parents qui, à leur tour, ont eu chacun deux parents, et ainsi de suite. En tout, 16 générations se sont succédées depuis l'arrivée de sa famille en Amérique. Combien de personnes ayant vécu en Amérique ont contribué directement à son bagage génétique ?

19 Le modèle ci-dessous utilise la notation exponentielle.

$(-3)^1 = -3$
$(-3)^2 = 9$
$(-3)^3 = -27$
$(-3)^4 = 81$
$(-3)^5 = -243$
...

a) Quelle conclusion l'analyse de ce modèle t'inspire-t-elle ?

b) Quel est le signe de la puissance de :

1) $(-3)^{32}$? 2) $(-3)^{45}$?

c) Place les expressions suivantes selon l'ordre croissant de leur puissance.

$(-3)^0$ $(-3)^2$ $(-3)^5$ $(-3)^{17}$ $(-3)^{20}$

20 Gino prétend que $2^3 = \frac{1}{2^{-3}}$.
A-t-il raison ?
Justifie ta réponse.

21 Déduis la valeur de b dans chaque cas.

a) $5^b = 5^{12}$ *b)* $5^b = 125$

c) $4^b = 256$ *d)* $2 \times 3^b = 54$

22 Laquelle de ces deux expressions ne peut représenter que des nombres positifs ?
Justifie ta réponse.

$x^2 - 1$ ou $(x - 1)^2$?

23 Parmi les valeurs de a suggérées, laquelle fait en sorte que l'expression a^2 représente une valeur inférieure à a^{-2} ?

A) 2 B) $^-2$ C) $\frac{1}{2}$ D) 0 E) $^-1$

24 Observe la règle de construction de ce modèle.

$1^3 + 2^3 = 3^2$
$1^3 + 2^3 + 3^3 = 6^2$
$1^3 + 2^3 + 3^3 + 4^3 = ...$
...
...
...

a) Découvre cette règle et prolonge le modèle de trois lignes.

b) Trouve une expression algébrique qui exprime la somme de $1^3 + 2^3 + 3^3 + 4^3 + 5^3 + ... + n^3$.

25 Peut-on trouver une puissance de 2 qui :

a) soit en même temps une puissance de 8 ?
Explique ta réponse.

b) soit en même temps une puissance de 6 ?
Explique ta réponse.

26 Est-ce que toutes les puissances de 9 sont aussi des puissances de 3 ?
Utilise une table de valeurs pour appuyer ta réponse.

27 La factorisation première consiste à décomposer les nombres en des facteurs premiers affectés d'un exposant. Donne la factorisation première de :

a) $72 = 8 \times 9 = 2 \times 2 \times 2 \times 3 \times 3 = 2^{■} \times 3^{■}$ *b)* 1800

c) 1296   *d)* 3600

28 Neil s'amuse avec un jeu vidéo, et il vient de gagner 2 points. Il continue à jouer en choisissant l'option « Quitte ou double ». Combien de fois Neil a-t-il misé si la machine vient de lui soutirer 1024 points ?

29 Découvre la régularité du modèle ci-contre et trouve les puissances manquantes sans effectuer de calcul.

$13^2 = 169$
$133^2 = 17\ 689$
$1333^2 = 1\ 776\ 889$
$13\ 333^2 = ...$
$133\ 333^2 = ...$

30 Construis un modèle semblable avec le nombre 19.

31 Montre que 5^{-1} est différent de $^{-}5$.

32 Montre que $(^{-}2)^4$ est différent de $^{-}2^4$.

33 À l'aide d'une notation exponentielle, exprime un millimètre en kilomètre.

34 Observe le modèle ci-contre et exprime algébriquement le résultat de la dernière ligne.

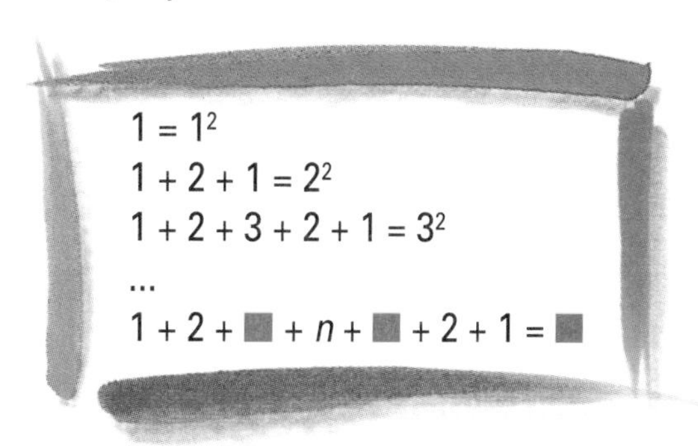

35 Complète les phrases suivantes à l'aide du mot *croissant* ou *décroissant.*

a) Les puissances du nombre 3 affecté d'exposants entiers positifs sont en ordre ■.

b) Les puissances du nombre 3 affecté d'exposants entiers négatifs sont en ordre ■.

c) Les puissances de la fraction $\frac{1}{2}$ affectée d'exposants entiers positifs sont en ordre ■.

d) Les puissances de la fraction $\frac{1}{2}$ affectée d'exposants entiers négatifs sont en ordre ■.

36 Cette table montre l'évolution de la valeur d'un placement de 500 $ à un taux d'intérêt annuel de 10 %.

a) Quelle est sa valeur après 3 années ?

b) Quelle expression représente sa valeur après *n* années ?

Placement

Durée (en a)	Valeur (en $)
1	1,1 x 500
2	1,1 x 1,1 x 500
3	■
...	...
n	■

LA NOTATION SCIENTIFIQUE

La vie dans l'Univers

Les scientifiques scrutent l'Univers à la recherche de la vie.

La sonde spatiale *Pioneer 10* poursuit son périple dans l'espace. Lancée le 3 mars 1972, elle voyage à la vitesse de 40 000 km/h.

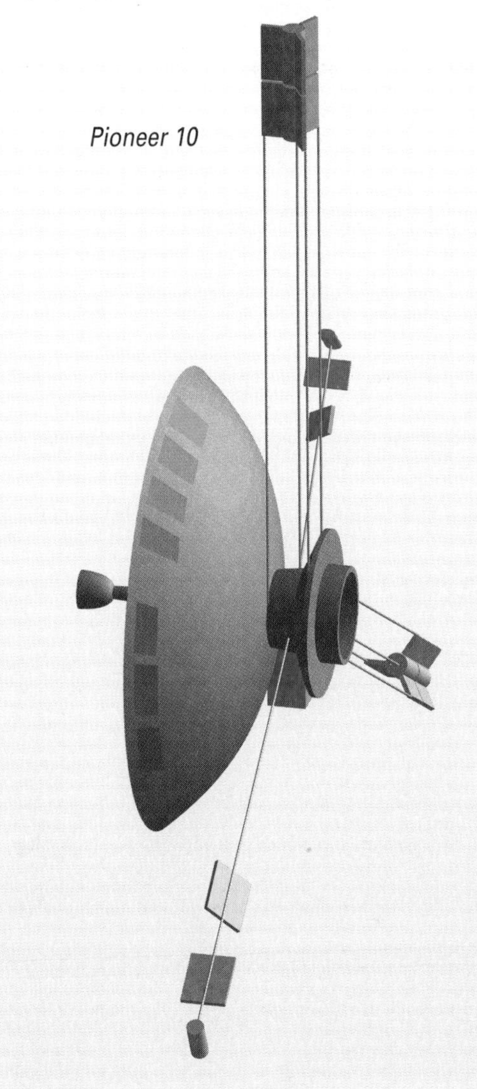
Pioneer 10

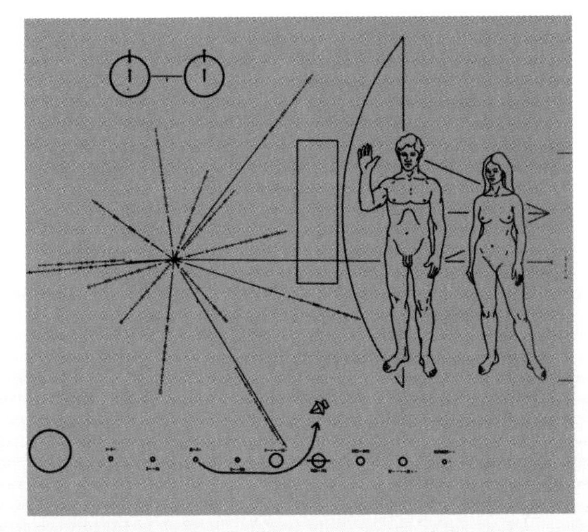
Une plaque comme celle ci-dessus se trouve à bord des sondes Pioneer 10 *et* Pioneer 11 *au cas où elles rencontreraient une intelligence extraterrestre.*

① Quelle distance, en kilomètres, cette sonde a-t-elle parcourue depuis son lancement ?

La lumière se propage à une vitesse d'environ 3×10^5 km/s. Plus un astre est loin, plus sa lumière met du temps à nous parvenir. Un vaisseau qui part à la rencontre de cet astre reçoit sa lumière avant nous. Ce vaisseau se trouve donc à remonter dans le temps.

② À quel moment dans le temps la sonde *Pioneer 10* se trouve-t-elle aujourd'hui ?

Dès que l'on utilise des grands nombres ou des petits nombres, on a avantage à utiliser la **notation scientifique.**

La notation scientifique est une notation qui utilise **les puissances de 10.**

Puissances positives de 10 : 10^0, 10^1, 10^2, 10^3, 10^4, ... ou 1, 10, 100, 1000, 10 000, ...

Puissances négatives de 10 : 10^{-1}, 10^{-2}, 10^{-3}, 10^{-4}, ... ou 0,1, 0,01, 0,001, 0,0001, ...

a) En mathématique, les puissances de 10 jouent un rôle particulièrement important. Prolonge de trois autres lignes cette table des puissances positives de 10.

$10^0 = 1$
$10^1 = 10$
$10^2 = 10 \times 10 = 100$
$10^3 = 10 \times 10 \times 10 = 1000$
...

b) Cette table se prolonge indéfiniment. Quelle relation peut-on établir entre le nombre de zéros dans la puissance et l'exposant de 10 ?

c) Écris le nombre suivant sous une forme plus simple.

10 000 000 000 000 000 000 000 000 000 000 000 000 000 000 000 000 000
000 000 000 000 000 000 000 000 000 000 000 000 000 000 000 000

d) Décris en mots le nombre correspondant à 10^{1000}.

e) Prolonge de trois autres lignes cette table des puissances négatives de 10.

$10^0 = 1$

$10^{-1} = \frac{1}{10^1} = \frac{1}{10} = 0{,}1$

$10^{-2} = \frac{1}{10^2} = \frac{1}{100} = 0{,}01$

$10^{-3} = \frac{1}{10^3} = \frac{1}{1000} = 0{,}001$

...

f) Cette table se prolonge indéfiniment. Quelle relation peut-on établir entre l'exposant dans la puissance et la position du premier chiffre différent de zéro après la virgule dans le nombre décimal ?

g) Décris le déplacement qu'effectue la virgule dans un nombre décimal si on le multiplie par 10, 100, 1000, ...

h) Décris le déplacement qu'effectue la virgule dans un nombre décimal si on le divise par 10, 100, 1000, ...

i) Est-il vrai que diviser un nombre par 10, 100, 1000, ... revient à le multiplier par $\boxed{0{,}1}$, $\boxed{0{,}01}$, $\boxed{0{,}001}$, ... ou à le multiplier par $\boxed{10^{-1}}$, $\boxed{10^{-2}}$, $\boxed{10^{-3}}$, ...?
Vérifie ces égalités.

1) $5 \div 10 = 5 \times 0{,}1$
2) $20 \div 10 = 20 \times 0{,}1$
3) $400 \div 100 = 400 \times 0{,}01$
4) $5 \div 10^1 = 5 \times 10^{-1}$
5) $20 \div 10^1 = 20 \times 10^{-1}$
6) $400 \div 10^2 = 400 \times 10^{-2}$

j) Modifie-t-on la valeur d'un nombre si on le multiplie par un nombre et qu'on le divise immédiatement par le même nombre ou vice-versa?
Vérifie.

1) $20 \div 10^1 \times 10^1$
2) $0{,}03 \times 100 \div 100$
3) $8\,200 \div 1000 \times 1000$
4) $46\,000 \div 10^4 \times 10^4$
5) $0{,}0008 \times 10^4 \div 10^4$
6) $120\,000 \div 10^5 \times 10^5$

Cette dernière propriété permet d'écrire les nombres décimaux en notation scientifique.

Écrire un nombre positif en notation scientifique consiste à l'écrire sous la forme $\boldsymbol{a \times 10^n}$ avec $1 \leq a < 10$ et n, un nombre entier.

Ex. 1 : Écrire 45 000 en notation scientifique.

$\underbrace{45\,000 \div 10^4} \times 10^4$

$4{,}5 \quad \times 10^4$

Ex. 2 : Écrire 0,0025 en notation scientifique.

$\underbrace{0{,}0025 \times 10^3} \div 10^3$

$2{,}5 \quad \div 10^3$

$2{,}5 \quad \times 10^{-3}$

L'application de la dernière propriété a pour but d'obtenir un nombre compris entre 1 et 10.

k) Comment écrit-on un nombre négatif en notation scientifique?

l) Effectue la multiplication suivante à l'aide de ta calculatrice scientifique et décris l'affichage donné.

JOGGING

1 Quelle opération est prioritaire dans le calcul de l'expression 2×10^3 ?

2 Ces expressions ont toutes la même valeur, mais laquelle est une notation scientifique et pourquoi ?

245×10^1 $24{,}5 \times 10^2$ $2{,}45 \times 10^3$ $0{,}245 \times 10^4$

3 Exprime chaque nombre en notation scientifique.

a) 2 000 *b)* 0,003 *c)* 28 000 *d)* 0,000 64

e) 0,0984 *f)* 450 200 *g)* 2 445 920 *h)* 0,000 000 124

4 Transforme la notation scientifique en notation décimale.

a) $2{,}4 \times 10^3$ *b)* $8{,}9 \times 10^{-2}$ *c)* $2{,}4789 \times 10^4$ *d)* $1{,}645\ 679 \times 10^8$

e) $1{,}4345 \times 10^{-2}$ *f)* $8{,}248\ 872 \times 10^{10}$ *g)* $2{,}39 \times 10^{-8}$ *h)* 5×10^{12}

5 Voici les différents affichages d'une calculatrice. Transforme ces nombres en notation décimale.

a)

b)

c)

d)

6 Pourquoi utilise-t-on le nombre 10 comme base en notation scientifique plutôt qu'un autre nombre ?

7 Écris les nombres de ces situations en notation scientifique.

> On n'utilise pas la notation scientifique pour écrire des dates.

a) En 1995, la dette du Canada dépassait 500 000 000 000 $.

b) La disparition des dinosaures remonterait approximativement à 65 millions d'années.

c) En 1976, le noyau de la comète West se fragmenta à 30 millions de kilomètres du Soleil.

d) Il existe 170 000 000 000 000 000 000 000 000 façons différentes de jouer les 10 premiers coups aux échecs.

8 Les unités de mesure dans ces situations ne sont pas appropriées. Écris ces mesures en utilisant l'unité qui convient.

a) Un protozoaire a un diamètre de 2×10^{-7} km.

b) L'érosion gruge cette montagne de 5×10^{-6} km par année.

9 L'unité astronomique représente la distance moyenne de la Terre au Soleil, soit 150 000 000 km. Exprime ce nombre en notation scientifique.

10 Exprime en notation scientifique le nombre donné dans chaque situation.

a) Un méga-mètre est égal à un milliard de mètres.

b) Une micro-seconde est égale à un millionième de seconde.

11 Certaines calculatrices et certains ordinateurs utilisent la lettre E pour indiquer une notation scientifique. Quelle est la notation décimale du nombre 2,4582E-04 ?

12 À partir de quel exposant ta calculatrice utilise-t-elle la notation scientifique dans chacune des bases suivantes ?

a) 2 *b)* 3 *c)* 10 *d)* 25

13 Dans la notation scientifique $8{,}2456 \times 10^4$, quelle imprécision introduit-on si on laisse tomber le chiffre 6 ?

14 La table ci-dessous montre en ordre décroissant la liste des 10 astres les plus brillants dans le ciel et leur distance de la Terre. Lequel de ces astres étonne par sa faible brillance malgré qu'il soit relativement près de la Terre ?

Liste des astres les plus brillants

Objet	Distance (en km)
Soleil	$1{,}5 \times 10^8$
Lune	$3{,}84 \times 10^5$
Vénus	$1{,}50 \times 10^8$
Jupiter	$7{,}77 \times 10^8$
Sirius	$8{,}19 \times 10^{13}$
Canopus	$1{,}79 \times 10^{16}$
Arcturus	$3{,}40 \times 10^{14}$
Mars	$2{,}15 \times 10^8$
Véga	$2{,}50 \times 10^{14}$
Saturne	$1{,}43 \times 10^9$

Comment tenons-nous sur la Terre sans tomber ?

PROPRIÉTÉS DES EXPOSANTS

Activité 1 Produit de puissances

La table ci-contre montre les puissances de 2.

…
$2^{-6} = \frac{1}{64}$
$2^{-5} = \frac{1}{32}$
$2^{-4} = \frac{1}{16}$
$2^{-3} = \frac{1}{8}$
$2^{-2} = \frac{1}{4}$
$2^{-1} = \frac{1}{2}$
$2^{0} = 1$
$2^{1} = 2$
$2^{2} = 4$
$2^{3} = 8$
$2^{4} = 16$
$2^{5} = 32$
$2^{6} = 64$
$2^{7} = 128$
$2^{8} = 256$
…

a) On multiplie entre elles des puissances de 2. En te référant à cette table, donne l'exposant qui manque pour compléter le second énoncé.

1) $4 \times 8 = 32$
↓ ↓ ↓
$2^2 \times 2^3 = 2^{■}$

2) $4 \times 16 = 64$
↓ ↓ ↓
$2^2 \times 2^4 = 2^{■}$

3) $8 \times 16 = 128$
↓ ↓ ↓
$2^3 \times 2^4 = 2^{■}$

4) $\frac{1}{8} \times 16 = 2$
↓ ↓ ↓
$2^{-3} \times 2^4 = 2^{■}$

b) Quelle propriété peut-on observer à la question précédente ?

c) Cette propriété s'applique-t-elle avec les puissances de 10 ? Vérifie.

1) 100 x 1000 = 100 000
2) 0,1 x 100 = 10

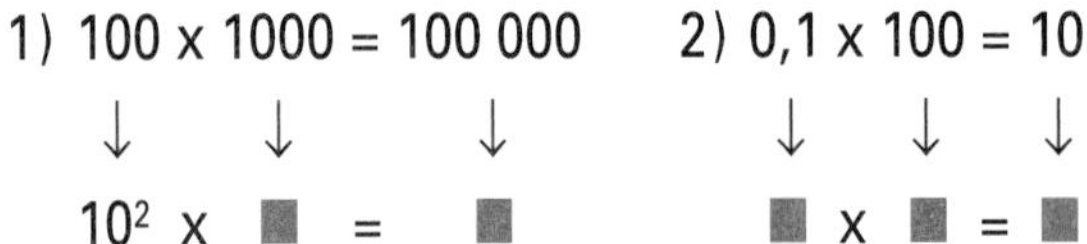

10^2 x ■ = ■
■ x ■ = ■

3) 0,01 x 0,001 = 0,000 01
4) 10 000 x 100 = 1 000 000

■ x ■ = ■
■ x ■ = ■

d) Vérifie si les égalités suivantes sont vraies ou fausses en calculant la puissance de chaque expression exponentielle.

1) $5^2 \times 5^3 = 5^5$
2) $6^2 \times 6^3 = 6^5$
3) $8^{-1} \times 8^2 = 8^1$
4) $(-2)^2 \times (-2)^3 = (-2)^5$

e) Trouve un résultat qui convient aux multiplications suivantes si les facteurs sont définis.

1) $a^2 \cdot a^3 =$ ■
2) $n^3 \cdot n^4 =$ ■
3) $t^{-2} \cdot t^2 =$ ■
4) $x^a \cdot x^b =$ ■

f) Ta calculatrice fonctionne-t-elle en respectant cette règle ?

QU'EN PENSEZ-VOUS ?

g) Justifiez l'addition des exposants dans ces multiplications en transformant chaque forme exponentielle en multiplications répétées.

1) $8^3 \times 8^4 = 8^7$
$8 \times 8 \times 8 \times$ ▬ = ▬

2) $a^4 \cdot a^2 = a^6$
▬ • ▬ = ▬

h) Peut-on additionner les exposants dans la multiplication de bases différentes?

$4^3 \times 5^2 = ?$

i) Peut-on additionner les exposants dans l'addition de mêmes bases? Justifiez votre réponse.

$5^3 + 5^2 = ?$

j) Peut-on additionner les exposants dans l'addition de mêmes bases affectées des mêmes exposants? Justifiez votre réponse.

$5^2 + 5^2 = ?$

k) Trouvez l'expression qui correspond au produit de $2^2a^3 \cdot 2^3a^4$ et justifiez votre démarche.

Nous observons donc une première propriété des exposants dans la multiplication des puissances d'une même base.

Propriété des exposants

L'exposant du produit de deux puissances d'une même base est la somme des exposants des puissances. Pour toute base *m* différente de 0 et pour des exposants entiers *a* et *b*, on a :

$$m^a \cdot m^b = m^{a+b}$$

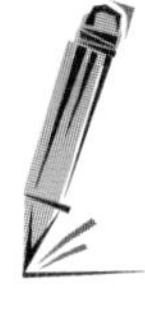

Activité 2 Quotient de puissances

a) On divise deux puissances de 2. En te référant à la table ci-contre, donne l'exposant qui manque pour compléter le second énoncé.

1) $32 \div 8 = 4$
↓ ↓ ↓
$2^5 \div 2^3 = 2^{■}$

2) $64 \div 16 = 4$
↓ ↓ ↓
$2^6 \div 2^4 = 2^{■}$

3) $128 \div 8 = 16$
↓ ↓ ↓
$2^7 \div 2^3 = 2^{■}$

4) $16 \div \frac{1}{4} = 64$
↓ ↓ ↓
$2^4 \div 2^{-2} = 2^{■}$

...
$2^{-6} = \frac{1}{64}$
$2^{-5} = \frac{1}{32}$
$2^{-4} = \frac{1}{16}$
$2^{-3} = \frac{1}{8}$
$2^{-2} = \frac{1}{4}$
$2^{-1} = \frac{1}{2}$
$2^0 = 1$
$2^1 = 2$
$2^2 = 4$
$2^3 = 8$
$2^4 = 16$
$2^5 = 32$
$2^6 = 64$
$2^7 = 128$
$2^8 = 256$
...

b) Quelle propriété peut-on observer à la question précédente ?

c) Cette propriété se vérifie-t-elle avec les puissances de 10 ? Vérifie.

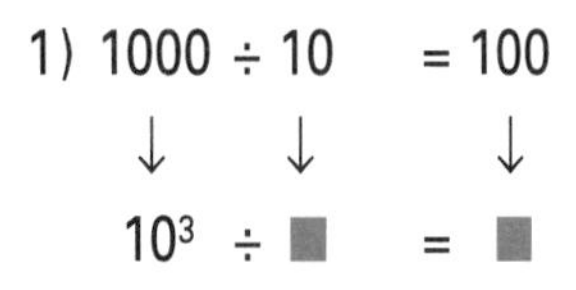

1) $1000 \div 10 = 100$
↓ ↓ ↓
$10^3 \div$ ■ = ■

2) $0{,}1 \div 100 = 0{,}001$
↓ ↓ ↓
■ ÷ ■ = ■

3) $100 \div 0{,}001 = 100\,000$
↓ ↓ ↓
■ ÷ ■ = ■

4) $100\,000 \div 100 = 1000$
↓ ↓ ↓
■ ÷ ■ = ■

d) Vérifie si les égalités suivantes sont vraies ou fausses en calculant la puissance de chaque expression exponentielle.

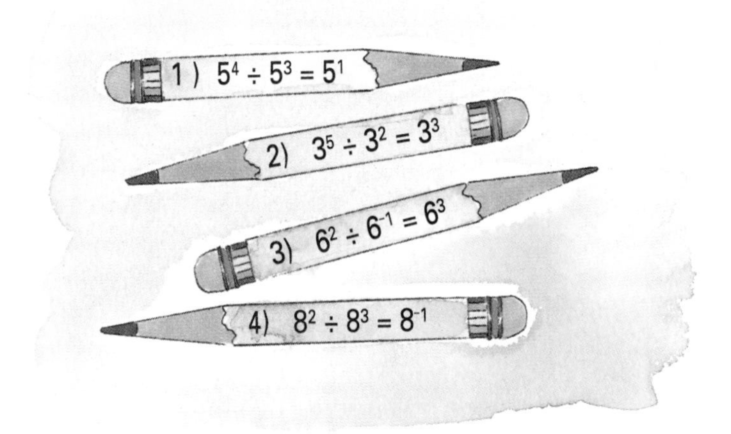

e) Trouve un résultat qui convient aux divisions suivantes si les variables ne peuvent prendre la valeur 0.

1) $a^4 \div a^3 =$ ■ 2) $n^6 \div n^4 =$ ■ 3) $t^{-2} \div t^2 =$ ■ 4) $x^a \div x^b =$ ■

f)

g)

Nous observons donc une deuxième propriété des exposants.

Propriété des exposants

L'exposant du quotient de deux puissances d'une même base est la différence des exposants des puissances. Pour toute base *m* différente de 0 et pour des exposants entiers *a* et *b*, on a :

$$m^a \div m^b = m^{a-b} \quad \text{ou} \quad \frac{m^a}{m^b} = m^{a-b}$$

JOGGING

1 Exprime en notation exponentielle chacune des égalités suivantes.

a) 10 x 100 = 1000 ***b)*** 100 x 100 = 10 000

c) 1 000 x 100 = 100 000 ***d)*** 100 000 ÷ 100 = 1 000

e) 1 000 000 ÷ 100 000 = 10 ***f)*** 10 000 000 000 ÷ 1 000 000 = 10 000

g) 1 000 000 000 ÷ 10 000 000 = 100

2 Réduis ces expressions en appliquant les propriétés des exposants, selon le cas.

a) $10^3 \times 10^2$ ***b)*** $10^{-2} \times 10^3$ ***c)*** $10^{-3} \times 10^{-1}$ ***d)*** $10^4 \times 10^{-2}$

e) $10^3 \div 10^5$ ***f)*** $10^{-4} \div 10^3$ ***g)*** $10^{-3} \div 10^{-1}$ ***h)*** $10^4 \div 10^{-2}$

i) $10^6 \times 10^2$ ***j)*** $10^{-4} \div 10^{-3}$ ***k)*** $10^{-5} \times 10^{-3}$ ***l)*** $10^{-5} \div 10^{-5}$

m) $2 \times 10^3 \times 2 \times 10^4$ ***n)*** $5 \times 10^{-3} \times 3 \times 10^5$ ***o)*** $5 \times 10^4 \times 2 \times 10^{-2}$

3 Complète cette table.

	Expression	Sous forme de facteurs	Sous forme exponentielle
	$2^3 \times 2^4$	$(2 \times 2 \times 2)(2 \times 2 \times 2 \times 2)$	2^7
a)	$3^2 \times 3^4$	■	■
b)	$6^4 \times 6^3$	■	■
c)	$5^6 \div 5^4$	$\frac{5 \times 5 \times 5 \times 5 \times 5 \times 5}{5 \times 5 \times 5 \times 5}$	■
d)	$8^6 \div 8^4$	■	■
e)	$11^6 \div 11^7$	■	■

4 Complète ces énoncés pour qu'ils soient vrais.

a) $2^3 \cdot 2^4 = 2^■$ ***b)*** $2^3 \cdot 2^■ = 2^6$ ***c)*** $2^■ \cdot 2^3 = 2^8$ ***d)*** $2^4 \cdot 2^■ = 2^5$

e) $2^■ \cdot 2^5 = 2^9$ ***f)*** $2^3 \cdot 2^0 = 2^■$ ***g)*** $2^■ \cdot 2^1 = 2^2$ ***h)*** $2^x \cdot 2^y = 2^■$

5 Dans chaque cas, indique si l'une des propriétés des exposants s'applique pour réduire l'expression.

a) $x^2 + x^2$ ***b)*** $5^3 - 5^2$ ***c)*** $a^3 + a^2$ ***d)*** $7^3 \times 7^2$

6 Complète ces énoncés pour qu'ils soient vrais.

a) $\frac{2^■}{2^4} = 2^2$ ***b)*** $\frac{2^7}{2^4} = 2^■$ ***c)*** $\frac{2^8}{2^■} = 2^5$ ***d)*** $\frac{2^■}{2^1} = 2^0$

e) $\frac{2^7}{2^3} = 2^■$ ***f)*** $\frac{2^6}{2^6} = 2^■$ ***g)*** $\frac{2^3}{2^4} = 2^■$ ***h)*** $\frac{2^n}{2^m} = 2^■$

7 Exprime ces expressions en une seule expression exponentielle.

a) $4^2 \times 4^3 \times 4^0$

b) $3^8 \times 3^3 \div 3^6$

c) $6^5 \div 6^4 \times 6^2$

d) $4^{-2} \times 4^{-3} \times 4^5$

e) $4^8 \div 4 \times 4^3$

f) $5^4 \div 5^2 \times 5^{-2}$

g) $10^{-4} \div 10^{-4} \times 10^0$

h) $(5^3 \times 5^4) \div (5^{-3} \times 5^5)$

8 Écris les termes de ces suites en notation exponentielle.

a) 1 , 4 , 16 , 64 , ...

b) 1 , 5 , 25 , 125 , ...

c) 1 , 0,1 , 0,01 , 0,001 , ...

d) 1 , 0,25 , 0,0625 , 0,015 625 , ...

9 Calcule mentalement la puissance en t'inspirant du modèle ci-contre.

$11^2 = 10 \times 12 + 1 = 121$
$19^2 = 18 \times 20 + 1 = 361$
...

a) 21^2 *b)* 29^2

10 Réduis les expressions numériques suivantes, s'il y a lieu.

a) $8^2 \times 8^4$ *b)* $7^3 \times 7^0$ *c)* $9^4 \div 9^4$ *d)* $3^3 \times 3^2$

e) $2^8 \div 2^4$ *f)* 5×5^2 *g)* $(^-2)^4 \times (^-2)^3$ *h)* $6^5 \times 6^2$

i) $(^-1)^8 \div (^-1)^3$ *j)* $(^-3)^5 \times (^-3)^2$ *k)* $^-5^2 \times 5^3$ *l)* $7^4 \times (^-7)^2$

11 Applique une propriété des exposants, s'il y a lieu.

a) $3^2 \times 3^1$ *b)* $4^3 \times 4^2$ *c)* $8^2 + 8^1$ *d)* $7^4 - 7^2$ *e)* $5^4 \times 4^5$

f) $9^5 \div 9^3$ *g)* $11^3 \times 10^2$ *h)* $9^6 \times 9^3$ *i)* $15^6 \div 15^8$ *j)* $25^4 \times 25^5$

12 Écris chaque division sous la forme d'une notation exponentielle dont l'exposant est positif.

a) $\frac{10^4}{10^3}$ *b)* $\frac{7^3}{7^2}$ *c)* $\frac{3^4}{3^4}$ *d)* $\frac{5^4}{5^6}$

13 Quelle expression exponentielle correspond à l'expression donnée ?

De quand les journaux datent-ils ?

14 Écris le produit en utilisant une seule expression exponentielle de base 3.

a) $9 \times 27 = 3^2 \times 3^3 = 3^{■}$ *b)* 9×81

c) 3×81 *d)* 81×27

15 Écris le produit en utilisant une seule expression exponentielle de base 2.

a) 16×8 *b)* 32×16 *c)* 32×64 *d)* 128×64

16 Écris le quotient en utilisant une seule expression exponentielle de base 4.

a) $\frac{16}{4}$ *b)* $\frac{64}{16}$ *c)* $\frac{256}{16}$ *d)* $\frac{256}{1024}$

17 Sachant que :

déduis le produit de :

a) 64 x 512 ***b)*** 512 x 256 ***c)*** 32 x 4 096 ***d)*** 256^2

e) 65 536 ÷ 4 096 ***f)*** 32 768 ÷ 64 ***g)*** (1 024 x 128) ÷ 4 096

18 Réduis les expressions suivantes.

a) $\frac{4^3 \times 4^2}{4^4}$ ***b)*** $\frac{5^1 \times 5^4}{5^2 \times 5^3}$ ***c)*** $\frac{3^4 \times 5^4}{3^2 \times 5^3}$ ***d)*** $\frac{7^4 \times 5^4}{5^2 \times 7^3}$

19 Trouve deux expressions exponentielles dont le produit est celui donné.

a) 7^3 ***b)*** 5^4 ***c)*** a^5 ***d)*** x^0

20 Trouve deux expressions exponentielles dont le quotient est celui donné.

a) 7^1 ***b)*** 10^{-1} ***c)*** 5^0 ***d)*** n^2

21 Complète ce tableau.

a	b	x	x^a	x^b	$x^a \cdot x^b$	$x^a \div x^b$
2	1	3	▬	▬	▬	▬
1	2	4	▬	▬	▬	▬
3	2	5	▬	▬	▬	▬
3	▬	4	▬	4	▬	▬
▬	▬	3	27	9	▬	▬

22 Effectue et exprime le résultat en notation scientifique.

a) $(2 \times 10^2) \times (3 \times 10^3)$

b) $(1,2 \times 10^3) \times (5 \times 10^2)$

c) $2,5 \times 10^{-2} \times 4 \times 10^3$

d) $(3,34 \times 10^{-3}) \times (3,5 \times 10^4)$

23 Réduis ces expressions et exprime chaque résultat en notation scientifique.

a) $\frac{2 \times 10^4}{1,5 \times 10^3}$

b) $\frac{3 \times 10^{-2}}{4 \times 10^{-1}}$

c) $\frac{4,5 \times 10^5}{3 \times 10^3}$

d) $\frac{3 \times 10^3 \times 5 \times 10^2}{1,5 \times 10^4}$

24 Calcule la valeur de chaque expression.

a) $2 \times 10^2 + 3 \times 10^2$

b) $2 \times 10^2 \times 3 \times 10^2$

c) $4 \times 10^3 - 3 \times 10^2$

d) $(9 \times 10^4) \div (3 \times 10^3)$

25 Réduis les expressions algébriques suivantes si les variables ne peuvent prendre la valeur 0.

a) $a^2 \cdot a^3$

b) $s^3 \cdot s^4$

c) $m^5 \div m^3$

d) $2a^3 \cdot 3a^2$

e) $12a^4 \div 2a^3$

f) $5b \cdot 8b^2$

g) $^-2s^4 \cdot 4s$

h) $6t^3 \cdot {}^-3t^2$

26 Réduis chacune des expressions, s'il y a lieu.

a) $n + n$

b) $n \cdot n$

c) $n - n$

d) $n \div n$ (si $n \neq 0$)

27 Trouve les facteurs manquants.

a) $2^1 \times 3^2 \times ■ \times ■ = 2^2 \times 3^3$

b) $4^2 \times 5 \times ■ \times ■ = 4^5 \times 5^3$

c) $■ \times 3^2 \times 3 = 2 \times 3^3$

d) $2a \cdot ■ = 2a^2$

e) $■ \cdot 2a^2 = 6a^4$

f) $3^2a^2 \cdot ■ = 3^4a^5$

28

Pourquoi ne peut-on pas appliquer les propriétés des exposants dans l'expression :

a) $a^2 \cdot b^3$?

b) $a^2 + b^3$?

29 Réduis ces expressions, s'il y a lieu.

a) $a^3 \cdot b^2$ *b)* $2a^3 \cdot 3b^2$ *c)* $4s^3 \cdot 2m^2s$ *d)* $^-2z^3 \cdot {}^-3y^2$

e) $a^2 \cdot 4a^{-2} \cdot 2a$ *f)* $^-3b^{-2} \cdot {}^-3b^2 \cdot b$ *g)* $2a \cdot 2a \cdot 2a$ *h)* $(2n^2)^2$

30 Complète afin d'obtenir deux expressions équivalentes. Les variables ne peuvent prendre la valeur 0.

a) $y^3 \cdot$ ■ $= y^5$ *b)* $\frac{8x^4}{2x^3} =$ ■

c) ■ $\cdot d^3 = 2d^5$ *d)* $\frac{■}{4a} = 2a^2$

31 Simplifie chaque expression, s'il y a lieu. Les variables ne peuvent prendre la valeur 0.

a) $(^-2a)(^-3a^2)$ *b)* $\frac{12a^4}{^-4a}$ *c)* $4(4s^2)$ *d)* $\frac{12r^4}{^-4s^2}$

32 Réduis ces expressions en appliquant les propriétés des exposants.

a) $4ab \cdot 4ab$ *b)* $18xy^2 \div 3xy$ (si $x \neq 0$ et $y \neq 0$)

c) $^-4s^2t \cdot 2s^3t^2$ *d)* $4a^4p^3 \div 2a^3p^3$ (si $a \neq 0$ et $p \neq 0$)

33 Vrai ou faux ? Justifie ta réponse.

a) $3^2 \cdot 3^3 = 9^5$ *b)* $a^2 \cdot a^5 = a^{10}$ *c)* $a^2 \cdot 5 = a^7$ *d)* $a^2 \div a^3 = \frac{1}{a}$ (pour $a \neq 0$)

34 Quelle est l'expression algébrique dont :

a) le carré est a^8 ? *b)* le cube est a^{12} ?

35 Trouve deux valeurs pour *a* et *b* qui font que $m^a \cdot m^b = m^6$.

36 Sachant que $m \neq 0$, trouve deux valeurs pour *a* et *b* qui font que $m^a \div m^b = m^2$.

37 Montre que x^2 multiplié par x^{-2} égale 1.

38 Calcule *ab*, *a* + *b*, *a* – *b* et *a* ÷ *b*, sachant que $a = 1{,}5 \times 10^3$ et que $b = 8 \times 10^{-2}$.

39 Calcule la puissance correspondant à $(^-3)^{11}$, sachant que $(^-3)^4 = 81$ et $(^-3)^3 = {}^-27$.

40 La masse du Soleil est d'environ 2×10^{30} kg et celle de la Terre d'environ $6{,}006 \times 10^{24}$ kg. Combien de fois la masse de la Terre est-elle contenue dans celle du Soleil ?

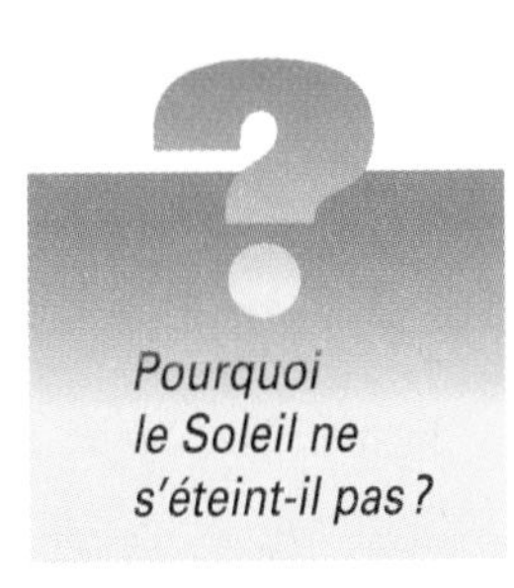

41 On estime l'âge de l'Univers à 10^{10} ans. Combien de millénaires cela représente-t-il ?

42 La lumière voyage à la vitesse d'environ 3×10^5 km à la seconde. Quelle distance parcourt-elle en :

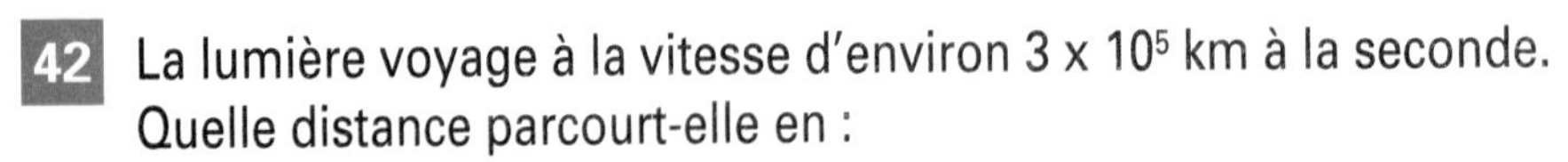

a) une minute ? *b)* une heure ?

c) une journée ? *d)* une année ?

43 Le Soleil est à environ $1,5 \times 10^8$ km de la Terre. La Lune n'est qu'à environ $3,84 \times 10^5$ km. Combien de fois la distance Terre-Lune est-elle comprise dans la distance Terre-Soleil ?

44 On estime que l'Univers contient plus de un billion de galaxies qui comprennent en moyenne quelque 100 milliards d'étoiles chacune. À combien peut-on estimer le nombre d'étoiles dans l'Univers ?

45 Une culture de bactéries double sa masse toutes les heures. À un moment donné, elle pèse 2 g. Quelle sera sa masse dans :

a) 1 h ? ***b)*** 2 h ?

c) 10 h ? ***d)*** 20 h ?

Course de Frédéric Blackburn aux Jeux olympiques d'hiver d'Albertville, en 1992.

46 Aux Jeux olympiques d'hiver d'Albertville, Frédéric Blackburn a remporté la médaille d'argent du patinage de vitesse (1000 m) en 91,11 s. Exprime en notation scientifique sa vitesse à la seconde.

Le patinage de vitesse est le plus ancien des sports sur glace.

47 Le diamètre d'une cellule est de 0,005 mm. Écris en notation scientifique le rayon d'une cellule.

48 Quel est le résultat de chacune de ces opérations si $n \neq 0$?

a) $n^a \cdot n^{2a}$ ***b)*** $n^{3a} \div n^{2a}$

49 Une erreur souvent commise par les novices dans l'étude des exposants est de croire que 5^{-2} est équivalent à $^-25$.

a) Démontre que cela est faux à partir de la définition d'un exposant négatif.

b) Utilise un modèle ou une table pour montrer que 5^{-2} est différent de $^-25$.

50 Deux nombres inverses ont un produit de 1. Démontre que x et x^{-1} sont deux nombres inverses en autant que x est différent de 0.

51 Montre que $^-5^2$ et $(^-5)^2$ représentent deux nombres différents.

52 Complète ce carré de produits magiques.

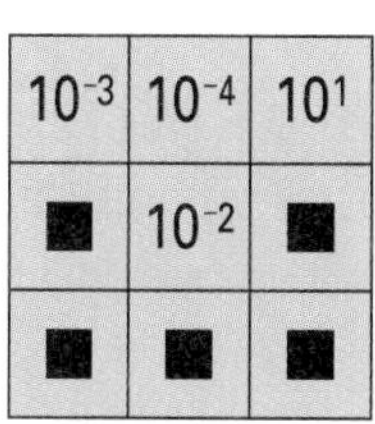

10^{-3}	10^{-4}	10^{1}
■	10^{-2}	■
■	■	■

1. Est-ce que $2 \times 10^2 + 3 \times 10^3 = 5 \times 10^5$? Justifie ta réponse.
2. Est-ce que $2 \times 10^3 + 4 \times 10^3 = 6 \times 10^3$? Justifie ta réponse.
3. Comment écrirait-on les nombres suivants en notation scientifique ?

   a) 1 %   *b)* $\frac{3}{4}$ *c)* $\sqrt{2}$ *d)* -189 678

4. Calcule mentalement le résultat.

   a) 3×10^3 *b)* 6×10^5 *c)* 4×10^{-2} *d)* 6×10^{-1} *e)* $3{,}2 \times 10^4$

   f) $4{,}35 \times 10^2$ *g)* $1{,}8 \times 10^{-2}$ *h)* $2{,}5 \times 10^4$ *i)* $8{,}24 \times 10^{-2}$ *j)* $8{,}45 \times 10^5$

5. Calcule mentalement.

   a) $2 \times 10^3 + 2 \times 10^2$ *b)* $8 \times 10^4 - 5 \times 10^3$

   c) $5 \times 10^4 + 3 \times 10^2 + 1 \times 10$ *d)* $8 \times 10^{-1} + 5 \times 10^{-2}$

6. Calcule mentalement le résultat en notation scientifique.

   a) $(2 \times 10^5) \times (6 \times 10^3)$ *b)* $(3 \times 10^2) \times (6 \times 10^{-2})$ *c)* $(4 \times 10^5) \times (5 \times 10^{-3})$

   d) $(6 \times 10^{-4}) \times (5 \times 10^{-1})$ *e)* $(2 \times 10^3) \times (8 \times 10^4)$ *f)* $(2 \times 10^{-5}) \times (5 \times 10^3)$

7. La notation scientifique est très utile pour estimer le résultat de multiplications et de divisions.

$$\frac{6\,082 \times 48\,342}{504\,832} \approx \frac{6 \times 10^3 \times 5 \times 10^4}{5 \times 10^5} = \frac{30 \times 10^7}{5 \times 10^5} = 6 \times 10^2$$

   Estime le résultat de chacune de ces expressions en passant par la notation scientifique.

   a) $\frac{20\,684 \times 442}{7\,832}$ *b)* $\frac{20\,684 \times 0{,}0342}{4\,832}$

   c) $\frac{54\,685 \times 5\,242 \times 0{,}0041}{718\,324 \times 0{,}02}$ *d)* $\frac{0{,}003 \times 51\,235 \times 0{,}0061}{0{,}000\,23 \times 98\,339 \times 0{,}002}$

8. Estime la réponse attendue pour chacun de ces problèmes.

   a) La race humaine que nous connaissons présentement existe depuis environ 50 000 ans, ce qui représente environ 1 500 générations. De ce nombre, environ 1 200 ont vécu dans les cavernes. Pendant combien d'années environ la race humaine a-t-elle vécu dans les cavernes ?

   b) Winston Churchill, homme politique britannique, a dirigé la Grande-Bretagne en guerre contre l'Allemagne entre 1939 et 1945. Il a fumé plus de 300 000 cigares au cours des 70 dernières années de sa vie. Combien de cigares Churchill fumait-il environ par jour ?

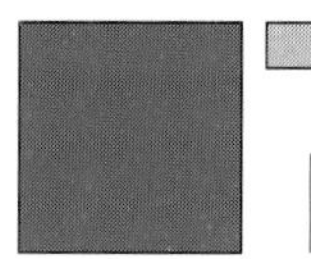

NOTION DE POLYNÔMES

En algèbre, on appelle **monôme** une expression formée d'un seul terme. Ce terme peut être un nombre, une variable ou le produit d'un nombre et d'une ou plusieurs variables.

Voici des exemples de tels termes.

2 a $2a^2$ $2a^3b^2$

Un terme formé seulement d'un nombre est dit **terme constant.** Si le terme est formé d'un nombre et de variables, le nombre est appelé **coefficient.** On n'écrit pas le coefficient 1, il est sous-entendu.

Ainsi : $1\boldsymbol{ab}$ s'écrit tout simplement $\boldsymbol{ab}$ et $^-1\boldsymbol{a}^2\boldsymbol{x}$ s'écrit simplement $^-\boldsymbol{a}^2\boldsymbol{x}$.

a) Donne cinq exemples de termes correspondant à des monômes.

Deux termes sont dits **semblables** lorsqu'ils utilisent les mêmes variables affectées des mêmes exposants.

Voici des paires de termes semblables.

$^-5$ et 7 $3a$ et ^-4a $2a^3b^2$ et $^-5a^3b^2$

On **ne considère donc pas les coefficients** pour déterminer si deux termes sont semblables.

b) Donne un terme semblable à :

1) ^-3x 2) $\frac{1}{3}$ 3) $8y^2$ 4) $5st$ 5) $4v^2t^4$

On appelle polynômes, des monômes liés par addition ou soustraction. Si un polynôme est formé d'un seul terme, il est appelé **monôme**, de deux termes, **binôme** et de trois termes, **trinôme.** Voici quelques exemples de :

monômes : $^-4$, $2a$, $3a^2$, $^-5x^2y$, ...

binômes : $2a + 3$, $5x^2 + 3x$, $4ab - 2$, ...

trinômes : $2a^2 + 3a + 4$, $^-b^3 + 2b + 5$, $2a^2b + 2a - 5b$, ...

Comme on peut le constater, des polynômes peuvent présenter une seule variable ou plusieurs variables. On s'intéresse davantage aux polynômes à une seule variable.

Polynôme en a : $2a^2 + 3a - 5$

Polynôme en x : $2x^3 - 3x^2 + 5x - 1$

QU'EN PENSEZ-VOUS ?

c) Pourquoi $2x^{-1}$ n'est-il pas un monôme ?

d) Les monômes $3b^0$ et $^-5$ sont des termes semblables. Justifiez votre réponse.

e) Pourquoi $\frac{2}{5}$ et 8 sont-ils des termes semblables ?

f) Trouvez la raison qui explique pourquoi les deux monômes donnés ne sont pas semblables.

1) $2a$ et $3ab$

2) $2ax^2$ et ax

3) $3x^0$ et $3x$

4) $2a^2x^3$ et $^-2a^3x^2$

REPRÉSENTATION DE POLYNÔMES À UNE VARIABLE

Activité Les tuiles algébriques

a) Le carré rouge ci-contre mesure 1 unité de côté. Quelle est l'aire de ce carré ?

b) Le rectangle ci-contre a une longueur de x unités et une largeur de 1 unité. Quelle est son aire ?

c) Le grand carré ci-contre a x unités de côté. Quelle est son aire ?

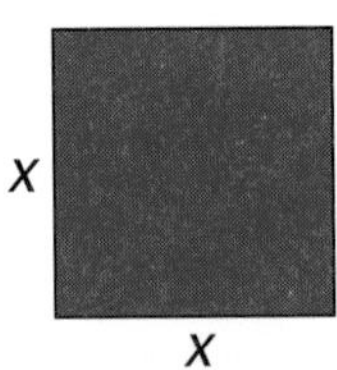

d) Quel terme algébrique le cube ci-contre peut-il représenter et pourquoi ?

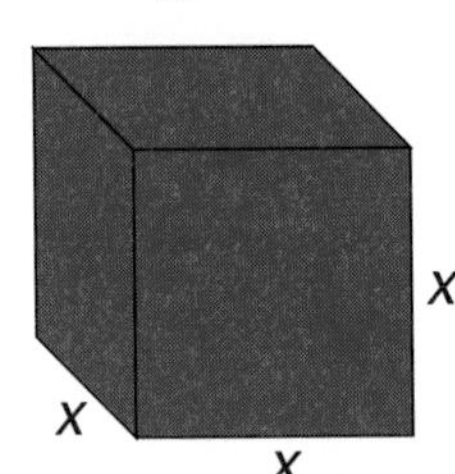

Convenons d'utiliser ces objets pour représenter respectivement les termes 1, x, x^2 et x^3.

e) Quel terme veut-on représenter par les illustrations suivantes ?

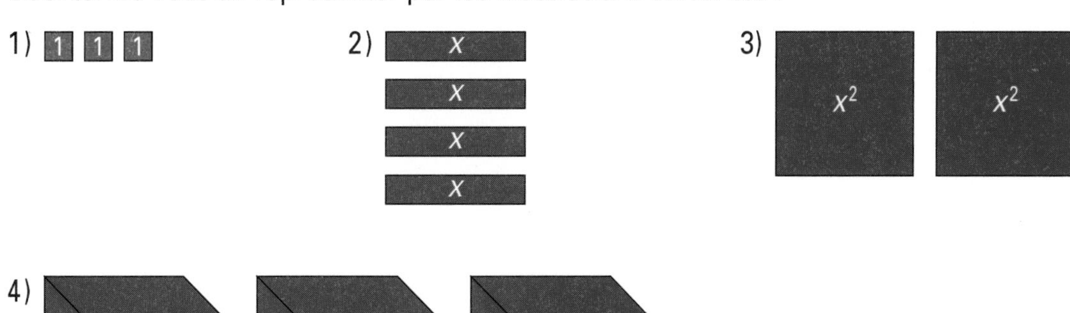

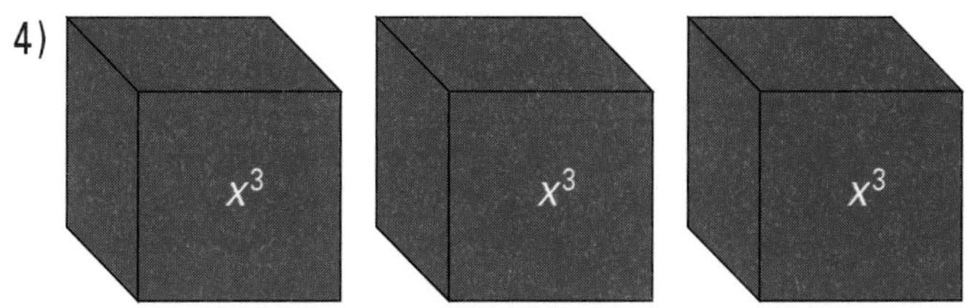

Convenons d'utiliser les mêmes tuiles en gris pour représenter des termes à coefficient négatif.

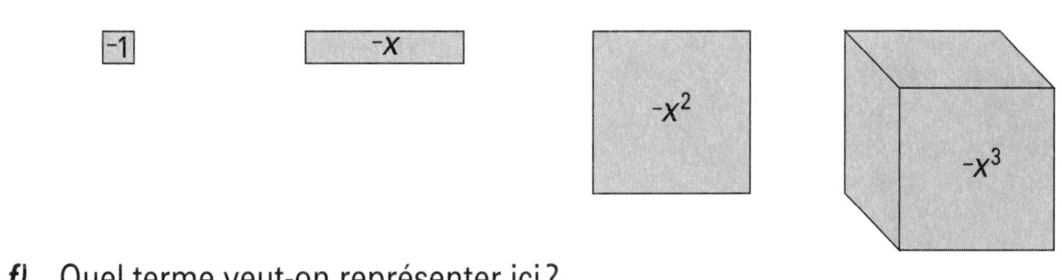

f) Quel terme veut-on représenter ici ?

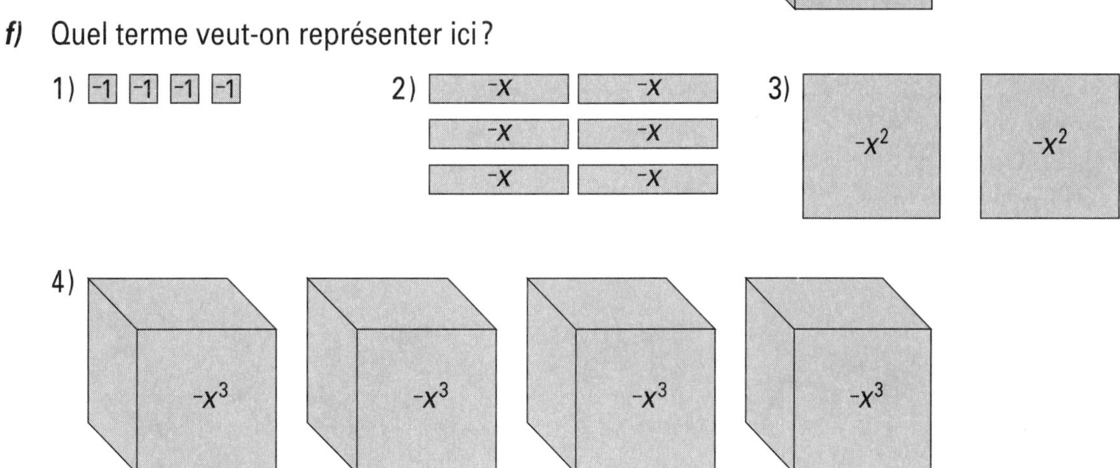

En regroupant les représentations de plusieurs termes, on forme la représentation des polynômes.

Ainsi, cette représentation correspond au polynôme $2x^2 + 3x + 4$.

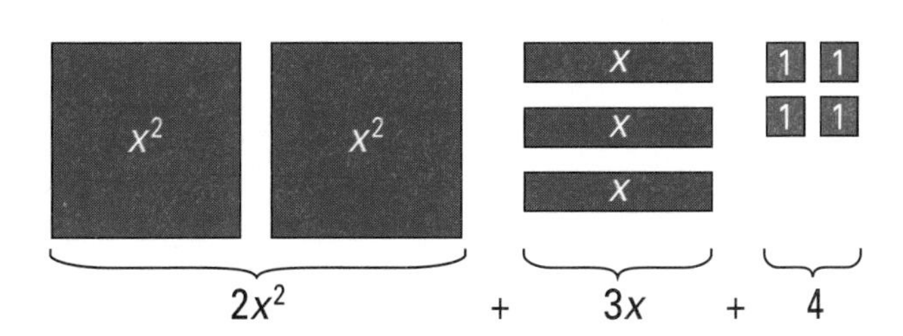

g) Donne le polynôme correspondant à chaque représentation.

1) $-x^2$; x, x ; -1, -1, -1

2) $-x^2$, $-x^2$, $-x^2$; $-x$, $-x$; 1, 1, 1, 1, 1, 1

3)

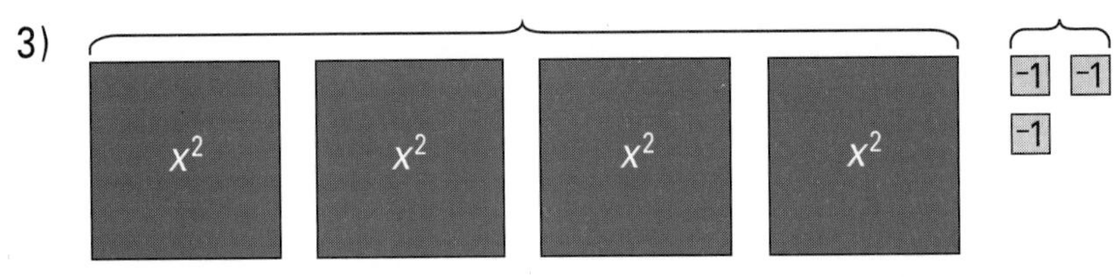

4)

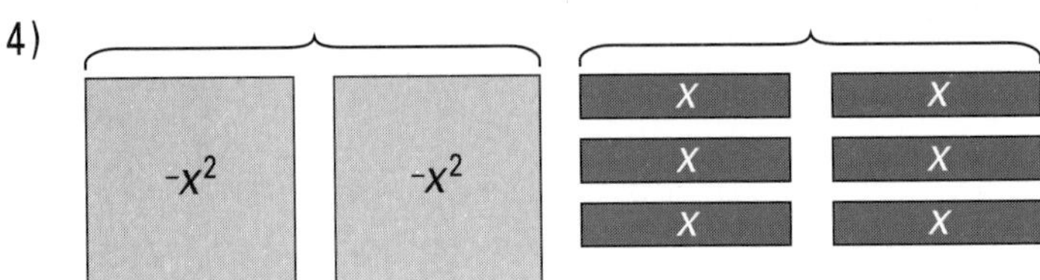

h) Donne une représentation géométrique des polynômes suivants.

1) $2x^2 - x + 2$ 2) $-x^2 + 3x - 3$ 3) $4 - x^2$ 4) $3 - 2x + 2x^2$

i) Voici la représentation du polynôme $x^2 + 2x + 4$.

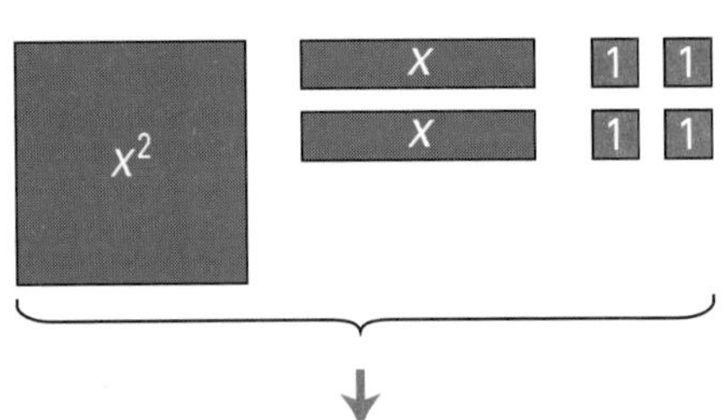

Si $x = 3$, la valeur numérique représentée est :

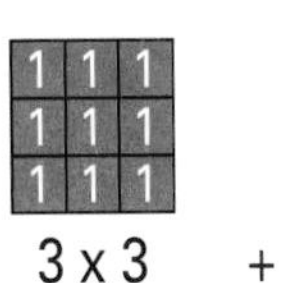

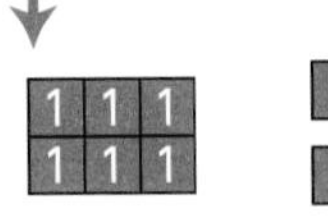

$3 \times 3 + 2 \times 3 + 4 = 19$

Valeur numérique du polynôme pour $x = 3$.

Un polynôme est une expression qui représente un nombre pour chaque valeur que prend la variable lorsque le polynôme n'a qu'une variable.

Quelle est la valeur numérique de ce polynôme si x vaut :

1) 5? 2) 8? 3) 10? 4) 20?

Dans notre représentation géométrique des termes d'un polynôme, chaque pièce a son opposé.

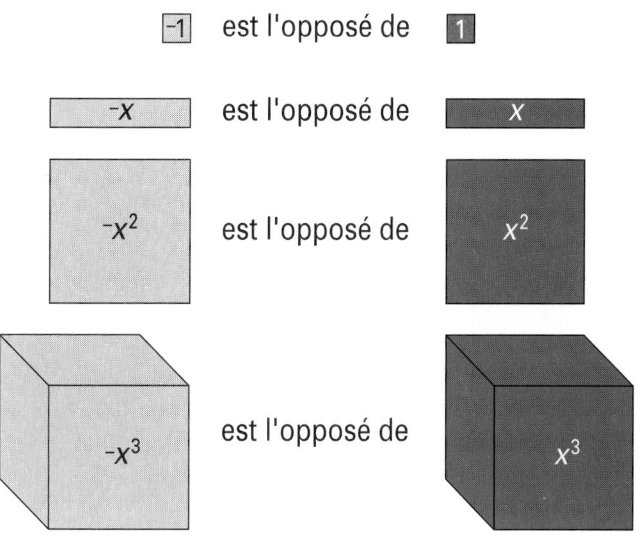

j) Quelle propriété caractérise la somme de deux opposés ?

Voici donc différentes façons de représenter ZÉRO.

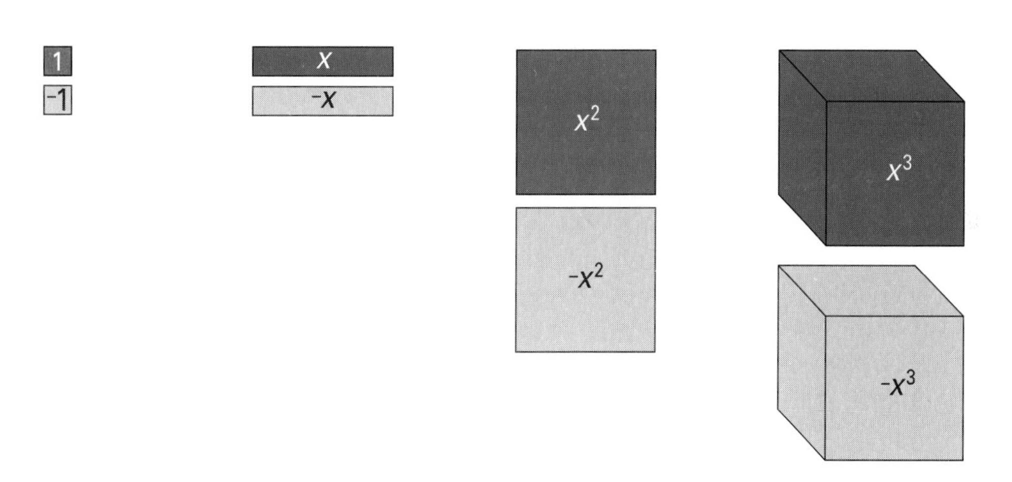

k) Que peut-on faire correspondre aux représentations suivantes ?

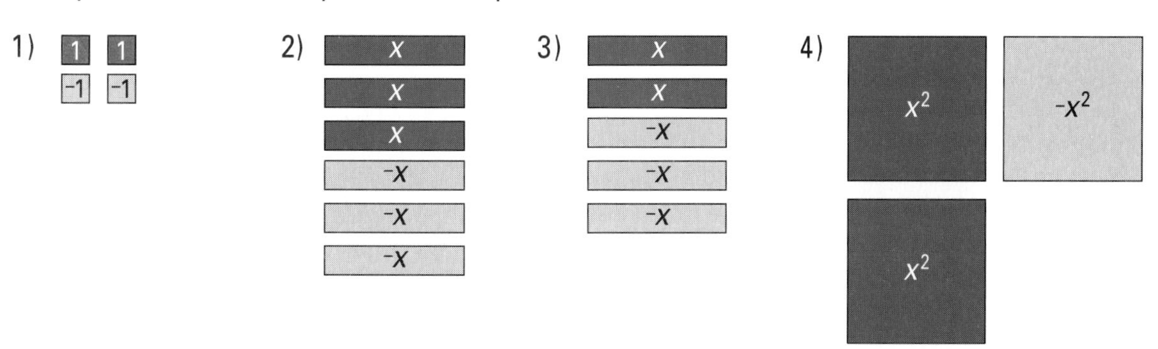

Deux pièces opposées de même forme ont la propriété de s'annuler par addition.

l) Dans chaque cas, détermine le résultat.

1) $1 + {}^{-}1$	2) ${}^{-}2 + 2$	3) $4 + 5$
4) ${}^{-}5 + 6$	5) ${}^{-}4 + {}^{-}6$	6) $8 + {}^{-}8$
7) $x + {}^{-}x$	8) ${}^{-}2x + 2x$	9) $4x + 5x$
10) ${}^{-}5x + 6x$	11) ${}^{-}4x + {}^{-}6x$	12) $8x + {}^{-}8x$
13) $x^2 + {}^{-}x^2$	14) ${}^{-}2x^2 + 2x^2$	15) $4x^2 + 5x^2$
16) ${}^{-}5x^2 + 6x^2$	17) ${}^{-}4x^2 + {}^{-}6x^2$	18) $8x^2 + {}^{-}8x^2$
19) $x^3 + {}^{-}x^3$	20) ${}^{-}2x^3 + 2x^3$	21) $4x^3 + 5x^3$
22) ${}^{-}5x^3 + 6x^3$	23) ${}^{-}4x^3 + {}^{-}6x^3$	24) $8x^3 + {}^{-}8x^3$

ADDITION DE POLYNÔMES

Activité 1 Addition ou soustraction de termes semblables

a) En utilisant ces représentations,

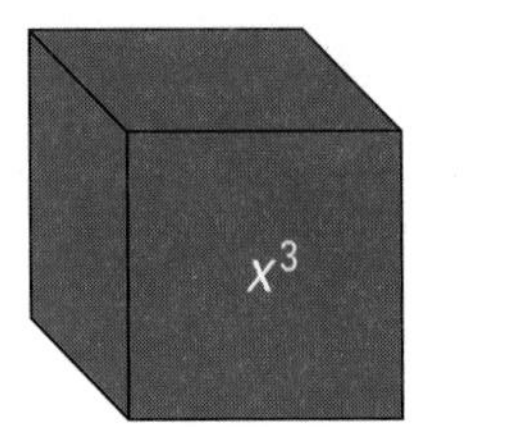

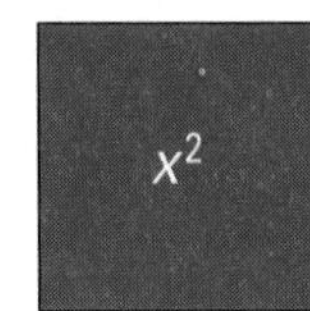

1

détermine parmi les énoncés suivants ceux qui n'ont pas de sens.

A) $x^2 + x = x^3$	B) $x^2 + x^2 = 2x^2$	C) $x + x = 2x^2$
D) $x^3 - x^2 = x$	E) $x^2 - x = x$	F) $x^2 - x^2 = 0$
G) $2x^2 - x^2 = x^2$	H) $3x - x = 3$	I) $5 - 2x = 3$

Par cette activité, on constate que :

1° Seuls les **termes semblables peuvent être additionnés ou réduits en un seul terme.**

2° Les termes **non semblables ne peuvent pas être réduits en un seul terme.**

b) Réduis les termes semblables en un seul terme, s'il y a lieu.

1) $2x + 3x$ 2) $^{-}8 + 9$ 3) $2x^2 + 3x^2$

4) $5x^2 - 3x^2$ 5) $2x^3 + 7x^3$ 6) $^{-}12 + 9$

7) $^{-}4x^2 + 5x^2$ 8) $^{-}12x + 15x$ 9) $^{-}5x - 6x$

c) Indique s'il est possible de réduire ces termes en un seul terme par addition ou soustraction.

1) $2x^3$ et $^{-}3$ 2) $2x^2$ et $2x$ 3) $^{-}3$ et $\frac{1}{3}$ 4) $8x$ et $^{-}12x$

Le mathématicien italien Tartaglia (1499-1557) fit appel au symbole ci-dessus pour signifier une addition. De nos jours, le signe « + » représente en fait le mot « et ».

La somme ou la différence de deux termes semblables est un terme semblable dont le coefficient est la somme ou la différence de leur coefficient.

Les coefficients des termes peuvent être des entiers, des nombres décimaux, mais également des fractions.

d) Calcule mentalement la somme ou la différence dans chaque cas.

1) $\frac{a}{2} + \frac{a}{2}$ 2) $a - \frac{a}{4}$ 3) $\frac{b}{3} + \frac{2b}{3}$ 4) $\frac{2c}{5} + \frac{3c}{5}$

e) Trouve la somme ou la différence, selon le cas.

1) $\frac{2n}{3} + \frac{3n}{4}$ 2) $\frac{3s}{2} - \frac{4s}{5}$ 3) $4t + \frac{2t}{9}$ 4) $0{,}134y - 0{,}95y$

f) On se rappelle que soustraire un nombre revient à additionner son opposé. Quel est le résultat de chaque expression ?

1) $8 - {}^{-}8$

2) $^{-}7 - {}^{-}5$

3) $a - {}^{-}a$

4) $5x^2 - {}^{-}2x^2$

5) $3n^3 - {}^{-}2n^3$

Construit en 1964, l'ENIAC, premier ordinateur électronique, mesurait 30 m de long, 3 m de haut et 1 m de large.

Activité 2 Réunion de tuiles semblables

On se rappelle qu'**additionner un tout, c'est additionner chacune de ses parties.**

a) Trouve la somme des deux polynômes en t'inspirant des représentations géométriques.

1)

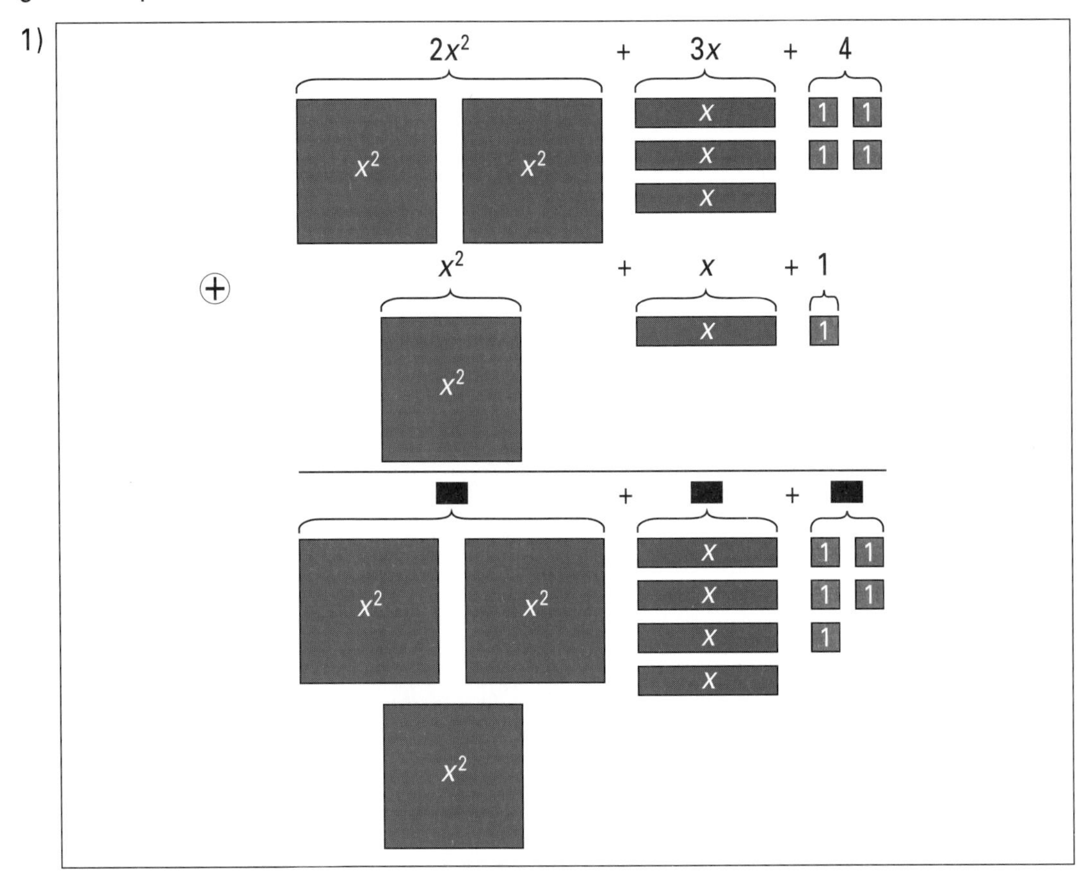

2)

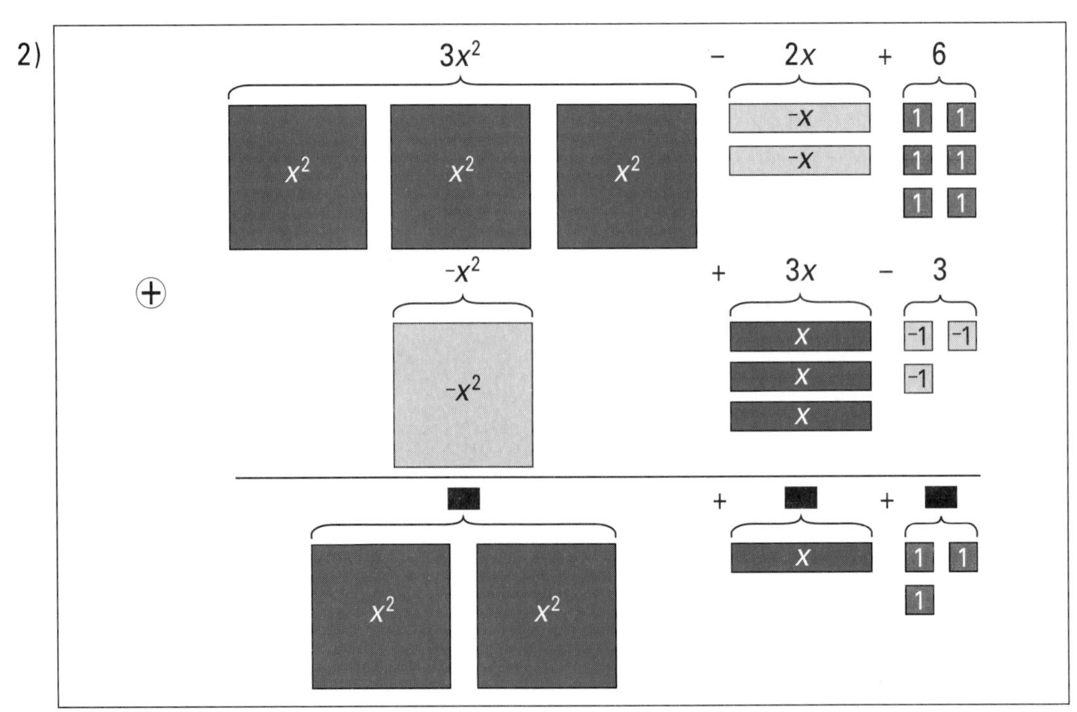

b) Trouve la somme des deux polynômes en t'inspirant des représentations géométriques.

1)

$$\begin{array}{r} 2x^2 + 4x + 6 \\ + \quad x^2 - 2x + 2 \\ \hline \end{array}$$

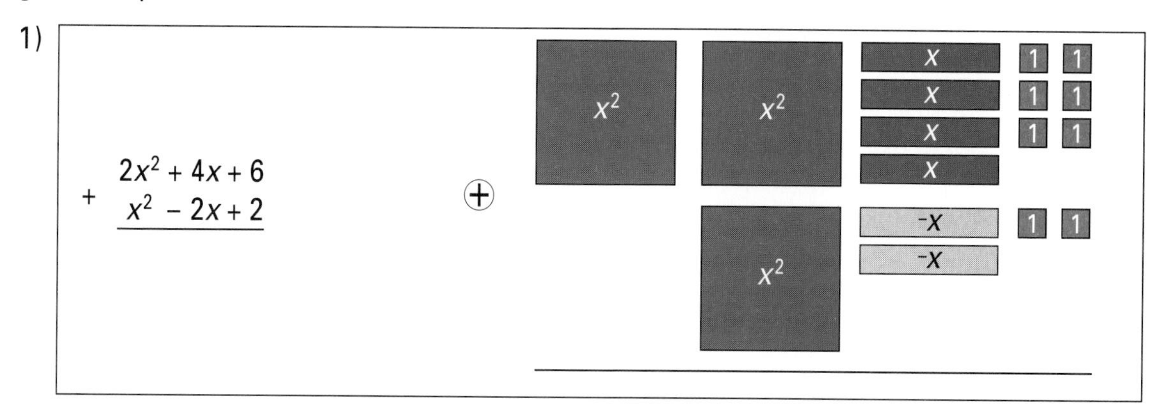

2)

$$\begin{array}{r} 2x^2 - 4x - 2 \\ + \quad -x^2 - 2x + 3 \\ \hline \end{array}$$

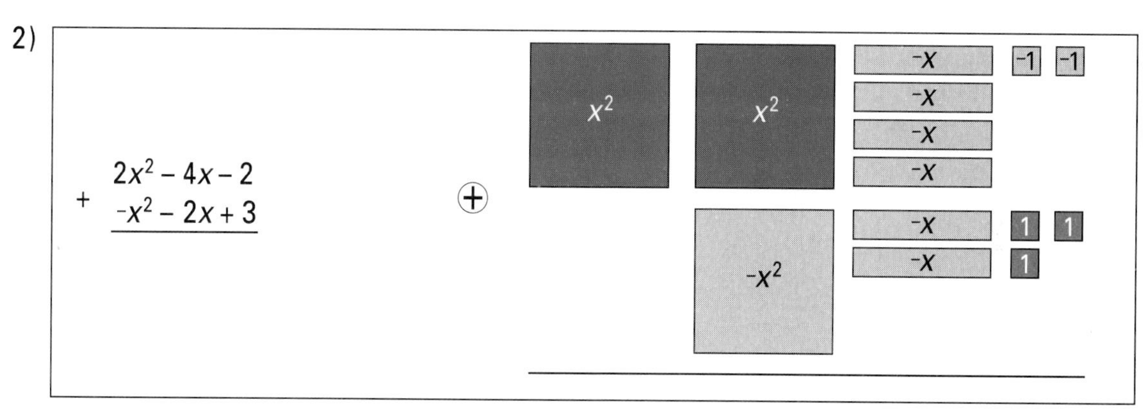

3)

$$\begin{array}{r} 2x^2 - 3x - 3 \\ + \quad -2x^2 + 2x + 6 \\ \hline \end{array}$$

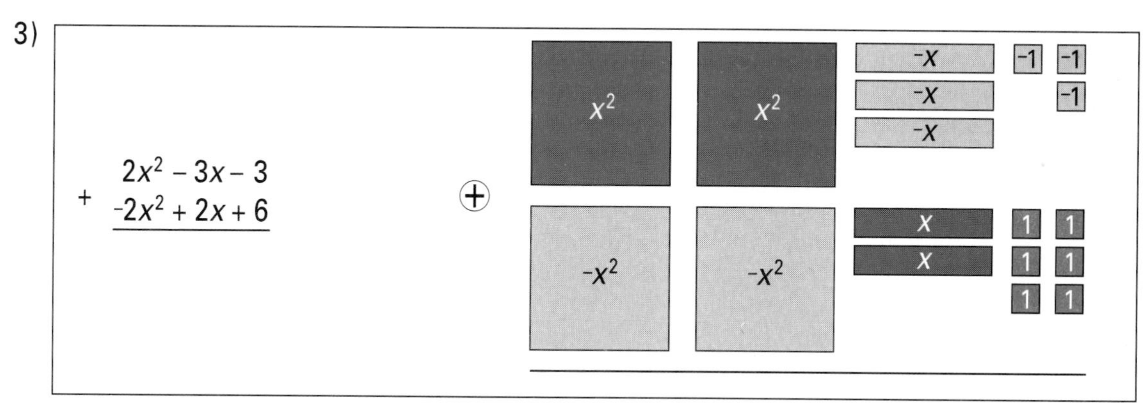

4)

$$\begin{array}{r} -2x^2 + 4x - 2 \\ + \quad -3x^2 + 2x + 3 \\ \hline \end{array}$$

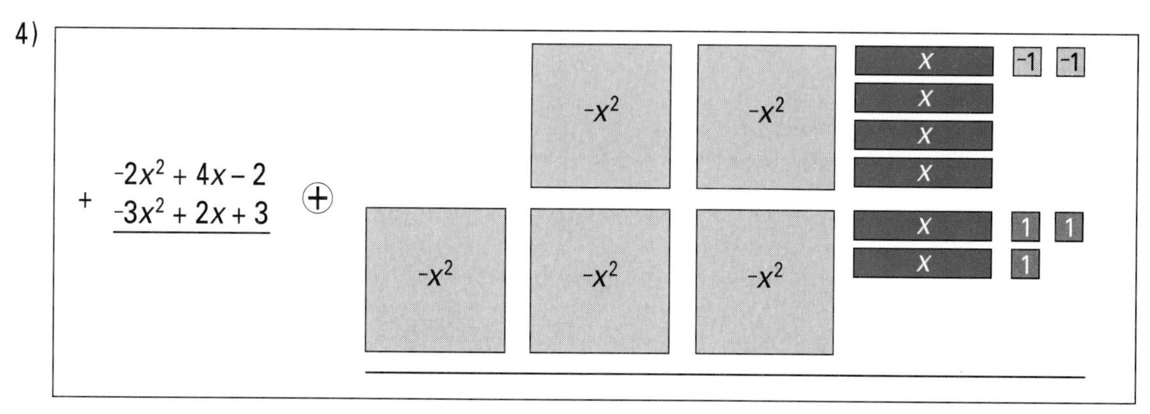

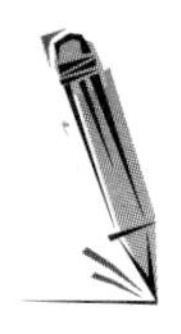

En résumé, on observe la règle d'addition suivante pour les polynômes :

La somme de deux polynômes est obtenue en réduisant les termes semblables.

1 Détermine la somme dans chaque cas.

a) $\begin{array}{r} 4a^2 + 3a + 2 \\ +\ 2a^2 + 2a + 3 \\ \hline \end{array}$ ***b)*** $\begin{array}{r} 5n^2 + 3n - 5 \\ +\ 3n^2 - 2n + 4 \\ \hline \end{array}$ ***c)*** $\begin{array}{r} 6s^2 - 6s + 3 \\ +\ 8s^2 + 4s - 2 \\ \hline \end{array}$

d) $\begin{array}{r} 3c^2 - 3c - 2 \\ +\ 2c^2 + 5c + 4 \\ \hline \end{array}$ ***e)*** $\begin{array}{r} 7r^2 - 5r - 8 \\ +\ 2r^2 - 6r + 3 \\ \hline \end{array}$ ***f)*** $\begin{array}{r} {}^-t^2 - 6t + 7 \\ +\ 2t^2 + 4t - 1 \\ \hline \end{array}$

g) $\begin{array}{r} {}^-4d^2 + 3d + 2 \\ +\ {}^-2d^2 - 2d + 3 \\ \hline \end{array}$ ***h)*** $\begin{array}{r} {}^-5n^2 + 8n - 9 \\ +\ 6n^2 - 9n + 5 \\ \hline \end{array}$ ***i)*** $\begin{array}{r} 6r^2 - 10r - 7 \\ +\ {}^-8r^2 + 14r - 9 \\ \hline \end{array}$

j) $\begin{array}{r} {}^-9d^2 + 3d + 2 \\ +\ {}^-12d^2 \qquad - 25 \\ \hline \end{array}$ ***k)*** $\begin{array}{r} {}^-7y^2 + 9y - 9 \\ +\ \qquad {}^-9y + 5 \\ \hline \end{array}$ ***l)*** $\begin{array}{r} 6h^2 - 6h - 7 \\ +\ {}^-8h^2 \qquad + 8 \\ \hline \end{array}$

2 Trouve la somme des polynômes suivants et vérifie ton résultat en remplaçant la variable par la valeur 1.

a) $(2x^2 + 3x + 4) + (x^2 + 3x + 2)$

b) $(5k^2 + 3k + 3) + (k^2 - 5k + 7)$

c) $(5d^2 - 8d + 4) + (d^2 + 3d + 2)$

d) $(8v^2 + 6v - 7) + ({}^-2v^2 + 3v - 2)$

e) $(2a^2 + 3a + 4) + ({}^-3a^2 - 8a + 2)$

f) $(9c^2 + 3c - 6) + ({}^-8c^2 - 7c + 8)$

g) $({}^-3x^2 + 6x) + ({}^-2x^2 + 8x - 12)$

h) $({}^-5y^2 - 9y + 4) + (y^2 - 8)$

i) $(8x^2 - 6x) + ({}^-x^2 + 8x + 7)$

j) $(6x^2 - 8x + 4) + (4x^2 + 8x)$

3 Trouve deux binômes dont la somme est donnée ici.

4 Trouve le polynôme correspondant à la somme des deux polynômes donnés.

a) $\left(\frac{a}{2} + \frac{4}{5}\right) + \left(a + \frac{1}{5}\right)$

b) $\left(\frac{a^2}{3} + \frac{a}{5} + \frac{1}{4}\right) + \left(\frac{2a^2}{3} + \frac{3a}{5} + \frac{3}{4}\right)$

c) $\left(\frac{3x^2}{8} + \frac{3x}{5} + \frac{1}{6}\right) + \left(\frac{x^2}{8} + \frac{7x}{5} + \frac{5}{6}\right)$

d) $\left(\frac{7x^2}{10} + \frac{x}{2} + \frac{4}{9}\right) + \left(\frac{2x^2}{5} + \frac{3x}{4} + \frac{1}{3}\right)$

5 Trouve le polynôme correspondant à la somme des deux polynômes donnés.

a) $(0{,}25a^2 - 0{,}2a + 0{,}3) + (0{,}75a^2 + 0{,}8a + 0{,}7)$

b) $(1{,}4b^2 + 0{,}85b - 0{,}75) + (2{,}6b^2 - 1{,}35b - 0{,}25)$

c) $(2{,}4n^2 + 1{,}5) + (1{,}6n - 3{,}2)$

d) $(2{,}75t^2 - 8{,}2t) + (^-1{,}5t + 2{,}6)$

6 On donne deux paires de polynômes qui ont la même somme. Trouves-en deux autres.

a) x et $(x + 22)$, $(x + 2)$ et $(x + 20)$

b) $(n + 1)$ et $(2n + 2)$, $2n$ et $(n + 3)$

c) $(3s + 4)$ et $(2s - 5)$, $(4s - 1)$ et s

d) $(^-x + 9)$ et $(5x + 3)$, $(2x + 6)$ et $(2x + 6)$

7 Écris :

a) deux monômes dont la somme est le monôme $3a$;

b) deux monômes dont la somme est le binôme $3a + 2$;

c) deux binômes dont la somme est le monôme $4b$;

d) deux binômes dont la somme est la constante 7;

e) deux binômes dont la somme est 0.

8 Trouve deux trinômes dont la somme est :

a) $4x^2 + 3x + 5$

b) $x^2 - 2x$

c) $8x$

d) 0

9 Réduis ces expressions par addition et simplification si les variables ne peuvent prendre la valeur 0.

a) $\frac{3p^3 + 2p^3}{2p^2}$

b) $\frac{4s^2 + 6s^2}{2s^2 + 3s^2}$

c) $\frac{(m^2 + 2m^2) + (^-m^2 + m^2)}{3m^2}$

d) $\frac{2p^3 - 2p^3}{p^3 + p^3}$

10 Une marchande paie un article un prix p quelconque. Elle fixe son prix de vente en ajoutant 35 % au prix qu'elle a payé. Quelle expression algébrique réduite représente son prix de vente pour cet article ? Pour répondre à cette question, complète la table suivante :

Prix de vente

Prix payé (en $)	Prix de vente (en $)
5,00	5,00 + 0,35 x 5,00 = ■
8,00	8,00 + 0,35 x 8,00 = ■
10,00	10,00 + 0,35 x 10,00 = ■
...	...
p	$p + 0{,}35p$ = ■

11 Si $x = b^2$, $y = 2b^2$ et $b \neq 0$, quel est le résultat de :

a) $x + y$? ***b)*** $x - y$? ***c)*** $x \cdot y$? ***d)*** $y \div x$?

12 Les expressions $2k$ et $k + 2$ représentent les côtés d'un rectangle.

a) Est-il possible que ce rectangle soit un carré ? Justifie ta réponse.

b) Laquelle des deux expressions, $2k$ et $k + 2$, représente le plus souvent les plus grandes valeurs numériques si le domaine de k est l'ensemble des nombres naturels ?

13 Pour construire un mur de briques, on a commandé deux variétés de briques. En utilisant la variable b, donne l'expression algébrique qui représente la somme des deux variétés de briques si :

Comment fabrique-t-on les briques ?

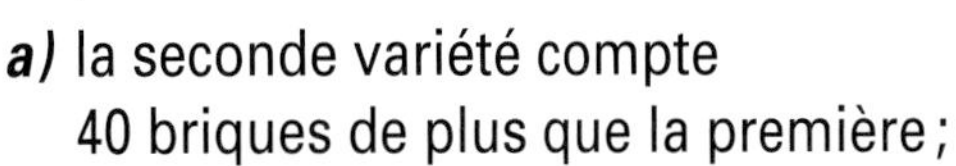

a) la seconde variété compte 40 briques de plus que la première ;

b) la première variété compte 7 fois plus de briques que la seconde.

14 Pour construire un autre mur, on a commandé cette fois trois variétés de briques. En utilisant la variable p, trouve l'expression algébrique qui représente la somme des trois variétés de briques si :

a) la première variété compte 5 briques de moins que la deuxième qui en compte 15 de plus que la troisième ;

b) le nombre de briques de la troisième variété est le triple de celui de la deuxième qui est le double de celui de la première ;

c) la deuxième variété compte 20 briques de plus que la première et 8 briques de moins que la troisième ;

d) le nombre de briques de la première variété est le double de celui de la troisième et la moitié de la deuxième.

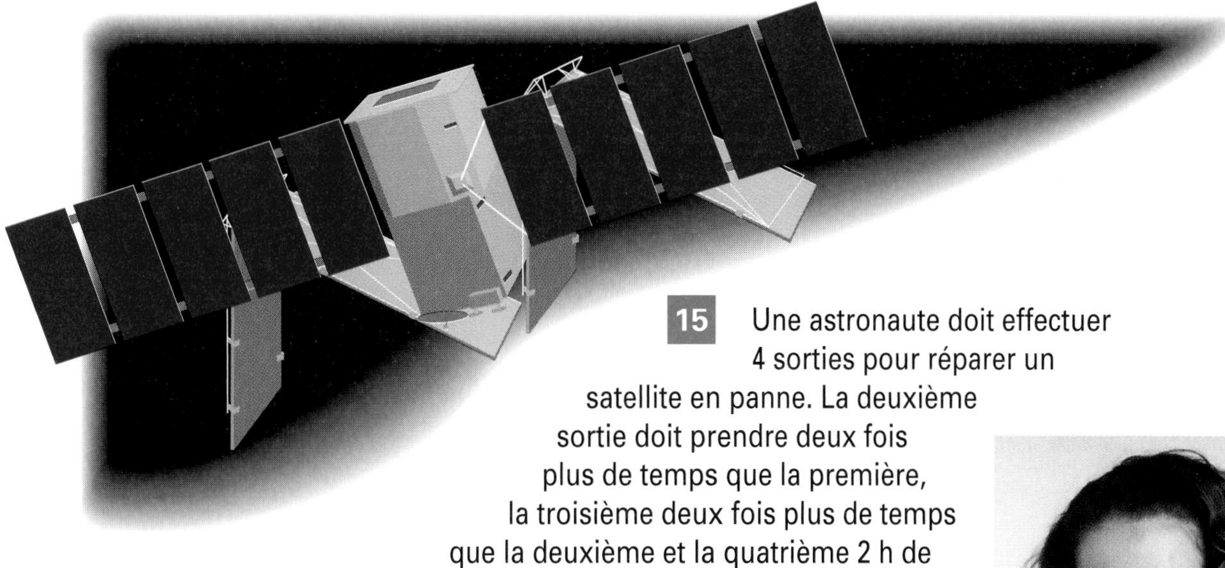

15 Une astronaute doit effectuer 4 sorties pour réparer un satellite en panne. La deuxième sortie doit prendre deux fois plus de temps que la première, la troisième deux fois plus de temps que la deuxième et la quatrième 2 h de moins que la troisième. Quelle expression algébrique représente la durée totale de ces sorties? Utilise la variable t.

L'astronaute Julie Payette.

16 Compose un problème dans lequel l'expression $7n + 4$ doit correspondre à la somme de deux autres expressions suggérées par le problème.

17 Donne une expression algébrique qui correspond à la somme de :

a) 2 nombres naturels consécutifs;

b) 3 nombres naturels consécutifs;

c) 2 nombres naturels pairs et consécutifs;

d) 2 multiples de 3 consécutifs.

18 Les deux angles congrus à la base d'un triangle isocèle mesurent 15° de moins chacun que l'angle au sommet. Détermine la mesure de l'angle au sommet en posant et en résolvant une équation.

19 Deux angles sont adjacents et supplémentaires. Le plus grand des deux mesure 20° de moins que le quadruple de l'autre. Quelles sont les mesures de chacun? Résous ce problème à l'aide d'une équation.

20 Quelle expression algébrique représente le périmètre de ce trapèze isocèle?

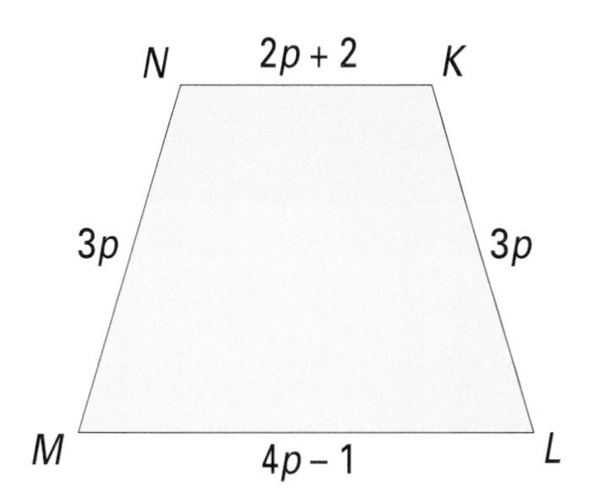

21 Une piste de course est formée de la réunion de deux couronnes. Le rayon de l'une des couronnes est inférieure de 4 unités au rayon de l'autre.
Quelle expression algébrique représente la longueur de cette piste ?

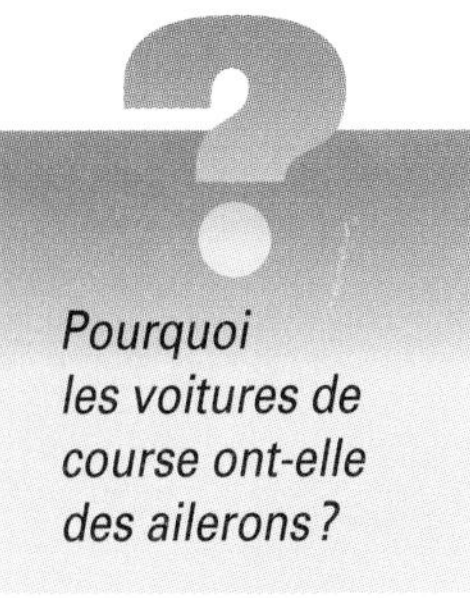

Pourquoi les voitures de course ont-elle des ailerons ?

SOUSTRACTION DE POLYNÔMES

Activité 1 À propos de soustraction

La soustraction fait appel à deux règles de base.

Diophante, mathématicien grec du IIIe siècle, se servait du symbole ci-dessus pour la soustraction. On pense que le signe « – » dérive de la barre que les marchands du Moyen-Âge utilisaient pour indiquer une différence de prix entre deux marchandises.

Soustraire une partie revient à additionner son opposé.

a) En t'inspirant de la représentation géométrique, trouve le résultat de la soustraction donnée.

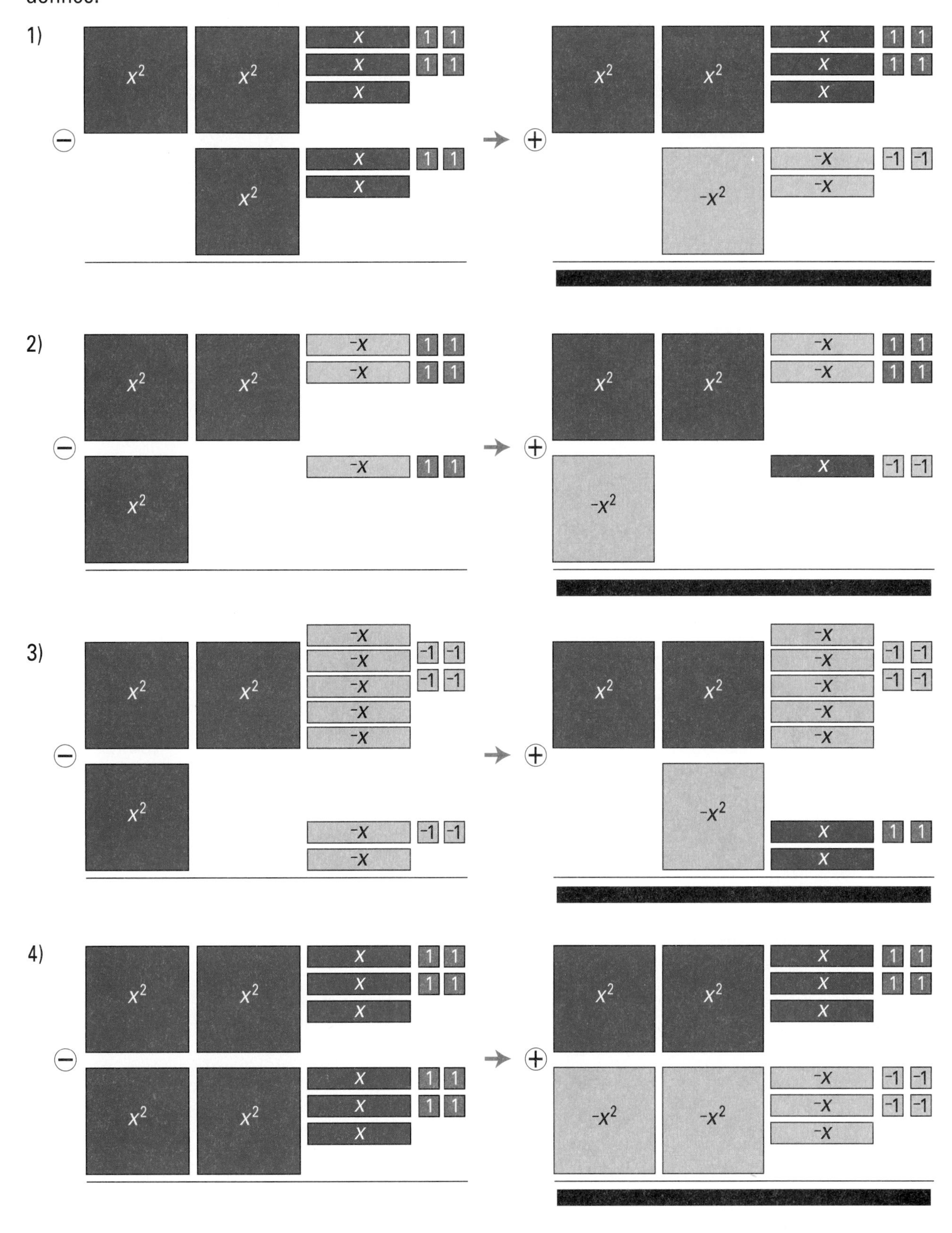

b) À l'aide de tuiles algébriques, représente et effectue chacune des soustractions suivantes.

1) $\begin{array}{r} 3x^2 + 2x - 4 \\ - \quad 2x^2 - 3x + 2 \\ \hline \blacksquare \end{array}$

2) $\begin{array}{r} x^2 + 3x - 2 \\ - \quad 2x^2 - 2x + 3 \\ \hline \blacksquare \end{array}$

3) $\begin{array}{r} 3x^2 + 4x - 1 \\ - \quad 2x^2 - 2x - 2 \\ \hline \blacksquare \end{array}$

4) $\begin{array}{r} 2x^2 - x + 4 \\ - \quad 3x^2 - x + 2 \\ \hline \blacksquare \end{array}$

5) $\begin{array}{r} 3x^2 + 2x - 1 \\ - \quad x^2 + 3x - 2 \\ \hline \blacksquare \end{array}$

6) $\begin{array}{r} 2x^2 + 2x - 2 \\ - \quad 2x^2 + 3x - 2 \\ \hline \blacksquare \end{array}$

En résumé, on observe la règle de soustraction suivante pour les polynômes :

Soustraire un polynôme revient à additionner les opposés de chacun de ses termes.

Ainsi, $(2a^2 + 5a + 8) - (a^2 - 4a + 5)$
équivaut à
$2a^2 + 5a + 8 - a^2 + 4a - 5$

ou, en regroupant les termes semblables, à

$$\underbrace{2a^2 - a^2}_{a^2} + \underbrace{5a + 4a}_{9a} + \underbrace{8 - 5}_{3}$$

Ainsi, $\begin{array}{r} 3x^2 - 8x + 5 \\ - \quad 2x^2 + 3x - 4 \\ \hline \end{array} \rightarrow \begin{array}{r} 3x^2 - 8x + 5 \\ + \quad {}^{-}2x^2 - 3x + 4 \\ \hline x^2 - 11x + 9 \end{array}$

La soustraction est complétée lorsqu'on a réduit les termes semblables.

1 Effectue les soustractions suivantes, s'il y a lieu.

a) $5a - 2a$ ***b)*** $5x^2 - 3x^2$ ***c)*** $4a^3 - 2a^3$ ***d)*** $3n^2 - 3n$

2 Effectue les soustractions et réduis les termes semblables, s'il y a lieu.

a) $12a - (4a + 2)$ ***b)*** $8b^2 - (3 + 6b^2)$ ***c)*** $3a^2 - (3a + 2)$ ***d)*** $12 - (8y + 12)$

3 Réduis chaque expression en effectuant la soustraction.

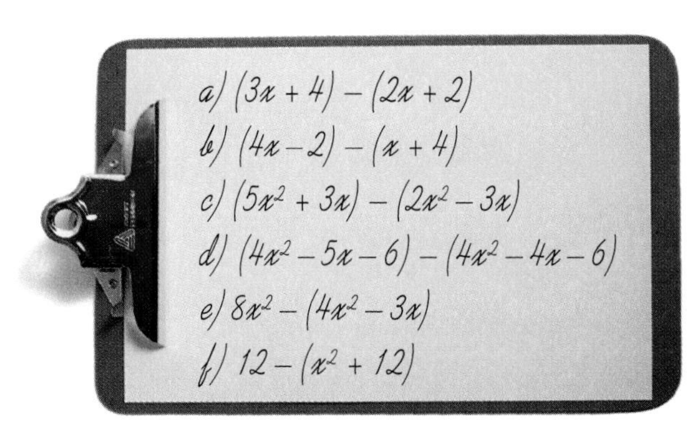

4 Réduis ces expressions, puis vérifie ton résultat en remplaçant la variable par la valeur 1.

a) $(4x - 3) - (2 + 4x)$ ***b)*** $(2x^2 + 3x - 4) - (2x^2 - 4x - 4)$

c) $(3n^2 - 4n) + (2n - 5) - (3n^2 - 2n - 4)$ ***d)*** $(3m^2 - 4m + 3) - (2m^2 - 4m + 5) + (m^2 - 2m)$

5 Détermine le polynôme que l'on doit soustraire pour obtenir le reste donné.

a) $(2a + 4) - (\blacksquare) = a + 2$ *b)* $(3n + 5) - (\blacksquare) = 4n + 3$

c) $(5b^2 - 2b + 4) - (\blacksquare) = 2b^2 + b + 1$ *d)* $(6c^2 + c - 4) - (\blacksquare) = 2c + 4$

6 Réduis ces expressions.

a) $^-2x - 3x - 4x$ *b)* $6x - (3x + 2x - x)$ *c)* $7x^2 - (2x - (3x + 4))$

La pizza a été inventée par un petit marmiton de la ville de Naples, en Italie. Le mot pizzaiolo *signifie « marmiton » en italien.*

7 Réduis ces expressions si $n \neq 0$.

a) $\frac{5n^2 - 3n^2}{2n^2}$ *b)* $\frac{3n^2 + 2n^2 - 4n^2}{2n}$

8 Amélie a fait cuire une pizza de rayon r sur une plaque de forme carrée. Détermine l'expression algébrique qui représente l'aire des régions de la plaque qui ne sont pas couvertes par la pizza.

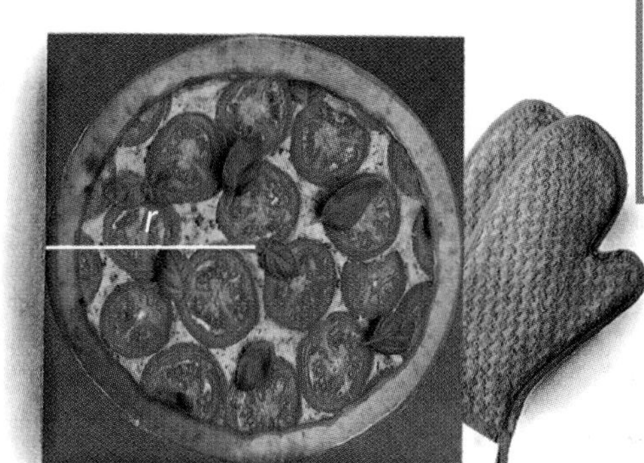

9 Réduis cette expression.

$(12y^2 - 3y + 2) - (8y^2 + 5y - 6) - 3y^2 - 6$

10 Soustrais :

a) $2v^2 + 4$ de $5v^2 - 5$; *b)* $4n^2 + 3n - 2$ de $3n^2 + 4n - 2$;

c) $6y^3 + 6y^2 - 2$ de $6y^3 + 6y + 4$; *d)* $12 - 2n + n^2$ de $3n^2 + 5n$.

11 Quelle est la différence des périmètres de ces deux rectangles ?

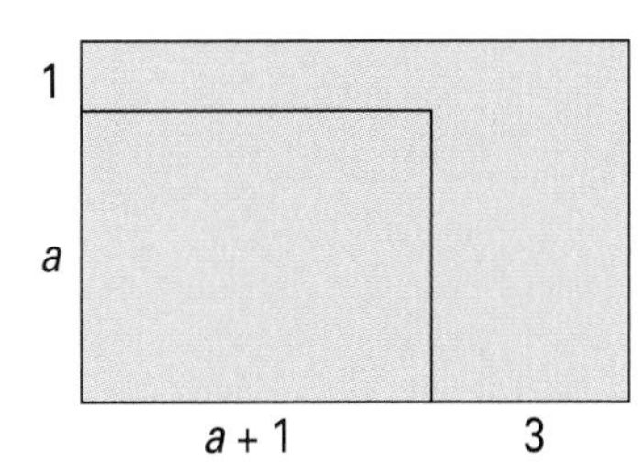

12 Résous les équations suivantes en appliquant les règles de transformation des équations.

a) $2a^2 + 8a + 6 = 2a^2 + 6a + 12$ *b)* $(2x^2 + 4x - 12) - (6x + 2x^2) = x + 8$

13 Deux frères collectionnent les cartes de baseball. À un certain moment, ils possèdent le même nombre de cartes. Un mois plus tard, le premier a acquis 12 nouvelles cartes tandis que l'autre s'est départi de 20 cartes. La différence entre le nombre de cartes de chacun représente alors le dixième du nombre de cartes que chaque frère avait le mois précédent.

Détermine le nombre de cartes que chacun possède maintenant en posant une équation et en la résolvant.

14 Dans chaque cas, soustrais le plus petit nombre du plus grand, puis inscris le résultat obtenu au point milieu de chacun des côtés du carré. Ensuite, joins les points milieux afin de former un nouveau carré, et ainsi de suite. On constate qu'on obtient toujours 0 aux sommets du dernier carré formé. Vérifie en reproduisant ces carrés.

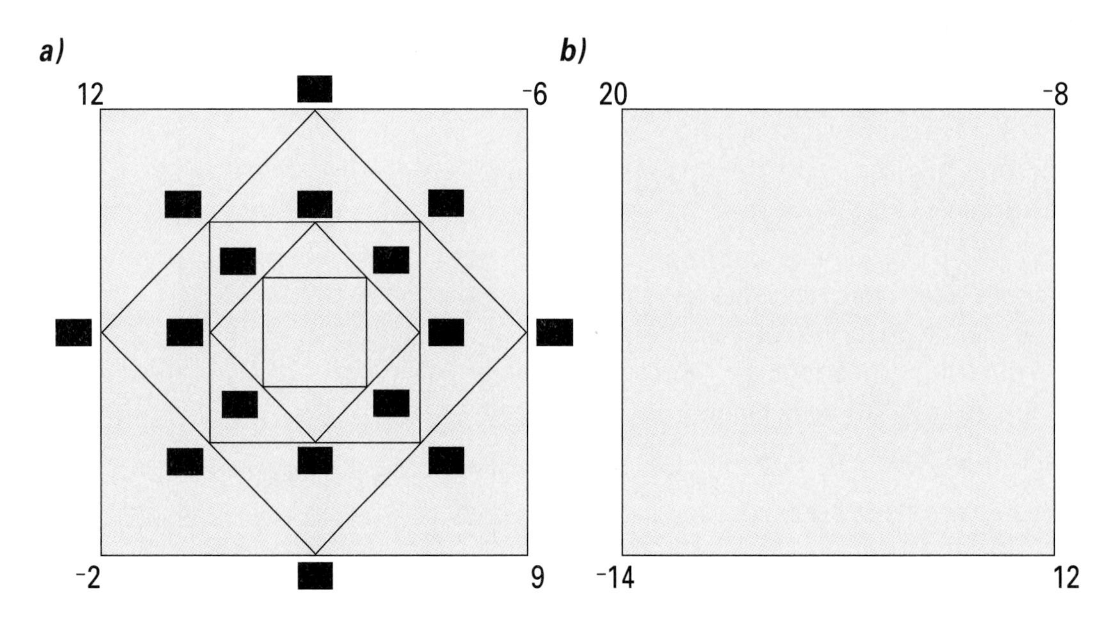

Cette régularité est aussi vraie si on utilise des polynômes. (Le polynôme à soustraire est celui qui a le plus petit coefficient pour le terme qui a le plus grand exposant.) Vérifie en reproduisant les deux carrés suivants.

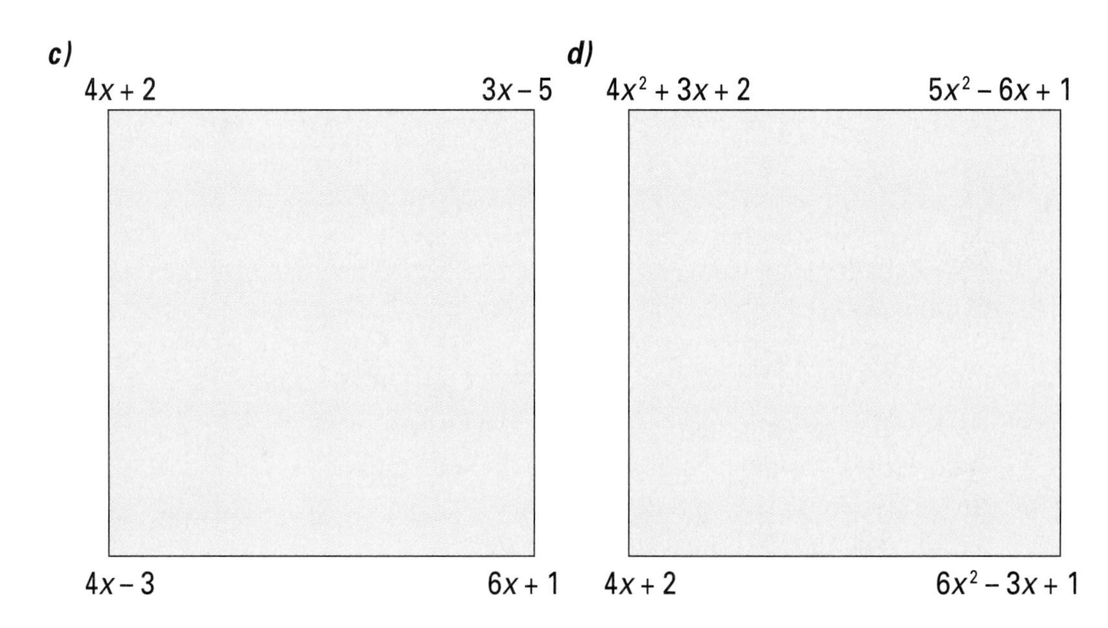

LES VISAGES DE L'ALGÈBRE

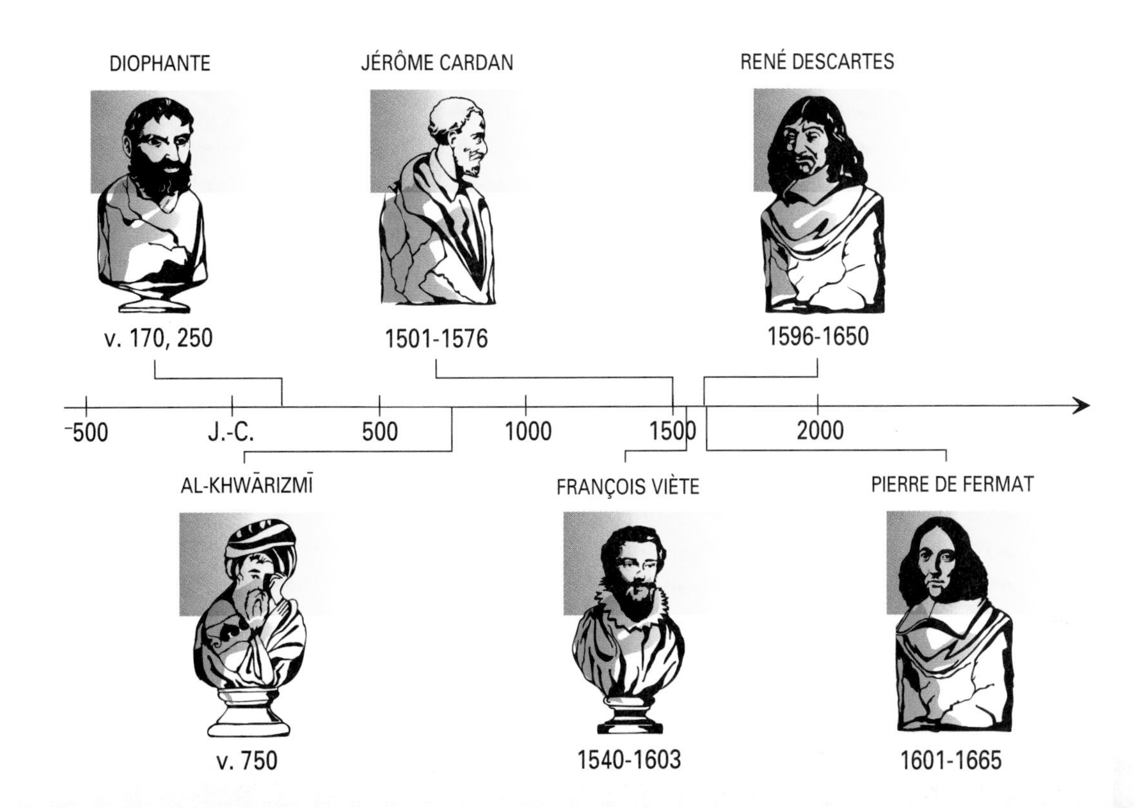

LES CONNAISSEZ-VOUS ?

Parmi ces mathématiciens, identifiez celui qui :

a) représente pour la première fois par des lettres aussi bien les grandeurs connues que les grandeurs inconnues. Par ses travaux, l'algèbre devient un champ d'étude en soi qui évoluera indépendamment de l'arithmétique et de la géométrie. Il est considéré à juste titre comme le père de l'algèbre ;

b) dans son livre *Ars Magna* (*Le Grand Art*, du nom donné à l'algèbre à la Renaissance), se révèle comme l'un des meilleurs algébristes de son époque. Astrologue, aussi bien que médecin et mathématicien, il aurait, selon la légende, provoqué sa propre mort pour que ses prédictions astrologiques se réalisent ;

c) est l'auteur du livre intitulé *Arithmétiques* dans lequel sont utilisées pour la première fois des abréviations pour représenter l'inconnue et ses puissances ;

d) est l'auteur d'un livre très influent sur la manière de calculer avec les nombres écrits dans la numération hindo-arabe. Son nom, latinisé au Moyen-Âge par les Européens, est à l'origine du mot *algorithme* qui veut dire « *procédé* » ou « *recette de* » ;

e) a l'honneur d'avoir des écrits commentés par Hypatie, première mathématicienne connue dans l'histoire de la mathématique ;

f) est l'auteur de l'ouvrage intitulé *Hisab al-jabr wa'l-muqqabala*, qui signifie *Précis sur le calcul de la transposition et la réduction*. Le terme *al-jabr* fut repris par les Européens et devint plus tard le mot *algèbre* ;

g) a écrit le *Discours de la méthode* dans lequel il affirme que la connaissance mathématique est le modèle de toute connaissance vraie et que, si l'on doit faire de la mathématique, c'est pour accoutumer son esprit à « se repaître de vérités » et à « ne point se contenter de fausses raisons » ;

h) a laissé son nom à un fameux théorème dont il disait connaître une preuve merveilleuse. Ce n'est toutefois qu'en 1995 qu'une démonstration semble devoir être acceptée par l'ensemble des mathématiciens et mathématiciennes ;

i) a donné son nom au plan cartésien, mais qui de fait n'a jamais utilisé explicitement un tel plan.

CURIOSITÉS

a) *L'Anthologie grecque*, livre du Ve siècle, conserve un problème sur la durée de la vie de Diophante d'Alexandrie dont le rôle fut de tout premier plan dans les premiers balbutiements de l'algèbre.

Voici ce problème :

« Passant, c'est ici le tombeau de Diophante ; c'est lui qui, par cette étonnante disposition, t'apprend le nombre d'années qu'il a vécu.

Sa jeunesse en a occupé la sixième partie ; puis sa joue se couvrit d'un premier duvet pendant la douzième. Il passa encore le septième de sa vie avant de prendre une épouse et, cinq ans plus tard, il eut un bel enfant qui, après avoir atteint la moitié de l'âge de son père à sa mort, périt d'une mort malheureuse. Son père fut obligé de lui survivre, en le pleurant, pendant quatre années. De tout ceci, déduis son âge. »

b) Les Babyloniens, Diophante et François Viète ont fait observer que si l'on connaît la somme (s) et la différence (d) de deux nombres x et y, alors x égale la demi-somme de s et d et y leur demi-différence.

Écris ces deux formules et trouve deux nombres dont la somme et la différence sont respectivement :

1) 32,3 et 3,9 ; 2) $\frac{19}{12}$ et $\frac{1}{12}$; 3) $24a$ et $6a$.

MULTIPLICATION DE POLYNÔMES

Activité 1 Multiplication et rectangle

Les représentations en rangées et colonnes constituent un support visuel important pour la multiplication des nombres naturels.

a) Quelle multiplication est représentée dans chaque cas ?

1) 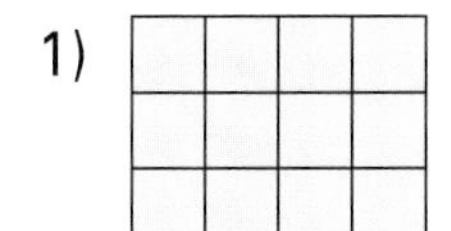

2) 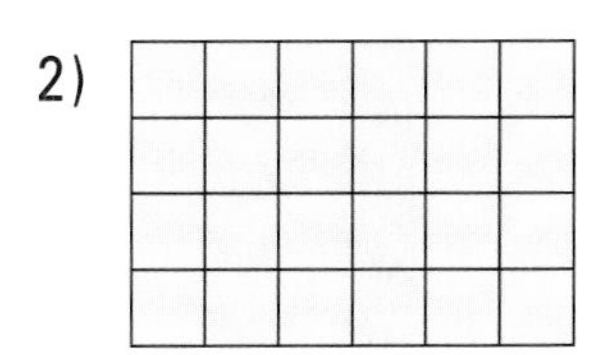

3) 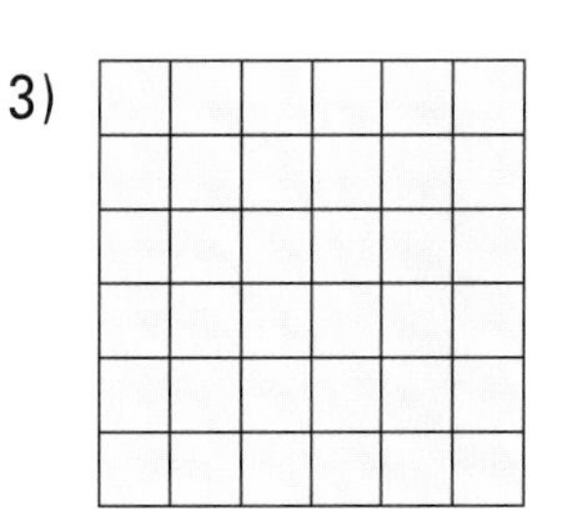

Ces arrangements rectangulaires sont également utiles pour illustrer l'algorithme de multiplication des nombres naturels à deux chiffres.

Voici comment on illustre la multiplication de 13 par 12 :

1° Le nombre 12 est exprimé sous la forme 10 + 2.
Le nombre 13 est exprimé sous la forme 10 + 3.

2° On construit un rectangle de 12 unités sur 13 unités.

3° On observe la formation de 4 régions.

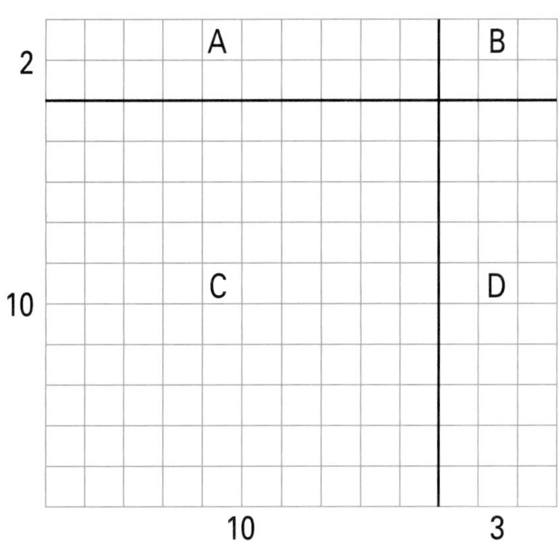

b) Associe chaque région ainsi formée à une des lignes de la multiplication.

Cette association nous inspire pour les multiplications algébriques.

Du temps de Leibniz (1646 -1716), on employait déjà le signe « x » pour représenter une multiplication à effectuer. Toutefois, le mathématicien lui préférait le symbole ci-dessus. À son avis, le signe « x » était trop proche de la variable x.

Activité 2 Multiplication et tuiles

L'utilisation des rectangles pour représenter la multiplication nous aide à comprendre la multiplication algébrique.

a) Dans chaque cas, observe les deux premières représentations, puis complète la troisième.

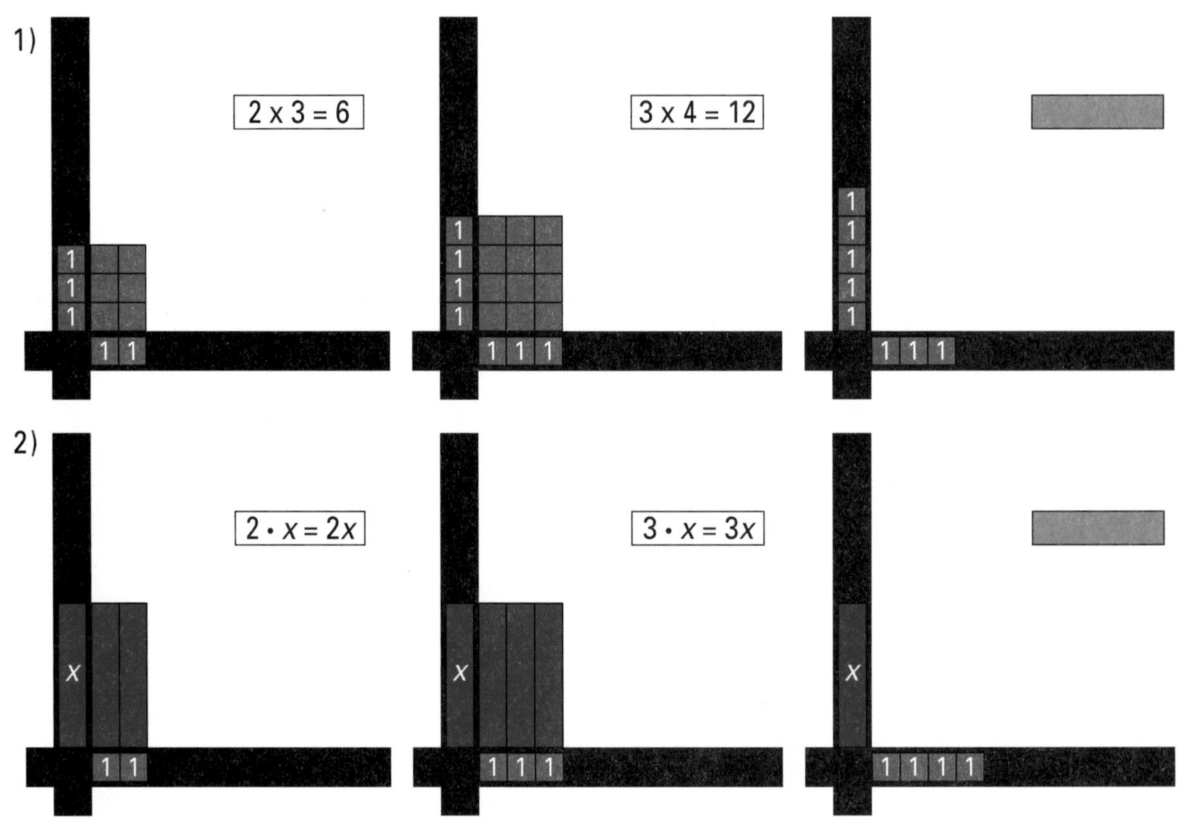

b) À partir de ce que tu as observé, détermine le produit de :

1) $5 \cdot x$ 2) $8 \cdot a$ 3) $7 \cdot b$ 4) $12 \cdot c$

c) Observe les deux premières représentations, puis complète la troisième.

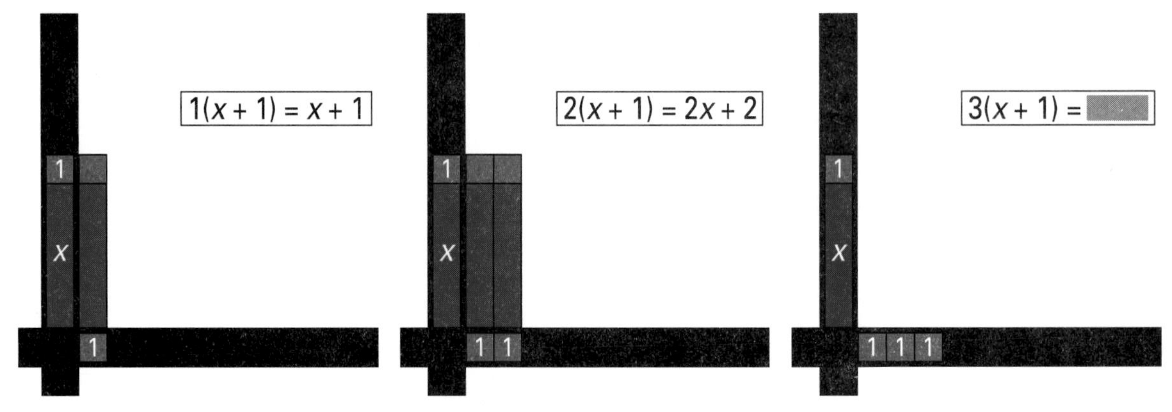

d) À partir de ce que tu as observé, détermine le produit de :

1) $5(x + 1)$ 2) $8(a + 2)$ 3) $7(b + 4)$ 4) $12(c + 5)$

e) Observe les deux premières représentations, puis complète les deux autres.

$2 \cdot (2x + 1) = 4x + 2$

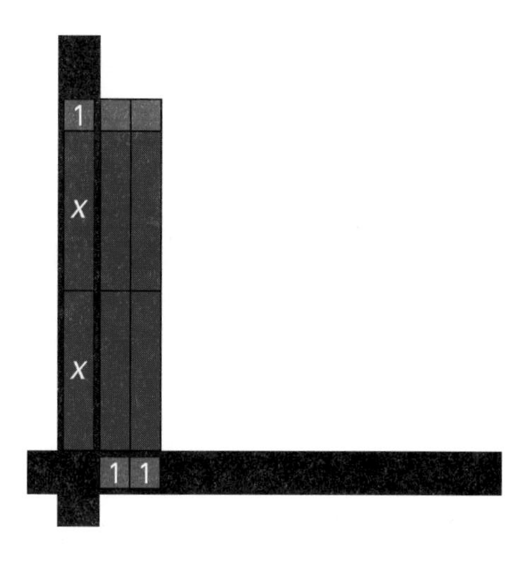

$3 \cdot (2x + 2) = 6x + 6$

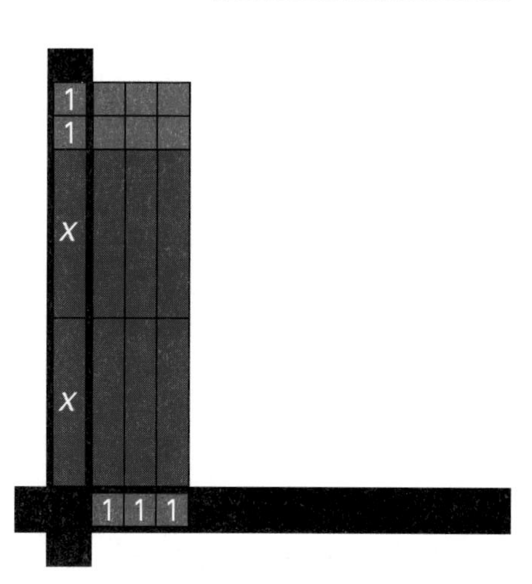

1) $4 \cdot (2x + 3) =$ ______

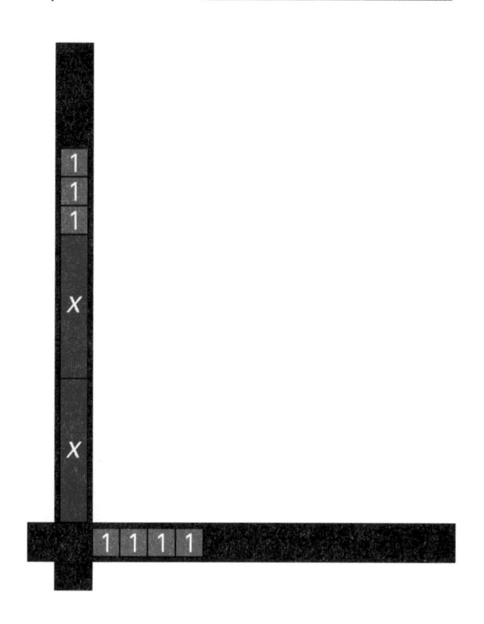

2) $5 \cdot (3x + 1) =$ ______

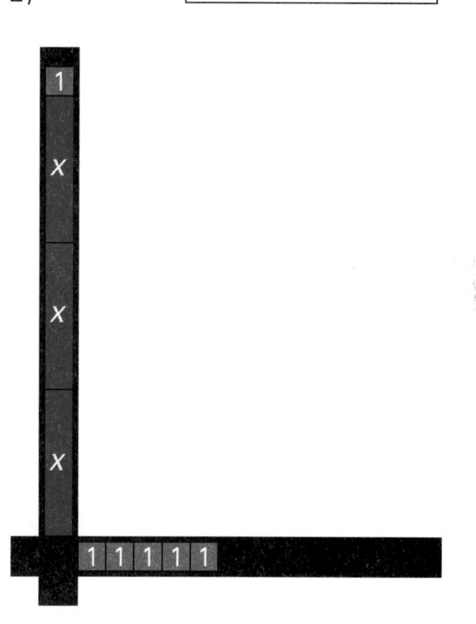

f) À partir de ce que tu as observé, détermine le produit de :

1) $2(2x + 3)$

2) $4(5a + 3)$

3) $6(2y + 5)$

4) $5(8n + 2)$

g) Observe les deux premières représentations, puis complète les quatre autres.

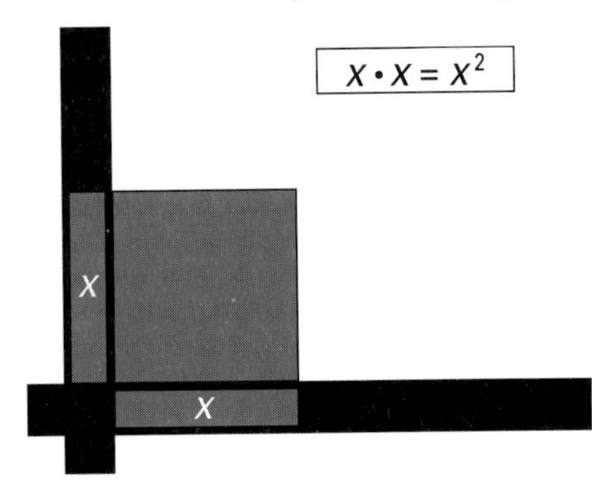

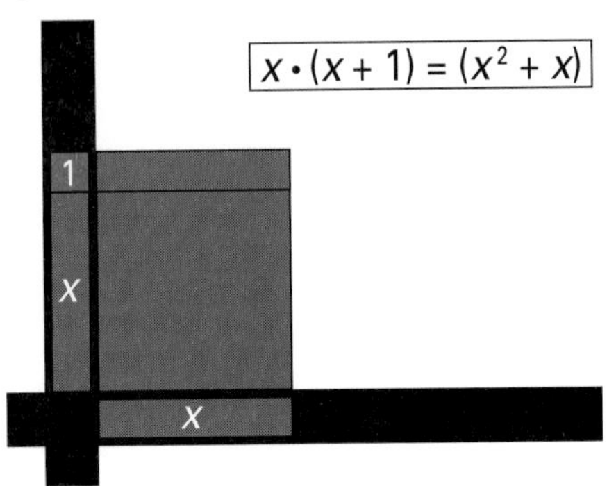

1)

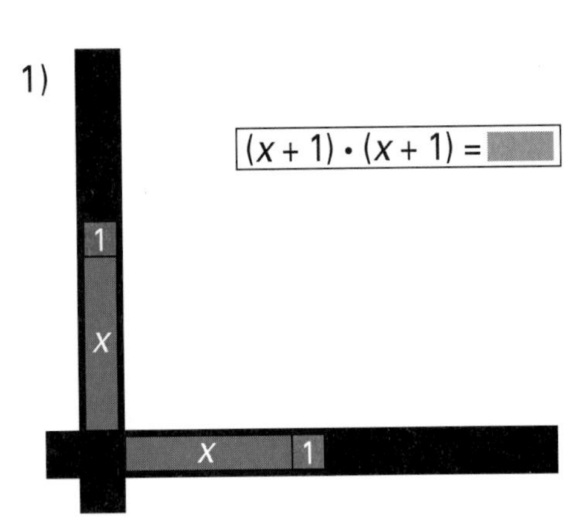

2)

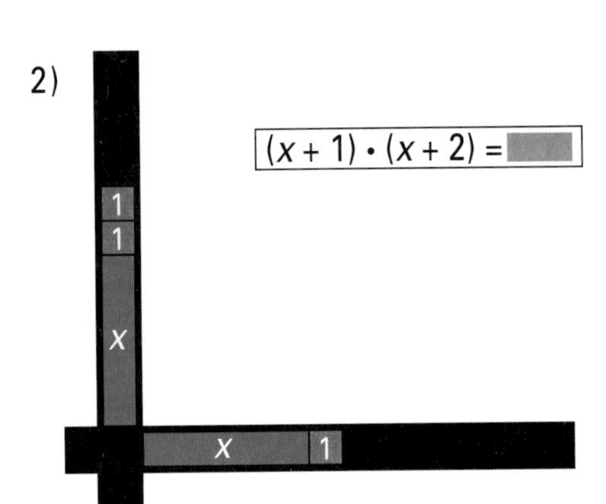

3)

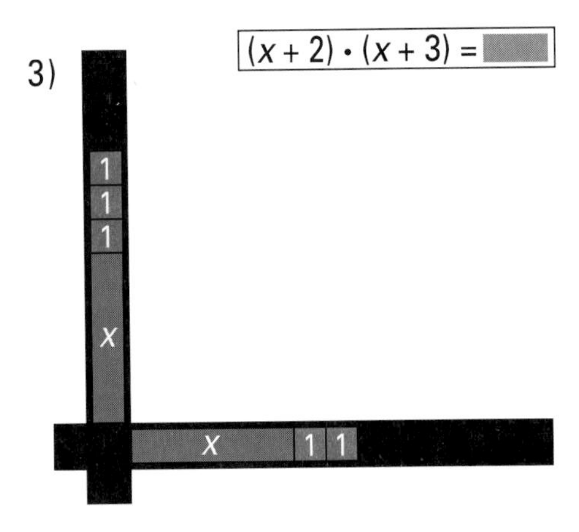

4)

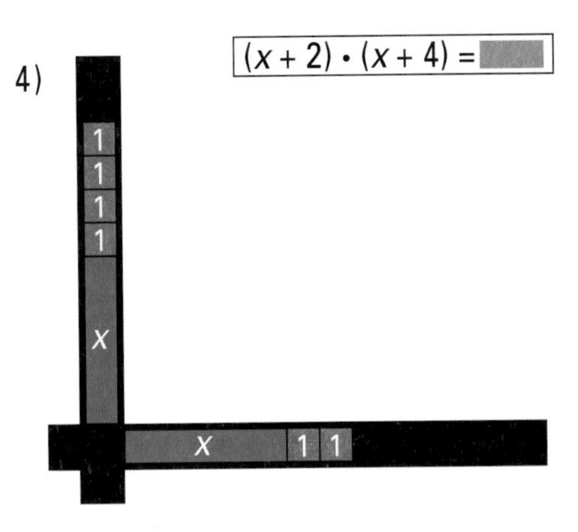

h) Associe chaque ligne de cet algorithme de multiplication à une des régions du rectangle représentant le produit.

$$\begin{array}{r} x + 3 \\ \times \quad x + 4 \\ \hline x^2 \qquad \\ + 3x \quad \\ + \quad + 4x \quad \\ + 12 \\ \hline x^2 + 7x + 12 \end{array}$$

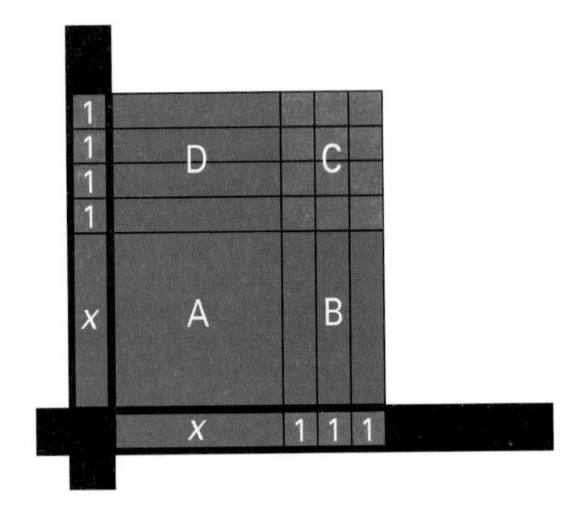

i) Détermine le produit dans chaque cas.

1) $x(x+2)$ 2) $n(n+3)$ 3) $s(s+5)$ 4) $y(y+8)$

j) Observe les deux premières représentations, puis complète les deux autres.

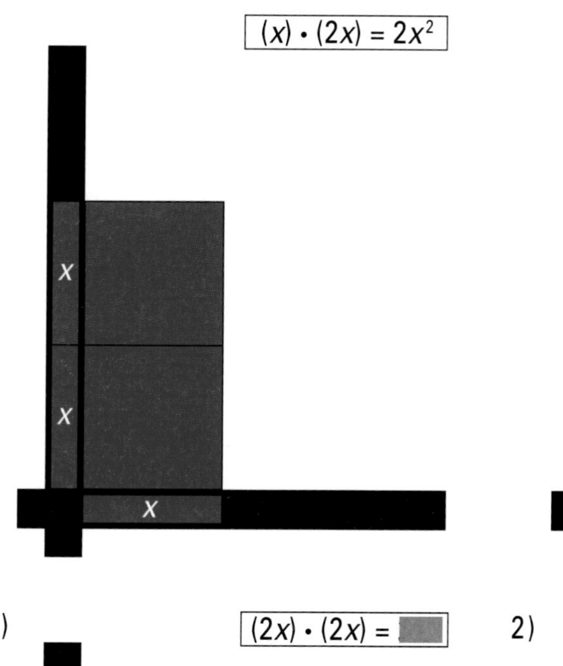

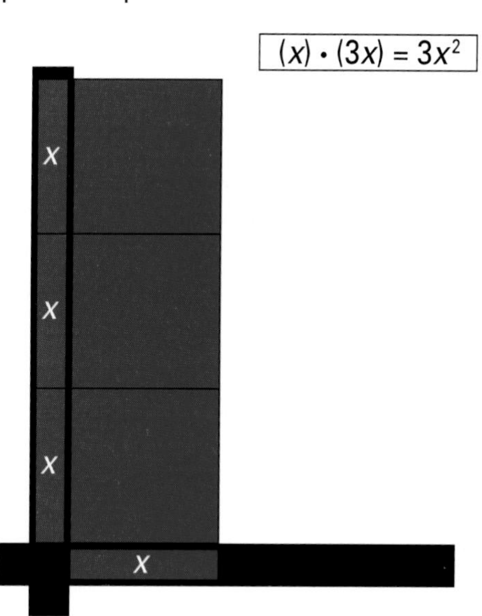

1)

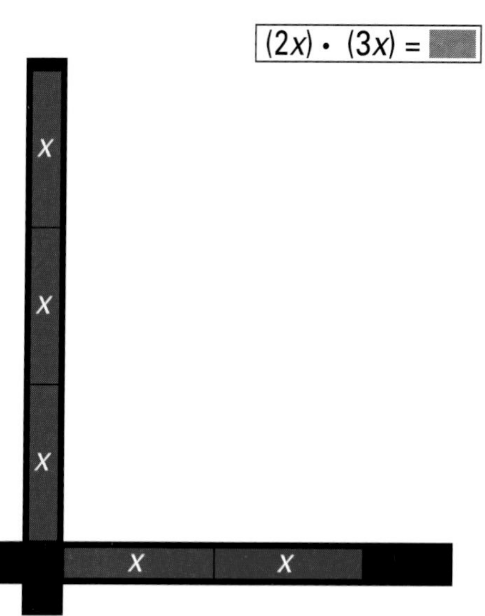

1) $(2x) \cdot (2x) =$

x

x

x x

2)

k) À partir de ce que tu as observé, détermine le produit dans chaque cas.

l) Observe les deux premières représentations, puis complète les quatre autres.

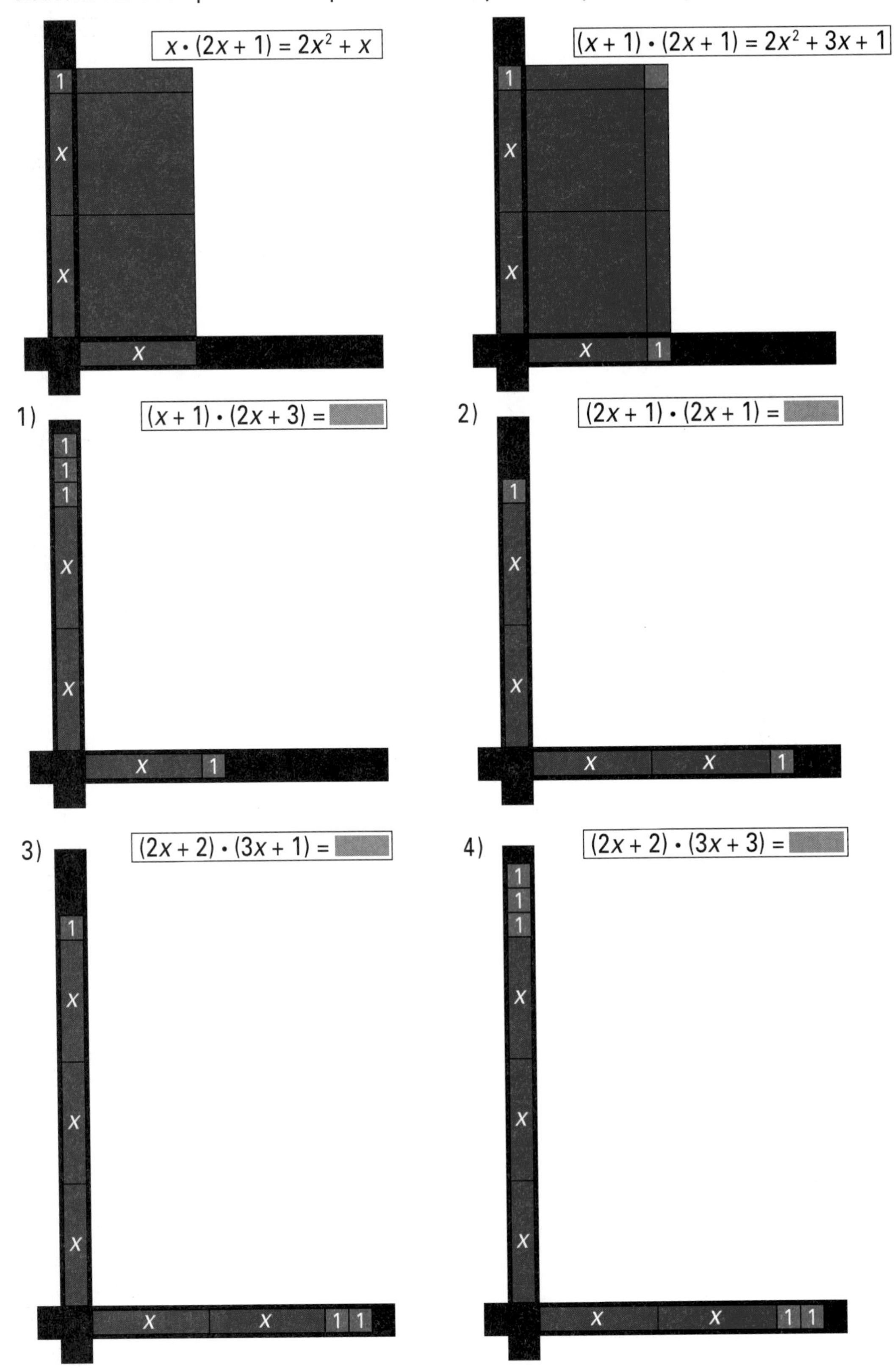

m) Détermine le produit dans chaque cas.

1) $(x + 1)(3x + 1)$ 2) $(2n + 1)(4n + 1)$ 3) $(5s + 1)(3s + 5)$ 4) $(3y + 3)(9y + 2)$

Ces activités nous inspirent certaines règles qui se vérifient également lorsqu'on introduit des nombres négatifs.

n) Observe les trois premières représentations, puis complète les trois autres.

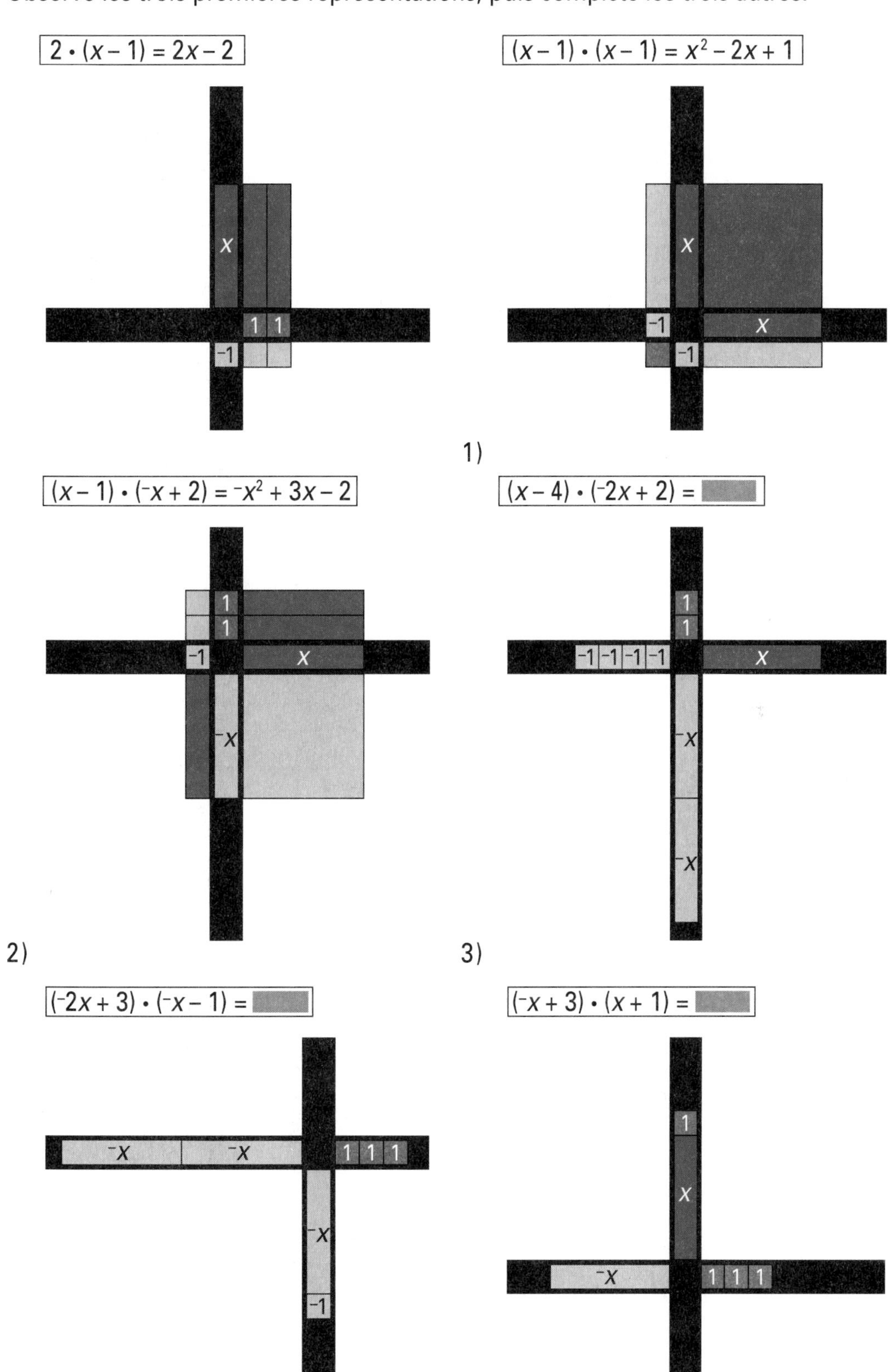

o) Détermine le produit dans chaque cas.

1) $(x - 1)(3x + 1)$ 2) $(2n - 1)(4n - 3)$ 3) $(5s - 4)(3s + 5)$

4) $(3y + 3)(9y - 2)$ 5) $(4b - 2)(3b - 3)$ 6) $(^{-}5c - 4)(3c + 5)$

En résumé, on observe la règle de multiplication suivante dans les polynômes :

Le **produit** de deux expressions algébriques est obtenu **en multipliant chacun des termes de l'une par chacun des termes de l'autre,** et en réduisant les termes semblables.

1 Calcule le produit.

a) $^{-}2 \times 3$ ***b)*** $7 \times ^{-}7$

c) $^{-}4 \times ^{-}9$ ***d)*** $11 \times ^{-}6$

e) $^{-}8 \times ^{-}9$ ***f)*** $^{-}15 \times ^{-}8$

2 Dans chaque cas, détermine le produit.

a) $2(3x - 2)$ ***b)*** $^{-}3(2b + 2)$

c) $^{-}4(^{-}a - 3)$ ***d)*** $5(a^2 + 3a - 5)$

e) $^{-}1(^{-}a^2 + 3a - 5)$ ***f)*** $a(2a - 1)$

g) $2n(3n - 6)$ ***h)*** $^{-}3y(^{-}2y + 5)$

3 Détermine si l'énoncé est vrai ou faux.
S'il est faux, indique pourquoi.

a) $3(x + 2) = 3x + 2$ ***b)*** $^{-}2(3a + 1) = ^{-}6a + 2$ ***c)*** $2a(a + 4) = 2a^2 + 8$

4 Réduis l'expression algébrique, puis vérifie ton résultat en donnant la valeur 3 à la variable.

a) $2(4x - 8)$ ***b)*** $^{-}2x + 3(x - 2)$ ***c)*** $(2x)^2$ ***d)*** $5(x^2 + 3) - 3x^2$

5 Résous chaque équation en utilisant les règles de transformation des équations.

a) $5(x - 1) - 2(x + 1) = 5 - x$ ***b)*** $3(2x - 1) - 4(3 - x) = 2x$

6 Voici une table de multiplication.

x	$2n$	6
n		
4		

a) Donne le terme qui convient dans chaque case.

b) Que peut-on observer si on multiplie les termes en diagonale ?

7 Calcule l'expression qui représente le produit des polynômes et vérifie ton résultat en donnant la valeur 2 à la variable.

a) $(s + 3)(s - 1)$ ***b)*** $(2n + 3)(n + 2)$ ***c)*** $(3t + 4)(t - 4)$

8 Dans chaque cas, calcule le produit, puis réduis-le.

a) $(x + 2)(x - 4)$ ***b)*** $x(x + 2) + 2(x - 4)$ ***c)*** $(3a + 4)(2a - 2)$

d) $(2 + 2b)(3 - b)$ ***e)*** $(2n + 3)(2n - 3)$ ***f)*** $4s(s^2 + s) - 4s^2(s - 1)$

9 Dans chaque cas, déduis le facteur manquant.

a) $■(2n + 1) = 4n^2 + 2n$ ***b)*** $■(s^2 - s) = {}^{-}s^2 + s$

10 Sachant que $^{-}(2n + 1) = {}^{-}1(2n + 1) = {}^{-}2n - 1$, trouve une expression équivalente à l'expression donnée en supprimant les parenthèses.

a) $^{-}(2x^2 + 3x - 2)$ ***b)*** $^{-}(3n^2 - n) - 1$ ***c)*** $^{-}(^{-}(2n + 1))$

11 Trouve l'équation la plus simple qui est équivalente à celle donnée.

a) $5x + 2(3x - 8) = 24$ ***b)*** $(x + 2)(x - 3) - x^2 + 3(4x - 4) = 20$

12 Trouve le produit de ces trois facteurs.

a) $n(n + 1)(n + 2)$ ***b)*** $a(a + 1)(a - 1)$

13 Certains rectangles ont une longueur de 5 cm de plus que leur largeur. Complète la table suivante pour cette famille de rectangles.

Famille de rectangles

Largeur	Longueur	Périmètre	Aire
1	6	■	■
4	■	■	■
$x - 3$	■	■	■
x	■	■	■
$x + 3$	■	■	■

14 Utilise une table comme celle ci-dessus pour trouver la largeur et la longueur du rectangle dont :

a) le périmètre est de 29,2 cm ; ***b)*** l'aire est de 204 cm².

15

16 Si $90 + 9(a - 15) = 135$, quelle valeur numérique correspond à chaque expression algébrique ?

a) $2a$ *b)* a^2 *c)* $(a + 2)^2$ *d)* $\frac{a + 10}{a - 10}$

17 Réduis chaque expression en effectuant les opérations indiquées.

a) $(c + 3)(c - 2) - (c + 2)(c - 3)$

b) $(2d + 2)(3d - 2) - (3d + 2)(2d - 3)$

c) $3(2s + 4)(s - 3) - 2(s + 3)(2s - 4)$

d) $(a + 2)^2 - 3(a + 2) + 10 - (a + 2)^2 + 3a$

e) $v(v + 1) - v(v + 2) + v(v + 5) - v(v + 4)$

18 Trouve deux facteurs dont le produit est :

a) $n^2 + 3n$ *b)* $n^2 + 3n + 2$

19 Réduis ces expressions si les variables ne peuvent prendre la valeur 0.

a) $\frac{n(n + 2) + 2(n^2 - n)}{3n^2}$ *b)* $\frac{r(2r^2 + 2) - 2r(r^2 + 1)}{4r^2}$

20 Trouve l'expression qui représente la somme de ces fractions algébriques. Les variables sont différentes de 0.

a) $\frac{s}{4} + \frac{2s}{5}$ *b)* $\frac{n}{4} + \frac{2}{n}$ *c)* $\frac{3}{4t} + \frac{2}{5t}$ *d)* $\frac{a + 2}{2a} + \frac{a - 3}{3a}$

21 Montre que ces deux expressions sont équivalentes.

$$x(3x + 5) + 2(3x + 5) = (x + 5)(x - 1) + (2x + 1)(x + 3) + 12$$

22 Dans cette figure, H est le milieu de $\overline{BC}$. Quelle devrait être la valeur de x pour que les trois rectangles aient la même aire ?

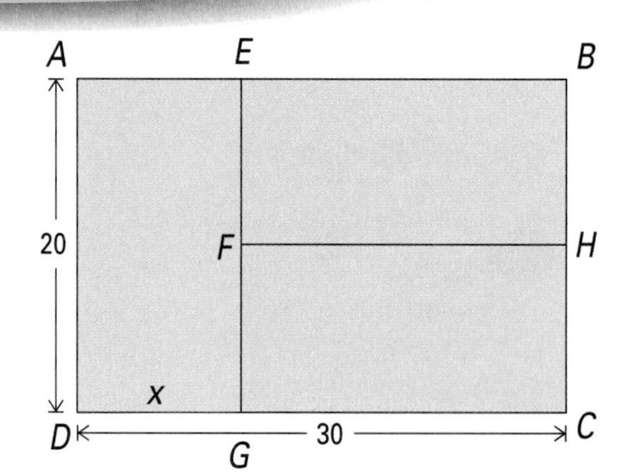

23 Quelle expression représente :

a) le produit de deux nombres naturels consécutifs ?

b) la différence des carrés de deux entiers consécutifs ?

24 Si y représente un nombre positif, lequel des deux produits est le plus grand ? Justifie ta réponse.

$$(y - 3)(y + 5) \quad \text{ou} \quad (y + 3)(y - 5) ?$$

25 Un magicien demande à un spectateur d'ajouter 3 ans à son âge et de noter le résultat obtenu. Il lui demande ensuite de retrancher 2 ans à son âge et de noter le résultat obtenu. Le magicien lui demande enfin de multiplier ces deux résultats, de retrancher le carré de son âge et de lui donner son résultat final. Le magicien n'a alors qu'une petite opération à faire pour déduire l'âge du spectateur. Quelle est cette opération ?

26 On a superposé deux cartons rectangulaires comme le montre l'illustration ci-dessous.

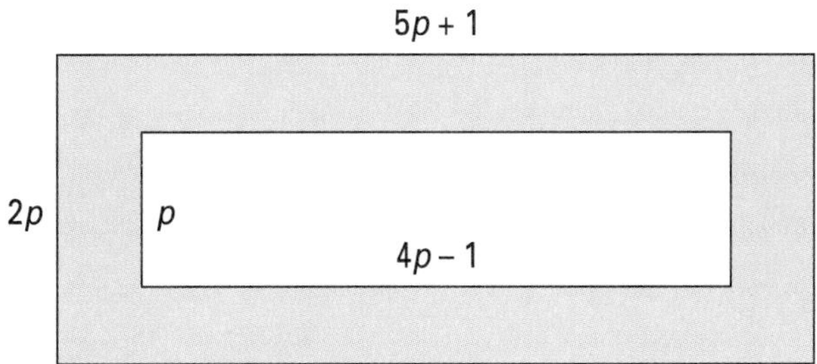

a) Quelle est l'aire de la région colorée ?

b) Quelles sont les dimensions d'un rectangle qui a cette même aire ?

27 Résous ces équations.

a) $x(2x + 6) - 2x(x + 2) + 3x = 2(2x - 2)$ ***b)*** $(x + 2)(x + 3) - x^2 + 7 = 2x + 4$

28 On veut placer une photographie sur un carton carré de c unités de côté. La photographie est mise sur le carré obtenu en reliant les points situés au quart de la longueur de chacun des côtés du carton.

Quel pourcentage du carton n'est pas recouvert par la photographie ?

Après avoir compris le problème, il faut tenter de le résoudre. La résolution d'un problème exige souvent que l'on fasse preuve d'imagination et de créativité, mais elle exige également que l'on entame la démarche scientifique. La démarche scientifique consiste à :

1° faire des essais pour produire une conjecture;

2° tester sa conjecture en faisant d'autres essais;

3° prouver la validité de sa conjecture.

Et si cela ne fonctionne pas, il faut émettre une autre conjecture et recommencer le processus jusqu'à l'obtention de la solution.

Résolvez ces problèmes en appliquant le principe selon lequel l'union fait la force.

Une diagonale élastique

Le triangle *ABC* est rectangle en *A*. Où faut-il placer le point *P* sur l'hypoténuse du triangle *ABC* pour que la diagonale *MN* du rectangle *AMPN* soit la plus petite possible?

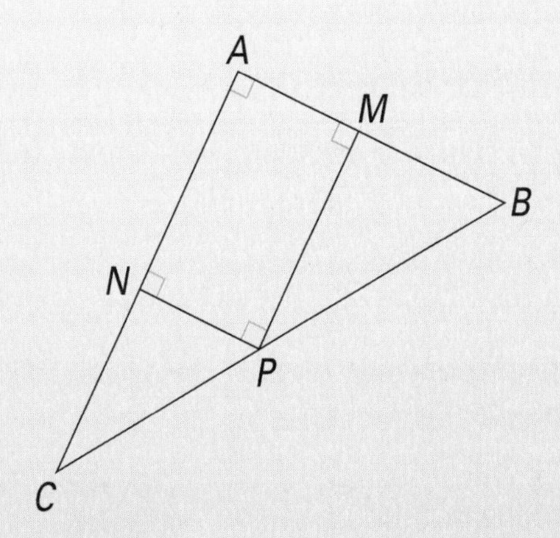

L'addition au plus grand produit

Le nombre 23 peut s'écrire sous la forme d'une addition de trois entiers positifs de plusieurs façons. Par exemple, 23 = 9 + 9 + 5 ou 23 = 5 + 6 + 12. Parmi toutes les possibilités, trouve celle dont le produit des trois entiers est le plus grand.

Et si l'on ne limite pas le nombre d'entiers positifs dans l'addition, quelle est celle qui donne le plus grand produit?

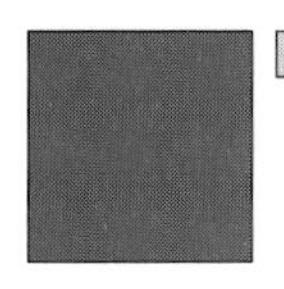

DIVISION DE POLYNÔMES

Activité 1 Division par une constante

La division peut faire appel à la notion de partage en parties égales.

a) Voici la représentation du polynôme $2x^2 + 4x - 6$.

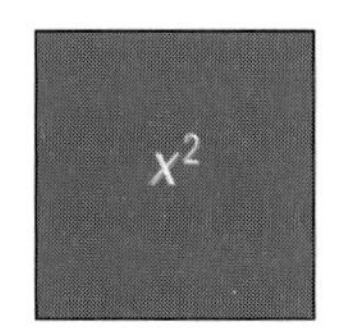

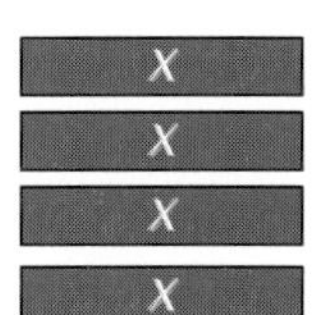

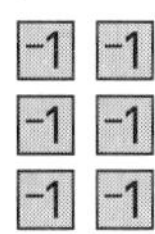

1) Divise-la en deux parties égales et indique ce qu'il y a dans chaque partie.

2) Quel polynôme correspond à chaque partie ?

b) Représente géométriquement le polynôme $3x^2 - 6x + 9$ divisé en trois parties égales. Quel polynôme est représenté dans chaque partie ?

En résumé, on observe la règle de division suivante pour les polynômes :

Diviser un **polynôme** par une **constante** consiste à diviser **chaque terme** par cette **constante.**

Activité 2 Division par un monôme

La division est également l'opération inverse de la multiplication. De plus, comme les nombres, les polynômes ne sont divisibles exactement que par leurs facteurs. Ainsi, diviser un polynôme par l'un de ses facteurs, c'est chercher l'autre facteur dont le produit donne ce polynôme.

a) Voici la représentation géométrique du polynôme $2x^2 + 4x$ que l'on veut diviser par $2x$.

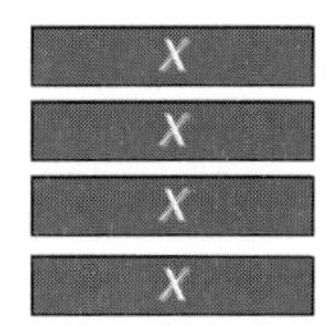

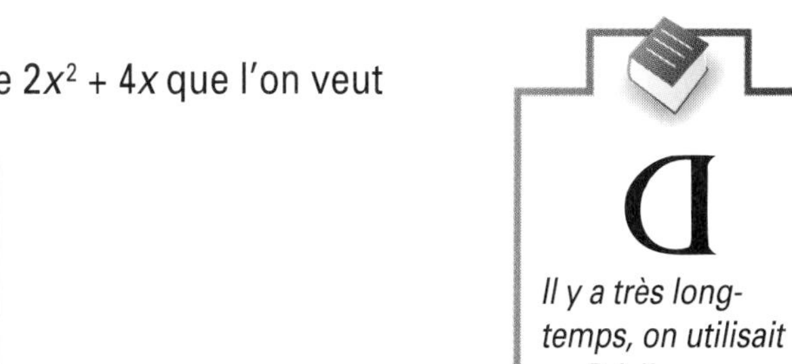

1) À l'aide d'un support, dispose les tuiles de façon à former un rectangle et de telle sorte que l'un des facteurs soit $2x$.

2) Quel est le second facteur ?

3) Complète : $(2x^2 + 4x) \div 2x =$ ▬

ᗡ

Il y a très longtemps, on utilisait un D à l'envers comme symbole de division. Puis le symbole « ÷ » lui a succédé. Ce symbole anglo-saxon du XVIIIe siècle est le reliquat du trait de fraction

b) Explique ce que l'on doit faire dans la division précédente pour obtenir le quotient.

Ces activités confirment que :

Diviser un polynôme par un **monôme** consiste à **diviser chaque terme** du polynôme par le monôme.

Ainsi, $(4x^3 + 8x^2 - 6x) \div 2x = 4x^3 \div 2x + 8x^2 \div 2x - 6x \div 2x$

$$\frac{4x^3}{2x} + \frac{8x^2}{2x} - \frac{6x}{2x}$$

$$2x^2 + 4x - 3$$

1 Effectue les divisions suivantes.

a) $(12a + 4) \div 4$ ***b)*** $(3z - 9) \div 3$ ***c)*** $(24t - 12) \div {}^-12$

d) $(9 - 18m) \div 9$ ***e)*** $({}^-x - 8) \div {}^-1$ ***f)*** $(18 - 36m) \div 9$

2 Dans chaque cas, effectue la division si le diviseur est non nul.

a) $(10m^2 + 15m) \div 5m$ ***b)*** $(2x^2 + x^3) \div x^2$

c) $(15b^2 + 10b + 20) \div 5$ ***d)*** $(12n^4 - 9n^3) \div 3n^2$

3 Réduis ces expressions en effectuant les opérations si les diviseurs sont différents de 0.

a) $(2(m + 1) + 3(m - 4)) \div 5$ ***b)*** $(15c^2 + 5c) \div 5c + (2c^2 + 4c^3) \div 2c^2$

4 Effectue ces divisions pour des diviseurs non nuls.

a) $\frac{2s^2 + 4}{2}$ ***b)*** $\frac{4r^2 + 8r}{2r}$ ***c)*** $\frac{4m^2 + 2(m - m^2)}{2m}$ ***d)*** $\frac{4t^3 - 8t(t - t^2)}{8t}$

5 La grande base d'un trapèze est le double de sa petite base. Sa hauteur a la même mesure que sa petite base. En utilisant la variable b, détermine l'expression réduite de son aire.

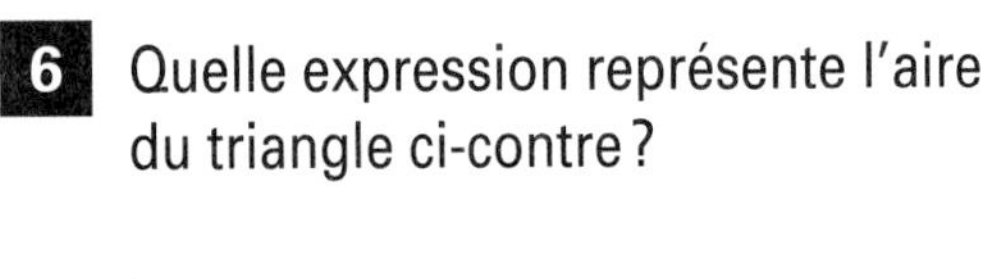

6 Quelle expression représente l'aire du triangle ci-contre ?

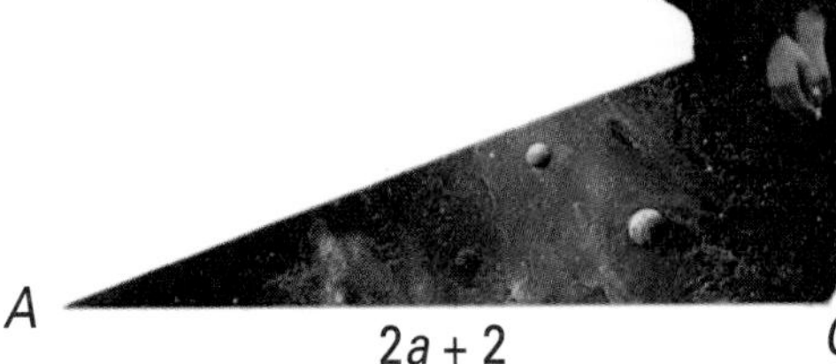

7 Quelle expression représente la probabilité de chacun des *a* résultats d'une expérience aléatoire s'ils sont équiprobables?

8 Simplifie chaque expression en effectuant les divisions. On sait que $h \neq 0$.

a) $\dfrac{12h^2 + 4h}{4h}$ *b)* $\dfrac{10h^3 - 15h^2}{5h^2}$

9 Quelle expression représente la moyenne arithmétique de deux nombres naturels pairs et consécutifs?

10 Trouve une expression équivalente à $(2a + 1)$ %.

11 Trouve un binôme et un monôme dont le quotient est:

a) $4 - n$ *b)* $2n + 1$ *c)* $2s - 1$ *d)* $1 + x$

12 Que vaut $\dfrac{2x}{3} \div x$ si x ne peut pas être 0?

13 L'aire d'un rectangle est représentée par $4a^2 + 8a$. Trouve sa longueur si sa largeur est égale à:

a) $2a$ *b)* $4a$ *c)* 4 *d)* 8

14 Dans chaque cas, détermine le quotient. Les diviseurs sont non nuls.

a) $(12t^2 + 6t) \div 6t$ *b)* $(6ax^2 + 3ax) \div 3a$

15 Réduis chaque expression.

a) $\dfrac{12a + 6}{6} + \dfrac{3a - 3}{3}$ *b)* $\dfrac{10v^3 - 5v^2}{5v^2} - \dfrac{6v^2 - 3v}{3v}$, sachant que $v \neq 0$.

16 Trouve une valeur de h qui vérifie l'équation $\dfrac{2h^2 + 4h}{h} = 14$, sachant que $h \neq 0$.

17 Quelle expression algébrique réduite représente l'aire des trois voiles de cette baleinière?

18 Démontre que la somme de trois nombres naturels consécutifs est toujours divisible par 3.

19 Par quels nombres est divisible la somme de:

a) 4 nombres naturels consécutifs? *b)* 5 nombres naturels consécutifs?

20 À l'aide d'une table, montre que le produit de deux nombres naturels consécutifs est toujours un nombre pair.

n	$n + 1$	$n^2 + n$
0	1	■
...	...	...

1. Quel nombre de forme décimale correspond à l'expression exponentielle donnée?

   a) 8^0 *b)* 5^{-2} *c)* 9^3 *d)* 1^{19}

2. Vrai ou faux?

   a) $10^3 + 10^2 = 10^5$ *b)* $8^2 + 7^2 = 15^2$ *c)* $10^{-3} = 0,003$ *d)* $10^3 \times 10^2 = 10^6$

3. Quel nombre correspond à l'expression donnée?

   a) $1,5 \times 10^3$ *b)* $8,25 \times 10^{-3}$ *c)* $6,24 \times 10^0$ *d)* 1×10^{-5}

4. Écris chaque nombre en notation scientifique.

   a) 0,004 56 *b)* 12 450 000 000

5. Calcule chaque résultat.

   a) $2 \times 10^3 + 4 \times 10^2$ *b)* $1,2 \times 10^{-1} - 8 \times 10^{-2}$

   c) $2 \times 10^3 \times 4 \times 10^2$ *d)* $6,4 \times 10^4 \div 3,2 \times 10^2$

6. Détermine le produit ou le quotient, selon le cas. Les diviseurs sont non nuls.

   a) $3x^2 \cdot {}^-2x$ *b)* $4a^2 \div 2a$ *c)* $12n^4 \div 3n^2$ *d)* $8m^2 \cdot {}^-3m^3$

   e) ${}^-x \div {}^-x$ *f)* ${}^-x^2 \cdot {}^-2x^2$ *g)* $8t \cdot 4s^2$ *h)* $3a^2b \cdot 2a^2b$

7. Réduis chaque expression, s'il y a lieu.

   a) $8m^3 - m^3$ *b)* $(8x^4)({}^-x^5)$ *c)* $\frac{36n^4}{{}^-4n^3}$, pour $n \neq 0$. *d)* $7k^2 + 3k^2$

8. Donne l'expression algébrique qui correspond à la situation présentée.

   a) Mila se rend au magasin. Elle a 28 $ et achète un disque laser qui est généralement vendu x $, mais dont le prix est présentement réduit de 3 $. Quelle somme reste-t-il à Mila?

   b) Mila se rend au magasin. Elle a 28 $ et achète un disque laser au coût de x $. Le magasin offre cette semaine un chèque-cadeau de 3 $. Le commis lui remet donc 3 $. Quelle somme reste-t-il à Mila?

   c) Mila se rend au magasin. Elle a 28 $ et achète un disque laser au coût de x $. Pour la moitié du prix du premier disque, elle peut en obtenir un second. Elle décide de profiter de l'offre. Quelle somme reste-t-il à Mila?

   d) Mila se rend au magasin. Elle a 28 $ et achète un disque laser au coût de x $. Elle profite d'une réduction de 20 % et dépense la moitié de ce qu'il lui reste pour un lunch. Quelle somme reste-t-il à Mila?

9. Détermine le résultat de chaque opération si $x \neq 0$.

a) $x^2 + x^2$ *b)* $x^2 - x^2$ *c)* $x^2 \cdot x^2$ *d)* $x^2 \div x^2$

10. Voici le mini-test que Claude a fait sur les opérations algébriques. Corrige-le. Quelle note lui donnes-tu sur 10 ?

MINI-TEST

a) $3x + 2x = 5x$ *b)* $4x + x = 4x^2$

c) $2x^2 + x = 3x^3$ *d)* $6 - 2x = 4x$

e) $4 - 2 \cdot 3x = 6x$ *f)* $(2a - 4) - (a - 1) = a - 5$

g) $^-(2n - 4) = {^-2n} - 4$ *h)* $(3y + 1)(2y + 2) = 6y^2 + 2$

i) $8b - (b^2 - 2b) = 6b$ *j)* $2a + 3 = 5a$

11. Trouve une expression réduite équivalente à celle donnée.

a) $(2x^2 + 3x - 2) + (x^2 - 3x + 3)$ *b)* $(3a^2 - 4a + 8) - (3a^2 + a - 7)$

c) $(2x + 1)(3x - 5)$ *d)* $(3m^3 - 6m^2 + 9m) \div 3m$, pour $m \neq 0$.

12. Voici la version orale et la version algébrique d'un programme.

Programme

Version orale	Version algébrique
10 Entre un nombre.	10 Entre x.
20 Calcule son carré.	20 Calcule x^2.
30 Calcule son double.	30 Calcule $2x$.
40 Calcule la différence entre son carré et son double.	40 Calcule x^2 – $2x$.
50 Affiche le résultat.	50 Affiche x^2 – $2x$.
60 Retourne à 10.	60 Retourne à 10.

Dans chaque cas, détermine l'affichage obtenu si on entre les nombres suivants :

a) 5 *b)* $^-4$ *c)* $\frac{1}{3}$ *d)* 0,3

13. Donne la version algébrique de ces programmes et vérifie-les à l'aide de quelques valeurs numériques.

a)

Programme

Version orale	Version algébrique
10 Entre un nombre.	▬▬▬
20 Calcule son cube.	▬▬▬
30 Calcule son carré.	▬▬▬
40 Calcule la différence entre son cube et son carré.	▬▬▬
50 Affiche le résultat.	▬▬▬
60 Retourne à 10.	▬▬▬

b)

Programme

Version orale	Version algébrique
10 Entre un nombre.	▬▬▬
20 Calcule son carré.	▬▬▬
30 Calcule le double de son carré.	▬▬▬
40 Calcule la somme de son carré et du double de son carré.	▬▬▬
50 Affiche le résultat.	▬▬▬
60 Retourne à 10.	▬▬▬

c)

Programme

Version orale	Version algébrique
10 Entre un nombre.	▬▬▬
20 Calcule son triple.	▬▬▬
30 Calcule son double.	▬▬▬
40 Calcule la différence entre son triple et son double.	▬▬▬
50 Affiche le dernier résultat.	▬▬▬
60 Retourne à 10.	▬▬▬

d)

Programme

Version orale	Version algébrique
10 Entre un nombre.	______
20 Additionne 2 à ce nombre.	______
30 Calcule le triple de cette somme.	______
40 Calcule le carré du nombre entré.	______
50 Calcule la différence entre ce carré et le résultat obtenu en 30.	______
60 Affiche le dernier résultat.	______
70 Retourne à 10.	______

e)

Programme

Version orale	Version algébrique
10 Entre un nombre.	______
20 Soustrais 4 de ce nombre.	______
30 Triple cette différence.	______
40 Calcule le carré du résultat trouvé en 20.	______
50 Calcule la différence entre le résultat de 40 et de 30.	______
60 Affiche le résultat.	______
70 Retourne à 10.	______

f)

Programme

Version orale	Version algébrique
10 Entre un nombre.	______
20 Calcule le quadruple de ce nombre.	______
30 Additionne 12 à ce quadruple.	______
40 Calcule le quotient du résultat trouvé en 30 par 4.	______
50 Calcule le carré du résultat obtenu en 40.	______
60 Soustrais le triple du nombre entré au résultat obtenu en 50.	______
70 Affiche le dernier résultat.	______
80 Retourne à 10.	______

14. Réduis ces expressions, s'il y a lieu. Les diviseurs sont non nuls.

a) $(2a + 3) - (3 - 4a)$ ***b)*** $(2n^2 - n) \div {}^-n$ ***c)*** $3(a + 6) - 2(a + 3)$

d) $(2x^2 - 2x + 8) \cdot 4x$ ***e)*** $(2c + 4)(3c - 5)$ ***f)*** $2(3 + a)(a - 5)$

15. Effectue les opérations indiquées. Les diviseurs sont non nuls.

a) $(2s + 3)(s - 4) + (s + 6)(2s - 3)$ ***b)*** $(2y + 4)(y - 2) - 2(y^2 - 4)$

c) $(8n^3 + 4n^2) \div 4n + (n + 2)^2$ ***d)*** $(8c^3 + 4c^2) \div 4c^2 + (4c - 6c^2) \div 2c$

16. Montre que $(2n + 6) \div 2 = \frac{1}{2}(2n + 6)$.

17. Montre que $\frac{4x^2 + 6x}{2x} = 2x + 3$ en remplaçant x par 2.

18. Sachant que $q = 2s - 3$ et que $p = 4s - 2$, calcule chaque expression en fonction de s.

a) $p - q$ ***b)*** $p + q$ ***c)*** pq ***d)*** $3p \div 2 + 6q \div 3$

19. On sait que les diagonales d'un losange se coupent à angle droit. Détermine l'expression correspondant à l'aire d'un losange dont les diagonales mesurent respectivement 1 unité et 3 unités de plus que la mesure de son côté c.

OPÉRATIONS AVEC PLUSIEURS VARIABLES

Activité 1 D'autres variétés de tuiles

Nous connaissons déjà les tuiles qui correspondent aux unités, à x et à x^2.

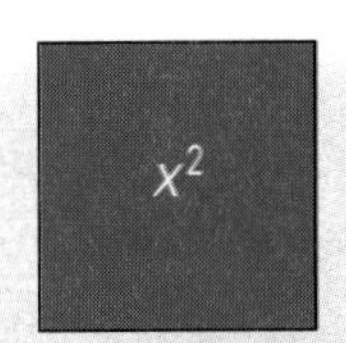

Ajoutons les tuiles qui correspondent à y, à xy et à y^2.

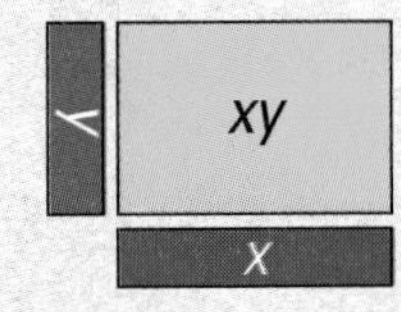

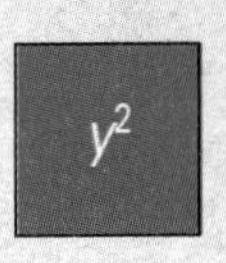

a) Fais une représentation géométrique de l'expression donnée.

1) $x + y$ 2) $2x + 3y$ 3) $x^2 + xy + y^2$

4) $2x + y^2 + 3$ 5) $x - 2y$ 6) ${}^-x^2 + 2x - 3y + xy - 2y^2$

Nous pouvons également effectuer des opérations sur des expressions présentant plus d'une variable.

b) Traduis ces représentations en polynômes et détermine leur somme en t'inspirant des représentations données.

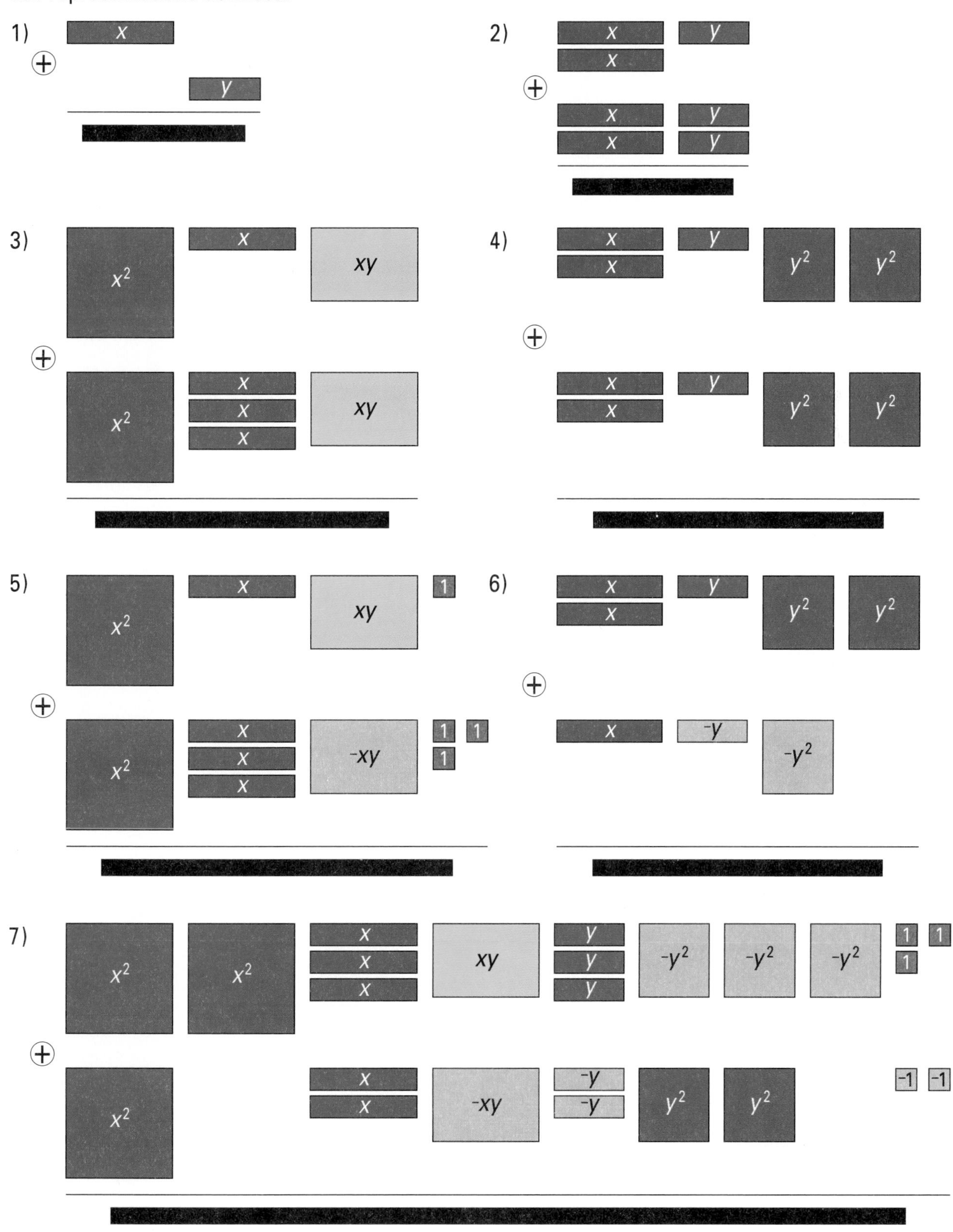

Nous pouvons également soustraire des polynômes à plusieurs variables. Soustraire un polynôme consiste à soustraire chacun de ses termes, et soustraire chacun de ses termes, c'est additionner leurs opposés.

c) Traduis ces représentations en polynômes et détermine la différence en t'inspirant des représentations données.

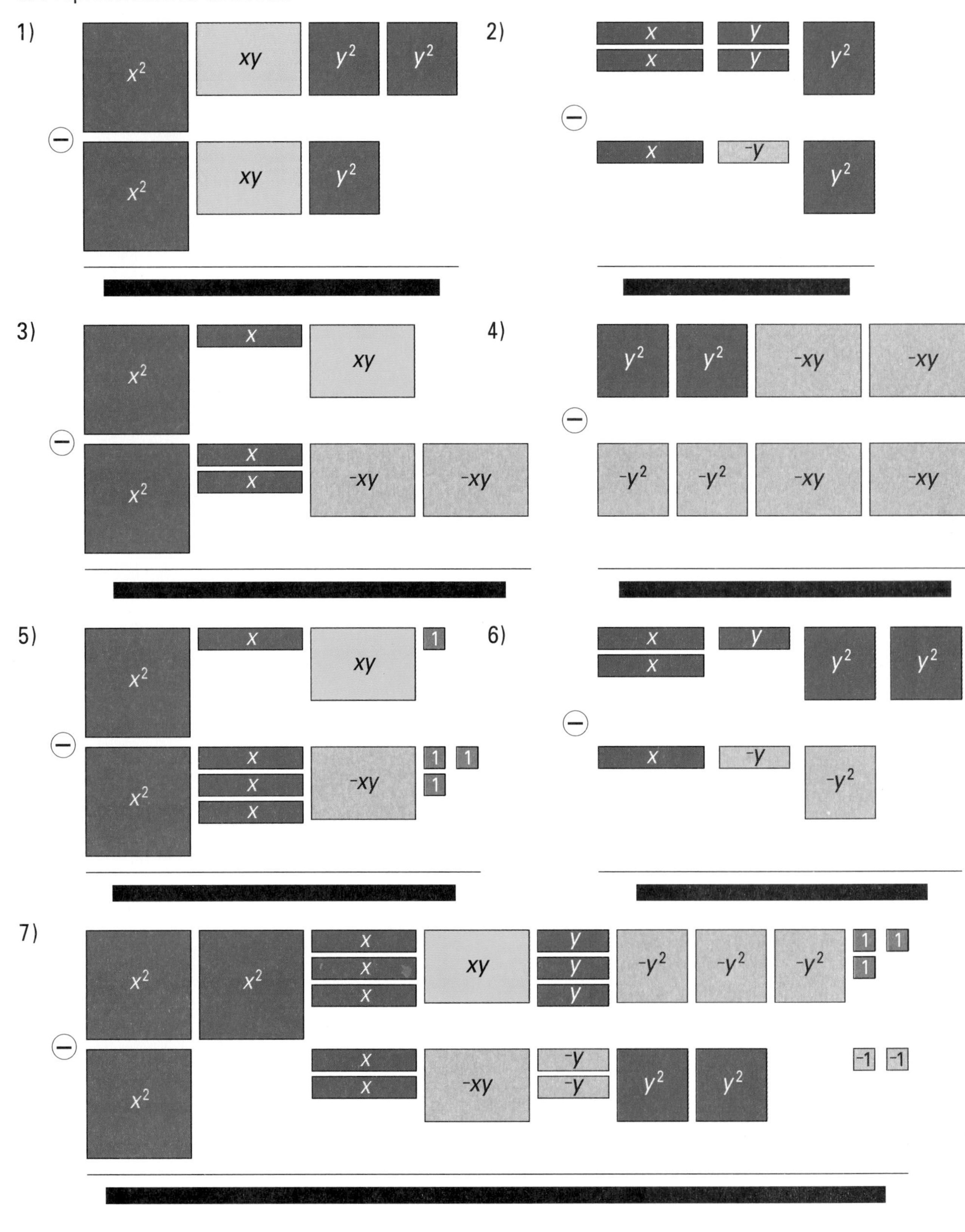

Cette activité confirme que :

Seuls les termes semblables se réduisent en un seul terme par addition ou soustraction.

Activité 2 Aire de rectangle

Voici un rectangle de $3b$ unités de base et de $2a$ unités de hauteur.

a) Quelle expression convient pour exprimer l'aire de ce rectangle ?

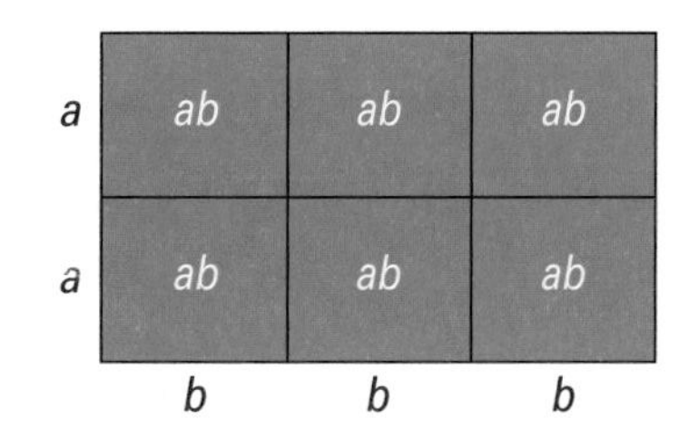

b) Décris en mots ce qu'il faut faire pour obtenir le produit suivant.

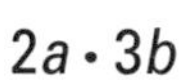

$2a \cdot 3b$

c) En utilisant un rectangle approprié, montre que :

1) $5(a + b) = 5a + 5b$

2) $a(b + c) = ab + ac$

3) $a(a + b) = a^2 + ab$

4) $2a(3a + 2b) = 6a^2 + 4ab$

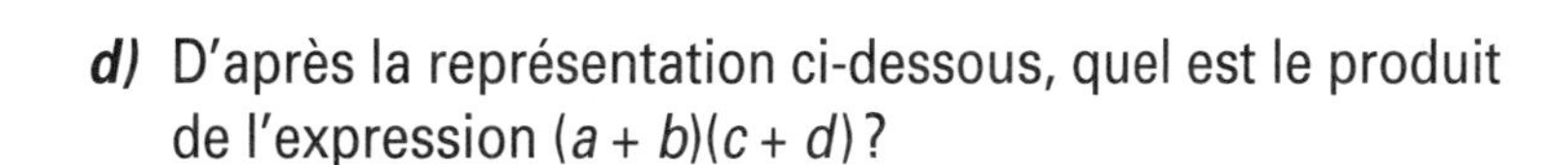

d) D'après la représentation ci-dessous, quel est le produit de l'expression $(a + b)(c + d)$?

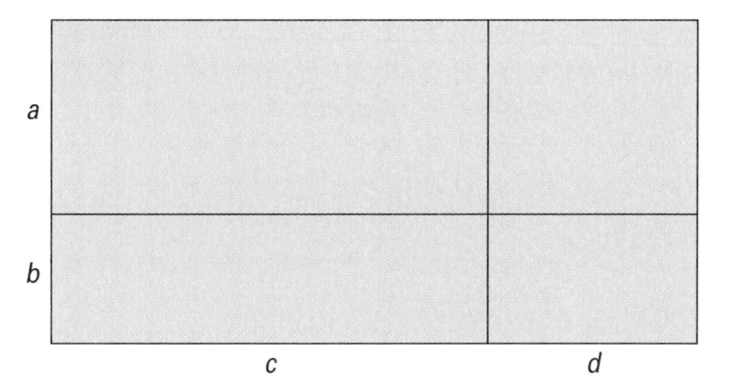

e) La propriétaire d'un terrain de forme carrée de a mètres de côté veut bâtir une nouvelle maison. Pour ce faire, elle décide d'agrandir cette parcelle de terre d'une longueur de b mètres sur les côtés nord et est. Quelle est l'aire de son nouveau terrain ? En t'inspirant de la représentation ci-contre, donne une expression équivalente à $(a + b)^2$.

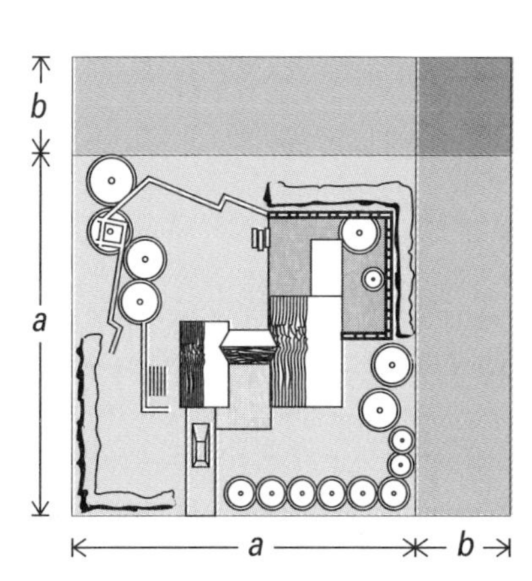

f) Effectue la multiplication selon l'algorithme de multiplication de binômes.

$$\begin{array}{r} a + b \\ \times \ \underline{a + b} \\ \blacksquare \end{array}$$

g) En t'inspirant de la représentation ci-contre, donne une expression équivalente à $(a - b)^2$.

$(a - b)^2 = a^2 - b(a - b) - \blacksquare - \blacksquare$
$= a^2 - ab + b^2 - \blacksquare - \blacksquare$
$= \blacksquare$

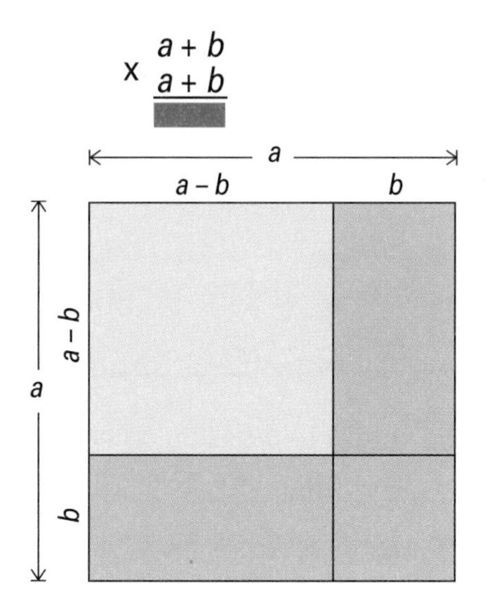

h) Effectue la multiplication selon l'algorithme de multiplication de binômes.

$$\begin{array}{r} a - b \\ \times \ \underline{a - b} \\ \blacksquare \end{array}$$

Ces activités confirment les règles de multiplication connues pour les expressions algébriques :

1° La distributivité de la multiplication sur l'addition ou la soustraction : $a(b + c) = ab + bc$.

2° La multiplication de deux polynômes revient à multiplier tous les termes de l'un par chacun des termes de l'autre.

i) Cette photographie a une aire de $(ka + kb)$ unités carrées. L'expression $(ka + kb)$ provient de la multiplication de k par $(a + b)$. Qu'obtient-on si on divise $(ka + kb)$ par k?

$(ka + kb) \div k = \blacksquare$

Diviser un polynôme par un monôme revient à diviser chacun de ses termes par ce monôme.

JOGGING

1 Indique si les deux termes donnés sont semblables ou non si a et b ne peuvent prendre la valeur 0.

a) $2a$ et $3b$ ***b)*** $2ab$ et $5b$ ***c)*** $4ab$ et $^-5ab^2$

d) $5x^2y$ et $^-6xy^2$ ***e)*** $4a^2b$ et $^-3a^2b$ ***f)*** $^-2$ et $2a^0b^0$

2 Réduis ces expressions, s'il y a lieu.

a) $3a^2b + 2ab - 3ab + 2a^2b + ab^2$ ***b)*** $3x^2y + 3y - 2xy - 3x^2y - 3y + 2xy$

3 Trouve deux monômes dont la somme est :

a) $2xy$ ***b)*** $2ab + 4b$ ***c)*** $x^2 - y^2$ ***d)*** 0

4 Effectue les opérations suivantes.

a) $$\begin{array}{r} 2x^2 + xy - y^2 \\ + \quad x^2 - 4xy - 2y^2 \\ \hline \blacksquare \end{array}$$

b) $$\begin{array}{r} 5x - 3xy + 2y^2 \\ - \quad 3x + 8xy - 3y^2 \\ \hline \blacksquare \end{array}$$

c) $$\begin{array}{r} x^2 + 5y^2 \\ + \quad 4x^2 - 3y^2 \\ \hline \blacksquare \end{array}$$

d) $$\begin{array}{r} x + 2xy - 4y^2 \\ - \quad x + 5xy - 3y^2 \\ \hline \blacksquare \end{array}$$

e) $$\begin{array}{r} 2x - 5y + 3xy \\ + \quad 7x - 3y - 5xy \\ \hline \blacksquare \end{array}$$

f) $$\begin{array}{r} x^2y - 2xy^2 \\ - \quad x^2y + 3xy^2 \\ \hline \blacksquare \end{array}$$

g) $(3x^2 + 3xy + 4y^2) + (2x^2y - 4xy - 2xy^2)$

h) $(2x^2y - 3xy^2 - 5x^2 + 6y^2) - (^-2x^2y + 4xy^2 - 5x^2 + 6y^2)$

i) $2x(x + y) - 2x^2 + xy$ *j)* $x(3 + 2y) + y(3 - 2x)$ *k)* $2x(x + y) - 2y(x - y)$

5 Réduis ces expressions, s'il y a lieu.

a) $(a + 2b) + (3a - 4b)$ *b)* $(2a + 3b + 2ab) + (3a - b)$

c) $(2ab + 2a) - (2b + 3ab)$ *d)* $(3n + 4m - 2n) + (6m + 3)$

e) $(4ax + 3by) - (3ax - 3y)$ *f)* $(2xy + 3xy) - (4x - 3xy)$

g) $2a + 5y - 10ay - (5y - 2a)$ *h)* $(5mn + 4n) - (5m + 3n - 6)$

i) $(4cd + 2dc) + (c - 2d)$ *j)* $(4am + 3an) - (4am + 3an + 2)$

6 Trouve deux binômes dont la somme est :

a) $2xy$ *b)* $2ab + 4b$ *c)* $3xy + 3y^2$ *d)* 0

7

8 Sachant que $^-(x - y)$ est équivalent à $^-1(x - y)$, laquelle des expressions suivantes leur est équivalente ?

A) $x - y$ B) $^-x + y$ C) $x + y$ D) $^-y - x$

9 Parmi les expressions suivantes, laquelle est équivalente à $^-(^-x + y)$?

A) $^-x + y$ B) $^-y - x$ C) $x - y$ D) $y - x$

10 Sachant que a, b et c sont des nombres réels, détermine si les égalités suivantes sont vraies ou fausses.

a) $a - (b - c) = a - b - c$

b) $(a + b) - (a + b) = 2a$

c) $^{-}(b - c) = c - b$

d) $(a - b) - (a + b) = 0$

e) $a - (b + c) = a - b + c$

f) $a - (b - c) = a - b - c$

g) $^{-}(b + c) = {^{-}b} + c$

h) $^{-}(b - c) = {^{-}b} - c$

11 Effectue la soustraction indiquée.

a) $(a + b) - (a - b)$

b) $(2a^2 + ab - b^2) - (2b^2 + ab + 2a^2)$

c) $2a + 3b - 2ab - (3b + 3ab + 2a)$

d) $2a^2b - 3ab - (2ab^2 - 3ab)$

e) $2ax^2 - 2ax - (3ax + 3ax^2 + 2)$

f) $12xy - (3ax + 3ay + 10xy) - 2xy + 3ax - 3ay$

g) $a^2b^2 + 2a^2 - 2b^2 - (a^2 + b^2 + a^2b^2)$

h) $2xy + x - y - (2x - y + 3xy)$

12 Détermine le produit dans chaque cas.

a) $5x \cdot 5y$

b) $2x \cdot 3a$

c) $5ab \cdot 3a^2b^3$

d) $3ax \cdot 8a^2y$

e) $^{-}3ax \cdot {^{-}5ay}$

f) $2m^2n \cdot 3mn^2$

g) $^{-}3as^2 \cdot 4a^3s^2$

h) $2a^3b^3 \cdot {^{-}3ab^2}$

13 Effectue la multiplication, puis réduis l'expression, s'il y a lieu.

a) $a(2b - 2) + 2b(3 - a)$

b) $a(b + c) - b(a + c) - c(a + b)$

c) $3(2x + 3y) + 4(y - x)$

d) $n(3m - 2n) - m(2m - 3n)$

e) $a(y^2 - 2y) + y(a^2 + 2a)$

f) $2b(x + 2y) - x(3b + x) - 2y(2b + 1) + 2y + x^2$

14 Voici une table de multiplication.

a) Reproduis-la, puis complète-la.

b) Que peut-on constater si on multiplie les termes des deux diagonales?

•	n	$2m$
n	▬	▬
$3m$	▬	▬

15 Dans chaque cas, détermine le produit.

a) $(a + b)(a - 2b)$

b) $(x + 2y)(x - 2y)$

c) $(2xy + 3x)(xy - 2x)$

d) $(a + 2b)(a + 2c)$

e) $(a - 2y)(y - a)$

f) $(a + b)(a - b)$

g) $(2a + 3b)(3a - 2b)$

h) $(a + ab)^2$

i) $(2a + 6)(2b - 5)$

16 Vérifie si les deux expressions sont équivalentes pour des valeurs numériques non nulles.

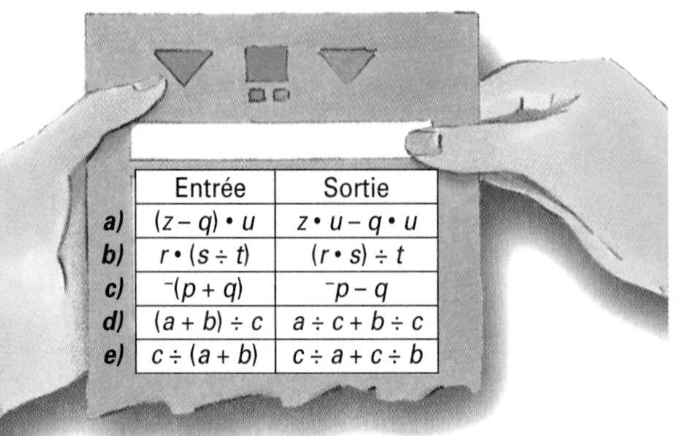

	Entrée	Sortie
a)	$(z - q) \cdot u$	$z \cdot u - q \cdot u$
b)	$r \cdot (s \div t)$	$(r \cdot s) \div t$
c)	$^{-}(p + q)$	$^{-}p - q$
d)	$(a + b) \div c$	$a \div c + b \div c$
e)	$c \div (a + b)$	$c \div a + c \div b$

17 Quelle expression réduite correspond à $(a + b)(a + b) - (a - b)(a - b)$?

18 Réduis d'abord l'expression, puis vérifie ton résultat sachant que $a = 4$, $b = 3$ et $c = 2$.

a) $a(b + c) - b(a - c) + c(b - a)$ ***b)*** $(a + b)^2 - (b + c)^2 - a^2 + c^2$

19 Dans chaque cas, détermine le quotient si la variable ne peut pas prendre la valeur 0.

a) $(2a + 4b) \div 2$ ***b)*** $(ax + bx) \div x$ ***c)*** $(3ab + 6b) \div 3b$

d) $(4ax + 6ay + 8a) \div 2a$ ***e)*** $(12ab - 18a) \div {}^-6a$ ***f)*** $({}^-ab + ad) \div ({}^-a)$

20 Quelle expression représente le quotient pour des diviseurs non nuls ?

a) $12a^2 \div 4a$ ***b)*** ${}^-18ax^3 \div {}^-9x^3$ ***c)*** $27a^3b^2 \div 9ab$

d) ${}^-36a^3x^2 \div 9a^2x$ ***e)*** ${}^-72m^3s^2t \div {}^-8ms^2t$ ***f)*** $125n^4 \div {}^-25n^5$

21 Donne le quotient pour des diviseurs non nuls.

a) $\frac{4t^3x^2}{8tx^2}$ ***b)*** $\frac{24n^3m^2}{{}^-8n^3m^2}$ ***c)*** $\frac{{}^-18a^3b^4}{{}^-9a^3b^2}$ ***d)*** $\frac{52cd^2}{{}^-13c^3d}$

22 Effectue ces divisions. Les diviseurs sont non nuls.

a) $\frac{6ab^2 + 3ab}{3ab}$ ***b)*** $\frac{9a^2b^2 + 18a^2b}{3a^2b}$ ***c)*** $\frac{9a^3b^2 - 15a^2b}{3a^2b}$ ***d)*** $\frac{x^2y^2 - 9x^2y}{{}^-x^2y^3}$

23 Détermine le facteur manquant en effectuant une division.

a) $(a^2b + 5ab^2) = ab($ ▬ $)$ ***b)*** $a^2b^2 + 2ab + ab^2 = ab($ ▬ $)$

24 Donne un binôme qui, divisé par $3ab$, donne $a + 2b$.

25 Un rectangle mesure a cm de largeur sur $2a$ cm de longueur. On additionne x cm à sa largeur et on retranche x cm à sa longueur.

a) A-t-on changé son périmètre ? Démontre ta réponse algébriquement.

b) A-t-on changé son aire ? Démontre ta réponse algébriquement.

26 On a tracé cette figure dans un plan cartésien. Quelle est l'aire du plus petit carré dont les côtés sont horizontaux ou verticaux et qui couvre entièrement la figure illustrée dans ce plan cartésien ?

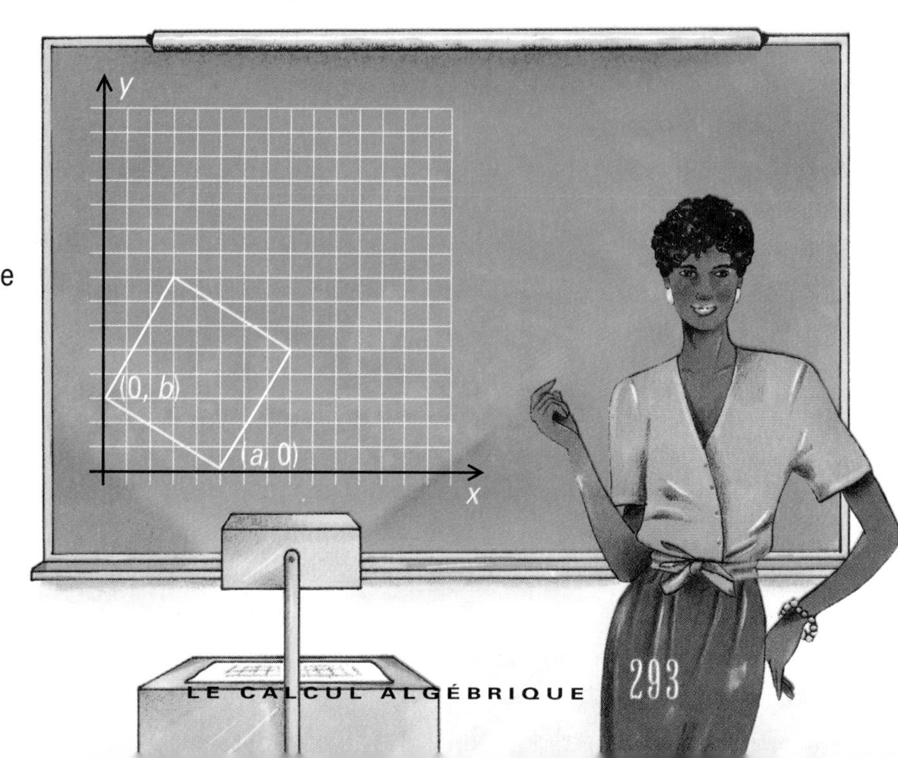

27 Si $u = x - y - 2$, $v = x - y + 3$ et $w = 4 - (x - y)$, détermine l'expression correspondant à :

a) $u + v$ ***b)*** $u - v$ ***c)*** $2u + w$ ***d)*** $2v - 3w$

28 En substituant des valeurs numériques non nulles aux variables, vérifie lequel des deux résultats proposés convient comme somme des deux fractions ci-contre.

$$\frac{a}{b} + \frac{c}{d}$$

Stratégie : Rechercher une régularité.

Somme paire

Quelle est la somme des n premiers nombres naturels pairs ?

$0 + 2$
$0 + 2 + 4$
...

Des terrasses

Martina et Ève travaillent dans le dallage de terrasses rectangulaires. Elles utilisent les trois variétés de dalles qu'on a illustrées ci-dessous.

Pour chaque dallage, elles utilisent un certain nombre de dalles de chaque variété.

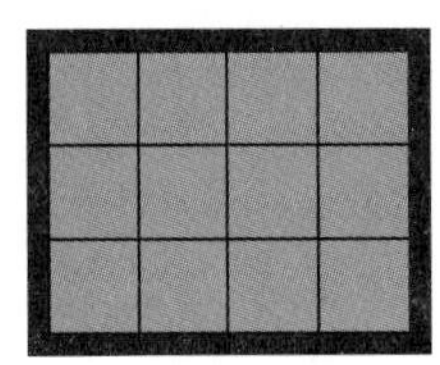

Elles recherchent présentement les formules qui leur permettraient, à partir des dimensions a et b d'un rectangle, de calculer le nombre de dalles de chaque variété qu'elles devront utiliser. Aide-les à trouver ces formules en analysant différents rectangles.

Projet 1 Des affiches

Construire des affiches, qu'on pourra exposer dans la classe, montrant :

1° les résultats convenables dans chacun de ces cas ;

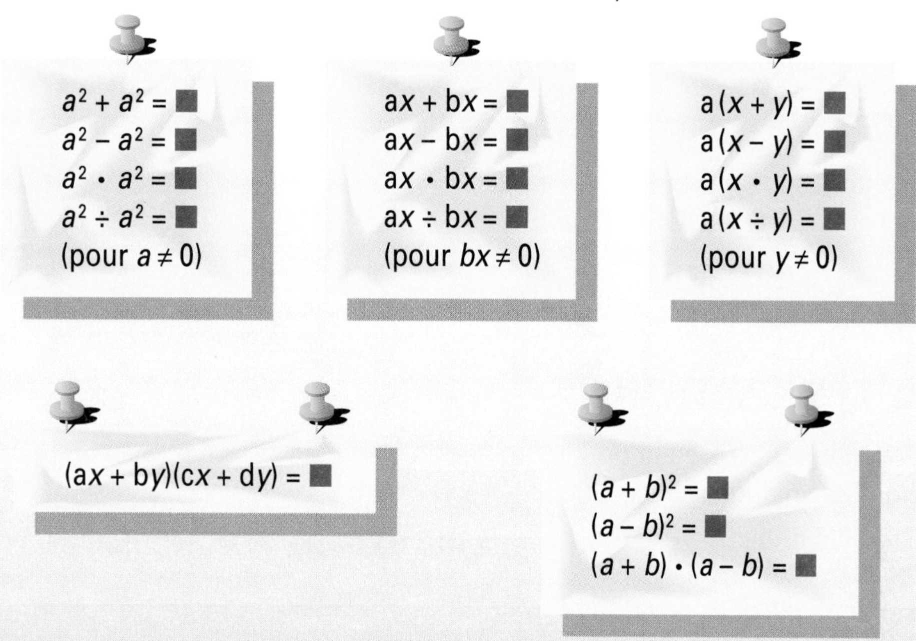

2° les trois grandes règles des opérations algébriques.

- Seuls les termes semblables se réduisent en un seul terme par addition ou soustraction.
- Multiplier deux polynômes revient à multiplier tous les termes de l'un par chacun des termes de l'autre.
- Diviser un polynôme par un monôme revient à diviser chacun des termes du polynôme par le monôme.

Projet 2 D'autres affiches

À l'aide de tuiles algébriques, illustrer la multiplication de binômes de la forme $(ax \pm b)(cx \pm d)$ sur des cartons. Ces cartons pourront être affichés dans un endroit passant, près du département de mathématique.

À LA LOGICOMATHÈQUE

DÉTECTEZ L'INTRUS

- Quel intrus s'est glissé dans chaque tableau ?

a)

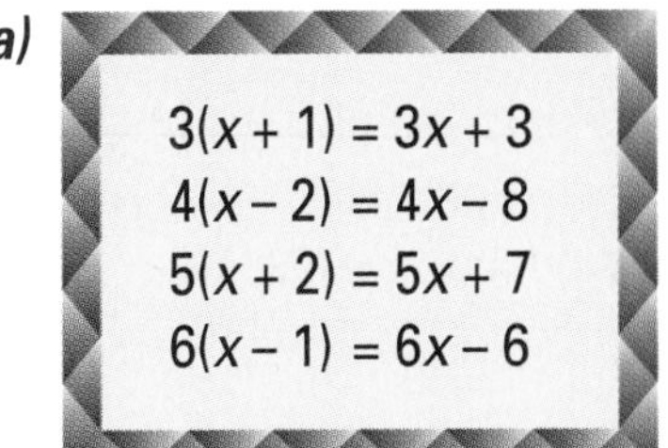

$3(x + 1) = 3x + 3$
$4(x - 2) = 4x - 8$
$5(x + 2) = 5x + 7$
$6(x - 1) = 6x - 6$

b)

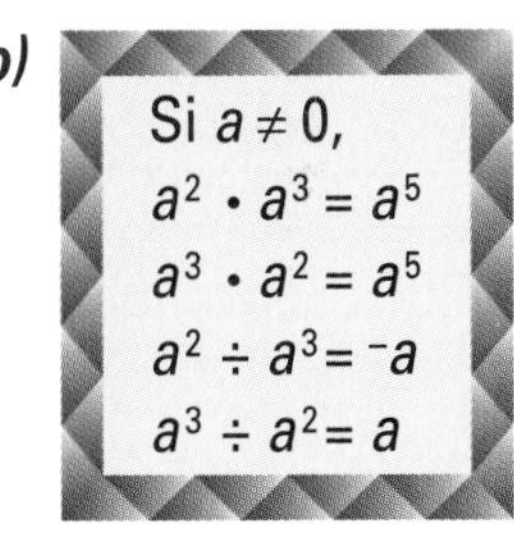

Si $a \neq 0$,
$a^2 \cdot a^3 = a^5$
$a^3 \cdot a^2 = a^5$
$a^2 \div a^3 = {}^-a$
$a^3 \div a^2 = a$

c)

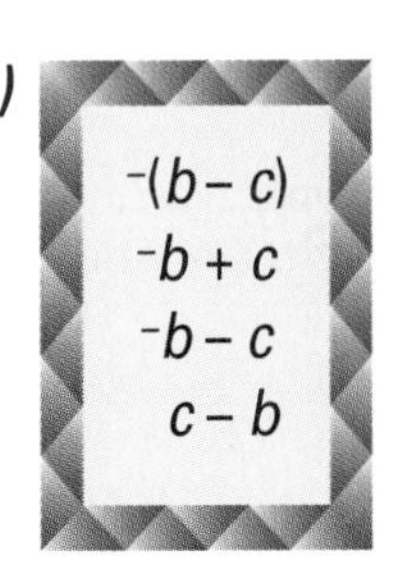

${}^-(b - c)$
${}^-b + c$
${}^-b - c$
$c - b$

À LA MENSA

- Un appareil photo coûte 100 $ incluant son étui. L'appareil coûte 80 $ de plus que l'étui. Combien l'étui coûte-t-il ?

- Si *a* crayons coûtent *b* ¢, combien de crayons peut-on acheter pour *d* $?

PROUVE-LE DONC !

- Si on ajoute 1 au produit de 4 nombres naturels consécutifs, on obtient toujours un carré. Prouve-le en effectuant les opérations dans la dernière ligne du modèle.

$1 \times 2 \times 3 \times 4 + 1 = 25 = 5^2 = (1 \times 4 + 1)^2$
$2 \times 3 \times 4 \times 5 + 1 = 121 = 11^2 = (2 \times 5 + 1)^2$
$3 \times 4 \times 5 \times 6 + 1 = 361 = 19^2 = (3 \times 6 + 1)^2$
...
$n(n + 1)(n + 2)(n + 3) + 1 = \blacksquare = (n(n + 3) + 1)^2$

- Sachant que $abc = 1$, démontre que $a^2b^3c^2 = b$.

SUR LES TRACES DE LOGIC

- Dans le cadre d'une fraude, Logic enquête sur trois individus : Arton, Beaudoin et Côté qui exercent des métiers différents. L'un est électricien, un autre fonctionnaire et le troisième garagiste, mais pas nécessairement dans cet ordre. Après de multiples déductions, Logic a coincé le fraudeur : il s'agit de l'électricien. Comment se nomme-t-il ?

  Logic te propose de le découvrir à partir de ces quatre renseignements :

  1° Côté vit exactement à mi-chemin entre Québec et Montréal, lieux où vivent les deux autres suspects.

  2° Parmi les suspects, celui qui vit le plus près du garagiste gagne le double du salaire de Beaudoin.

  3° Le fonctionnaire visite fréquemment la ville de Québec.

  4° Arton veut déménager dans une autre ville, car il aime se promener sur les plaines d'Abraham.

Je connais la signification des expressions suivantes :

Exposant : nombre, variable ou expression que l'on place en position surélevée à la droite d'une base.

Puissance : résultat de l'exponentiation. Souvent ce résultat n'est pas calculé, c'est-à-dire qu'il est laissé sous la forme d'une base affectée d'un exposant.

Pour tout nombre *m* et tout entier $a > 1$, $m^a = \underbrace{m \cdot m \cdot ... \cdot m}_{m \text{ pris comme facteur } a \text{ fois}}$	Pour tout nombre $m \neq 0$ et pour tout entier *a*, $m^{-a} = \frac{1}{m^a}$
Pour tout nombre *m*, $m^1 = m$	Pour tout nombre $m \neq 0$, $m^0 = 1$

Propriétés des exposants : règles ou lois qu'on observe pour différentes opérations avec des puissances ou des bases affectées d'exposants. On observe, entre autres, pour des bases différentes de 0 :

1° $m^a \cdot m^b = m^{a+b}$ 2° $m^a \div m^b = m^{a-b}$

Monôme : expression composée d'un seul terme qui peut être un nombre ou une variable ou le produit d'un nombre et d'une ou plusieurs variables affectées d'exposants entiers positifs.

Polynôme : monômes liés par addition ou soustraction.

Règles des opérations sur les polynômes :

1° Seuls les termes semblables se réduisent en un seul terme par addition ou soustraction.

2° Multiplier deux polynômes revient à multiplier tous les termes de l'un par chacun des termes de l'autre.

3° Diviser un polynôme par un monôme revient à diviser chacun des termes du polynôme par le monôme.

Je maîtrise les habiletés suivantes :

Appliquer les propriétés des exposants dans la multiplication et la division d'expressions numériques ou algébriques.

Calculer la somme ou la différence de polynômes.

Calculer le produit d'un monôme ou d'un binôme par un binôme.

Calculer le quotient d'un polynôme par un monôme.

Les manipulations algébriques

1. Les égalités suivantes sont-elles **vraies** ou **fausses**?

   a) $10^{-4} = 0{,}0004$ ***b)*** $0{,}3^3 = 0{,}27$

2. **Complète** par le symbole approprié (<, = ou >).

   a) 5^{-1} ■ $0{,}2$ ***b)*** 2^{-1} ■ -2 ***c)*** 10^{-1} ■ $0{,}1$

3. **Complète** par la puissance de 10 appropriée.

   a) $9{,}34 \times$ ■ $= 9340$ ***b)*** $1{,}25 \times$ ■ $= 0{,}001\ 25$ ***c)*** $1{,}8 \times$ ■ $= 1{,}8$

4. **Écris** ces nombres en notation scientifique.

   a) 234 000 ***b)*** 0,000 21 ***c)*** 987 500 000

5. **Réduis** en une seule puissance de 10, s'il y a lieu.

   a) $10^3 \times 10^4$ ***b)*** $10^{-2} \times 10^{-5}$

   c) $10^6 \div 10^2$ ***d)*** $10^4 \div 10^{-2}$

6. **Vrai ou faux**?

   a) $3^{10} + 4^{10} = 7^{10}$ ***b)*** $x^3 \cdot x^8 = x^{24}$

7. **Détermine** le terme manquant.

   a) $3^7 = 3^3 \times$ ■ ***b)*** $5^8 = 5^2 \times$ ■ ***c)*** $6^{-5} = 6^{-3} \times$ ■

8. Si cela est possible, **écris** chaque expression sous la forme d'un monôme.

   a) $x^4 \cdot x^4$ ***b)*** $d^2 + d^2$

   c) $5b^2 \div 2b^2$ ***d)*** $2x^2 + 3x^2 + 4x^2$

   e) $3x^2 - 5x^2$ ***f)*** $(2x)^2$

   g) $2t - 2t$ ***h)*** $2n + 2n$

9. **Réduis** ces expressions en effectuant les opérations. Les diviseurs sont non nuls.

   a) $(-2x + 3) + (4x - 5)$ ***b)*** $(4n + 1) - (9n - 2)$

   c) $(2x - 3)(x - 1) + 5x$ ***d)*** $4a(a + 3) + 2a(a - 6)$

   e) $(12m^2 + 8m) \div 4m$ ***f)*** $2(2b + 1)(b + 3)$

10. **Réduis** les expressions suivantes. Les diviseurs sont non nuls.

a) $(2x^2 - 3x + 9) + (2x^2 + 4x - 8)$

b) $(3x^2 - 6x - 4) - (2x^2 + x - 5)$

c) $(2n + 1)(3n - 4)$

d) $(5a^2 + 10a) \div 5a$

e) $(21y - 7y^2) \div 7y$

f) $2n(n + 3) - 3n(n - 2)$

11. **Réduis** ces expressions, s'il y a lieu. Les diviseurs sont non nuls.

a) $2a + 3b - 3a + 2ab - 2b$

b) $2a(b - 3a)$

c) $(2a^2 + 2ab + b^2) - (2ab + b^2 - a^2)$

d) $(6ab + 3ac - 12a) \div {}^-3a$

12. Quelle expression algébrique réduite représente la **différence des aires** de ces carrés ?

$a + 2$

$a + 1$

13. **Réduis** cette expression en laissant toutes les traces de ta démarche.

$2n - (n^2 - 2(n + 1) - n(n - 2))$

14. Le nombre exprimant l'aire d'un rectangle est représenté par $12a + 6$. Détermine une expression qui représente le **périmètre** d'un des rectangles possibles.

15. Quelle expression algébrique représente la **somme** des n premiers nombres naturels impairs ?

$1 + 3$

$1 + 3 + 5$

...

INDEX

Source des photos

Avertissement
Il a été impossible de retrouver certains propriétaires de droits d'auteur.
Une entente pourra être conclue avec ces personnes
dès qu'elles prendront contact avec l'Éditeur.

Nous tenons à remercier les personnes et les organismes qui nous ont gracieusement fourni des documents photographiques et qui ont collobaré lors des séances de photographie.

Photo de la page couverture : Stock Imagery/Réflexion Photothèque
Stéréogramme de la page couverture : T & T Illuvision inc., Montréal

p. 6 Hommes et ordinateurs : Stock Imagery/Réflexion Photothèque
Homme : Int'l Stock/Réflexion Photothèque
Salle d'opération : Int'l Stock/Réflexion Photothèque
Mission *Endeavour* : SIPA/Ponopresse
Homme et femme : Stock Imagery/Réflexion Photothèque
Femme : Int'l Stock/Réflexion Photothèque
p. 8 Stéréogramme : T & T Illuvision inc., Montréal
p. 9 Espace : Stock Imagery/Réflexion Photothèque
p. 11 Habitat 67 : T. Bognar/Réflexion Photothèque
Polyvalente Veilleux : Martin Bolduc/Commission scolaire Chaudière-Etchemin
p. 12 Le Futuroscope/Poitiers-France
p. 32 Adolescente de dos : Élise Guévremont
L'Annonciation : collection du Musée des beaux-arts de Montréal, legs F. Cleveland Morgan/Photo : Richard-Max Tremblay, MBAM
Sénateurs et légats romains : collection du Musée des beaux-arts de Montréal, don de Lord Strathcona et de la famille/photo : MBAM
p. 37 Pailles et noeuds : Élise Guévremont
Morceau de gâteau : Camerique/Réflexion Photothèque
p. 40 Développement du cube : Élise Guévremont
p. 48 Groupe d'adolescents : Maur.- Grasser/Réflexion Photothèque
p. 51 Pyramides d'Égypte : T. Bognar/Réflexion Photothèque
p. 52 Pyramide du Mexique : M.Gagné/Réflexion Photothèque
p. 56 Adolescente : Élise Guévremont
p. 61 Mont Fuji-Yama : Maur.-Vidler/Réflexion Photothèque
p. 62 Cône de carton : Élise Guévremont
p. 64 Biosphère : Denis Labine/Ville de Montréal
Balle de baseball : Stock Imagery/Réflexion Photothèque
p. 65 La Terre : Int'l Stock/Réflexion Photothèque
p. 70 Deux adolescents : Élise Guévremont
p. 85 Images © 1995, CMCD Inc.
p. 87 La Terrasse à Sainte-Adresse/C.Monet : Metropolitain Museum of Art, New York
p. 88 Drapeau du Canada : M. Gagné/Réflexion Photothèque
p. 91 *Gateway Arch* de Saint Louis : Zephyr-Buchanan/Réflexion Photothèque
Le jeu d'aiguilles : Élise Guévremont
p. 95 Gouvernail : Volvox/Réflexion Photothèque
p. 98 Port de Montréal : M. Gagné/Réflexion Photothèque
p. 101 Carcassone : T. Bognar/Réflexion Photothèque
p. 109 Calculatrice : Élise Guévremont
p. 112 Martin-pêcheur : P. Halligan/Réflexion Photothèque
p. 123 Souper à la chandelle : Élise Guévremont
p. 133 Avion : Image © 1995, CMCD Inc.
p. 135 Grande roue : Camerique/Réflexion Photothèque
p. 138 Course : Stock Imagery/Réflexion Photothèque
p. 140 Main et dé : Élise Guévremont
p. 148 Bateau : S. Naiman/Réflexion Photothèque
p. 153 Avion : Images © 1995, Photodisc Inc.
p. 154 Fraises : Images © 1995, Photodisc Inc.
p. 156 Edwin Aldrin : NASA/Réflexion Photothèque
p. 159 Grenouille : S. Naiman/Réflexion Photothèque
p. 160 Cycliste : Stock Imagery/Réflexion Photothèque
p. 162 Pots de peinture : Int'l Stock/Réflexion Photothèque
p. 164 Thermomètre : Élise Guévremont
p. 185 Téléviseur : Élise Guévremont
p. 187 Adolescents : Int'l Stock/Réflexion Photothèque
p. 189 Marcheurs : Int'l Stock/Réflexion Photothèque
p. 199 Boîtes de carton : Élise Guévremont
p. 203 Adolescente : Élise Guévremont
p. 208 Adolescente : Patricia Desjardins
p. 213 Cartons et ciseaux : Élise Guévremont
p. 219 Albert Einstein : Gamma/Ponopresse
p. 221 Espace : Stock Imagery/Réflexion Photothèque
p. 225 Adolescent : Élise Guévremont
p. 227 Groupe clôture : Camerique/Réflexion Photothèque
2 adolescents : Camerique/Réflexion Photothèque
3 adolescents : Camerique/Réflexion Photothèque
p. 234 Karpov et Kasparov : Gamma/Ponopresse
p. 237 Adolescente : Élise Gévremont
p. 243 Adolescent : Élise Guévremont
p. 245 Soleil : Maur.- Hubatka/Réflexion Photothèque
Frédéric Blackburn : Canadian Sports Images/Ted Grant
p. 259 Julie Payette : Agence spatiale canadienne
p. 274 Adolescente : Élise Guévremont
p. 281 Cycliste : Stock Imagery/Réflexion Photothèque
p. 290 Poissons : Stock Imagery/Réflexion Photothèque
p. 291 Adolescents : Ville de Montréal

NOTATIONS ET SYMBOLES

$\{...\}$: ensemble

$\mathbb{N}$: ensemble des nombres naturels = $\{0, 1, 2, 3, ...\}$

$\mathbb{N}^*$: ensemble des nombres naturels, sauf zéro = $\{1, 2, 3, ...\}$

$\mathbb{Z}$: ensemble des nombres entiers = $\{..., -3, -2, -1, 0, 1, 2, 3, ...\}$

$\mathbb{Z}_+$: ensemble des nombres entiers positifs = $\{0, 1, 2, 3, ...\}$

$\mathbb{Z}_-$: ensemble des nombres entiers négatifs = $\{0, -1, -2, -3, ...\}$

$\mathbb{Q}$: ensemble des nombres rationnels

$\mathbb{Q}'$: ensemble des nombres irrationnels

$\mathbb{R}$: ensemble des nombres réels

$A \cup B$: A union B

$A \cap B$: A intersection B

A' : A complément

$A \setminus B$: A différence B

$\in$: ... est élément de ... ou ... appartient à ...

$\notin$: ... n'est pas élément de ... ou ... n'appartient pas à ...

$\subseteq$: ... est inclus ou égal à ...

$\subset$: ... est un sous-ensemble propre de ...

$\not\subset$: ... n'est pas inclus ...

$\frac{a}{b}$: fraction a, b

$a : b$: le rapport de a à b

$-a$: opposé du nombre a

a^2 : a au carré

$\frac{1}{a}$: inverse du nombre a

a^x : a exposant x

$a!$: factorielle a

$|a|$: valeur absolue de a

$\sqrt{a}$: racine carrée positive de a

$-\sqrt{a}$: racine carrée négative de a

$\overline{x}$: moyenne des valeurs de x

$\Sigma(x)$: somme des x

$a \cdot 10^n$: notation scientifique avec $1 \leq a < 10$ et $n \in \mathbb{Z}$

(a, b) : couple a, b

$f(x)$: f de x, valeur de la fonction f à x, image de x par f

$x_1, x_2, ...$: valeurs spécifiques de x

$y_1, y_2, ...$: valeurs spécifiques de y

$\neq$: ... n'est pas égal à ... ou ... est différent de ...
$<$: ... est inférieur à ...
$>$: ... est supérieur à ...
$\leq$: ... est inférieur ou égal à ...
$\geq$: ... est supérieur ou égal à ...
$\approx$: ... est approximativement égal à ...
$\cong$: ... est congru à ... ou ... est isométrique à ...
$\equiv$: ... est identique à ...
$\sim$: ... est semblable à ...
$\triangleq$: ... correspond à ...
$\wedge$: et
$\vee$: ou
$\Rightarrow$: ... implique que ...
$\Leftrightarrow$: ... est logiquement équivalent à ...
$\mapsto$: ... a comme image ...
Ω : univers des possibles ou ensemble des résultats
P(A) : probabilité de l'événement A
$\overline{AB}$: segment AB
m $\overline{AB}$ ou mes $\overline{AB}$: mesure du segment AB
AB : droite AB
$//$: ... est parallèle à ...
$\not\parallel$: ... n'est pas parallèle à ...
$\perp$: ... est perpendiculaire à ...
$\angle A$: angle A
$\overset{\frown}{AB}$: arc d'extrémités A et B
$\overset{\frown}{AOB}$: arc AB
m $\angle A$ ou mes $\angle A$: mesure de l'angle A
$n°$: n degré
∟ : angle droit
ΔABC : triangle ABC
t : translation t
r : rotation r
s : réflexion s
h : homothétie h
... $\circ$ ... : opération composition

k$: millier de dollars
M$: million de dollars
G$: milliard de dollars
km/h : kilomètre par heure
m/s : mètre par seconde
°C : degré Celsius
C : circonférence
d : diamètre
r : rayon r
π : 3,141 59... ou $\approx$ 3,14
A_t : aire totale
V : volume